W9-DEP-411

RUPTURA CON MOSCÚ

ARKADI N. SHEVCHENKO

RUPTURA CON MOSCÚ

VERSAL

Título de la obra original: *Breaking with Moscow*
Traducción de Carlos Peralta

Edición autorizada por Alfred A. Knopf, Inc.
Esta edición es propiedad de Ediciones Versal, S. A.
Pl. Lesseps, 33, entresuelo. 08023 Barcelona
Teléfono (93) 217 20 54. Télex 98 634 VSBN E
Diseño de la cubierta: Counterfort
Primera edición: enero de 1986
Depósito legal: B. 1408-1986
ISBN: 84-86311-11-X
Impreso en España - Printed in Spain
Imprime: Litografía Rosés, S. A. Cobalto, 7. 08004 Barcelona

A mi esposa, Elaine

Índice

Prólogo

El propósito de estas memorias no es generar sentimientos de hostilidad contra el pueblo soviético, ni complicar de ninguna manera los esfuerzos para promover la paz. El mundo tiene ya bastantes locos que tratan de hacer esto. Lo que quiero es compartir con el lector mi experiencia dentro del sistema soviético; decir la verdad acerca del modo en que yo he vivido dentro de él; informar al público acerca de los designios soviéticos y de los peligros que presentan para el mundo. Espero además, al hacer esto, aunque sea de modo mínimo, ayudar al pueblo soviético a encontrar eventualmente su libertad.

No se puede borrar del mapa a la URSS ni eliminarla de su posición en el centro del poder en el mundo moderno. La supervivencia de la humanidad puede depender de una relación equilibrada entre la URSS y los Estados Unidos. Ambas potencias tienen el poder sin precedentes de exterminar o salvar a la humanidad. Cada una mide las intenciones de la otra sobre todo en los términos de sus propias suposiciones y expectativas; y los malentendidos que surgen, como no es sorprendente, pueden provocar una confrontación desastrosa. Por esta razón es vitalmente importante que Occidente conozca tan cuidadosa y completamente como sea posible el pensamiento y las actitudes de quienes trazan la política en el Kremlin.

La primera parte de este libro se llama «El espía a pesar suyo», título que refleja mis sentimientos acerca de mi cooperación secreta con el gobierno de los Estados Unidos. Se suele considerar el espionaje una profesión menos que honorable; espiar para un país que no es el propio configura, en la mayoría de los casos, la expresión extrema de la deslealtad. Pero yo nunca me he considerado un espía en el verdadero sentido de la palabra, ni he sentido que traicionaba a mi país ni a mi pueblo. Siempre he amado a Rusia y siempre lo haré. Durante un período relativamente breve de mi vida trabajé con el gobierno de los Estados Unidos para ayudarles a comprender mejor los objetivos y las acciones del régimen soviético, un régimen que conozco bien y que he llegado a odiar. Si he «traicionado» algo, es ese régimen y el sistema que lo sostiene.

Como el libro se refiere a ciertos temas conocidos y delicados, he cambiado algunos nombres y no identifico determinadas fuentes. No quiero herir a nadie –soviético o americano– a quien respete y que podría sufrir problemas si se mencionara su verdadero nombre.

El libro ha sido escrito para el público en general. He tratado de explicar muchas cosas tan clara y simplemente como es posible, algo que en muchas ocasiones no ha sido fácil dado el carácter complejo de las situaciones internacionales. Debo destacar, en este sentido, la absoluta imposibilidad de cubrir por completo en un solo volumen mis experiencias personales o cualquier aspecto importante de la situación y los problemas de la URSS. Tengo la intención de proceder en el futuro a estudios más formales acerca de la URSS y de las Naciones Unidas.

Deseo expresar mi profundo agradecimiento a quienes me han ayudado a escribir este libro. En primer lugar, a mi esposa Elaine, cuya ayuda y cuyo aliento jamás me han abandonado. Quizás esto parezca un tópico, pero es la pura verdad; sin ella este libro jamás se habría terminado. Aunque he publicado varios libros y muchos artículos en la URSS, ha sido para mí muy difícil escribir un libro «americano». El estilo y el enfoque al que están acostumbrados los lectores soviéticos son muy distintos de lo que se acostumbra en el mundo de habla inglesa, y sólo después de varias tentativas frustradas descubrí por fin la llave que «abre la cerradura». Durante todo este proceso, Elaine me acompañó con paciencia y entusiasmo.

Agradezco sinceramente a mi amigo William Geimar su apoyo; su sabiduría y su buen juicio han sido inapreciables. En los momentos de desaliento, Bill estaba siempre a nuestro lado para ayudarnos a recuperar el buen camino.

Agradezco también el apoyo de mi editor, Ashbill Green, y las contribuciones de muchas otras personas.

La mayor satisfacción que he recibido por escribir este libro surge de haber sido capaz, por primera vez en mi vida, de expresarme libremente sin el control de nadie y sin la necesidad de recordar qué es política o ideológicamente aceptable. Los Estados Unidos me han dado el asilo y una vida nueva; pero lo antedicho ha sido su mayor don.

Octubre de 1984.

ARKADI N. SHEVCHENKO

PRIMERA PARTE

El espía a pesar suyo

1

Juré para mis adentros. Apresado por el tráfico, parachoques contra parachoques, en mitad del puente de Queensboro de Nueva York, expresé mi furia en forma de invectivas en ruso, maldiciéndome por no haber previsto el embotellamiento, exasperado por la posible modificación de mis planes, cuidadosamente trazados.

Aferré el volante como si la fuerza de mi voluntad pudiera levantar el coche por encima de la caravana. Cualquier neoyorquino habría sabido cómo evitar esa especie de salida en tropel que se producía en Manhattan los viernes por la noche, y yo me sentía casi un nativo después de haber vivido allí durante tantos años. Y esa noche, precisamente esa noche, no podía llegar tarde a esa reunión de importancia fundamental.

Me había preparado para ella con calma, controlando una y otra vez el horario y los detalles. Y ahora tenía la incómoda sensación de un posible fracaso. ¿Y si el hombre a quien debía encontrar no estaba esperándome? ¿Y si él creía que todo era una ficción? ¿Podría volver a establecer contacto con él?

Luego surgió otra duda: ¿estaba bien guardado mi secreto? ¿Y si había sido traicionado y me dirigía a una trampa? ¿No habría otro coche acechándome, detrás de mí, siguiéndome?

Es natural que cualquier persona nacida y educada en la URSS sienta paranoia; allí constituye una segunda naturaleza sospechar de los motivos de todo el mundo.

Me vigilaban rutinariamente, de modo a veces constante, a veces intermitente. Esperaba que la noche del viernes la vigilancia se hubiera relajado. Pero la incertidumbre era terrible. Debía averiguar si me seguían y no tenía ningún medio para hacerlo. El tráfico era demasiado denso para que pudiera identificar un coche aislado entre la masa de faros que veía en el espejo retrovisor.

Si alguien me vigilaba no tendría, al menos hasta ese momento, nada insólito que informar. Arkadi Nicolevich Shevchenko, diplomático soviético, funcionario de las Naciones Unidas, simplemente cumplía su rutina de fin de semana, y se dirigía hacia la arruinada mansión de Glen Cove, Long Island, donde la misión soviética ante las Naciones Unidas ofrecía un retiro rural a sus funcionarios más encumbrados. Lo que, según yo esperaba, los vigilantes ignoraban era que esta noche tenían buenas razones para seguirme. Yo me dirigía a una reunión secreta con un funcionario de los Estados Unidos que me esperaba en Manhattan. Debía llegar hasta él sin que nadie me siguiera. Mi chófer, que iniciaba su fin de semana en otro lugar, era un espía de la KGB. También lo era mi principal asistente personal en el despacho del piso 35 que yo ocupaba, desde la primavera de 1973, como subsecretario general de las Naciones Unidas para asuntos políticos y del Consejo de Seguridad. También lo eran, lo sabía, otros hombres a quienes solía ver a mi alrededor.

Yo había vivido bajo vigilancia durante años, pero eso no lo hacía más fácil. Había aprendido a coexistir con la KGB, como casi todos los soviéticos, aceptando sus amenazas y sus intromisiones en mi vida y mi trabajo. Pero finalmente, esa noche, yo trataría de escapar definitivamente.

Sin embargo, para alcanzar el éxito, debía mantener en secreto mis intenciones por un poco más de tiempo. Debía asegurarme de que los soviéticos no sospechaban mis intenciones y de que los americanos querrían ayudarme a cumplirlas con rapidez. Ahora, en la carretera de Long Island, mientras el tráfico se volvía más fluido, sentí una nueva ola de ansiedad y aceleré.

A cualquier otro conductor, el coche que yo tenía detrás le habría parecido simplemente un sedán Buick ordinario, de modelo anticuado; pero ése era el modelo y el color favoritos de mis colegas de la misión soviética. El jefe de la KGB en Nueva York, el *rezident*, tenía uno. La presencia de ese coche podía no significar nada. Quizás el conductor era una persona corriente. Pero también podía ser un coche de la vigilancia soviética.

Debía averiguar si me seguían. Empecé a pasar de un carril a otro, provocando maldiciones y furibundos bocinazos. Aceleré, luego reduje la velocidad, pero el Buick todavía estaba detrás, a pocos metros de distancia. Aceleré a noventa, cien, ciento diez kilómetros por hora, sintiendo que mis pensamientos se confundían con la velocidad. Cogí rápidamente la salida 39, que corresponde a Glen Cove.

Casi sin frenar, llevé violentamente el coche al carril derecho por la rampa de salida hasta el oscuro camino secundario. Si el Buick me seguía, sabría que estaba en dificultades. No fue así. La cacería había sido imaginaria. Por un instante, sentí que el alivio me inundaba.

Una sirena aulló más atrás y vi una luz roja intermitente en el espejo. El perseguidor no era la KGB: sólo un policía del condado de Nassau que había advertido mi atrevida maniobra.

Pedí excusas y decidí no invocar la inmunidad diplomática: mostrar las credenciales podía evitar una multa, pero supondría una larga discusión. Algún otro soviético podía observarlo. Podía también recordar la hora. A alguien le podía extrañar que yo me detuviera a pocos kilómetros de Glen Cove a las siete de la tarde y que no estuviera allí varias horas después. No me convenía correr ese riesgo. En ese momento estaba impaciente por regresar a Manhattan. De modo que acepté las duras recriminaciones del policía sin responder.

Todo había empezado algunas semanas antes en el despacho de las Naciones Unidas. Allí tomé la decisión definitiva de romper con el sistema soviético.

Muchos de mis colegas de las Naciones Unidas me consideraban un hombre de la línea dura, un defensor ortodoxo de los intereses soviéticos en la Secretaría que no vacilaría en romper las normas en favor de la URSS. Había buenas razones para que lo pensaran. Era esencial para mi tarea ceder a la presión de Moscú y a la de Yacov Malik, el embajador soviético ante las Naciones Unidas, y el conocimiento común de que yo era un experto administrador que se inclinaba a extender su propio poder y su control cuando era posible contribuía también a esta imagen. Más de veinte años de inmersión en los valores y las finalidades del sistema soviético y de asociación con sus jefes habían dejado una profunda huella en mí. El entorno me había convertido en una especie de mecanismo de relojería que funcionaba automáticamente y que no era fácil detener.

A medida que crecía mi disgusto por el sistema soviético y lo que representaba, sin embargo, pude ocasionalmente otorgar un discreto apoyo a ideas o medidas contrarias a los deseos soviéticos y, tanto si los asuntos eran grandes como si eran pequeños, lo hacía con satisfacción creciente cuando se presentaba la ocasión. No creía, sin embargo, que los americanos tuvieran conciencia de ello. Yo pensaba que mi reputación podía debilitar su confianza en mi sinceridad. Probablemente, preguntarían los motivos; y no sería fácil satisfacerlos con la mera excusa del descontento o la frustración. Yo pensaba que les interesaría escucharme; pero ése era el momento de la distensión. ¿Me acogerían los Estados Unidos a riesgo de disminuir, por poco que fuera, la aureola rosada de la distensión? Los soviets probablemente acusarían a los Estados Unidos de estropear el buen clima existente entre Washington y Moscú. Después de todo, un individuo, por alta que sea su posición, no tiene mucha importancia en los grandes asuntos de las naciones.

Los norteamericanos podían pensar también que yo estaba jugando a algún juego especial, o, peor, que me había vuelto loco. Quizá sospechaban que yo era un adicto a las drogas o un alcohólico cuyo cerebro ya no funcionaba correctamente.

Aunque no estaba seguro de la reacción americana a mi supuesta fuga, no tenía dudas acerca de la reacción soviética. Si me descubrían, me enviarían a casa con un sombrío futuro, o quizá sin ningún futuro. Una cosa era la fuga de campeones de ajedrez o de artistas; muy distinto es escapar de las filas de la élite política.

Ya había discutido todo esto conmigo mismo una y otra vez, y cada pregunta y cada conclusión parecían acentuar el peligro de mi posición. Sin embargo, el disgusto que sentía ahora por el sistema y por mí mismo al tolerarlo se mezclaba con la esperanza de una nueva vida, y esto me impulsaba a acercarme a los norteamericanos. Decidí sondearlos de modo indirecto y extraoficial. Pero ¿cómo? La respuesta llegó de modo accidental, como tantas cosas en la vida.

Varias semanas antes de ese traumático viernes, me había encontrado con un viejo amigo norteamericano en un pasillo de las Naciones Unidas. Nos conocíamos profesional y socialmente. Él me había parecido siempre de naturaleza abierta e inteligente. También sabía que tenía relaciones importantes en Washington. Resolví en un momento que ésa era mi oportunidad. Le dije que quería hablar confidencialmente con él y le pregunté si estaba libre para salir a pasear al día siguiente, a la hora de comer.

Cuando nos encontramos en la puerta del vestíbulo de las Naciones Unidas, llovía. Cancelamos nuestros planes pero descubrimos que ambos estábamos invitados a la misma cena diplomática la semana siguiente.

En un rincón de la residencia suburbana de nuestro huésped, hablé con mi amigo.

–Tengo que pedirle algo inusitado –dije bruscamente–. He decidido romper con mi gobierno y quiero saber por anticipado cuál sería la reacción americana si pidiera asilo.

Me miró sorprendido.

–¿Cómo? ¿Habla usted en serio, Arkadi? –preguntó.

–Hablo completamente en serio. No haría una broma acerca de algo como esto –repetí. Él parecía desconcertado.

Tratando de mantener un aspecto normal, le pregunté si podía adelantarme una respuesta antes de que yo hiciera nada, si podía consultar expresamente con Washington y volver a hablar conmigo.

Su asombro disminuyó y reflexionó unos minutos.

–Hace largo tiempo que nos conocemos –dijo–, y por supuesto trataré de ayudarle. Pero mi participación debe mantenerse en secreto. No quiero que nadie sepa que yo tengo algo que ver con esto. La semana que viene iré a Washington. Haré la consulta que me pide, pero no quisiera que volvieran a vernos juntos, ni siquiera en un restaurante.

Resolvimos organizar un encuentro casual en la biblioteca de las Naciones Unidas, donde no hablaríamos, sino que sólo intercambiaríamos mensajes escritos.

Algunos días después de su regreso de Washington, entré en la biblioteca a la hora convenida y encontré a mi amigo, que simulaba hojear un libro en un sitio donde no había nadie más. Me vio y deslizó un papel en el volumen que sostenía en la mano, lo cerró y lo puso en el estante. Cuando se marchó, cogí el libro y retiré el papel. «Un hombre vendrá especialmente de Washington para encontrarse con usted. Tengo la impresión de que será usted bien venido y espero que la conversación con él lo confirme.»

La nota me indicaba que debía ir a una librería próxima a las Naciones Unidas el día siguiente, más o menos a las dos y media de la tarde. Allí estarían mi amigo y el hombre de Washington. Yo no debía hablar con ellos, sino sólo recordar el rostro de aquel hombre. La tarde siguiente, a las tres y media, mediante otra nota en la biblioteca, mi amigo me daría la dirección del lugar donde podría encontrar al hombre. Yo debería escribir en ese papel la hora elegida y mi amigo llevaría el mensaje. «Y después de eso, todo estará en sus manos. Destruya esta nota.»

Al día siguiente, por la tarde, acudí a la librería un poco temprano. Era una tienda pequeña, muy adecuada para una entrevista de ese tipo. Altas estanterías llenas de libros ocupaban el centro del local. Los empleados no podían ver a quienes estaban entre esos pasillos rodeados de libros.

Vi a mi amigo. Su acompañante era alto y fuerte, y tenía un aspecto que inspiraba confianza. Mientras fingíamos que buscábamos algo entre los estantes, cambiamos una mirada. Yo me volví para salir de la tienda. Vi por casualidad un ejemplar de la novela de John Le

Carré *El espía que surgió del frío*; la ironía de la escena –una reunión clandestina como las que ocurren en tantos libros y películas– me inspiró la idea de comprarlo.

A las tres y media del día siguiente regresé a la biblioteca de las Naciones Unidas y encontré a mi amigo, que colocó otra tira de papel en un libro diferente. Leí y memoricé la dirección y luego escribí: «Hoy, viernes, por la noche, entre las ocho y las nueve».

Habitualmente, los viernes despedía a mi chófer para el fin de semana y me ocupaba yo mismo de conducir. Lina, mi esposa, solía ir a Glen Cove después de comer; y como las Naciones Unidas normalmente desarrollaban una gran actividad el viernes, no me esperaría hasta muy tarde. El viaje a Long Island parecería un mero acto de rutina hasta el último instante. Pensaba volver a la ciudad en cuanto estuviera seguro de que nadie me seguía.

Salí de la biblioteca, regresé a mi despacho y empecé a reflexionar sobre mi encuentro con el hombre de Washington. ¿Quién era? ¿Qué me diría? ¿Tenía autoridad suficiente para tomar decisiones? ¿Qué podía hacer yo para convencerle de que mis motivos eran honestos? ¿Qué me pediría que hiciera para demostrarlo?

Éstas y otras preguntas corrían sin cesar por mi mente. Lo que yo deseaba era asilo y protección, tanto de los esfuerzos del Soviet para recuperarme como de los hombres de la KGB. Esperaba de él una promesa de que elevaría mi solicitud a alguna autoridad más alta de Washington.

Conduciendo con más serenidad, volví por caminos secundarios al Grand Central Parkway, por el puente de Triborough, y encontré espacio para aparcar en una calle oscura del East Side. Paré un taxi y fui hasta una esquina cerca de la calle Sesenta. Llevaba unos diez minutos de retraso. Corrí por una calle lateral vacía y bajé los escalones de una de esas características casas de piedra oscura.

El hombre que abrió la puerta se presentó como Bert Johnson. Me estrechó la mano con firmeza; vestía un traje oscuro convencional bien cortado.

–Le estaba esperando –dijo–. Suba.

Johnson era directo, pero amable. Me ofreció una bebida. Pedí whisky. Nos sentamos en el sofá de una biblioteca cómodamente amueblada, con las paredes cubiertas de libros y pinturas, pero el entorno agradable no hizo nada para aliviar mi tensión.

Le miré intensamente, buscando en su cara algún indicio de su personalidad. Sus modales eran serenos y naturales. No demostraba sorpresa ni desconfianza.

Parecía esperar a que yo hablara primero del asunto que nos había reunido. Pero ni siquiera después de tantos ensayos privados podía encontrar las palabras para comenzar.

–No he venido por un impulso. Ni he decidido esto en los últimos días –dije por fin.

Él asintió y de alguna manera ese gesto me angustió.

–Tengo desde hace muchos años la idea de escapar; ahora estoy listo para actuar y pido su ayuda –agregué.

Johnson asintió nuevamente. Advertí que no me alentaría. Debería seguir por mis propios medios.

–Le he dicho que he decidido romper con mi gobierno –estallé.

Él había asentido con toda naturalidad, puesto que ya sabía lo que yo iba a decir. Pero me sentí aún más desconcertado. Comprendí bruscamente qué me molestaba: que él no me bombardeara con preguntas y argumentos acerca de mis motivos, tal como yo había previsto. Hice una pausa que pareció durar horas. Johnson no hizo la menor tentativa de llenar el silencio.

Volví a empezar. Traté de explicar el proceso por el cual mis convicciones se habían clarificado. Nunca me había parecido tan importante, anteriormente, mi falta de conocimiento del inglés; ahora me dolía la cabeza por el esfuerzo que tenía que hacer para expresarme correctamente. Intenté explicar que había dejado de ser un soviético y que ya no podía formar parte del mundo soviético. Le hablé de las intolerables situaciones en que con mucha frecuencia había debido actuar como un idiota en las Naciones Unidas, defendiendo la posición soviética, a lo que me obligaba mi cargo de subsecretario general, al mismo tiempo que pretendía actuar objetivamente. Mis razones parecían débiles y volví a intentarlo desde otro ángulo.

Le dije a Johnson que al principio tenía muchas esperanzas. Le dije que mi carrera se había desarrollado rápidamente y me jacté de tener amigos, compañeros de escuela, en posiciones de influencia, y de que algunos de ellos creían que podíamos ayudar a abrir el sistema soviético.

Johnson simplemente me dejaba hablar. Comprendí más tarde que en ese momento él (y el gobierno de los Estados Unidos) no estaba interesado en mis motivaciones. Su tarea consistía más bien en formular una sugestión que me pusiera a prueba, pero no con palabras sino con hechos. Traté de calmarme y de parecer más pragmático y menos idealista.

–No se trata de dinero ni de comodidades –dije–. Dispongo de todos los beneficios de un embajador soviético. Mi esposa y yo tenemos un buen apartamento en Moscú lleno de cosas hermosas; tenemos todo lo que deseamos. Poseemos una dacha en una de las mejores zonas rurales, en las afueras de Moscú. Tenemos mucho dinero, *mucho*. No se trata de eso –repetí–. Es que a cambio de eso tengo que ser tan obediente al sistema como un robot a su amo. Y yo no creo en el sistema.

Le dije que siempre había escuchas telefónicas, que la KGB me vigilaba constantemente, y muchas veces me seguía; que el Partido siempre quería que cumpliera tareas políticas que nada tenían que ver con el trabajo diplomático pero que interferían en mi vida personal y en las vidas personales de otros. Yo debía ser un propagandista, repetir todo lo que querían que dijera en las reuniones y alentar a los demás a pensar del mismo modo. Y lo que más me disgustaba: el Partido me obligaba a vigilar a mis compañeros soviéticos en Nueva York. Yo detestaba la hipocresía que ello involucraba; anhelaba trabajar por las cosas en que creía y que me interesaban; quería que mi vida tuviera valor.

Johnson escuchaba en silencio. Después me preguntó si había informado a mi esposa de nuestra entrevista. Le dije que no pero que me proponía hacerlo. Pude ver que le agradaba mi respuesta, pero no hizo más comentarios.

Finalmente planteé mi solicitud. Me proponía abandonar abiertamente mi cargo y defenderme como pudiera. Necesitaba protección y no quería ser controlado.

–Quiero trabajar, escribir y vivir sin que ningún gobierno me diga qué debo hacer y decir. ¿Me permitirá su gobierno hacer esto?

Johnson se puso de pie y se dirigió al bar, en un ángulo de la sala.

–No sé qué hará usted, pero yo voy a beber un whisky doble. ¿Quiere beber algo?

Fue el tono de sus palabras lo que marcó la diferencia. Era un tono amistoso. Johnson parecía comprender mi tensión. De pronto era un ser humano, no una institución ni un tribunal ante el cual yo debía justificarme. Acepté de inmediato su ofrecimiento. Nos quedamos junto al bar mientras servía whisky y soda. Alzó su vaso para tocar el mío. Por primera vez esa noche, los dos sonreímos.

Nuevamente en el sofá, encendió un cigarrillo.

–Está bien –dijo, echándose hacia atrás–. En primer término, estoy autorizado para ofrecerle la protección que pide. Si usted está dispuesto a cambiar de bando, nosotros estamos listos para darle la bienvenida, para ayudarle, y para recibirle ahora mismo, si eso es lo que usted quiere.

–Es exactamente lo que quiero –exclamé.

–Sabemos mucho de usted –continuó–. Hemos seguido su carrera durante largo tiempo, de modo que debo preguntarle si realmente está usted seguro. Si tiene alguna duda, debería confiármela de inmediato. Apenas esto se conozca, ninguno de nosotros podrá detenerlo.

–Estoy decidido.

Dijo que en los Estados Unidos yo no gozaría de ningún privilegio especial como los que tenía como miembro de la clase superior soviética. Ni coche con chófer, ni una casa proporcionada por el gobierno. Ninguno de los lujos que el gobierno soviético otorgaba a sus favorecidos burócratas.

–Todas esas cosas que usted da por sentadas, nosotros no se las damos a nadie –repitió–. ¿Puede usted realmente renunciar a ellas

–Sí, puedo. Yo sé lo que es importante para mí en la vida.– De pronto tuve deseos de reír. Tenía la sensación irreal de que estaba en una especie de fiesta de bodas, en violento contraste con mis emociones de dos minutos antes.

Johnson bebió su whisky y dejó el vaso en la mesa, delante de nosotros. Me miró un instante y luego dijo:

–Seguramente sabe que si vive sin protección su vida estará siempre en peligro.

Yo conocía bien el largo brazo y la memoria de la KGB. Me pregunté por qué Johnson decía esto. ¿Trataba de desalentarme, en lugar de reforzar mi decisión? Sentí aprensión.

Johnson respondió a mis pensamientos.

–Hace un minuto usted dijo que quería hacer algo valioso. ¿Cree que desertar es la única forma de hacerlo?

–Bueno... –vacilé–. Eso puede ayudar.

–No hay ninguna duda –dijo–. Pero piense cuánto más podría ayudar si se quedara donde está por algún tiempo.

–¿Qué quiere decir?

Describió la excitación que había provocado en Washington la noticia de que yo deseaba desertar. Todo el mundo comprendió que eso sería un duro golpe para la URSS. Estaban listos para ayudarme. Pero también se les habían ocurrido otras ideas. ¿Consideraría yo la posibilidad de quedarme como subsecretario general durante un tiempo? Si trabajábamos juntos, yo podría proporcionarles una gran cantidad de información desde una situación tan ventajosa. Podría ayudarles a que conocieran mejor los planes y las intenciones soviéticas y la forma de pensar de los dirigentes. Además, señaló, necesitaría cierto tiempo para preparar a mi familia para dar ese paso.

Sentí que algo helado pasaba por mi pecho.

–Es decir, que quieren ustedes que yo sea un espía –dije.

–Bueno, no exactamente –respondió. Meditó unos momentos y continuó–: No es necesario llamarlo espionaje. Digamos que de vez en cuando usted nos proporcionará información en reuniones como ésta.

Yo no sabía qué decir. La proposición me había sacado de quicio.

–Lo que usted me pide es sumamente peligroso –respondí finalmente–. No estoy entrenado para hacer ese tipo de cosas.

Él bebió un poco más de whisky.

–Por favor, piénselo –dijo serenamente.

Le miré intensamente. No parecía amenazador, pero era evidente lo que quería de mí. Yo no me había preparado para escuchar eso: necesitaba tiempo para digerir la idea. Casi automáticamente le dije que lo pensaría.

Con esto se dio por satisfecho. Parecía dispuesto a dar por terminada la reunión. Me puse de pie.

–¿Cuándo podemos volver a vernos? –preguntó.

–El mejor momento para mí es el próximo viernes. ¿Hay alguna forma de comunicarse con usted? ¿Un número de teléfono? –pregunté.

Me dio un número y me pidió que lo recordara de memoria. Lo repetí varias veces para fijarlo en mi mente. Le estreché la mano y partí nuevamente hacia Long Island, a través de Manhattan, esta vez con una curiosa mezcla de alivio y temor.

2

Mientras regresaba a Long Island, olvidé mi antiguo temor de que me siguiera la KGB. Al principio no pensé realmente en lo esencial de la conversación. Especulaba sobre la impresión que yo había producido en Johnson.

Me reproché la torpe articulación de mis pensamientos y sentimientos. Había sido incapaz de expresar con precisión las capas sucesivas de razones y emociones edificadas a lo largo del tiempo. Yo no era un Einstein que podía sintetizar complejos fenómenos en pocas palabras. Pero me consoló la idea de que volveríamos a hablar; tendría más de una noche para explicar mis motivos.

Por el momento Johnson debía aceptar que mi decisión no tenía nada que ver con el dinero. Los americanos eran conscientes de la vida privilegiada de la élite soviética, y si sabían mucho de mí, probablemente sabían que era un hombre rico y que nunca sería tan rico en los Estados Unidos como lo era en la URSS. Además, yo no había hecho la menor insinuación de cambiar mis conocimientos por dinero.

Luego empecé a reflexionar en la desagradable proposición de que me convirtiera en un espía. Al principio no acababa de asimilar la idea. Era demasiado fantástica; no podía imaginarme desarrollando semejante actividad. Como muchos otros, consideraba que el espionaje era un juego sucio o, en el mejor de los casos, una profesión poco honrosa. Una persona que se volvía contra su gobierno por razones políticas, frecuentemente era mirada con escepticismo. Sus palabras parecían inadecuadas para explicar un motivo tan poderoso como para llevarlo a desarraigarse de su familia, su país, su sitio en el universo.

¿Pero qué se podía esperar de una persona que se reconociera espía? La única excusa para el espionaje es el valor moral de la causa que lo justifica. Pero no es fácil probar y tampoco es fácil probarse que ese propósito es virtuoso. En muchas ocasiones había pensado que la moralidad del espionaje es una de las cosas más difíciles de demostrar.

Hacía mucho que sentía disgusto por el mundo del espionaje y el engaño. No me gustaba pensar en ello. Tenía clara conciencia del peligro. Recordaba vívidamente el juicio público del coronel Oleg Penkovski, en 1963, que llevó a su inmediato fusilamiento. Casi sin excepción, los espías –tarde o temprano– eran sorprendidos, incluso los mejores, como el coronel Rudolf Abel durante la década de 1950. Además, yo no era un aventurero del tipo de James Bond, ni tenía el menor entrenamiento para la práctica del espionaje.

Lamenté no haber rechazado de inmediato la sugerencia de Johnson. ¿Por qué le había dado motivo para pensar que no me oponía firmemente a esa idea? Debería haberla rechazado en el acto en lugar de decir que lo pensaría.

Como muchos eslavos, en una parte de mi alma soy fatalista y supersticioso. Me pregunté por qué en los momentos cruciales las cosas más importantes siempre parecen ir mal. Ahora bien, yo estaba jugando a una forma muy peligrosa de ruleta rusa.

Romper con mi gobierno era un camino para huir de la desesperanza y de la frustración. El desafío abierto al sistema soviético era un camino honorable. Pero vivir secretamente dentro del sistema soviético... ¿no era acaso otra forma del engaño que yo quería dejar atrás? ¿Podía ser un espía? ¿Podía continuar las tareas que odiaba desde hacía años y, además, asumir un trabajo aún más indeseable, que me hiciera sentir más solo que nunca, en terreno hostil? No lo sabía y nadie podía darme la respuesta.

En un estado de depresión exacerbado por el agotamiento, llegué a Glen Cove alrededor de medianoche. Tal como había previsto, a Lina no le extrañó la hora. Se mostró comprensiva cuando le dije que estaba demasiado fatigado para comer o beber; sólo quería acostarme.

Sin embargo, no pude dormir. Me preguntaba una y otra vez: ¿he hecho lo que debía hacer o he actuado apresuradamente? No. Debía poner fin a mi doble vida mental. Y ya había examinado los argumentos a favor y en contra, analizado mis motivaciones, mis creencias, la estructura de mi vida.

Los sentimientos contradictorios me desgarraban. Estaba preocupado por mi familia. Me inspiraba temor abandonar para siempre mi tierra natal. Comprendía la dificultad de ajustarse a una nueva cultura. Pero, a pesar de mi ansiedad, contemplaba el futuro con esperanza. Había visto lo suficiente para conocer los dos aspectos de la sociedad americana, el positivo y el negativo; el aspecto positivo triunfaba. Ya había esperado bastante. Si hubiera sido libre de decidir mi destino sin pensar en nadie más, habría abandonado la URSS muchos años antes. Pero no estaba solo; tenía una familia: mi esposa, con quien me había casado a los veintiún años, mi hijo Guennadi y mi hija Anna.

Lo más duro sería decirle a Lina lo que había decidido hacer. Desde los primeros días de nuestro matrimonio, su permanente sueño había sido verme en las más altas cotas de poder de la URSS. Le parecería una pesadilla que yo le propusiera volver a empezar en un país que ella no comprendía y que no le importaba. Pero, por la seguridad de todos, no podía hablar con ella antes de que mi plan fuera aprobado por los americanos. Ella podía delatarse, y delatarnos, accidentalmente, durante una conversación. Lo que era peor: podía no estar de acuerdo conmigo e intentar deliberadamente impedir que abandonara la URSS. Estaba acostumbrada a hacer su voluntad y era perfectamente capaz de acudir a Gromiko o al *rezident* de la KGB, decirles que yo no estaba bien o que me sentía demasiado tenso y fatigado por el exceso de trabajo, y sugerir que debíamos regresar a Moscú por un tiempo. Incluso si no nos enviaban de regreso, eso me pondría en evidencia de una manera que no quería.

Pero pensaba también que, si podía convencerla de que estaría segura y cómoda, tenía la posibilidad de inducirla a que se quedara conmigo. Y si Lina se quedaba, también lo haría mi querida hija Anna. No faltaba mucho tiempo para que Anna tuviera que volver a Moscú a continuar su educación. La escuela soviética de Nueva York sólo impartía los cursos elementales y no se hacía ninguna excepción, ni siquiera con los hijos de los altos funcionarios.

Guennadi era otro problema. Estaba en Moscú y era un adulto. Además, estaba casado, lo que constituía una complicación más. Podía hacer que viniera a pasar unas breves vacaciones en Nueva York, como ya había ocurrido en una oportunidad, en que había pasado el verano como estudiante interno de las Naciones Unidas. Pero no tenía el derecho moral de imponerle ninguna decisión acerca de su futuro, y si él no deseaba abandonar la URSS, quizá no volvería a ver a mi hijo.

Pero Lina y Anna estaban ahora en Nueva York y yo estaba decidido a tratar de retenerlas. La idea de perderlas era tan dolorosa que no la podía soportar. Espera un poco más, me dije, postérgalo por algún tiempo. Yo calculaba que tenía, por lo menos, varias semanas antes de la ruptura final. Parecía mucho tiempo.

La atmósfera de Killenworth, como se llamaba la propiedad de

Glen Cove antes de que los soviets la compraran, favorecía la meditación y la reflexión. Ese fin de semana agradecí la paz y el sosiego del lugar.

La mañana siguiente a mi encuentro con Johnson estuve insólitamente callado. Lina hizo preguntas sobre mi extraño estado de ánimo y se irritó por mi silencio. Le dije que estaba preocupado por algunos documentos complicados que debía aprobar la semana siguiente, saqué una pila de papeles de mi cartera y los puse sobre la mesa. Pero mis pensamientos estaban muy lejos de las Naciones Unidas.

En Estados Unidos se suele aplicar la palabra «defector» a la persona que abandona la URSS. Yo era ya un defector. Esa palabra no existe en ruso. Esto, como se dice en la URSS, no es accidental. La lengua rusa contemporánea sólo tiene dos palabras para las personas que abandonan la URSS: «traidor» y «emigrante»; y, a los ojos de las autoridades soviéticas, ambas son sinónimas. Se aplican a las personas que han traicionado a su madre patria, al pueblo soviético, a todo lo que se debe amar, sin tener en cuenta los motivos que las han llevado a dejar el país. Por consiguiente, también yo tenía dificultades con el término. Sentía que debía «romper con el sistema soviético y con su régimen de gobierno»; no quería ser un defector. Esa expresión evocaba la imagen de un hombre sin patria. Yo amaría siempre a mi país natal y al pueblo del que soy parte y jamás creería que los había traicionado. Deseaba cortar mis lazos con el régimen y con el sistema, no con mis compatriotas. Quería que Johnson comprendiera esta diferencia. La destacaría en mi próxima conversación con él.

Tampoco era un «disidente», otra palabra difícil de traducir al ruso. Por supuesto, existe la palabra «disentir» en lengua rusa; pero el término «disidente» posee tradicionalmente una connotación religiosa y no un significado político. En estos últimos tiempos se suele emplear la expresión *inakomisliashchi*, es decir, «una persona que piensa de modo diferente o que no piensa como yo», forma vaga de describir a las personas como Sajarov, Solzhenitsin o Bukovski. Pero yo jamás había combatido a mi gobierno del modo que suelen hacerlo los disidentes. Por el contrario, le había servido lealmente y tan bien como podía durante muchos años.

De todos modos, para otros sería un defector. Pensaba cada vez más en lo que podía ocurrirme. Pensaba también en los motivos y destinos de otros defectores, particularmente de los que habían huido de la URSS. Sin duda, encontraría algunas de las dificultades que ellos habían padecido.

Sabía que muchos de ellos no habían logrado la felicidad. Algunos habían sufrido tragedias familiares o infortunios inesperados que les llevaban a una conducta extraña. Otros tenían dificultades para ganarse la vida o eran incapaces de ejercer su profesión en el nuevo entorno. Y quienes peor lo pasaban, me parecía, eran aquellos cuyos motivos generaban sospechas, como el oficial de la KGB Yuri Nosenko, o como Grigori Bessedovski, el antiguo encargado de Negocios de la embajada soviética de París, que habían escapado mucho antes de la segunda guerra mundial. Me intriga todavía por qué es mucho más difícil la suerte del desertor político que la del artista o el escritor, cuyos motivos son siempre aceptados. Si se considera que la limitación de la libertad artística es una justificación válida para la deserción, ¿por qué no se otorga el mismo crédito a aquellos que han sido privados de la dignidad de desempeñar conscientemente sus tareas gubernamentales?

En la medida de lo posible, quería evitar la repetición de los errores cometidos por otras personas; algo que, como descubriría posteriormente, no siempre es fácil. De una cosa estaba seguro: jamás aceptaría una vida de miseria anónima escondido en una casa segura. Eso sería cambiar una cárcel por otra. Podía alterar mi apariencia o cambiar de nombre, pero nunca llevaría en mi mente otra identidad.

Originariamente, yo creía que todos los desertores eran diferentes. Algunos habían sido perseguidos o reprimidos en la Unión Soviética; otros pensaban que su vida y su seguridad estaban amenazadas; otros tenían problemas de dinero, de alcoholismo o sentimentales. Otros habían encontrado obstáculos a sus carreras o ambiciones. Algunos parecían psicológicamente inestables, personas inadaptadas que no encontraban su sitio en la sociedad.

Pero mi experiencia en la URSS me llevó a deducir que, debajo de la multiplicidad de razones, había un denominador común. En el fondo, era el sistema soviético lo que empujaba a sus súbditos a la desesperación, coartando sus libertades u obligándoles a actuar contra sus convicciones.

¿Cuál era el motivo que me alejaba? No parecía lógico. Yo no debería haber tenido ninguna razón para sentir odio o ni siquiera disgusto por el sistema soviético. Me había dado lo mejor que podía dar: una posición elevada dentro de la clase dirigente, seguridad financiera completa, privilegios, y la perspectiva de nuevos progresos. A los ojos de un extranjero yo debía de tener una vida feliz y satisfactoria. ¿Por qué, finalmente, había recurrido a Johnson?

Durante mi infancia y mi juventud el sistema empezó a darme la forma de lo que se llama un «hombre soviético sano y normal». No sufrí durante el período estalinista; por el contrario, tenía cuanto necesitaba y todo fue muy bien hasta la muerte de mi padre, en 1949. Las cosas tampoco anduvieron mal posteriormente. Como estudiante, en Moscú, tenía una habitación; y, si bien muchas veces no había dinero en mi bolsillo, sobraban las esperanzas. Sentí gran felicidad cuando conocí a Lina, cuando nos casamos y cuando nació nuestro hijo. Poco después, yo había de graduarme en el prestigioso instituto diplomático, y tenía un buen porvenir por delante.

De vez en cuando, uno u otro de los aspectos oscuros de la vida soviética me irritaba, o me indignaba el abismo entre la teoría y la práctica, entre las palabras y los hechos. Pero siempre había suficientes explicaciones convincentes de todos los defectos: la Unión Soviética era el país valiente donde se estaba construyendo la edad de oro, y lo nuevo nunca nace sin lucha y los errores son el resultado de la naturaleza humana. Nos enseñaban a mis compañeros y a mí a pensar de modo esquemático, a hablar con fórmulas, sin reflexión ni vacilación; a aceptar como un artículo de fe todo lo que nos enseñaba el Partido Comunista y todo lo que representaba. Mis profesores insistían en que debíamos ser modelos, ejemplos; que debíamos luchar para mejorar el ideal socialista de modo que pudiéramos ocupar importantes posiciones como habían hecho nuestros padres, hermanos y hermanas, tíos y tías, amigos y conocidos y, finalmente, muchos otros miembros igualmente respetados del «colectivo multinacional de la sociedad soviética».

Por supuesto, en toda familia hay alguna oveja negra. Es necesario educarla, corregirla y, si es preciso, castigarla. Nos inculcaban la idea de progresar, de ascender a posiciones cada vez más altas, de conseguir para nosotros mismos y nuestras familias bienestar y seguridad personales. Pero no había que pregonarlo. El *narod* (pueblo) consideraría a quien lo hiciera un ambicioso sin modestia ni principios, y no un «auténtico leninista». Un verdadero comunista debía proyectarse como una persona cuya única preocupación es la felicidad de las masas.

Como casi todos mis amigos y compañeros, fui modelado por estas enseñanzas. Estábamos convencidos de que a su debido tiempo asumiríamos la dirección de nuestro país para proseguir la construcción del comunismo. Mi esposa, así como mis amigos y camaradas, pensaba igual: es preciso conseguir lo que uno pueda y sostenerlo.

Y yo lo hice.

Estudiaba en el instituto hasta que me sentía agotado; la participación en las aburridas, infinitas e inútiles misiones de la Komsomol (la Liga de los Jóvenes Comunistas) consumía gran cantidad de mi tiempo. Pero las cumplía a la perfección. Ése era el camino hacia la élite de clase media de la que yo provenía, y era el paso previo obligado hacia los sueños más elevados. Aguanté. Pero así como una termita perfora un árbol hasta que sólo queda de él la corteza, todo esto iba desgastando la conciencia y la integridad de todos nosotros.

El desenmascaramiento de Stalin por Jruschov, en su discurso secreto durante el vigésimo Congreso del Partido en 1956, me hirió profundamente y casi destruyó mi fe en el sistema soviético, como si hubiera sido un castillo de naipes. Me puso en una encrucijada. Todo lo que había sido antes sagrado para mí –el genio de Stalin, la infalibilidad y la visión del Partido, su justicia, su preocupación por el destino del pueblo y del país– parecía falso. Nuestro mundo se había dado vuelta. Era difícil comprender y aún más difícil explicar las atrocidades cometidas durante el gobierno de Stalin.

Nos dijeron que el culpable había sido descubierto y castigado y que esas cosas no volverían a ocurrir. Luego Jruschov alivió las restricciones que pesaban sobre la vida cotidiana, el arte y la literatura y prometió una edad dorada. Todavía deslumbrado por el violento cambio, el pueblo le alabó y todos nos aferramos a su promesa como a una roca durante un huracán. Llegó el «deshielo». Esa ráfaga de aire fresco no sólo sopló en el interior del país sino también en la política exterior. Pero yo no lograba comprender con claridad y exactitud cómo era posible que el estalinismo hubiera existido. Jruschov nunca reconoció la extensión total del terror, y mucho menos el hecho de que el Partido y todo el sistema también eran responsables. Esto no significaba que yo dejara de buscar una explicación. Pero el paso del tiempo, el entusiasmo de la juventud y simplemente el hecho de vivir llevaron esas preocupaciones al fondo de mi mente.

Yo creía en Jruschov. Inspirado en su ejemplo, llegué al Ministerio de Asuntos Exteriores en 1956. La apariencia de progreso en las negociaciones de desarme me atrajo. Jruschov, a quien yo tenía la suerte de conocer y con quien había trabajado, parecía un hombre, y no un dios, como Stalin. Eso me pareció una señal de esperanza.

Y luego, ese mismo año, más tarde, los tanques soviéticos destrozaron la libertad húngara. ¡Pero eso no parecía culpa de Jruschov! Todavía dominaban en el Politburó Molotov, Malenkov y Kaganovich. En 1957, Jruschov los despidió. Ahora, pensé, nos llevará hacia cosas mejores y hacia cambios positivos. Quizá no tan rápida y directamente como me gustaría; pero una casa se construye ladrillo a ladrillo.

Existía otro mundo del cual yo tenía cierto conocimiento por libros y artículos de periódico, por mis cursos en el instituto y por lo que había aprendido de otros que habían estado allí. Occidente era tan enigmático para mí como lo era la URSS para los americanos. A juzgar por lo que yo había sido capaz de comprender, Occidente era a la vez atractivo y repulsivo, próspero y decadente. Lo vi por mí mismo en 1958, cuando pasé varios meses en Nueva York. Lo que más me asombró fue el carácter abierto de la sociedad norteamericana. Era evidente, aunque mi breve visita a los Estados Unidos se desarrolló bajo la más estricta supervisión de la KGB. Mucho era lo que yo había oído y leído acerca de las libertades americanas; medio lo creía, medio lo dudaba. Cuando regresé a la URSS, todo me pareció lo contrario de lo que había visto en los Estados Unidos. Todo estaba cerrado con llave en el sentido más literal: nuestras bocas, los periódicos, la televisión, la literatura, el arte, los viajes al exterior... Debíamos tener nuestros propios pensamientos cerrados con llave si diferían de la opinión oficial. Jruschov aflojó las riendas, sí; pero no las suprimió.

Mientras progresaba en el servicio diplomático y maduraba, adquirí un conocimiento más profundo de la sociedad soviética, del funcionamiento del aparato burocrático y de la vida de la élite. El mosaico incoherente de hechos, informes acerca de una u otra práctica en el Ministerio de Asuntos Exteriores, acciones políticas soviéticas en el extranjero y lo que había detrás de todo esto empezó a tomar forma y a mostrar un cuadro cada vez más claro.

Muchas partes y muchos detalles eran todavía oscuros. La aventura cubana, el muro de Berlín, las campañas de propaganda del desarme en lugar de las negociaciones, la confusión económica del país, las promesas no cumplidas, el renacimiento del «culto a la personalidad» o idolatría al líder –esta vez era Nikita Jruschov– y el deshielo que, como se demostró, sólo era una falsa primavera, me llevaron a la decepción y a la pérdida de la fe.

Así me convertí en parte del estrato que trataba de mostrarse como si luchara contra lo que en realidad codiciaba. Mientras criticaban la forma de vida burguesa, su única pasión era alcanzarla; mientras condenaban el consumismo como una manifestación de la psicología filistea, un resultado de la venenosa influencia occidental, los privilegiados valoraban por encima de todo los bienes de consumo y las comodidades de Occidente. Yo no era inmune a eso. El abismo entre lo que se decía y lo que se hacía era opresivo; pero todavía lo era más lo que me veía obligado a hacer para ensancharlo. Trataba de recordar todo lo que decía y los otros me habían dicho, porque de eso dependían, en gran medida, la supervivencia y el éxito. Fingía creer lo que no creía y poner los intereses del Estado y el Partido por encima de los míos propios, cuando en realidad hacía lo contrario. Después de llevar esta clase de vida durante años, empecé a ver en el espejo, mientras me afeitaba por las mañanas, la imagen del verdadero Dorian Gray.

Sonreía y representaba el papel del hipócrita no sólo en público, en las reuniones del Partido, en las reuniones con los conocidos, sino también ante mí mismo y ante mi propia familia. Todo político o diplomático debe hacer esto en cierta medida por la causa común o por el interés de su país; y a veces por causas menos valiosas. Pero ocultar la verdad siempre y en todas partes, haber perdido la fe en lo que se hace... nadie puede soportar esto. Cuando uno se ve obligado a actuar de esta manera, se siente como un individuo profundamente religioso a quien fuerzan a vivir entre ateos militantes que no sólo le obligan a rechazar a Dios, sino que insisten en que lo maldiga y maldiga su biblia constantemente.

No todos mis colegas lograban soportar este tipo de vida. Algunos abandonaban la política; otros se convertían en taxistas o bebían hasta matarse; otros enloquecían y algunos se suicidaban.

Sin embargo, la mayoría se limitaba a olvidar sus escrúpulos y a vivir lo mejor que podía con un resto de su integridad. Se volvían cínicos inveterados y ya no distinguían el bien del mal; se dedicaban enteramente a su carrera para conseguir ventajas personales y para preservar la dictadura de la élite a la que pertenecían.

Pero aquellos que vacilaban también continuaban sirviendo al sistema soviético. Disimulaban sus dudas y llevaban una doble vida por varias razones: por el temor de dañar a sus familias, por amor a su país, o por no creer que hubiera alternativas mejores. Yo pertenecía a este grupo. Para ser un miembro de la clase superior no bastaba con fingir y mentir. Además era preciso luchar por la supervivencia para no ser arrojado a un lado. Después de pasar años dentro de la élite, finalmente me cansé de su dureza y su venalidad. Es una forma terrible de vivir que favorece las traiciones personales: para la élite son una parte necesaria de la vida. La sospecha y la intriga han llegado a ser un arte. Si Maquiavelo viviera hoy en Moscú, sería un estudiante y no un maestro.

En la década de 1960, después de mi decepción con Jruschov y de su caída sentí, sin embargo, una cautelosa esperanza. Había una nueva dirección. En ese momento yo no conocía al hombre que dirigía el Kremlin y, una vez más, pensé que existía la posibilidad de un cambio positivo. Al mismo tiempo entró en mi vida un nuevo elemento. Conocí mejor a los americanos mientras trabajaba en la Legación soviética de las Naciones Unidas en Nueva York. Durante varios años tuve la oportunidad de comparar los dos sistemas y los dos modos de vida. Me atraían muchas cosas que los americanos daban por sentadas. Envidiaba su libertad para pensar, hablar y escribir, para actuar y trabajar. Hubiera querido trabajar poniendo el corazón en mi trabajo. Y empecé a comprender que nunca tendría una oportunidad semejante en mi país nativo.

No idealizaba la sociedad americana: veía sus fallos y comprendía que muchos emigrados habían encontrado en los Estados Unidos la tristeza de una vida difícil. Pero los aspectos positivos de esta sociedad directa y musculosa eran mucho más numerosos que los negativos y no podían compararse con la situación en la URSS. No era sólo yo quien lo pensaba. Algunos amigos íntimos me revelaron sentimientos similares. Y experimenté el *déjà vu* cuando oí expresar a algunos de los jóvenes diplomáticos recientemente graduados en mi instituto las mismas ansiedades que yo había tenido en mi juventud.

Sin embargo, no había perdido del todo la fe en el sistema soviético y no tenía la menor intención de desertar. Pero pensamientos heréticos corroían mi confianza en el modo de vida soviético. Ya no estaba seguro de que fuera el mejor. Aparecían grietas, como en la superficie de un estanque helado, cada vez más largas y más numerosas, pero todavía no lo bastante profundas para romper el hielo.

Dos hechos me impulsaron más que ninguna otra cosa hacia la deserción. Irónicamente, fueron dos ascensos. En 1970, Gromiko me designó su asesor político personal. Antes de ese momento yo sólo había sido un espectador de la alta política. A partir de entonces empecé a descubrir lo que ocurría detrás del escenario, cómo funcionaba realmente el sistema y cuáles eran sus leyes no escritas. Vi a los líderes soviéticos tal como eran y no como ellos deseaban ser vistos.

Me senté a la misma mesa con Brezhnev, Gromiko y otros miembros del Politburó, y aprendí mucho sobre los hombres que eran los jefes de la Unión Soviética. Vi con qué facilidad llamaban virtud al vicio y cómo, con igual facilidad, volvían a invertir los términos. Vi que la hipocresía y la corrupción habían penetrado hasta en los aspectos más ínfimos de sus vidas y lo aislados que estaban de la población que gobernaban.

Por ejemplo, Gromiko no había puesto los pies en las calles de Moscú durante casi cuarenta años. Los demás no eran muy diferentes. En los silenciosos y dorados pasillos del Kremlin se oculta un museo de ideas, visible pero fosilizado como una mosca dentro de un trozo de ámbar. Quienes han hecho una carrera de la conservación de estas reliquias intentan obligar a la población soviética a creer en un sistema social fundado en un mito utópico. Para ellos la explicación rígida de la ideología marxista-leninista ha sido siempre la *raison d'être* fundamental para conservar el poder en sus manos. Algunos de ellos, es verdad, como el fallecido Mijail Suslov o como Boris Ponomarev, creían auténticamente en los dogmas soviéticos; para ellos la doctrina ideológica era algo más que una cobertura del interés personal. Pero Brezhnev y varios de sus colegas, si bien comprendían perfectamente la utilidad de la ideología, apenas podían entender *El Capital* de Marx, o *Materialismo y empiriocriticismo* de Lenin.

El Kremlin era el último sitio del mundo en el que alguien hubiera podido encontrar claridad y honestidad. La falsedad de esos hombres estaba en todas partes, desde sus vidas personales hasta sus grandes designios políticos. Yo los vi jugar con la distensión. Los vi construir una fuerza militar sin precedentes, situada evidentemente más allá de las necesidades de la defensa y de la seguridad y a expensas del pueblo soviético. Los oí expresar con bromas cínicas su disposición a suprimir la libertad entre sus aliados. Vi que su duplicidad con los seguidores de la línea soviética en Occidente o en el Tercer Mundo se extendía hasta la participación en conspiraciones para matar figuras políticas inconvenientes en otros países. Buscaban ávidamente la hegemonía, estaban infectados por la enfermedad imperialista de que acusaban a los demás, querían ampliar la zona de influencia de la URSS en el mundo y hallar formas de apaciguar sus insaciables deseos de expansión.

A pesar de los tan proclamados programas para proporcionar al pueblo el «más alto nivel de vida del mundo», los expertos en economía soviética admitían en privado que la brecha entre la Unión Soviética y Occidente en cuanto al consumo, que había disminuido en la década de 1960, durante el gobierno de Jruschov, se había ensanchado durante el gobierno de Leonid Brezhnev. Lo que habían logrado esos políticos era un potencial nuclear fabuloso, pero la población no podía comer.

En muchos sentidos, mis años como asesor de Gromiko fueron tan reveladores para mí como las declaraciones de Jruschov sobre Stalin. Fue un gran alivio mi designación como subsecretario general de las Naciones Unidas en 1973. Anteriormente, cuando visitaba los Estados Unidos, era un firme defensor de los intereses de la Unión Soviética y pasaba la mayor parte del tiempo con mis compatriotas. Pero ahora era parte de la Secretaría de las Naciones Unidas, que funcionaba con principios completamente diferentes a los del sistema soviético. Cualesquiera que sean los valores y las debilidades de las Naciones Unidas, y a pesar de que mi gobierno continuaba considerándome más bien un embajador soviético que un funcionario internacional, mi trabajo en la Secretaría expandió mi horizonte filosófico. Pude ver, tan claramente como si observara el plano de un arquitecto, el sorprendente contraste entre los dos sistemas.

Son bien conocidos muchos rasgos del régimen soviético. Pero yo comprendí finalmente que el dios ante quien se inclinan los gobernantes del Kremlin es su propio poder y la satisfacción máxima de sus necesidades personales y las de la clase superior privilegiada. Esas necesidades no tenían límites; iban desde la adquisición de coches extranjeros hasta la de naciones enteras fuera del bloque soviético.

Los hombres del Politburó de Brezhnev mantenían un modelo conservador en la política doméstica. Temían los cambios y las nuevas ideas y no estaban dispuestos a tolerarlos; preferían la seguridad de los lemas familiares repetidos y repetidos hasta que ellos mismos los creían. Comprendí gradualmente que el sistema soviético, al menos en sus aspectos básicos, no podría cambiar ni evolucionar en un futuro previsible. La élite no permitiría nada que pudiera minar su poder, y tenía poder suficiente para impedir que ocurriera nada a lo que ella se opusiera. Era posible que los nuevos líderes soviéticos, preparados por Brezhnev y sus colegas como sus sucesores, generaran un nuevo estilo, algunas reformas, pero difícilmente un cambio sustancial en el sistema mismo.

La vanidad de Brezhnev era digna de un Gargantúa. Le encantaba alimentar su propio «culto a la personalidad». Su conducta inmodesta y los inmerecidos honores y distinciones que él mismo se concedía disgustaban a muchos; su amor por las alabanzas, las medallas y los cargos honorarios superaba incluso el de Jruschov. Sin embargo, los serviles no se ruborizaban cuando lo llamaban «el gran trabajador» o «el hombre legendario», aunque era evidente para todos los que le conocían que era una persona de capacidad e intelecto limitados. Una vez recordé una conocida cita de Marx: «Hegel dice en alguna parte que todos los grandes acontecimientos y personalidades en la historia del mundo reaparecen de un modo u otro. Y olvidó añadir: la primera vez como tragedia, la segunda como farsa». Estoy seguro de que la historia recordará el carácter farsante de Brezhnev y de sus compañeros de ruta.

No abrigaba ya la menor esperanza de que mi trabajo sirviera de nada aunque ascendiera a posiciones más importantes. Y la perspectiva de vivir como un disidente mental mientras mantenía la actitud externa de un títere burocrático era terrible. Ya no podía tolerar la idea de seguir tratando de ganar de mano a los demás miembros de la élite para conseguir un trozo más grande del pastel, ni el constante seguimiento de la KGB, ni la permanente presión del Partido. Al acercarme al pináculo de la influencia, descubrí que era un desierto. Si continuaba sirviendo al régimen soviético ayudaría a sostener lo que odiaba.

Pensé en renunciar a mi cargo, unirme a las filas de los disidentes abiertos y combatir el régimen dentro del país. Pero comprendí que pasaría el resto de mi vida en la cárcel o en una institución mental y que sólo conseguiría irritar a las autoridades. Sabía demasiado para que el gobierno me permitiera quedarme tranquilamente en mi casa o exiliarme a Occidente.

Era, según el promedio soviético, joven; pero había llegado ya a la mediana edad. No podía ser tan flexible como un emigrante joven, capaz de absorber mucho más rápido que yo el estilo característico de la sociedad de los Estados Unidos. Sin embargo, otros más viejos que yo lo habían hecho y muchos, aparentemente, con éxito. También yo tenía la esperanza de lograrlo.

Al mismo tiempo, esas reflexiones despertaban en mí un sentimiento de inquietud. Lamenté la forma en que había enfocado el asunto desde el principio. Quizá hubiera debido manifestar directamente mis intenciones al embajador de los Estados Unidos ante la Unión Soviética, John Scali. Lo conocía bastante bien, y estaba seguro de que no me habría sugerido que me convirtiera en un espía. Scali no era de ningún modo amigo de la URSS, aunque siempre conservaba el tacto diplomático.

Al embajador soviético en ese momento, Yakov Malik, le disgustaba Scali y solía llamarlo «el Himmler americano» a causa de cierto parecido físico que él creía ver. Yo no veía ningún parecido entre Scali y el antiguo jefe de la Gestapo, pero Malik insistía constantemente en él y nunca se cansaba de repetir que afortunadamente Scali no tenía las manos libres, porque «a ese demonio le encantaría retorcernos el cuello». Sin embargo, yo pensaba que Scali querría ayudarme y en cierto momento estuve a punto de acudir a él y decirle a Johnson que olvidara el asunto.

Poco a poco advertí que eso era solamente una especulación ociosa. Aunque hubiera visto inicialmente a Scali, la CIA no se habría mantenido al margen. Igualmente hubiera tratado de persuadirme de que me convirtiera en un espía. Y yo me habría encontrado en el mismo dilema.

Mientras consideraba las opciones, llegué a la conclusión de que rechazaría la propuesta de Johnson. La idea de vivir en el infierno de la intriga, aunque fuera por un breve período, me parecía excesiva. Además, con toda sinceridad, tenía miedo del peligro. Le diría a Johnson que yo deseaba desertar sincera e incluso desesperadamente, pero que no podía ser un espía. Si ellos se negaban a aceptarme, simplemente seguiría siendo el subsecretario general de las Naciones Unidas y trataría de hacer la prueba con otro país que me aceptara incondicionalmente.

Entonces se me ocurrió un terrible pensamiento: ya no tenía opción. Si lo deseaban, podrían obligarme a que fuera un espía. La KGB advertía constantemente a los diplomáticos soviéticos que, si se desviaban de las normas de conducta prescritas, la CIA o el FBI no perderían la oportunidad de filmar o registrar de algún modo las pruebas. Quizá la KGB tenía razón; no tenía forma de saberlo. Pero, si era verdad, los americanos podían demostrar a los soviéticos que yo era un traidor. Podían chantajearme. No ignoraba que el mundo del espionaje posee sus propias reglas, y sospechaba que la ferocidad no era una característica exclusiva de la KGB.

Comprendí que estaba atrapado.

3

La semana siguiente giré en un torbellino, pasando de una decisión a otra. Para mi sorpresa, empecé a reconciliarme lentamente con la proposición de Johnson. Si yo hubiera estado en su lugar, tampoco habría dejado escapar un medio de penetrar en los secretos de la URSS a alto nivel. Pero, aunque esto parecía lógico y natural como una enunciación abstracta, me inquietaba profundamente ser yo mismo la persona involucrada.

Cuanto más reflexionaba sobre el tema, más aspectos positivos veía: podía ganar tiempo y prepararme. Con tiempo, podía convencer a Lina. Podíamos organizar nuestra nueva vida en América y traer de nuestro hogar de Moscú algunas de las cosas que amábamos. Además, pensé, trabajar para los americanos durante un tiempo sería la mejor manera de disipar las dudas que pudieran tener acerca de mi honestidad y de mi sinceridad. Los americanos podían concederme asilo político, desde luego, pero no tenían ninguna obligación de hacer nada más; y yo necesitaría durante largo tiempo protección y ayuda para establecerme. Después de darme los papeles, bien podían hacerme a un lado como a un limón estrujado. Y yo esperaba más que eso.

Finalmente resolví demostrar mi buena voluntad con hechos, y no con palabras. Después de todo, mi plan original había sido ayudar a los Estados Unidos exponiendo los secretos del régimen soviético. Yo quería ayudar a Occidente. Y se me ofrecía la forma de hacerlo concretamente.

Los arreglos para mi próxima reunión con Johnson parecían sencillos, pero cuando llegó el momento de confirmarla con una llamada telefónica advertí que la mecánica fallaba. No podía telefonear desde mi casa, ni desde la Legación, ni desde mi despacho de las Naciones Unidas. Todas esas líneas podían tener escuchas. Podía utilizar un teléfono público, pero eso parecía peligroso. Cualquier colega soviético podía verme y preguntarse qué me proponía o por qué no utilizaba el teléfono de mi despacho.

El viernes por la mañana, mientras asistía a una reunión de comisión en las Naciones Unidas, apenas escuché las palabras de los diplomáticos; estaba demasiado preocupado. Finalmente recordé los teléfonos que las Naciones Unidas destinan a los delegados en el piso principal. Aunque hubiera escuchas en esas líneas, mi conversación sería breve y nadie podría identificar mi voz. Cuando se interrumpió la sesión, salí con mis colegas y fui al Salón del Norte. Ese enorme salón, cuyo bar y cuyos cómodos sillones atraen a los diplomáticos tanto para las conversaciones serias como para las triviales durante todo el día, está provisto de numerosos teléfonos. Era perfectamente natural que yo usara uno de ellos para llamar a mi despacho y preguntar si había algún mensaje. De todos modos, miré hacia los teléfonos con ansiedad. Estaban ocupados y me vi obligado a esperar.

Decidí probar suerte en otro pasillo, en el pasillo situado detrás del estrado de la Asamblea General. Allí no había ningún bar que atrajera a la multitud. Había dos teléfonos en dos mesas a unos dos metros de distancia uno del otro. En uno había un extranjero en cuyo inglés se percibía un fuerte acento hispánico. ¿Un cubano? ¿Me habría reconocido? Me quedé indeciso un momento y luego hice lo que me pareció un acto muy atrevido. Me senté y marqué el número. Respondió una mujer.

–Hola –dijo ella. Ninguna otra identificación.

–Habla Andy. Llegaré esta noche a la hora convenida.

–Muy bien –respondió ella–. Se lo diré a él.

Colgué. El latinoamericano –yo había decidido que lo era– seguía absorto en su conversación. Si había reparado en la mía, no lo manifestó. Sin embargo, para estar más seguro, llamé a mi despacho por si hubiera sido observado y el observador hiciera un control posterior.

El día prosiguió rutinariamente pero la aprensión no cesó. Uno de mis asistentes entró sin llamar a mi despacho: me sobresalté, pero sólo deseaba mi permiso para salir más temprano y alargar unas horas su fin de semana. Seguramente le sorprendió mi rápido asentimiento. Desde luego, lo único que yo deseaba era librarme de él.

La cita en la casa del East Side era entre las ocho y las diez de la noche. Cerca de las ocho terminé de cenar en casa y le propuse a Lina que me acompañara a dar un paseo. Sabía lo que me contestaría; a ella le gustaba pasear por el campo, pero no por la ciudad. Cuando salía de compras era siempre con un propósito concreto. A mí me gustaba mirar; a ella le gustaba comprar. Y esa noche, tal como yo esperaba, prefirió quedarse en casa.

En la calle traté de parecer un peatón casual. Miré los escaparates, fingiendo interés en las tiendas de ropa de hombre aunque mi verdadera preocupación era descubrir si alguien me seguía. En la Tercera Avenida entré en una tienda de comestibles, compré un paquete de Crackers y una botella de agua Perrier y salí con el paquete y la sensación de que nadie me seguía. De todos modos, seguí caminando por la avenida hasta más allá de la calle lateral donde Johnson me esperaba, giré a la derecha por otra calle lateral, luego a la izquierda por la avenida Lexington y luego nuevamente a la derecha hacia la Tercera Avenida y mi destino.

Iba de prisa, complacido porque había árboles, aunque también me preocupaba que hubiese detrás de uno de ellos algún agente de la KGB. En la puerta de la casa esperé lo que me pareció una eternidad hasta que Bert Johnson respondió a mi llamada y me abrió la puerta.

–Me alegro de verle –dijo mientras cerraba–. ¿Todo marcha bien?

–Sí... y no –respondí–. No creo que nadie me haya visto, pero no puedo estar seguro.

Johnson me pidió que me tranquilizara y me condujo hasta un ascensor en la parte posterior del vestíbulo; era un ruidoso y anticuado ascensor de madera que subió crujiendo hasta el segundo piso. Cuando entramos, observé que el aspecto de Johnson era distinto. En lugar del formal traje oscuro de la semana pasada llevaba una camisa abierta y ropas informales. No parecía reticente, como la vez anterior, sino afable y tranquilo.

Su actitud me ayudó a serenarme, y acepté complacido su propuesta de que nos llamáramos por nuestro nombre de pila. Me gustaba esa costumbre americana, que en Rusia sólo se emplea entre amigos o parientes. Cuando nos sentamos en el sofá, esperé que formulara la pregunta en la que yo había estado pensando durante toda la semana. Aún no sabía con exactitud cómo enfocar la respuesta.

Pero Johnson me preguntó por mi salud. Reconocí que estaba agotado. Le dije que mis tareas en las Naciones Unidas eran pesadas, y que estaba más ocupado que de costumbre en la Legación, que siempre deseaba algo de mí. Expresó su simpatía y me preguntó si hacía ejercicio, y si pensaba tomarme unas vacaciones.

¿Por qué no iba al grano? Me moví con incomodidad mientras le decía que pocas veces hacía vacaciones, que las reuniones del Consejo de Seguridad me fatigaban y que estaba muy cansado.

–Además –agregué–, desde que hablamos la semana pasada, no he podido pensar en otra cosa.

–Y bien, ¿qué es lo que ha pensado? –No formuló la pregunta directamente.

Empecé a pedir detalles acerca del carácter de su proposición, y le dije también que no estaba seguro de que pudiera hacer lo que él quería. Repetí que nunca había pertenecido a la KGB y que ignoraba sus técnicas. Además correría un riesgo terrible, y podía ser sorprendido antes de empezar. Yo esperaba que él me sacara del aprieto, pero no lo hizo.

Johnson dijo que Washington era consciente de que yo no tenía relación con la KGB, y que su gobierno confiaba en mi sinceridad. Tocó un nervio. De todas las cosas buenas o malas que se pudieran decir acerca de mí, sobre ese punto particular yo no quería el menor error.

–Pero creo que usted exagera –continuó Johnson–. Permite que su imaginación lo arrastre.

Dijo claramente que los americanos no tenían la intención de comprometerme en operaciones peligrosas como seguir a personas o fotografiar o robar documentos. Jamás me pedirían que hiciera nada parecido a esas cosas que lee la gente en los relatos de espionaje, con escondrijos secretos y toda clase de artefactos fantásticos.

Lo que deseaban era la información a la cual yo tenía normalmente acceso. Querían datos sobre asuntos y decisiones políticas y sobre la forma en que se llegaba a esas decisiones. Les interesaba el material que pudiera proceder de mi información, de mis contactos, de mi tarea cotidiana.

–Usted ha trabajado estrechamente con Gromiko y con muchos otros líderes. Sabe qué piensan y qué es lo que se prepara detrás del escenario, en Moscú y aquí en la Legación. Puede ayudarnos a comprender cuál es la política de la Unión Soviética, cómo se hace esa política y quién la hace.

Respondí vivamente que siempre había pensado transmitir ese conocimiento a los especialistas del gobierno de los Estados Unidos, de modo que no era necesario que me quedara en mi puesto actual por más tiempo, si de eso se trataba.

Johnson me interrumpió:

–Un momento, déjeme terminar. Hay otro punto: sus propias motivaciones. La semana pasada usted me convenció de que su decisión no es ni impulsiva ni egoísta. Si quisiera la riqueza y la seguridad, se quedaría en la Unión Soviética; ahora bien, si desea realmente combatir contra la URSS, podemos ayudarle a que lo haga del modo más eficaz.

Dije a Johnson que mi especial situación en Nueva York tenía beneficios pero también desventajas. Era libre de ir a cualquier parte y de encontrarme con cualquier persona sin pedir permiso, pero eso mismo me hacía más vulnerable. La KGB debía vigilarme puesto que era responsable de mi seguridad. Aunque sus agentes no supieran exactamente qué hacía o adónde iba, siempre eran suspicaces: su primer instinto era no confiar en nadie. Le dije a Johnson que no sabía cómo encontrarme con él regularmente con la seguridad de que no me siguieran.

Comprendió que mi inquietud era real y trató de darme seguridad, repitiendo que de ninguna manera me obligaría a correr riesgos innecesarios. Dijo que debía evitar cuidadosamente establecer una rutina para contactar con él o para verle; que debía usar teléfonos distintos para llamarle, y que no debía cambiar mis hábitos normales.

Sus palabras eran tranquilizadoras pero no disipaban mi principal angustia. Podía reconocer a muchos agentes de la KGB cuando me seguían; pero no a todos. Ni siquiera sabía si me habían seguido o no esa noche. Pregunté a Johnson si tenía personas a su cargo que pudieran saber si la KGB demostraba algún interés especial por lo que yo hacía y por los sitios adonde iba.

Me prometió que organizaría de inmediato un grupo especial. Dijo que me informaría en seguida si había indicios de dificultades, y me aseguró que los americanos intervendrían en caso necesario.

Le agradecí esa actitud; pero había otro problema. Podía ser detenido en la Legación y enviado directamente desde allí a Moscú. Ese mismo año un diplomático joven había sido enviado de Nueva York a Moscú sin que tuviera la menor posibilidad de fuga.

La víctima había sido un funcionario de la Legación, arrestado por la policía de Nueva York; mientras conducía en estado de embriaguez, había tenido una disputa con el conductor de un autobús. La Unión Soviética declaró, a la defensiva, que el arresto había sido una provocación y que los americanos habían utilizado ese incidente para tratar de reclutar al funcionario soviético. Fuera como fuera, apenas la policía lo dejó en libertad, fue arrestado en el interior de la Legación y enviado a Rusia en el siguiente vuelo de Aeroflot.

Le conté a Johnson ese episodio, bastante banal, para que comprendiera mi temor de que algo similar pudiera ocurrirme.

–Voy a la Legación casi todos los días. Una vez en el interior, ningún gobierno de la Tierra puede hacer nada si soy detenido. Pueden inventar cualquier pretexto para detenerme o para enviarme de regreso a Moscú. Pueden hablar de un infarto, de una enfermedad repentina, de cualquier cosa. Han utilizado muchas veces excusas semejantes.

–Pero nosotros también podemos actuar –repitió Johnson. Dijo que realmente no existía el peligro de que me mataran en el interior de la Legación. Era demasiado conocido para que pudieran correr el riesgo de una desaparición de esa clase; mi esposa provocaría un escándalo. Las Naciones Unidas harían preguntas molestas. Coincidí con él en que a la Unión Soviética no le gustaría que un asunto semejante fuera ventilado en público.

–Y si intentan llevarlo a la Unión Soviética, tendrán que pasar por el aeropuerto Kennedy –continuó–. Y allí podemos intervenir para asegurarnos de que usted se marcha por su propia y libre voluntad.

Dijo que yo debería avisarle siempre que hiciera un viaje y especialmente si salía del aeropuerto Kennedy. Me preguntó si yo iba allí a menudo a esperar personas procedentes de Moscú en los vuelos regulares de Aeroflot. Respondí que iba muchas veces para recibir delegaciones o visitantes de importancia y también a esperar amigos. Johnson dijo que deseaba saber por anticipado cuándo iría, si eso era posible. Los agentes americanos controlaban rutinariamente esos vuelos, y recibirían instrucciones particulares sobre mí. Si yo aparecía inesperadamente, estarían especialmente atentos.

–Si eso ocurre y usted se ve en problemas, bastará con que haga una señal, por ejemplo que levante la mano derecha, y sabremos que necesita ayuda –dijo.

Johnson hablaba de eso con toda tranquilidad, pero yo ya me veía rodeado por un grupo de hombres de la KGB, drogado, incapaz de hacer ninguna señal. Traté de reprimir la fantasía mientras él continuaba hablando.

–Además, si se quedara usted en la Legación durante un período de tiempo inusitado, lo sabríamos. Con todo, deberíamos acordar cómo entrar en contacto con usted en caso de emergencia. ¿Hay algún médico americano al que visite regularmente?

Estaba el dentista, pero mi esposa iba más que yo. Y había también un dermatólogo al que había visto varias veces durante el cumplimiento de mis tareas en la década de 1960. Le di el nombre a Johnson.

–¿Llamaría mucho la atención que él le llamara para darle una cita?

–No. Ya lo ha hecho algunas veces para recordar que debía verlo –respondí–. Mi secretario sabe que él es mi médico.

–Muy bien. Entonces, si recibe el mensaje de que él le ha llamado, llámeme inmediatamente. Será una buena forma de ponerle sobre aviso si algo marcha mal.

Johnson, evidentemente, suponía que yo aceptaría su proposición, y estaba en lo cierto. Realmente, no me oponía. Y él debía de saber que yo pensaba que no tenía opción.

–¿Por qué no lo intenta por un tiempo? –dijo–. Sé que puede hacerlo. Lo encontrará más fácil de lo que cree. No se preocupe, no le pondremos en peligro –hizo una pausa–. ¿Qué le parece?

–Está bien. Por un tiempo.

–Muy bien. –Sonrió. Repitió su advertencia de que no cambiara mi rutina habitual–. Mientras mantenga usted sus hábitos, no creará sospechas.

Miré el reloj. Eran casi las diez. Establecimos una reunión para dos semanas después.

Yo tenía un martes libre, siempre que no hubiera ninguna emergencia en las Naciones Unidas. Johnson sugirió que nos reuniéramos durante el día y no por la noche, para variar. Le prometí confirmar la reunión por teléfono el lunes, y él dijo que, si yo no podía ir el martes, me volvería a esperar en el mismo sitio el miércoles aproximadamente a la hora de comer.

Habíamos hablado tanto de procedimientos que habíamos olvidado lo esencial. ¿Qué tipo de información debía conseguir?

Johnson respondió que yo sería el mejor juez sobre qué era importante y cuánto tiempo convenía dedicar a un tema determinado; sin embargo, era prudente partir de un plan básico. Sugirió que empezara con los últimos telegramas recibidos en la Legación, la fecha y el texto, tan completamente como pudiera obtenerlo.

Eso me asombró. ¿Qué quería decir «el texto completo de los telegramas»? En un momento se preocupaba por mi seguridad y por reducir al mínimo los peligros que yo debería afrontar. En el minuto siguiente me pedía que arriesgara el cuello. Copiar un telegrama en código en el interior de la Legación soviética era invitar a la captura inmediata.

–No puedo hacer eso –protesté–. Se supone que no debemos tomar nota de lo que leemos en la sala de códigos; sólo recordar el sentido, no las palabras exactas. Y usted mismo ha dicho que no debo tomar fotos ni llevar ningún equipo comprometedor.

Se apresuró a responder que no esperaba una copia completa, sino únicamente lo que yo pudiera recordar de los mensajes importantes.

No quería que Johnson esperara demasiado de los telegramas enviados a la Legación; le expliqué los límites de la información que allí se recibía. Me aseguró que la prisa no era indispensable.

–Los grandes acontecimientos se ven a kilómetros de distancia –dijo Johnson–. Usted los descubrirá de inmediato.

Tal vez me fuera difícil identificar en un principio lo que podía ser más interesante para Washington. Algo que podía parecerme absolutamente rutinario o familiar podía ser completamente nuevo para ellos. Debía tratar de leer como si viera esas informaciones por primera vez. Debía tratar de imaginar su valor para los Estados Unidos, y lo que podían revelar a alguien que no tuviera mis antecedentes ni mi experiencia.

Johnson insistió en que estuviera alerta a los matices, a las pequeñas diferencias de significado, pues podrían señalar un cambio político o sugerir diferencias de criterio en ciertos temas. Sin duda me mostré escéptico, porque luego dijo que, aun cuando ahora me pareciera difícil, se volvería natural después de cierto tiempo. Mis preocupaciones eran más bien producto de la imaginación que de la realidad.

En casa, Lina estaba despierta pero no sentía ninguna curiosidad. Murmuré algo acerca de que mi paseo me había dado sed, me serví un vaso de agua Perrier y me senté en el sillón, fingiendo interés en un libro. Tenía en la cabeza mi conversación con Johnson. Al principio no había sabido cómo terminaría. Sin embargo, ahora, después de haber tomado la decisión, tenía expectativas. Ya estaba en marcha la negociación con los americanos para conquistar mi libertad y obtener su ayuda para mi campaña contra el régimen soviético. Estaba impaciente por empezar una nueva vida, y deseaba pasar lo antes posible por esta etapa de existencia interina.

No pensé, en ese momento, que había dejado de lado un punto fundamental. No había puesto límites a la duración de mi servicio secreto. Entraba en un mundo de sombras sin límites definidos, y suponía que unos cuantos meses serían suficientes para demostrar mi sinceridad. Pero me esperaban años de ansiedad, y el peligro que inicialmente había pensado que no podría soportar, se convirtió en mi compañero permanente durante todo ese tiempo.

4

El lunes siguiente por la mañana yo debía ir a la Misión a las nueve para la reunión regular del personal. A Yakov Malik le encantaban esas reuniones aun cuando no hubiera asuntos que tratar. Eran un método burocrático que había aprendido mucho antes de Stalin, quien reunía siempre a sus colaboradores con el único objetivo de ver lo que decían sus miradas.

¿Sentiría Malik algún cambio en mí? Mientras me afeitaba, me estudié el rostro buscando señales que pudieran delatarme, pero mi expresión parecía normal. Caminé como de costumbre las dos manzanas que separaban mi edificio de apartamentos de la Legación, donde el policía uniformado americano de la puerta me saludó alegremente.

Los guardias soviéticos, que estaban dentro del edificio, detrás de una puerta de cristal a prueba de balas, también sonrieron cuando apreté el botón que abría la puerta interior. Pero apenas les devolví el saludo. En el ascensor, mientras subía al sexto piso, me sentí inquieto entre las demás personas.

Entré en el despacho de Malik imaginando a medias que una máquina invisible de rayos X haría sonar una alarma para anunciar a todo el mundo que Shevchenko se había convertido en un espía americano.

El despacho de Malik era una habitación especialmente diseñada, de paredes dobles, donde sonaba constantemente una música. Ese cubil a prueba de sonidos era una orgullosa obra de artesanía de la KGB, pero tenía un defecto importante: estaba tan mal ventilado que podía volverse sofocante si allí se reunían muchas personas durante cierto tiempo. Aparentemente, Malik consideraba que había aire suficiente. A veces, las reuniones en esa «cámara del crimen», como el personal llamaba a la habitación, duraban horas.

En el interior, el personal superior de la Legación charlaba. Estreché manos y dije «buenos días» como si todo fuera normal. Cuando ocupé mi sitio ante la sólida mesa de conferencias, aún estaba nervioso. Me incliné sobre el periódico simulando que me abstraía en él. Malik entró y ocupó su asiento.

Nunca me había gustado mucho Yakov Malik. Había sido subordinado suyo durante dos años, cuando él reemplazó a Fedorenko en 1968. Cuando volví a Nueva York en 1973 con un rango igual al de él, no reconoció el cambio de situación. Alto y delgado, de aspecto distinguido incluso cuando su pelo gris empezó a ralear, Malik trataba a sus subordinados con desprecio, especialmente cuando no lograban entender el tableteo de ametralladora de su discurso o cuando se atrevían a manifestar puntos de vista opuestos. Malik se consideraba una figura digna de reverencia, una especie de regente del Kremlin en las Naciones Unidas. A la gente le atemorizaba su poder, y a él le encantaba alimentar ese temor. Con frecuencia sometía a sus jóvenes asistentes y a otros diplomáticos a largos reproches mezquinos y abusivos por su «falta de celo», una de sus quejas permanentes. Con un gesto de exagerada fatiga abría los brazos y decía: «¿Qué puedo hacer con usted? ¿Y qué puede hacer usted sin mí?». Y añadía: «Es usted más ciego que un topo. No sé cómo enseñarle a hacer su trabajo». Esa actitud burlona y suficiente hacia las personas de rango o situación social menor era típica de la clase dirigente soviética.

La reunión de esa mañana era rutinaria; los diálogos, aburridos. Malik estaba de insólito buen humor. A veces, cuando yo guardaba silencio durante esas reuniones, se complacía en fastidiarme: «Shevchenko no habla. Shevchenko no tiene nada que agregar. Bueno, ya sabemos por qué. Él y su gente están muy cómodos detrás de sus escritorios, bebiendo café hasta que llega la hora de salir a comer abundantemente. Oh, sí, realizan un trabajo pesado».

Sin embargo, ese día no se molestó en dedicarme sus pesadas burlas. Por una vez, tampoco trató de prolongar la reunión cuando se hizo evidente que los temas del día eran ligeros y fáciles de resolver. Despidió al resto del personal, pero se volvió hacia mí.

–Arkadi Nikolaevich –dijo–, ¿podría quedarse un momento?

Sentí angustia, pero sólo quería que viera los borradores de dos telegramas que trataban de ciertos temas, vinculados con el desarme, que se discutirían en las Naciones Unidas. Su personal ya los había preparado, pero quería que yo controlara su exactitud. Me pedía cosas como ésa con bastante frecuencia.

–¿Quiere verlos? –preguntó–. Siento retenerlo, pero son bastante urgentes; me gustaría enviarlos hoy mismo.

Fue muy amable. Acepté. En realidad, sentía alivio. Salí de su despacho y subí al séptimo piso, a la *referentura*, la unidad especial de códigos y comunicaciones, donde estaban los borradores. Cuando extendí la mano izquierda para tocar el botón escondido detrás del interruptor de la luz, en la parte exterior de la puerta, que no tenía ninguna señal especial, me estremecí levemente. Pero ahora tenía el pulso firme. Hacía unas horas, me habían temblado las manos mientras tomaba una taza de té antes de la reunión de personal. Ahora había recuperado el control y me sentía como si hubiese aprobado un examen difícil.

En respuesta a mi llamada, un zumbido anunció que podía abrir la puerta. Entré en la pequeña y familiar antecámara, dejé mi cartera en un estante y esperé ante la diminuta mirilla, la única abertura de la maciza puerta de acero que conducía a las habitaciones interiores, a prueba de sonido. Un guardia armado abrió la puerta y me dejó pasar. Ante otra puerta cuya parte superior era como la ventanilla del cajero de un banco, pedí al funcionario de servicio los borradores que Malik deseaba que leyera. Me entregó los libros donde estaban escritos los borradores, que examiné rápidamente, cambiando apenas unas pocas frases; luego puse mis iniciales y salí de prisa prometiendo que volvería esa noche para ponerme al día con la correspondencia telegráfica.

En mi coche, mientras volvía a las Naciones Unidas, pensé en la Legación y en lo que significaba desde la perspectiva de la tarea que me había confiado Johnson. Nunca había pensado mucho en la sala de lecturas de telegramas en código ni en el sistema de control del material; sólo me parecía una molestia. Ahora examinaba ese sistema y comprendía que las reglas que iba a romper tenían un solo motivo: una absoluta seguridad. Todo tenía como único fin el control del flujo de información, para asegurar su secreto, para frustrar la curiosidad o el espionaje.

Era también una perfecta manifestación de la paranoia que gobierna en gran medida la conducta soviética. Se considera secundario que los controles obstaculicen la comunicación diplomática y restrinjan, en lugar de difundir, la información valiosa, o que compliquen la administración económica en la URSS. El secreto y el control son prioridades absolutas, y aseguran la obediencia fundada en la ignorancia o, cuando es esencial, una distribución del conocimiento cuidadosamente calibrada.

La *referentura* era una fortaleza. Entrar en ella era una empresa complicada. Era imposible salir si se sospechaba alguna grieta en la seguridad. Un control igualmente estricto se aplicaba en la recepción y el envío de los telegramas. Era preciso escribirlos a mano en libros especiales con las hojas numeradas. Estaba prohibido preparar el borrador de un mensaje fuera de esa habitación o sacar de allí una copia. Todos los registros de la Legación que tenían algo que ver con la comunicación en código, quedaban guardados detrás de las puertas dobles del séptimo piso. Eran de difícil acceso y uso complicado, pero completamente seguros. Y, para eliminar la menor posibilidad de que el ruido de las teclas pudiera ser escuchado y descifrado el código secreto, estaba prohibido el empleo de máquinas de escribir para redactar los telegramas. De todos modos, habría sido virtualmente imposible registrar algún sonido procedente de la *referentura*, que era a prueba de ruidos, como el despacho de Malik, pero la KGB siempre pensaba que más valía excederse que quedarse corto. Además, estaba seguro de que agentes de seguridad nos vigilaban, ocultos, mientras leíamos los textos de los telegramas.

Hice un esfuerzo especial para leer la correspondencia telegráfica con ojos nuevos. Al principio encontré pocas cosas que me parecieran valiosas para Johnson.

Había varias instrucciones sobre los asuntos menores que se trataban en las Naciones Unidas y algunas «circulares»: informes de otras Legaciones que el Ministerio de Asuntos Exteriores enviaba rutinariamente al personal que trataba temas que se relacionaban. Nada era muy importante.

Se acercaba la próxima reunión y me pregunté qué pensaría Johnson cuando le entregara tan poco material. ¿Simplemente esperaría hasta que yo le diera algún informe sensacional? ¿Cuánto tiempo tardaría? Yo no pensaba ser un espía por largo tiempo.

Johnson había querido que nuestra primera reunión de trabajo fuera a la hora de la comida. Pero él estaba seguro en su casa; era yo quien estaba en la calle, expuesto a la plena luz del día.

Se supone que las muchedumbres de las grandes ciudades son una perfecta protección, una masa de cuerpos indiferentes en la que el fugitivo puede fundirse y desaparecer. Pero yo pensaba que si alguien podía lograr la invisibilidad en ese rebaño, era sin duda un profesional con los ojos clavados en mí.

El sol débil y el frío hacían que ese día la mayoría de la gente caminara de prisa. Yo iba más despacio; miré un escaparate y vi reflejados a dos miembros del personal soviético de las Naciones Unidas que iban en la misma dirección. Probablemente se dirigían a la cafetería de la Legación, y no presté demasiada atención.

Sin embargo, cuando llegué a la calle lateral y vi la entrada familiar, resolví dar un rodeo. Caminé de prisa, fui más allá de la casa de

Johnson, miré los números de los edificios, simulando una confusión, y luego volví hacia la Tercera Avenida. Por lo que pude ver, mis movimientos no habían tenido espectadores interesados. Las escasas personas que se veían parecían indiferentes. Ninguno de sus rostros me pareció familiar ni confundido por mi mirada. Toqué el timbre.

Johnson abrió la puerta casi inmediatamente.

–¿Se había perdido? –preguntó–. Lo vi pasar hace un minuto.

Le expliqué lo que había hecho y por qué. Rió.

–Está aprendiendo.

No hablamos mucho ese día. Estudié atentamente el rostro de Johnson cuando le dije que mis horas de lectura en la sala de códigos habían sido estériles.

–No se preocupe, Andy. Lo comprendo –dijo–. No es importante la prisa para nosotros, ni tampoco para usted.

Esas palabras fueron un consuelo, pero me dieron también la impresión de que la cosa podía ser más larga de lo que yo había pensado. Se me ocurrió que quizá Johnson no supiera exactamente lo que podía saber por mí. Quizá deseaba ganar tiempo. Yo conocía el sentimiento: lo había experimentado con frecuencia durante las negociaciones cuando iba a una reunión sin instrucciones claras ni otra cosa que hacer aparte de repetir tópicos y esperar los acontecimientos. Pero aparté esa idea de mi mente. Interpreté en cambio la actitud del americano como si fuera una nueva prueba de mi sinceridad.

En verdad, no podía quejarme. Si nuestros papeles fueran los opuestos, también yo sería extremadamente prudente. Johnson dijo que había muchos asuntos importantes de los que deseaba hablar en la información que traían habitualmente los telegramas en código, pero que ése no era el momento. Me propuso que nos ocupáramos de algunas formalidades.

–Es necesario que le tome una foto y registre sus impresiones digitales –dijo.

Me sorprendió.

–¿Para qué?

–Para los archivos. De ese modo, otras personas sabrán que usted es quien dice que es si alguna vez necesita demostrar su identidad y yo no estoy cerca.

Posé con mi chaqueta y sin ella, de frente y de perfil, serio y sonriente. Mientras trabajaba, Johnson me hizo otra pregunta.

–¿Le importaría que otras personas se reunieran con nosotros? No hoy, sino en otro momento. Algunos de mis colegas desean información sobre los demás soviéticos de la Legación y de la Secretaría. Quieren saber cuáles son sus verdaderas tareas.

–¿Se refiere a la KGB? Eso puede llevar mucho tiempo. Hay cientos, además de los agentes de la inteligencia militar.

–El FBI quiere asegurarse de que vigila a las personas adecuadas –dijo Johnson–. Usted podría ayudarles mucho identificando a todos los que pueda.

Acepté la proposición. No tenía ningún problema en identificar a los miembros de la KGB en Nueva York. No eran amigos míos. Yo solía dividirlos en dos categorías: los que eran una molestia y los que eran una amenaza. Sería un placer revelar lo que sabía de ellos. Y podría demostrar mi buena fe ayudando a penetrar la estructura del espionaje soviético.

Mis tareas como subsecretario general y mi trabajo para la Legación me mantenían muy ocupado. Probablemente, donde más activo es el trabajo de las Naciones Unidas es en los salones y en los bares. El Salón del Norte es el mayor. Su decoración principal es un inmenso tapiz, regalo de la República Popular de China, que representa la Gran Muralla.

Esta enorme obra de arte domina el salón con sus brillantes colores. No he visto jamás un recién llegado que no se sorprenda. Siempre he pensado que ese tapiz alude a la grandeza de China, a su historia larga y rica en acontecimientos y a su maravillosa y antigua cultura. Creo también que es una especie de reproche a quienes durante largo tiempo trataron de excluirla de las Naciones Unidas.

Accidentalmente, China fue el tema de mi primera conversación política importante con Johnson. Sin embargo, mirando hacia atrás, me parece natural que un soviético y un americano iniciaran con ese tema una larga asociación.

Suscitó el tema un telegrama de Vasili Tolstikov, embajador soviético en Pekín; era un mensaje enviado a ciertas legaciones por el Ministerio de Asuntos Exteriores como una guía sobre la situación presente de las relaciones chino-soviéticas. El mensaje contenía también una advertencia sobre la necesidad de hacer todos los esfuerzos posibles para reunir información sobre China. Ningún detalle era demasiado pequeño, en particular si se sospechaba algún posible movimiento contra la Unión Soviética. Había que observar también los matices del equilibrio de poderes en China. No había nada sensacional en el análisis de Tolstikov, pero me pareció que Johnson podía tener tanto interés en algo relacionado con China como en los materiales referentes a la Unión Soviética. No me equivoqué. Sus ojos se iluminaron cuando mencioné a Tolstikov.

–¿Qué más decía el telegrama? ¿Recuerda usted quién lo firmaba y de qué fecha era? –preguntó.

Respondí a sus preguntas, destacando que, en su mayor parte, los informes de Tolstikov eran tan largos y superficiales que los verdaderos expertos del Ministerio de Asuntos Exteriores, se burlaban de su prosa y gemían por su falta de profundidad. Ese último mensaje no era una excepción. Estaba tan lleno de diatribas soviéticas ortodoxas contra Mao Zedong que bien podría haber aparecido en la prensa soviética como una polémica para el consumo del gran público.

–Es la técnica de la seguridad mediante la repetición –dije a Johnson, bromeando. Lo único que debían hacer los embajadores era reescribir los editoriales del último *Pravda* y agregarles un poco de color local. De esa forma podían convencer a todos de que la verdad era exactamente lo que pensaban los miembros ortodoxos del Politburó.

Agregué que los diplomáticos rusos en China solían ser incapaces de evaluar sutilezas de importancia potencial, o de advertir a Moscú sobre los cambios que se producían. Por esa razón, yo pensaba que él debía conocer ese documento. Tolstikov admitía que sus fuentes principales de información en Pekín eran otros extranjeros y diplomáticos, no de muy alto nivel. No tenía acceso a informadores chinos de confianza.

Aunque el telegrama no contenía informaciones de gran importancia, hablamos de eso largo tiempo aquella noche. Cuando dejé a Johnson y bajé a la calle, vi que había llovido mucho. Los millones de luces de Nueva York arrojaban un reflejo rosado sobre las nubes bajas y pesadas. Estaba fatigado. Había sido un largo monólogo, pero esta vez había habido entre nosotros una verdadera relación. De excelente ánimo, respiré hondo el aire lavado por la lluvia.

5

Leía los telegramas en código y otros materiales secretos que llegaban de Moscú por valija diplomática. Además, visitaban Nueva York funcionarios del Comité Central, del Ministerio de Asuntos Exteriores y otros departamentos del gobierno, de las instituciones académicas, y también algunos amigos de la embajada en Washington. Yo seguía los acontecimientos y los chismes de Moscú por el «correo de bolsillo», la corriente de cartas privadas que traían y llevaban los diplomáticos y otros viajeros para evitar la censura obligatoria de la KGB.

Mantenía informado al día a Johnson sobre lo que ocurría en el Kremlin, en particular en lo que concernía a las fricciones entre Brezhnev y Kosiguin acerca del curso futuro de las relaciones entre la URSS y los Estados Unidos, a las instrucciones de Moscú al embajador Anatoli Dobrinin, a ciertos detalles de la política soviética, y a la motivación política de muchos planes y acontecimientos que ocurrían en distintas partes del mundo. Le hablé de la posición soviética en las negociaciones sobre el control del armamento –SALT y otras–, incluyendo las disposiciones para posibles retrocesos que las instrucciones contenían. Le hablé de los planes soviéticos para continuar la lucha contra los movimientos políticos de Angola que no aceptaban el papel de Moscú en aquel país. Por funcionarios de Moscú vinculados con los asuntos económicos obtuve la información de que los campos petrolíferos de la región Volga-Ural, sobre el río Obi, experimentarían pronto una disminución de su producción, de modo que en algunos años la Unión Soviética tendría dificultades y se vería obligada a aumentar la producción de petróleo en campos más pequeños y menos accesibles. Por supuesto, informaba regularmente a Johnson sobre las idas y venidas en la Legación. Pero no podía pasar mucho tiempo con él sin despertar las sospechas de la KGB. La transmisión de informaciones se volvió gradualmente tediosa, y empecé a sentirme impaciente e inquieto.

A finales de 1975 no había encontrado todavía una forma de revelar a Lina o a Anna la nueva vida que proyectaba para todos nosotros. Había estado trabajando duro y la tensión estaba haciendo mella en mí. Necesitaba un descanso, un cambio de escenario y de clima. Quería llevarme a Lina de Nueva York, a un sitio donde pudiera comunicarle mis planes y mis sentimientos. Dejamos a Anna en casa de unos amigos de Glen Cove y volamos a Florida para esperar el Año Nuevo y, según yo esperaba, el principio de una nueva clase de vida.

En el Hotel Carillon de Miami nadamos, dormimos y nos relajamos. El clima era hermoso; el océano, calmo y tranquilizador. Lejos de la Legación y de las reuniones clandestinas, sentí que mi tensión se relajaba. Era prácticamente seguro que los agentes de la KGB vigilaban nuestro apartamento de Nueva York, como también Glen Cove; pero en Miami no podían haber instalado micrófonos en nuestra habitación. Incluso si había agentes para vigilarnos, seguramente se mantendrían alejados. No me sentía vigilado; sólo gozaba de la libertad.

La víspera de Año Nuevo llevé a Lina a un pequeño restaurante italiano situado cerca del hotel. Era un sitio agradable, del tipo que a ambos nos gustaba, y en nuestra mesa inicié la conversación que había estado ensayando durante días.

–¿No crees que se está muy bien, aquí? –empecé.

–Sí –dijo Lina–. Lo estamos pasando muy bien.

–Sí. Pero muy pronto se acabará. Debemos volver a Nueva York, tendré que enfrentarme con Malik, con la KGB y con todas las hienas del Partido. Estoy cansado. No sé si podré aguantar por mucho más tiempo.

Lina me miró preocupada.

–Lo digo en serio –continué–. Deberíamos pensar seriamente en el futuro, por ejemplo en volver a Moscú, donde yo podría encontrar algún trabajo menos pesado, ¿o quizá podríamos pensar en otra cosa?

–¿De qué estás hablando? –Lina estaba alarmada. Incluso ese cauteloso acercamiento al tema la había sobresaltado–. Debemos quedarnos en Nueva York todo el tiempo posible. ¿Crees que podríamos tener todo lo que queremos en Moscú? Quizá has olvidado que los rublos no bastan. Te recuerdo que ni siquiera los miembros del Politburó tienen acceso a las cosas que tenemos en Nueva York. Nunca las conseguiremos si nos quedamos en Moscú.

–Pero ya lo tenemos todo, Lina. Un buen apartamento, una dacha, buenos muebles. Hay dinero en el banco, tú tienes joyas, pieles, ropa. ¿Qué más necesitamos? La gente empieza a tener celos de nosotros. Ha habido habladurías. Lo sabes.

–Realmente eres un cobarde, Arkadi –estalló–. Todos los *nachalniki* (jefes) aprovechan el tiempo que pasan en el exterior para enriquecerse y comprar cosas. La primera vez que vinimos a Nueva York, así lo hacía Fedorenko. Ahora lo hace Malik. ¿Qué crees que hacemos Lidia Dmitrievna y yo cuando Gromiko la trae a Nueva York? ¿Ir a los museos? No, salimos de compras. A veces compro cosas para ella. O le doy dinero. Y tú tienes la protección de Gromiko, así como yo tengo la de Lidia. Nadie puede tocarnos. Ni siquiera la KGB. Nadie. Con la protección de los Gromiko puedes tener una carrera fantástica. Puedes reemplazar a Malik en Nueva York o a Dobrinin como embajador de Washington. Recuerda: Dobrinin ocupó en tiempos el puesto que tú ocupas ahora. Y más adelante, ¿quién sabe?

No me atreví a decirle que no deseaba alcanzar esas metas. Intenté un camino menos comprometido.

–Lina, no podemos contar con Washington. Anatoli Fiodorovich estará allí largo tiempo. Gromiko se cuida mucho de él. Estoy seguro de que le irritan mucho las habladurías de Moscú sobre el hecho de que Dobrinin podría reemplazarlo como ministro de Asuntos Exteriores. Gromiko lo mantendrá lo más alejado que pueda de Moscú y por tanto tiempo como sea posible.

–Es probable –concordó Lina. Por su amistad con la esposa de Gromiko sabía casi tanto como yo acerca de lo que le gustaba y le disgustaba. De pronto ella volvió a mi vaga propuesta anterior.

–¿Qué querías decir cuando hablabas de hacer alguna otra cosa? Te has vuelto cada vez más hostil cuando hablas de las cosas en casa, del Partido o de la KGB. Sólo tienes elogios para los americanos. Todo lo demás te deprime. ¿Qué te ocurre?

–Tú sabes que las cosas van mal –respondí–. Y no mejorarán ni irán a ninguna parte. ¿Qué se puede esperar? –Estaba pensando en lo que le había dicho a Johnson–. Nadie puede cambiar las cosas. Nadie lo intenta siquiera.

–¿Qué quiere decir eso? –Lina estaba tensa–. Deja que los demás se ocupen de ellos mismos. ¿O estás diciendo que no quieres volver a casa? ¿Querrías quedarte aquí para siempre? Si lo haces, te quedarás tú solo. A mí, aquí, me gustan muchas cosas. Pero jamás podría vivir en este país. Y, además, piensa en tu futuro: no está aquí. Está en Rusia.

No pude responder. No podía llegar hasta ella ni confiar en ella. Me encogí de hombros y cambié de tema, esperando que Lina olvidara nuestra conversación y atribuyera mis palabras a la expresión de un estado de ánimo pasajero.

Durante los días siguientes y en el avión de regreso a Nueva York, valoré mis alternativas. Era evidente que Lina no se quedaría conmigo por su propia voluntad. Pero ¿cuál sería su reacción si yo desertaba súbitamente, le presentaba la situación como un hecho consumado y le pedía que se reuniera conmigo antes de que los soviets supieran que yo había escapado? Quizás en ese momento comprendería que no podría volver sola a Moscú, que no podría vivir allí, sola, la vida que habíamos vivido juntos. Sería una proscrita sin privilegios ni acceso a la élite que amaba. Si hacía una elección racional preferiría quedarse conmigo. Sin embargo, en lo más profundo, yo tenía miedo de su elección. Decidí forzar la situación mientras Anna estuviera todavía en Nueva York. Si esperaba demasiado, mi hija debería volver a Moscú.

Un día después de haber regresado a mi trabajo, al frío gris de enero de Nueva York, a la noria de la Legación y las Naciones Unidas, llamé al número de la CIA y establecí una cita en la casa de Johnson. Mi intención era que fuera nuestro último encuentro secreto.

Johnson tenía otra idea. Yo quería salir de mi escondrijo; él sólo pensaba cambiarlo de sitio.

Antes de que pudiera expresar mi resolución de Año Nuevo de hacer pública mi deserción tan pronto como fuera posible, me dijo que no volveríamos a encontrarnos en esa casa. La CIA había hecho finalmente lo que yo les había pedido: había cambiado el sitio de encuentro. Johnson había encontrado un apartamento a poca distancia de la plaza de las Naciones Unidas. Yo tendría una cobertura convincente para mis visitas, porque en ese edificio había una gran cantidad de médicos y dentistas, y varios de ellos estaban en la lista que se recomendaba al personal de la Secretaría. Podía, y eventualmente lo hice, ser el paciente normal de alguno de esos dentistas sin despertar la curiosidad de la KGB.

Pero al cumplir lo que le había pedido Johnson me obligaba a un nuevo compromiso. Yo quería insistir en que terminara mi doble vida; pero esa noche acepté que continuara.

No le hablé de ello en seguida ni del todo. Le expliqué que Lina había rechazado mi cautelosa tentativa de incluirla en mis planes. Señalé también que debía cambiar de campo antes de que Anna se marchara definitivamente de Nueva York.

–Debe usted comprender –dije– que no seguiré así para siempre. Los soviets me utilizan, y ahora usted me utiliza, y esto no me gusta. Ya es suficiente. Quiero empezar de nuevo.

–Y eso es lo que estamos haciendo –respondió Johnson–. Ahora tenemos un arreglo perfecto. El lugar se encuentra en su camino al despacho y no tendrá que escaparse por la noche. Dispondrá de una razón perfectamente legítima para estar allí si alguien se lo pregunta.

Mi determinación se desvaneció mientras él insistía; pero mi disgusto no disminuyó. Los americanos me estaban cercando y presionando. Seguiría adelante con el nuevo plan, pero sin alegría, y a pesar del «arreglo perfecto» de Johnson, no ignoraba que el riesgo seguía siendo grande.

Y el riesgo se volvió real unas pocas semanas más tarde, un día inusitadamente brillante de principios de febrero. Salí de mi despacho y me dirigí a pie al edificio de apartamentos, gozando del ejercicio y contemplando la animada muchedumbre de la hora de la comida. Siempre encontraba algo reconfortante en las escenas callejeras de Nueva York. No poseían la belleza de la cúpula azul con estrellas rojas de la iglesia de San Nicolás de los Tejedores, por la que pasaba obligatoriamente en Moscú cuando iba a trabajar, ni el brillante reposo del río Moscova, que serpenteaba hasta más allá de las suaves colinas verdes del parque Gorki; pero eran igualmente vívidas.

Me sentía libre y casi despreocupado cuando entré en el vestíbulo del edificio de la Primera Avenida. Me detuve para que mis ojos se acostumbraran a la penumbra del interior, y en ese momento una voz alegre me sorprendió.

–Señor secretario, qué sorpresa. ¿Qué le trae por aquí?

Vi a un empleado de la Secretaría que había trabajado un tiempo en mi departamento. Recordé que su ascenso y su transferencia habían tenido el respaldo de Gueli Dnieprovski, un soviético de la oficina de personal de la Secretaría. Vacilando, le saludé.

–¿Su médico también tiene el consultorio aquí?

–Mi dentista –dije.

–El mío está por aquí. –Mi antiguo empleado señaló hacia el lado opuesto del vestíbulo–. No debo llegar tarde a la cita. Me alegro de haberle visto.

El encuentro no duró más de medio minuto. Era completamente ordinario, pero me desanimó. Había regresado de pronto al mundo de la sospecha, y estaba tan lejos de la libertad de Manhattan a mediodía como los pavimentos grises de Moscú.

Simulé dirigirme a la consulta del dentista. Cuando estuve seguro de que el vestíbulo estaba vacío, subí al ascensor. Arriba, Johnson no pudo pasar de un apretón de manos y un «hola» antes de que yo le contara lo que acababa de ocurrir. Con tanta gente de las Naciones

Unidas en el edificio, le dije, no era un lugar seguro. No podría venir con frecuencia.

El dentista, dijo Johnson, era una buena cobertura, especialmente porque la KGB sabía que yo, como otros soviéticos, evitaba los servicios inferiores que ofrecía la Legación y tenía permiso para acudir a especialistas norteamericanos.

No comprendía. Lo que me preocupaba era estar en un sitio donde otras personas de la Secretaría podían reconocerme y hablar luego ociosamente de ello. Las habladurías podían hacer que la KGB controlara el registro del dentista, le dije, y descubriera que yo lo visitaba con muy poca frecuencia. Cuando Johnson respondió que los registros de los médicos americanos son confidenciales y no se pueden revelar sin el permiso de los pacientes, le recordé un escándalo reciente de carácter similar.

–Eso no detuvo a la gente de la Casa Blanca que robó el archivo del psiquiatra de Daniel Ellsberg, el que había entregado los papeles del Pentágono. Ellos simplemente irrumpieron en el despacho y se llevaron el archivo. ¿Cree usted que la KGB no haría una cosa así? Le digo que no es seguro.

–Quizá tenga usted algo de razón –dijo lentamente Johnson–. Déjeme pensar si hay alguna posibilidad de ir a otro sitio.

Me puse de pie.

–Debo irme. Hoy no tengo más tiempo.

Johnson no intentó retenerme.

–Lo siento –dijo–. Comprendo su preocupación. Pero ¿cuándo podemos encontrarnos de nuevo?

–No lo sé. Lo pensaré, y pensaré también en toda la situación. Estoy harto de esto. Quizás otro país pueda protegerme. Si tengo algo que decirle, le llamaré.

No había pensado mis palabras. Simplemente brotaron antes de que pudiera considerarlas; eran un producto de la frustración y el agotamiento. En las semanas siguientes hice lo que debería haber hecho antes: analicé las opciones reales. Llegué a la conclusión de que había utilizado contra Johnson un arma que no solamente no me serviría, sino que podía herirme.

Teóricamente, tenía otras opciones. Sólo que ninguna de ellas era satisfactoria. Podía pedir asilo a algún gobierno europeo. Aunque imaginaba que algunos países europeos se mostrarían reacios a empeorar sus relaciones con Moscú al concedérmelo, supuse que de todos modos honrarían sus tradiciones y lo harían. En realidad, los ingleses probablemente me aceptarían sin dificultad.

Sin embargo, la verdad era que yo no me sentiría cómodo en ningún país que no fuera los Estados Unidos. Había vivido allí durante años, y sentía que si tenía un segundo hogar, era ése.

También comprendí que sería difícil que se cumplieran mis esperanzas sin el respaldo de las autoridades norteamericanas, sin restaurar el contacto con Bert Johnson. No podía pasar por encima de él. Si me presentaba en el Departamento de Estado o en la Legación de los Estados Unidos ante las Naciones Unidas, por ejemplo, y pedía asilo inmediato, era muy posible que mi falta de cooperación con la CIA ejerciera una influencia negativa. Quizá me concedieran asilo, pero poco más podía esperar. Los funcionarios norteamericanos me considerarían una persona inestable en el mejor de los casos, y sospechosa en el peor. Debía haber comprendido antes que, al aceptar la cooperación con la CIA «por un tiempo», me había obligado indefinidamente. En lugar de obtener una mayor libertad, había hipotecado la escasa que tenía.

Era una conclusión amarga y me llevó más tiempo aceptar la verdad que comprenderla. Pero hacia fines de febrero olvidé mi orgullo, me resigné a lo inevitable y establecí una cita con Johnson. Tal como lo veía, la única posibilidad de disminuir mi etapa de servicios como espía era obtener alguna revelación verdaderamente importante y que me permitiera ganarme el camino de la libertad.

A medida que se desarrollaban nuestras reuniones, sentí que recuperaba gradualmente la confianza de Johnson y mi buena voluntad. Al mismo tiempo, seguía deseando que llegara el fin de mis obligaciones con la CIA. Pasaba alternativamente de la resignación a la frustración.

Cuando el invierno empezaba a ceder el paso a la primavera, Johnson decidió que estableciéramos todas nuestras reuniones al anochecer para reducir las probabilidades de que algún miembro del personal de las Naciones Unidas me viera mientras acudía a su médico. Y se comprometió a tratar de buscar otro sitio más seguro.

–¿No sería conveniente un hotel? –le pregunté–. ¿Por ejemplo, el Waldorf Astoria?

Ese hotel era uno de los sitios que yo visitaba regularmente. Como muchas delegaciones de las Naciones Unidas carecen de espacio para sus propias fiestas, suelen emplear el Waldorf para las recepciones del día nacional o las fiestas en honor de visitantes oficiales de importancia. Yo iba con frecuencia al Waldorf. Como las reuniones eran grandes y ruidosas, aparecía, bebía una copa, mantenía alguna conversación y me marchaba. Nadie advertía cuánto tiempo me quedaba ni cuándo salía.

A Johnson le pareció bien estudiar la idea. Sus respuestas casuales pero profesionales caracterizaban la mayor parte de nuestras conversaciones. Nunca dejaba de asegurarme, en cada sesión, que sus agentes no habían observado nada extraño en la conducta de la KGB hacia mí. También yo debía admitir que no había observado cambios en el tratamiento que recibía en la Legación. Mi sensación de peligro disminuyó, pero no desapareció.

Tres semanas más tarde, la experimenté con más fuerza que nunca. Afronté un peligro que no había imaginado: el secretario general Kurt Waldheim decidió que lo representara en un seminario internacional sobre el *apartheid* de Sudáfrica que debía celebrarse en La Habana.

No tenía excusa para evitar esa ingrata misión. Cuba era el último sitio al que hubiera deseado ir, un país potencialmente tan peligroso para mí como cualquier estado satélite soviético de Europa oriental. En La Habana no podría contar con la protección de la CIA. Aunque mis colegas de las Naciones Unidas del seminario podrían informar de mi desaparición, nada podrían hacer para evitarla. Si la KGB quería moverse contra mí en Cuba, podrían enviarme directamente a Moscú con cualquier pretexto y nadie querría ni podría intervenir.

Johnson se preocupó cuando le hablé del viaje y del peligro al que podía enfrentarme en Cuba. Pero, después de meditar sobre el asunto, dijo serenamente:

–No me parece que haya gran peligro de que ocurra algo así. Pero aun si lo enviaran a Moscú podríamos ayudarle. Ya sé que usted no lo cree, pero hay cosas que podríamos hacer.

–¿Qué cosas? ¿Enviar una carta de protesta a Brezhnev?

–Cálmese. Déjeme preparar un plan especial para Moscú y verá que no estamos tan inermes como cree. Luego, usted mismo decidirá.

Cuando nos encontramos tres noches más tarde, describió un plan para entrar en contacto con los americanos de la capital soviética. El plan parecía bueno, pero no me convenció del todo. La imagen de una celda en la Lubianka no abandonaba mi mente. Johnson hablaba y hablaba describiendo los detalles. Yo estaba furioso.

–¡Escuche, Bert! –grité–. Podrían secuestrarme en Cuba y enviarme entero o en pedazos a Moscú y usted no podría hacer nada. Todo habría terminado antes de que recibiera la noticia.

Se mantuvo sereno.

–Andy, no tenemos ningún indicio de que lo vigilen especialmente. Y si la KGB tuviera alguna sospecha de usted, su viaje a La Habana la disiparía.

La lógica de esa afirmación me devolvió la calma. Aunque había cierto riesgo, también era cierto que los soviets no daban señales de desconfianza. La buena voluntad que demostraría al ir a La Habana podría redundar en mi beneficio, desvaneciendo cualquier incipiente duda que la KGB pudiera albergar sin considerarla todavía sólida. Y algo más: era obvio que Johnson consideraba mi aquiescencia como un nuevo examen, otra prueba de mi buena fe. Todavía estaba en el período de prueba.

Bruscamente, Johnson preguntó:

–¿Con qué se afeita usted?

–Con una navaja ordinaria. Una de esas cosas que contienen una hoja chata con dos filos y que permiten modificar el ángulo. ¿Por qué?

–Porque ésa será una forma de darle una pequeña ayuda extra. Tráigala dentro de uno o dos días. Se la devolveré antes de que salga hacia La Habana.

Debía volar a Cuba el sábado siguiente. Llegaría a tiempo para inspeccionar los arreglos previos relacionados con el seminario y resolver los problemas de último momento antes de la inauguración, el lunes. A principios de semana le di mi navaja a Johnson, y el viernes, la noche antes de mi partida, volví a verlo.

Era nuestra primera reunión en el Waldorf Astoria. Una gran recepción en un salón de la planta baja me dio la excusa para ir al hotel. En la reunión hablé unas palabras con el anfitrión y con algunos embajadores de las Naciones Unidas, y muy pronto pude retirarme. Subí a un ascensor y fui a uno de los pisos superiores.

Johnson me había hecho un plano de la habitación: estaba en un pasillo a la derecha de los ascensores. Pero otras personas se apearon conmigo. Di la vuelta completa a la planta y llegué a la habitación por el pasillo posterior, cuando me convencí de que las demás personas eran residentes ordinarios del hotel que no se interesaban por mí ni por saber adónde iba.

Johnson me esperaba, evidentemente complacido consigo mismo. Señaló una mesa baja donde había dos navajas de afeitar.

–¿Cuál es la suya? –dijo sonriendo.

Las examiné, las sopesé y no pude encontrar la menor diferencia entre ellas.

–Ahora las dos son suyas –dijo Johnson–, pero no podría usted comprar en la tienda la que está a la izquierda. Le mostraré la diferencia.

Mientras yo miraba, cogió la navaja, puso el número del anillo metálico que había debajo de la parte superior en la posición del ángulo mínimo y luego, apretando con fuerza la base del mango, hizo girar el cilindro. El mango se abrió; era hueco. Y en la abertura había un diminuto rollo de microfilme.

–Esto contiene todo lo que usted puede necesitar –dijo–. Si olvida los detalles del plan de emergencia que estudiamos la otra noche, encontrará aquí los números de teléfono y las direcciones de las personas con quienes puede contactar si lo llega a necesitar.

Abrí y cerré varias veces la navaja hasta que me declaró un experto. Yo no estaba tan seguro.

La mañana siguiente preparé mi equipaje, con las dos navajas, y fui al aeropuerto Kennedy, desde donde partí hacia Jamaica. Después de una breve escala, otro avión me condujo a La Habana.

Los compañeros de las Naciones Unidas que me recibieron en el aeropuerto tenían ciertos problemas referentes a la organización del seminario. Ningún soviético me esperaba ni había personal de la KGB a la vista.

Me hospedé en un antiguo hotel de lujo que ahora estaba bastante destartalado. Los cuartos de baño eran un desastre. Los cubanos esperaban que la Unión Soviética les proporcionara material de fontanería, pero los rusos no teníamos suficientes materiales de ese tipo para ellos. Otra cosa que los cubanos querían era Coca-Cola. Echaban de menos sus cubalibres. Los soviéticos nunca pudieron fabricar Coca-Cola, de modo que se la pidieron a los checos. Éstos hicieron todo lo posible, pero sin gran éxito. La Checa-Cola no era tan buena como la Coca-Cola. Era mucho más fácil para la Unión Soviética ser generosa con el material militar, que no escaseaba.

Pasé el día siguiente supervisando los preparativos para el seminario sobre el *apartheid.* Sólo vi al embajador soviético en Cuba durante la inauguración; representaba a la Unión Soviética en las sesiones. No nos conocíamos y, aunque encontramos tiempo para conversar durante una pausa en la reunión, no nos esforzamos por ir más allá de un diálogo superficial. Sin embargo, acepté su invitación para salir esa noche con dos parejas de la Embajada a cenar y a un *nightclub* cubano. Fue una noche muy agradable, y mientras me disponía a preparar el equipaje para regresar a Nueva York, me dije que Johnson había tenido razón. Mis preocupaciones no tenían motivo. Lo peor ya había pasado. Como tantas veces anteriormente, lo peor estaba sólo en mi imaginación.

Ese estado de ánimo no duró. Observé que dos de mis camisas no estaban donde las había dejado. Eso me molestó, pero supuse que aparecerían en alguna parte de la habitación. Pero cuando fui al cuarto de baño todo cambió. La navaja que había puesto en la repisa que había sobre el lavabo ya no estaba allí.

Empecé a sudar copiosamente. ¿Cuál era la navaja que había colocado en la repisa? Al deshacer el equipaje, no había comprobado cuál era la original y cuál la hueca. ¿Dónde estaba la otra? En mi maleta. La buscaría y sabría con seguridad si estaba seguro o si me había traicionado.

Caminando como si estuviera debajo del agua, volví al dormitorio y revolví las ropas que ya había puesto en la maleta hasta que mis dedos encontraron la navaja. La cogí y traté de recordar el procedimiento para abrirla.

El número debía ser el más bajo. Luego había que hacer girar la parte inferior del mango.

Maldición. No se movía. Lo intenté otra vez. Nada.

Se habían llevado la hueca. Me habían descubierto.

Me dejé caer sobre el borde de la cama, mirando la alfombra gastada, incapaz de poner en orden mis pensamientos y controlarme.

No sé cuánto tiempo duró ese trance, pero me pareció una eternidad. Luego empecé a nadar hacia la razón. Finalmente, un rincón de mi mente recordó que había omitido un paso en el proceso de abrir la navaja.

Traté de hacerlo por tercera vez. Lentamente. Bien. Puse el número. Empujé la base del mango. Con fuerza. Ésa era la acción que había olvidado en las dos tentativas anteriores. Ahora, había que hacerlo girar

Giró. Se abrió. El microfilme estaba en el interior.

Suspiré con alivio. Seguramente se trataba sólo de una empleada del hotel que había robado una cosilla a su hermano socialista. ¿Habría sido así? También podría haber sido la policía de seguridad de Castro o la KGB. Quizá habían descubierto algo y estaban estudiando todas las posibilidades. Quizá había un infiltrado en la CIA que les había pasado el dato o, pensé con rabia, era alguno de sus estúpidos descuidos. Sólo el tiempo me daría la respuesta.

Desde ese momento hasta que volví a Nueva York, tuve la navaja guardada en mi cartera, que llevé permanentemente en la mano. Una vez en casa esperé hasta que Lina y Anna estuvieran dormidas, y luego fui al cuarto de baño con unas tijeras y unos fuertes alicates. Extraje el microfilme, lo corté en trozos diminutos y lo arrojé al inodoro. Luego retorcí la navaja hasta que se convirtió en algo irreconocible que tiré a la basura.

Durante cierto tiempo sospeché de cualquier cambio, por leve que fuera, en la conducta de todas las personas de la Legación soviética. Pero, a medida que la vida volvía a la rutina ordinaria, el efecto de mi propia «crisis cubana» se fue desvaneciendo.

Contribuyó a relajar mi tensión un descubrimiento sorprendente: había muchos aspectos parecidos entre el espionaje y la diplomacia. Los espías y los diplomáticos viven dobles vidas: una entre los extranjeros y otra entre las personas en quienes confían o para quienes trabajan. Ambas tareas exigen vigilancia constante, buenos nervios y tiempo para reunir información y preparar los informes destinados al gobierno.

Empecé a sentir que estaba pescando en mi propio estanque. Johnson no se había equivocado al confiar en mi capacidad de hacer que el acopio de información fuera una parte de mi rutina. Me llevó tiempo, pero aprendí. Se había equivocado, sin embargo, al pensar que mis temores disminuirían. Siempre había ansiedad en un rincón de mi mente. Era muy consciente de que los diplomáticos suelen terminar sus vidas con honor y en sus camas; y de que los espías, incluso los más brillantes, tienen muchas veces un fin violento y la experiencia de la prisión y el infortunio.

6

En una de nuestras reuniones del Waldorf, encontré con Johnson a un agente del FBI, Tom Grogan, que quería información sobre el funcionamiento y los agentes de la KGB. Mi conocimiento de las actividades específicas de la KGB era periférico. Pero a lo largo de los años, y a causa de los cargos que había desempeñado, había tenido trato directo y prolongado con los agentes de la KGB. Formalmente, yo era el superior titular de muchos de ellos, tanto durante mi trabajo anterior en la Legación como ahora en mi carácter de subsecretario general. Además, varios de mis compañeros del Instituto de Relaciones Internacionales de Moscú (MGIMO) se habían unido a la KGB y yo mantenía con ellos cierta relación.

Mientras miraba las notas que había traído Grogan, advertí que podía darle varias respuestas. Me quejé, sin embargo, cuando sugirió que mejorara mis relaciones con la KGB. Grogan insistió en esa recomendación. La KGB, dijo, podía ser una fuente valiosa y un peligroso enemigo.

–Será mejor que los tenga de su parte.

–No puede ser –respondí–. Son en su mayoría personas viciosas y arrogantes y algunos meramente estúpidos. Trato de mantener con ellos relaciones de trabajo razonables, pero eso nunca les basta. Quieren controlar a todas las personas que les rodean, y hacer que todos los demás bailen al son de la música que ellos tocan.

Dije a Grogan que no estaba dispuesto a hacer amistades en la KGB para ayudarle. Le diría lo que sabía; pero, aparte de eso, debería utilizar otros recursos.

Empecé por describir al jefe de la KGB en Nueva York, Boris Alexandrovich Solomatin, un general bajo y grueso que recibía el título de *rezident*. Cuando fui designado subsecretario general, Solomatin me invitó muchas veces a su apartamento para beber y mantener «conversaciones amistosas». Era cínico, aburrido y empedernido bebedor. No salía casi nunca de su apartamento lleno de humo, adonde hacia ir a las personas a quienes deseaba ver.

No participaba en ninguna operación fuera de los muros de la Legación soviética, pero dirigía a los agentes que lo hacían. Solomatin vivía recluido y rara vez se aventuraba a salir de la Legación, excepto para ir a Glen Cove. Aumentaba su seguridad la inmunidad diplomática que le concedía su título de cobertura de delegado permanente de la Unión Soviética ante las Naciones Unidas, con rango de ministro.

El apartamento de dos habitaciones que compartía con su esposa Vera no era una fortaleza como la *referentura*, pero era muy seguro. Para evitar escuchas en su apartamento –estaba convencido de que las escuchas americanas eran permanentes y efectivas–, Solomatin poseía dos televisores y un equipo de música estéreo; una de las tres cosas estaba siempre en funcionamiento. Como no tenía prácticamente contacto con los americanos, vivía junto a sus televisores. Le gustaban particularmente los telediarios y a veces escuchaba al mismo tiempo el de la CBS y el de la ABC. Otro de sus pasatiempos favoritos era escuchar las canciones patrióticas rusas de la segunda guerra mundial y narrar sus experiencias como oficial de infantería durante la guerra.

Tenía ahora poco más de cincuenta años. Era también un graduado del MGIMO, y yo le conocía desde hacía muchos años. Poco después de mi llegada a Nueva York en 1973, trató abiertamente de implicarme en las actividades de espionaje de la KGB. En una ocasión, echado en un diván, con un cigarro entre los labios, me miró fijamente y dijo:

–Usted podría ser uno de nuestros oficiales de inteligencia más importantes. –Se acercó para hablarme confidencialmente; apestaba a vodka–. Va a todas partes, habla con todos. Lo único que debería hacer es decirme lo que oye. Después de todo, ambos trabajamos para el Estado soviético.

Dijo que cualquier información interesante que yo le diese sería enviada al cuartel general de la KGB en Moscú, donde recibiría la atención del Politburó.

–Nosotros sabemos trabajar –dijo–. No somos como los burócratas del Ministerio de Asuntos Exteriores, que se sientan sobre las informaciones valiosas como una gallina clueca que nunca pone huevos. Si colabora con nosotros, progresará en su carrera.

No era verdad. El *rezident* tiene, sí, medios de comunicación independientes con el cuartel general de la KGB en Moscú y es absolutamente libre de compartir o no la información con el embajador soviético antes de enviarla. Pero cuando la KGB transmite información a Moscú, nunca se identifica a la persona que la ha conseguido. El *rezident* que envía un telegrama no utiliza ni siquiera su propio nombre. Firma solamente como *rezident*.

Solomatin quería únicamente otro soldado de infantería. Le dije que Gromiko me juzgaría por las tareas que cumplía para el Ministerio, y no por lo que hiciera para la KGB. Se frotó las sienes como si meditara profundamente. Dijo que debía considerar seriamente su propuesta.

No tenía la menor intención de entrar en su red, pero me vi obligado a hacerle varias concesiones durante su época de *rezident*. En otoño de 1973, Solomatin me presentó a Valdik Enger, un estonio alto y bien parecido. Insistió en que le diera un cargo en mi despacho, donde había un puesto vacante. Al principio me negué, diciendo que necesitaba un asistente que realmente fuera capaz de ayudarme, y no alguien que se limitara a ser el representante de la KGB. El *rezident* insistió, y finalmente acepté a Enger, con la condición de que, después de varios meses, podría transferirlo a otro puesto en la Secretaría. Solomatin no se opuso.

El principal ayudante de Solomatin era el coronel Vladimir Gregorievich Krasovski, *rezident* delegado. Era un experimentado profesional de la KGB que había servido varios años en Nueva York. Entre los íntimos de Solomatin se contaban también Gueorgui Arbatov, el director del Instituto de los Estados Unidos y Canadá de la Academia Soviética de Ciencias, que viajaba con frecuencia a los Estados Unidos. Lina y yo lo habíamos visto recientemente en una cena, en el apartamento de Solomatin.

Johnson dijo:

–Mucha gente cree que está muy cerca de Brezhnev y que es en realidad el portavoz del Kremlin. Cada vez que viene aquí, le entrevistan los periódicos o la televisión. ¿Le conoce bien?

Conocía muy bien a Arbatov, desde el principio de mi carrera. Cuando nos encontramos en la cena de Solomatin, él venía en una de sus misiones regulares de reconocimiento. En 1976, su finalidad era analizar la situación política previa a las elecciones presidenciales norteamericanas.

Se creía que el presidente Gerald Ford continuaría la política de Richard Nixon con la URSS. La Unión Soviética, preocupada por la amenaza que percibía en la derecha americana, lo prefería a cualquier otro candidato presidencial. El adversario de Ford era Ronald Reagan, un anticomunista de la línea dura. La Unión Soviética sabía, por supuesto, que incluso si Reagan ganaba la designación dentro del Partido Republicano y luego las elecciones, tendría que tratar con Moscú exactamente como lo había hecho Nixon. Pero, de todos modos, la idea de la presidencia de Reagan no complacía a nadie. Como decía Gromiko: «Nadie sabe las sorpresas que nos puede deparar ese actor». En el momento histórico de la cena en casa de Solomatin, las relaciones de las superpotencias atravesaban una época de incertidumbre, insatisfacción e incluso confusión.

Lina y yo fuimos los primeros en llegar. Vera Solomatin, que en un tiempo había sido asistente de investigación en el instituto de Arbatov, celebraba su ingreso con el rango de teniente en la organización de su marido. Esto no era en modo alguno insólito: muchas mujeres son oficiales de la KGB. Las esposas de muchos profesionales de la KGB trabajaban también para la organización, como Irina Yakushkin, la esposa del *rezident* de Washington. Y algunas de las esposas de mis compañeros diplomáticos de Nueva York eran oficiales de la KGB.

Mientras Solomatin ponía platos y vasos sobre la mesa del pequeño comedor de su apartamento, me dijo que pasara a la sala de estar y les preparara algo de beber; él se reuniría conmigo en seguida. Mientras le esperaba, miré a mi alrededor y vi cuatro ejemplares del libro de John Barron *KGB* en una biblioteca. Le pregunté a Solomatin por qué tenía tantos ejemplares. Respondió que la gente de Moscú se los pedía constantemente.

–Pero no es muy bueno –dijo–. Ni siquiera se mencionan mi nombre ni el de Vladimir Krasovski.

No supe si lo decía complacido o pesaroso.

Krasovski y su mujer llegaron con Arbatov. Cuando varios brindis con vodka rompieron el hielo que yo siempre percibía en presencia de Solomatin, Arbatov resumió el informe que preparaba para Moscú.

Gerald Ford tenía buenas perspectivas de ganar las elecciones de 1976.

–Por supuesto, en este momento hace el zigzag habitual y asume las posiciones de la línea dura, pero eso no nos preocupa mucho. Son las exageraciones habituales de una campaña. Cuando esto termine, volverá a ser el buen viejo Jerry de siempre –dijo.

Ni Solomatin ni yo pusimos objeciones a ese análisis cuando Arbatov nos preguntó nuestra opinión. Tanto él como nosotros sabíamos que Moscú deseaba que Ford continuara en la Casa Blanca, y no queríamos ser portadores de malas noticias, aunque presintiéramos la derrota de Ford. Llevé la conversación a mi propio tema, el control del armamento, y pregunté a Arbatov si había alguna novedad en ese sentido.

Reconoció que las negociaciones no proseguían al ritmo que se había conseguido al principio.

–Estamos demasiado cerca de las elecciones para que los americanos se muevan en un tema tan controvertido como las SALT –dijo con desconsuelo–. Comprendemos que ésa es la realidad. Así son las cosas. Pero es una desgracia.

Solomatin, cuyo interés era el espionaje, y no el desarme, interrumpió:

–¿Tiene eso realmente tanta importancia? ¿Por qué nos convendría apresurar las SALT?

–Comprendo lo que usted quiere decir –respondió Arbatov–, pero las cosas son graves.

Luego habló de la relación entre las inversiones en armamento y la salud decadente de la economía soviética. Tres años después de los acuerdos Nixon-Brezhnev, la situación doméstica era cada vez más grave. Solomatin y yo escuchamos a Arbatov mientras exponía la deprimente lista de fallos crónicos en la administración, la agricultura, el transporte y la distribución.

–*Zhora-sha* –dijo finalmente Solomatin, usando el apodo con el que llamaban a Gueorgui en su Odesa natal–, eres un pesimista. Hemos sobrevivido a cosas peores. No olvides la guerra.

Era la respuesta patriótica, ortodoxa, estándar, irreflexiva, ante cualquier vestigio de crítica. Solomatin, como tantos veteranos que recordaban la guerra con nostalgia, la usó para evitar una conversación seria.

Vladimir Krasovski rompió el incómodo silencio y nos recordó que celebrábamos algo. Sugirió que pusiéramos música y bailáramos. Nuestras esposas lo apoyaron con entusiasmo. Krosovski juntó los talones de sus zapatos flamantes.

–Mirad mis *baretki* –exclamó, usando una expresión popular para zapatos–. Son caros. He pagado más de setenta dólares por ellos –dijo con orgullo.

Alto, delgado, bien parecido, Krasovski se entregaba diariamente a verdaderas actividades de espionaje, al contrario que Solomatin. Le gustaba bailar y lo hacía muy bien. Hizo chocar los talones otra vez delante de Lina y le besó la mano con un gesto teatral. Mientras miraba cómo bailaban y escuchaba a medias la risa de Solomatin y las jactancias de Arbatov con las otras mujeres, me alegré de que todavía nadie pudiera, en esta época de milagros tecnológicos, leer el pensamiento.

Poco después de que describiera esa velada a Johnson, llegó a Nueva York un nuevo *rezident* para reemplazar a Boris Solomatin. Calvo, musculoso, con los ojos de un basilisco, el coronel Yuri Ivanovich Drozdov me impresionó como un adversario formidable. Solomatin había sido un pomposo recluso que vivía como un oso dentro de la Legación, pero al menos ocasionalmente era cordial.

Drozdov parecía carecer de fallos humanos. Además, era una presencia más osada y entrometida en la Legación. Aunque hablaba mal el inglés y, como se había especializado en la China, sabía poco de los Estados Unidos o de las Naciones Unidas, trataba de tomar parte activa en las tareas diplomáticas. Su ignorancia sólo parecía hacerle más exigente y seguro de sí mismo que Solomatin. Yo no sólo le encontraba desagradable sino amenazante, y decidí mantenerme a distancia.

Sin embargo, poco después de su llegada me citó una noche, muy tarde. Yo había estado trabajando en uno de los cubículos de la *referentura* mientras leía los telegramas con la esperanza de encontrar algo que pudiera pasar a Johnson. Eran más de las once de la noche. Estaba cansado y, como siempre cuando me dedicaba a ese tipo de búsqueda, bastante nervioso.

–Arkadi Nikolaevich –de pronto un empleado de la *referentura* se materializó a mi lado–, le llaman por teléfono.

Debí de mostrar sorpresa, porque el empleado repitió:

–Es una llamada telefónica para usted.

Nadie aparte de Lina y de los guardias de la Legación sabía que yo estaba en el edificio. Sólo el personal de la sala de códigos sabía en qué habitación estaba. Confuso y preocupado, me dirigí al teléfono. Contraje los músculos cuando oí la voz de Drozdov en la línea pidiéndome que fuera a su despacho.

–¿Arriba? –pregunté, pensando en los desiertos pasillos del octavo piso, que pertenecían absolutamente a la KGB, cuyas puertas sin ventanas se cierran incluso durante el día, un santuario del cual no era posible escapar.

–No, no –Drozdov parecía impaciente–. Estoy en el sexto piso. ¿Puede bajar? Querría hablar con usted de una cosa.

Acepté.

En ese momento, lo único que sabía de Drozdov era que parecía malévolo y eficiente. ¿Y si había estado leyendo viejos informes sobre mí y había advertido algo que Solomatin, en su prisa por partir, no había considerado? Encontré al *rezident* ante una pila de papeles cuando entré en su despacho. Sólo una lámpara de mesa iluminaba el pequeño recinto. Era una habitación digna de un interrogatorio, pero Drozdov, como pude comprobar, no me había llamado para eso. Sólo quería un favor.

–Le agradezco que haya venido a esta hora –empezó–. Necesito su ayuda. Se trata de Enger. ¿No le puede ayudar? Está haciendo un trabajo importante para nosotros. Sé que a veces está demasiado ocupado con esto, pero tendríamos que buscar un equilibrio. Espero que nos pueda usted ayudar en este asunto.

Sentí simultáneamente alivio y furia: otra vez Valdik Enger. Por supuesto, oír su nombre era mucho mejor que enfrentarme a alguna acusación sobre mi propia conducta. Pero me recordó una vez más las formas en que la KGB me había utilizado y me había impuesto sus deseos. Expuse mis quejas: cada vez que advertía a Enger que pusiera más atención en sus tareas de las Naciones Unidas y más discreción en sus actividades clandestinas, él pedía excusas y prometía enmendarse, pero jamás lo hacía. Cuando regresé de mis vacaciones de Año Nuevo con Lina, advertí que incluso estaba descuidando la tarea más sencilla que le había encomendado: la de supervisar la preparación de un resumen de la prensa que se enviaba a cincuenta o sesenta funcionarios de la Secretaría cuatro veces por día.

La calidad de ese resumen se había deteriorado visiblemente. Había inexactitudes. Se omitían artículos o comentarios importantes. Otros empleados se quejaban de Enger. Prácticamente desatendía su tarea. Le llamé a mi despacho para lo que se convirtió en un encuentro desagradable, que terminó con mi amenaza de expulsarlo de las Naciones Unidas si no cumplía mejor con su trabajo.

Drozdov se había enterado de esa discusión y por eso me llamaba. Ante su solicitud de que concediera al agente el beneficio de la duda, resolví aprovechar una situación en la que era Drozdov, y no yo, el que estaba en desventaja.

–He tratado de ayudarle –dije al *rezident*–, pero quizás usted no sepa de qué clase de hombre estamos hablando. No ha mantenido su palabra. Hacer la tarea que se le ha encargado no lleva mucho tiempo, pero él se despreocupa por completo. Y es demasiado indiscreto sobre el trabajo que hace para usted. Eso provoca habladurías y no sé hasta qué punto podré seguir defendiéndolo.

Drozdov reflexionó un momento antes de responder.

–No sé si esos errores son tan importantes, pero –hizo otra pausa– trataré de considerar el asunto desde su punto de vista. Nosotros realmente queremos que esté en las Naciones Unidas. ¿Qué piensa usted?

–Yo no consigo nada de él –respondí–. Quizás usted pueda inducirle a hacer su trabajo. Dígale que es importante. A usted le escuchará.

Drozdov parecía aliviado. Aceptó mi idea de inmediato y nos separamos amistosamente. No supo nunca el temor que su llamada me había producido.

Quizá fue ese incidente la causa de los vívidos sueños sobre mi infancia que tuve esa noche. Me desperté varias veces empapado de sudor, con el corazón palpitante. Reviví el principio de la guerra, en 1941, cuando empezaron los bombardeos y mi madre y yo nos escondíamos todas las noches en el sótano reservado a las patatas, debajo de nuestra casa, cerca del mar Negro.

SEGUNDA PARTE

La educación de un diplomático soviético

7

Pasé una infancia cómoda, modesta pero segura. Cuando nací, en 1930, mi familia vivía en la ciudad minera de Gorlovka, en el este de Ucrania. Mi padre, médico, –mi madre era su enfermera– ejercía en un pequeño hospital para trabajadores ferroviarios.

Cuando tenía cinco años nos trasladamos a la ciudad de Yevpatoria, un balneario sobre el mar Negro, en Crimea. Poco antes de que los alemanes atacaran a la Unión Soviética, nombraron a mi padre administrador del sanatorio de tuberculosis de Yevpatoria, destinado a los hijos de los militares de mayor graduación y de los burócratas de alto nivel.

Aunque había tratado durante casi toda su vida de alejarse de la política, se le exigió que usara un uniforme de teniente coronel del Ejército Rojo y, un año después, que se uniera al Partido Comunista. Ese rango militar y la afiliación al Partido eran símbolos obligatorios de su nueva posición, y nos otorgaban un nivel social especial.

Mi padre era un hombre cálido y generoso que agradaba a los jóvenes. Los niños a su cuidado le seguían durante sus rondas. Muchas veces trabajaba durante todo el día, y puedo recordar los celos que yo sentía de esos niños con quienes él pasaba tanto tiempo. Durante largo tiempo, a principios de la década de 1920, había sido el único médico en ochenta kilómetros a la redonda.

Mi padre y mi hermano mayor, Guennadi, me malcriaban. Mi madre intentaba evitarlo, pero yo me resistía obstinadamente a cualquier clase de disciplina. Ella provenía de una familia con tres hijos, de clase media, de origen polaco y ucraniano. Su padre era diseñador de modas y tenía una pequeña sastrería en Jarkov. Mi madre era muy bella y apenas tenía dieciocho años cuando se casó con mi padre.

Siendo yo todavía muy pequeño, mi madre me transmitió el

amor por la lectura. Entre mis recuerdos más antiguos hay cuentos del folklore ruso y las narraciones de Pushkin, que ella me leía una y otra vez.

En la escuela, era un estudiante normal. Me gustaban la literatura y la historia, materias en las que tenía buenas calificaciones, pero no me interesaban las matemáticas ni las ciencias. Cuando hacía buen tiempo, evitaba la escuela todo lo que podía. En ese momento ya era un ávido lector, y me encantaba llevarme un libro a la playa y pasar el día leyendo y nadando en lugar de asistir a las clases.

Aprendí a jugar al ajedrez, cosa que me gustaba, y a tocar el piano, cosa que no me gustaba. Una de mis grandes pasiones era coleccionar sellos, y a los siete años de edad sabía los nombres de casi todos los países y colonias del mundo. Cada vez que llegaba a mis manos un nuevo sello buscaba en el mapa el país correspondiente, lo que acrecentaba mi interés en el mundo de fuera de la Unión Soviética.

Traté de dibujar, como mi hermano Guennadi, pero en esto era un fracaso. Guennadi era nueve años mayor que yo, y mi héroe. Era un atleta y un artista y le enloquecía la aviación. Había cerca de la ciudad un pequeño aeroclub al que se asoció apenas mi madre se lo permitió. Cuando terminó la enseñanza secundaria, estaba ya decidido a ser piloto. Yo, como hermano menor, era una verdadera maldición para él, en particular cuando alguna de sus amigas venía a nuestra casa a cenar o a pasar la tarde del sábado. Necesariamente, esas señoritas debían pasar por debajo de nuestros manzanos, donde muchas veces yo las esperaba para arrojarles una bolsa de agua. Guennadi me bajaba del árbol y me daba algún azote, pero nunca logró modificar mis hábitos malévolos porque con frecuencia esas escenas terminaban con risas y a mí me encantaba llamar su atención.

En la escuela, la influencia del régimen empezó a marcarme. Yo era muy patriota, me enorgullecía de mis obligaciones de Joven Pionero y estaba convencido de que todas las cosas buenas habían nacido con la Revolución. Después del parvulario, mis compañeros y yo recibíamos cotidianamente enseñanzas de este tipo. Nuestros maestros y los líderes de los Jóvenes Pioneros nos recordaban constantemente que vivíamos en una sociedad de bienestar general, la mejor y la más feliz en la historia de la humanidad. Teníamos un brillante futuro, pero debíamos vigilar a nuestros enemigos, los capitalistas, que deseaban apoderarse de todo lo que teníamos y esclavizarnos. Se nos enseñaba a estar preparados para defender a nuestra patria con nuestras vidas, si era necesario, por el comunismo.

Mi feliz infancia concluyó bruscamente en junio de 1941. Yo tenía diez años cuando Hitler atacó la Unión Soviética. El primer día de la guerra, el puerto de Sebastopol, a unos cien kilómetros de Yevpatoria, sobre la costa, fue bombardeado. La gente, aterrorizada, había salido a las calles a mirar el reflejo rojo del bombardeo en el cielo. También nuestra ciudad recibió algunas bombas ese día.

Pronto llegaron noticias de grandes derrotas. Era incomprensible. Nos habían enseñado que el Ejército Rojo era invencible. Cualquiera que se atreviera a atacar a la Unión Soviética sería aplastado. Pregunté a mi padre qué ocurría, pero ni él ni nadie podía explicarlo. Un día hablé con un compañero de la escuela y critiqué al ejército. Dima, mi compañero, pensaba lo mismo y se lo repitió a su padre; como era el comisario político del sanatorio, llamó a mi padre para informarle de mi deslealtad.

Esa noche mi padre me llevó al jardín que había entre nuestra casa y la playa. Me preguntó si lo que le había contado el comisario político era verdad.

–¿Has dicho realmente esas cosas? ¿Has dicho que nuestros soldados no eran tan buenos como los alemanes?

Hablaba en voz baja pero severa. Admití haber dicho que el ejército soviético había sufrido derrotas.

–Después de todo –añadí–, eso es cierto, ¿verdad?

–Estamos en guerra –contestó mi padre–. Tu hermano Guennadi está aprendiendo a volar para luchar contra los alemanes. Va a arriesgar la vida. ¿Cómo crees que se sentiría si supiera que tú piensas que no es un buen piloto, que él y sus camaradas son demasiado débiles para ganar?

Empecé a llorar. Idealizaba a mi hermano. No quería herirlo. Mientras intentaba secarme las lágrimas con el brazo, mi padre me abrazó.

–Arkasha –dijo–, no importa cuál sea la verdad. Importa lo que la gente piensa. No puedes ir por ahí diciendo todo lo que pase por tu cabecita de sabelotodo. La gente dirá que eres un derrotista. Pensará que repites lo que decimos tu madre y yo. ¿Quieres que nos denuncien? ¿Sabes lo que les pasa a los traidores? Los fusilan. ¿Quieres que nos fusilen?

Nunca había visto a mi padre tan afligido y preocupado. Me sacudió, cogiéndome por los dos brazos, y acercó su cara a la mía.

–Ya eres bastante mayor para aprender a tener sentido común, y es mejor que lo aprendas rápido. No debes abrir la boca para decir lo que ves o lo que piensas. Di lo que te enseñan a decir. Haz lo que veas que otros hacen. Y guárdate tus pensamientos. Así no tendrás problemas.

Me apartó y regresó a casa. Me quedé en la oscuridad llorando, sintiéndome humillado y miserable. Mi padre no había alzado la voz, pero sus casi susurros habían sido explosivos. Sabía que estaba furioso, pero comprendí que además tenía miedo. También yo empecé a tenerlo.

Mi padre me había llamado sabelotodo, y tenía razón. Era rápido para cuestionar las órdenes que no me gustaban, y más que obstinado. A medida que fui creciendo, los hechos que no me dejaban analizar me siguieron produciendo perplejidad y a veces inquietud. Los advertía, pero la mayoría de las veces no decía nada.

En otoño de 1941 las fuerzas alemanas ocuparon Crimea; los niños del sanatorio fueron evacuados. Mi madre y yo nos fuimos con ellos. Nos enviaron a Torgai, una pequeña ciudad de los magníficos montes Altai, en Siberia, donde vivimos los tres años siguientes. De vez en cuando mi padre acudía al frente; pero, excepto por la inquietud que eso nos causaba y por la constante preocupación por Guennadi, nuestra vida transcurría plácidamente. Teníamos nuestras raciones de alimentos, cultivábamos nuestro pequeño huerto y éramos muy afortunados porque teníamos el lujo de los lujos, una vaca.

La guerra lo ensombrecía todo. Escuchábamos las noticias por la radio y leíamos los artículos de los periódicos. En el despacho de mi padre había un mapa en el que marcábamos los desplazamientos de la línea del frente con alfileres rojos. En nuestra pequeña comunidad, vivíamos amargamente las derrotas y oscilábamos entre la desesperación y la euforia. Cuando en 1942 se formó una coalición internacional contra Hitler, que incluía a la Unión Soviética y a los Estados Unidos, sentimos una gran ilusión. Nuestros sentimientos con respecto a los Estados Unidos eran muy cálidos. Sabíamos que nos estaban ofreciendo una gran ayuda mediante alimentos y materiales. Yo había visto los camiones americanos e incluso, en el sanatorio de mi padre, teníamos un coche Willys, el orgullo de la comunidad. A menudo veíamos las películas de guerra de Hollywood; muchas de ellas describían la amistad entre norteamericanos y rusos. Yo estaba seguro de que siempre seríamos amigos; era inconcebible que algo pudiera ocurrir entre la Unión Soviética y los Estados Unidos.

La guerra aún no había terminado cuando, en 1944, regresamos a Yevpatoria. La ciudad estaba muy destruida. Había docenas de edificios en ruinas y la famosa playa estaba llena de casquillos de ametralladora, minas enterradas y alambradas de púas. La gente había perdido sus casas, estaba enferma y muchos habían sufrido la muerte de sus familiares. Los hombres regresaban del frente mutilados; también eran habituales otras heridas. Los veteranos ostentaban hileras de medallas y las exhibían mientras pedían dinero en las esquinas de las calles. Aparecían en el mercado intentando vender las medallas, los viejos abrigos, todo lo que habían logrado salvar de la guerra.

Pronto vi, como ya lo habían hecho muchos otros soviéticos, los primeros signos de algo más terrible que la guerra. En la primavera de 1944 se deportó masivamente a la gente de Tataria de las tierras que habían cultivado en Crimea durante varios siglos. Alrededor de 300 000 hombres, mujeres y niños fueron arrancados sin explicación de sus hogares, embarcados hacia el este en vagones de ganado sin alimentos ni agua, condenados al destierro porque se suponía que habían colaborado con los ocupantes nazis. Quizás hubiera algo de cierto en ello, pero la explicación no era suficiente. Yo sabía que los padres de varios de mis compañeros tátaros estaban en el Ejército Rojo luchando en el frente. ¿Por qué tenían que castigar así a las mujeres y los niños de los soldados leales?

En septiembre de 1944 nos enteramos de que Guennadi había muerto. Cañones antiaéreos alemanes lo habían derribado cerca de Varsovia. Había volado desde el principio de la guerra, en 1941; primero, en anticuados aviones de madera y, después, en modernos cazas que de algún modo habían logrado sobrevivir.

Mi padre y yo habíamos estado siempre muy unidos y fue quizá por ello que me anunció la muerte de mi hermano unos pocos días después de recibir la notificación oficial. Me pidió que se lo ocultara a mi madre tanto como fuera posible. Me hundí en la desesperación cuando comprendí que jamás volvería a ver a Guennadi, que nunca regresaría a casa. Era muy difícil ocultar mis sentimientos a mi madre. Lloraba a escondidas. Intentaba salir de casa y estar cerca de mi padre. Él me dejaba leer en su despacho. Me animaba a que jugara con mis compañeros, pero durante mucho tiempo no tuve ganas de hacerlo.

Finalmente, por supuesto, mi madre empezó a preocuparse por la falta de noticias de Guennadi, y después de que mi padre la disuadiera algunas veces, ella insistió en pedir información a Moscú. Entonces él le dio la pequeña caja con los efectos personales de Guennadi que habían enviado los pilotos de su unidad, acompañada de una carta de uno de los que habían estado con él en la fatal misión. En la caja había cartas, fotos de la familia y de su novia, y unos pocos dibujos que había hecho a pluma: un paisaje, retratos de sus amigos en la unidad, algunos lugares en los que había estado... Tenía veintitrés años. Yo no creo que mi madre haya superado jamás la muerte de Guennadi, pero mi padre logró calmar su dolor trabajando más y más. Para mí ese año, cuando tenía catorce, significó el inicio de mi paso de la infancia a la edad adulta. Tomé conciencia de los sufrimientos reales de los hombres de mi país quizá porque en la primera etapa de mi vida la tragedia me había tocado muy de cerca.

Mi introducción en el mundo y en la mentalidad de la policía política llegó a finales de 1944, varios meses después de que el Ejército Rojo hubiera echado finalmente a los alemanes de Crimea. Era la Nochebuena y la gente caminaba por la calle principal de Yevpatoria hacia la catedral ortodoxa y se amontonaba alrededor de ella.

Esa tarde, algunos compañeros de la escuela y yo habíamos ido a ver una película, un musical alemán subtitulado en ruso que habían traído las tropas soviéticas como trofeo de guerra. Era una comedia y nos había puesto a todos de muy buen humor. Cuando salimos del cine, ninguno de nosotros quería regresar a casa.

Mi amigo Igor, el mayor de nuestro grupo, comentó que había mucha gente en la calle. Zoia, una enérgica muchacha pecosa, nos recordó que era la Nochebuena y que la gente estaba esperando que se iniciara la ceremonia en la catedral. Nos propuso que fuéramos a ver. Era la primera vez que entraba en una iglesia; las velas encendidas, el coro, el incienso y el esplendor de la indumentaria de los sacerdotes me dejaron fascinado hasta que acabó la celebración, bien entrada la medianoche.

A la mañana siguiente, en la escuela, un hombre joven y alto entró en nuestra clase y, después de susurrar unas palabras al oído del maestro, me llevó afuera. Con ansiedad, le pregunté si había ocurrido algún accidente; quizá les había pasado algo a mis padres. El hombre me palmeó el hombro y me dijo que no me preocupara, que simplemente querían hablar conmigo en el despacho de la NKGB.

En el edificio de dos pisos del cuartel general, de arenisca marrón, un teniente coronel de pelo canoso llamado Migulin, que parecía estar agotado, detrás de un escritorio repleto de papeles, me dijo que había cometido un grave error al asistir a la ceremonia de la iglesia. Sin embargo, podía rectificar ese error si identificaba a otros que habían estado allí.

Balbuceé que yo no había participado en la ceremonia sino que simplemente había querido verla y que no sabía que hubiera algo malo en ello.

–No sabías que hubiera algo malo en ello, Shevchenko, porque aún eres un imberbe –me reprendió Migulin. Continuó diciendo que los sacerdotes habían aprovechado mi presencia en la ceremonia para demostrar que la juventud se volcaba hacia la religión. Dijo que podía anotar puntos a mi favor si le ayudaba. Algunos miembros del Partido y funcionarios de la ciudad también habían cometido ese error. Migulin quería los nombres de las personas que había visto en la iglesia para «poder explicarles también el error que han cometido».

La propuesta, así como el hecho de que me hubieran visto y lo hubieran informado, me espantó. Le dije que había demasiada gente para que yo reconociera a alguna persona y, para mi alivio, salí del despacho de la NKGB con la malhumorada advertencia del interrogador de que «dejara de rondar las iglesias».

Tomé conciencia del incidente más adelante. Migulin no era digno de la alta misión que se le había encomendado. Si Stalin se hubiera enterado de esa conducta, yo estaba seguro de que el culpable habría sido castigado. Creía de todo corazón que Stalin era bueno y justo, casi un dios. A todos los niños de mi edad nos habían enseñado ese catecismo desde nuestra primera infancia. Por supuesto, de vez en cuando, hombres malos aparecían junto a Stalin y le daban malos consejos, pero él siempre se imponía a esas personas. Aunque no lo sabía en ese momento, mi teoría del «buen zar, malos consejeros» era la que había mantenido a tantos rusos dominados por la autocracia durante siglos, pero a los catorce años no me daba cuenta de esas cosas. Nadie de mi familia ni de sus amigos hablaba abiertamente, al menos delante de mí, sobre lo que Stalin estaba haciendo en ese momento: el terror y las purgas, los campos de concentración y la ejecución de decenas de miles de personas inocentes.

Pero mi encuentro con la policía política era un episodio menor frente a la gran esperanza que todos sentíamos a medida que se acercaba el fin de la guerra.

Una tarde, a principios de febrero de 1945, mi padre, profundamente excitado, nos dijo a mi madre y a mí que debía ir inmediatamente al aeropuerto situado entre Simferopol y Saki. Se esperaba que llegaran allí algunas personas muy importantes. Era un secreto cuidadosamente guardado.

Cuando al día siguiente mi padre regresó a casa, nos contó que no sólo había visto a Stalin y hasta le había dado la mano, sino que también había conocido a otros dos líderes aliados importantes, Roosevelt y Churchill. Dijo que se dirigían a una conferencia en Yalta. La razón de la presencia de mi padre en el aeropuerto era que los soviéticos necesitaban varios médicos para ver inmediatamente a Roosevelt y evaluar los rumores que circulaban sobre su salud. Mi padre dijo que los otros médicos y él acordaron que, efectivamente, Roosevelt parecía estar enfermo y que, obviamente, estaba agotado.

Mucho tiempo después, cuando trabajaba para el Ministerio de

Asuntos Exteriores conocí a personas que habían participado en la Conferencia de Yalta; supe entonces que Stalin y Molotov habían intentado sacar partido de la enfermedad de Roosevelt. Habían ejercido una dura presión sobre él, con la esperanza de que la enfermedad le hiciera más susceptible a sus influencias en las difíciles, acaloradas y tensas negociaciones. No se habían hecho jamás ilusiones de que Churchill estuviera de acuerdo con las ideas soviéticas sobre los acuerdos posteriores a la guerra, ni tampoco creían que Roosevelt fuera un verdadero amigo de los soviéticos; pero pensaban que éste, al menos, era más tratable que Churchill.

Por supuesto, mi padre no estaba enterado de las conversaciones de Yalta, pero comprendía que la idea general era importante para el mundo de la posguerra. Entre las ideas que debían considerarse, nos dijo, figuraba el establecimiento de una nueva organización internacional que garantizaría la paz en el mundo; creo que mi interés por las Naciones Unidas se inició en ese momento.

No podía aceptar de ninguna manera que los remordimientos de conciencia, cívica o personal, perturbaran mi adolescencia después de la guerra. Para mí, fueron años buenos, la mayoría de ellos sin problemas. Jugué al baloncesto y al ajedrez, coleccioné sellos, disfruté de los espectáculos teatrales, aprendí a conducir un coche; saqué provecho de un modo dulce y amargo a la vez del hecho de que la guerra, que había matado a mi hermano, me había transformado en un hijo único mimado.

Acabé la escuela secundaria en 1949. Estaba tan entusiasmado y me interesaban tantas cosas que no tenía una idea clara sobre qué carrera seguir. Inicialmente, creí que quería ser un piloto, como Guennadi. Pero había desarrollado también una pasión por el cine y quería ser actor y, más tarde, director.

Mis padres querían que siguiera la tradición familiar y que ingresara en la facultad de medicina de Simferopol, la capital de Crimea, una ciudad no muy lejos de Yevpatoria. Pero no me atraía la carrera de medicina.

Estaba seguro de que quería ir a Moscú, el centro de toda la vida cultural y política, el lugar donde ocurrían las cosas más importantes y más interesantes y donde se daba la mejor educación. Estaba aún en mi etapa de «director de cine», en 1949, cuando fui a visitar a un primo en Moscú. Intentó convencerme de que debía estudiar idiomas, historia, leyes. Desde la guerra, yo había desarrollado un interés creciente por la política y la historia. Mi primo, que estudiaba en el Instituto de Relaciones Internacionales de Moscú (conocido generalmente como MGIMO), me alentó para que intentara ingresar en ese instituto para la formación de los futuros cuadros diplomáticos y políticos. Me atraía la idea de ser un diplomático y viajar al extranjero. No quería pasarme la vida en una pequeña ciudad.

Una vez, Bert Johnson me preguntó si era difícil lograr el ingreso en el MGIMO; le contesté «sí y no». Mientras algunos estudiantes entraban por sus méritos, en la década de 1970 el instituto se había transformado en una escuela para los niños de la élite, que no tenían que competir para ser admitidos. Por Moscú, circulaba un chiste que decía que la única competencia para entrar en el MGIMO se daba entre los padres: los burócratas más importantes e influyentes eran los ganadores. Años más tarde, utilicé mi propia posición para garantizar que mi hijo tuviera una plaza en el instituto.

El MGIMO se había vuelto popular y atraía a la «juventud dorada», los hijos de los funcionarios más importantes del Partido y del gobierno, porque abría las puertas a los viajes al exterior, un proyecto tentador para muchos simplemente porque facilitaba la adquisición de mercancías extranjeras. Debido al aumento de las relaciones diplomáticas en la etapa posterior a Stalin, los viajes al exterior se habían convertido en un símbolo de rango para la clase dirigente; durante las décadas de 1960 y 1970 disminuyó el excelente nivel, anteriormente característico, de los graduados del MGIMO.

En mi época había al menos un cierto grado de competencia intelectual. No obstante, los criterios para la admisión en el MGIMO no se limitaban exclusivamente a las calificaciones altas. Mis antecedentes familiares eran buenos, no habíamos realizado actividades contra el Estado, y yo había logrado altas puntuaciones en la escuela. Pero había otro requisito: debía tener una recomendación especial del Partido Comunista a través del comité de Yevpatoria. Cuando regresé a Crimea, me presenté ante los funcionarios del Partido y me sometí a una larga conferencia acerca de cómo ser un buen comunista. En ese momento, por supuesto, ya era casi un miembro de la Komsomol, la organización juvenil del Partido. Debía ser consciente, me dijeron, del honor que significaba asistir al Instituto de Relaciones Internacionales de Moscú. Quienes tienen ese honor nunca deben desviarse; deben mostrar una constante devoción hacia la causa del Partido y del Estado. Intenté demostrar la atención y el entusiasmo necesarios, y así conseguí la aprobación del Partido.

8

El primero de septiembre de 1949 me convertí en un estudiante del edificio gris de cuatro pisos, medio oculto por los muros del puente Krimski, que albergaba el MGIMO.

Originariamente, el MGIMO había sido una pequeña escuela especial para la formación de diplomáticos y otros cuadros políticos, con un cuerpo estudiantil que no superaba los cien alumnos. Dependía de la Universidad de Moscú, pero en 1945 se transformó en una institución independiente controlada por el Ministerio de Asuntos Exteriores, y más tarde también por el Ministerio de Comercio Exterior. Un año antes de que empezara a estudiar allí, se crearon tres facultades: la de derecho internacional, la de relaciones internacionales y la de relaciones económicas internacionales. Poco tiempo después, se añadieron la de estudios orientales y la de periodismo. Elegí la facultad de derecho internacional y decidí estudiar francés para trabajar como diplomático en Francia una vez acabados los estudios.

El MGIMO era un lugar de estricta disciplina y fuerte adoctrinamiento. Cada clase tenía su *nachalnik kursa* (jefe de clase), generalmente un funcionario o ex funcionario de la MGB (como se conocía entonces la KGB). Estas personas estaban autorizadas para controlarlo todo, incluida la vida personal de los estudiantes. Todos nosotros éramos miembros del Partido o de la Komsomol, que no defendían los derechos del estudiante ni servían a sus intereses, sino que funcionaban como un supervisor adicional para la administración, asegurando el estricto cumplimiento de todas las reglas, órdenes e instrucciones. Hasta donde yo supe, nunca se cuestionó esa disposición.

Quizá pueda resultar curioso actualmente en Occidente, pero nosotros respetábamos la Komsomol y aún más el Partido. Nuestros profesores –que eran miembros del Partido– habían servido en el

Ejército antes de entrar en el MGIMO. Sus opiniones ejercían gran influencia sobre nosotros y aceptábamos seriamente sus consejos. Sin excepción, esos hombres creían incondicionalmente en la justicia de la causa del Partido. No sabíamos que, en realidad, el Partido estaba prácticamente muriendo como movimiento político, sometido al control personal de Stalin.

El programa era agobiante. Además de un curso universitario básico de leyes, historia, economía, literatura, etc., el MGIMO dictaba cursos especializados en gran cantidad de temas, así como estudios intensivos de idiomas extranjeros. Aparte de todo esto había un programa completo sobre los fundamentos de la teoría marxista-leninista, la filosofía del materialismo histórico y dialéctico, economía política y comunismo científico. El entusiasmo que poníamos en nuestros estudios dio el fruto esperado y, en lo fundamental, creíamos en la validez de los postulados básicos del marxismo-leninismo.

Por otro lado, sin embargo, no podíamos hacer otra cosa que comprobar que el marxismo, o su versión leninista, no siempre era consistente; que, a pesar de que se lo proponía, no explicaba las realidades complejas y diversas. Como muchos otros, yo era consciente de las discrepancias entre la teoría marxista-leninista y su aplicación práctica en la Unión Soviética. No obstante, en la mayoría de nosotros, la creencia en el sistema se mantenía fundamentalmente intacta. A pesar de sus contradicciones, confiábamos en el marxismo-leninismo porque aceptábamos que no existía una teoría social perfecta y porque sabíamos muy poco sobre el funcionamiento de otras sociedades.

Sin embargo, preguntábamos a nuestros profesores por qué aún no se habían puesto en práctica ciertas «verdades» comunistas, como la transformación gradual del Estado en un autogobierno popular, la abolición del sistema monetario, la abundancia de las ventajas materiales para la población...

Sus respuestas variaban notablemente. En general, los profesores decían que, puesto que nuestra experiencia en la construcción del comunismo no tenía precedentes, se debía ajustar la teoría a las necesidades prácticas. O, simplemente, nos enseñaban a aplicar el método del materialismo dialéctico a las específicas circunstancias históricas rusas.

Intenté comprender la esencia de la dialéctica marxista; no era fácil. Una tarde, en 1951, un grupo de nosotros estaba en una clase preparando un examen de «diamat» (materialismo dialéctico). Un amigo que había consultado libros y apuntes nos dio su definición. Suspirando profundamente, nos dijo:

–El materialismo dialéctico es asombroso. Con su ayuda, uno puede justificar cualquier locura.

Afirmaciones como ésta eran peligrosas. Tenía amigos que habían sido expulsados del instituto por hacer semejantes observaciones críticas. Debíamos aprobar los exámenes sin desafiar las teorías ni exigir respuestas a las preguntas comprometedoras. Pero, aunque no tratábamos de encontrar problemas en la sociedad soviética, los fallos se revelaban continuamente. Durante mis años de estudiante, las teorías se revisaron muchas veces. Siempre se «corregían» hechos y conceptos en los libros de texto y en las conferencias. Como la política cambiaba según los caprichos de Stalin, los hombres y las naciones que lo habían apoyado se volvían parias de la noche a la mañana; los dogmas establecidos se transformaban en herejías. Podía ser desastroso no asistir a una conferencia en la que se anunciaba la verdad revisada del día para que nosotros la copiáramos.

Nuestros profesores intentaban hacernos creer que la sociedad soviética estaba gobernada por la clase trabajadora, la llamada dictadura del proletariado, concepto marxista-leninista básico durante el período de transición del capitalismo al socialismo. Pero, en realidad, la élite despreciaba (y desprecia) al proletariado, excepto a unos pocos proletarios designados por el Partido como «héroes del trabajo socialista» que utilizaban con fines propagandísticos. Como tantos otros, yo no era ciego al hecho de que la Unión Soviética no era en absoluto el feliz y próspero Jardín del Paraíso de los trabajadores y campesinos que describían los libros de texto, los periódicos y las revistas, y que aparecía en las películas y las obras de teatro.

Había muchas verdades que nos ocultaban sobre Marx y el marxismo-leninismo, y sobre la revolución rusa y sus líderes. No se podía conseguir ninguna de las obras de Lev Trotski. Antes de viajar al exterior, donde pude leer una historia más veraz sobre el Partido Comunista Soviético, el epíteto «Judas Trotski» era prácticamente todo lo que sabía de ese hombre. Tampoco podíamos leer los escritos de Zinoviev, Kameniev, Bujarin y otros líderes destacados a quienes habían calificado de «traidores» y «capituladores». Del mismo modo, sólo cuando fui a los Estados Unidos me enteré de que Karl Marx había condenado la censura como una «moral nociva que únicamente puede tener consecuencias nocivas».

Nuestros estudios sobre marxismo eran limitados: leíamos escritos de Stalin más que de ningún otro, pero el programa contenía también selecciones de Marx y de Lenin. Los trabajos de Engels y de Mao Zedong tenían un control más estricto. Los profesores y tutores no nos estimulaban a que pensáramos y analizáramos las cosas por nosotros mismos, como se estimula a los estudiantes en Occidente. Nos enseñaban a aceptar lo que en ese momento era oficial. Con la excepción de las ciencias básicas, éste es el enfoque que aún domina en la Unión Soviética.

Naturalmente, surgen grandes grietas en una educación semejante. Por esta razón, a veces los soviéticos parecen ignorantes cuando conversan sobre asuntos generales con los occidentales cultos. Pero eso no importa; sin duda, es el método más seguro y duradero para evitar que penetren pensamientos subversivos en las mentes de los estudiantes.

La pedagogía oficial soviética establece que el pensamiento y la conducta independientes significan sobre todo la capacidad de comprender las órdenes y ponerlas en práctica de la mejor forma posible. En términos prácticos, esto quiere decir que cualquier iniciativa que exceda los límites establecidos se debe considerar peligrosa y, por lo tanto, hay que suprimirla. Es una filosofía que, en efecto, ha transformado en siervos modernos a muchos soviéticos. Por supuesto, cuando mis padres y yo pasamos por esa particular máquina de lavar, no comprendíamos todo eso. Había muy poca gente a nuestro alrededor que nos ayudara a abrir los ojos. La mayoría de los que habían participado en la Revolución de 1917 habían sido asesinados en las grandes purgas de la década de 1930; quienes aún vivían ya habían sufrido lo necesario, de forma individual u observando la miseria de los demás, para mantener bien cerrada la boca acerca de Stalin o de la naturaleza del sistema soviético.

Mis estudios me obligaban a estar en clase o en la biblioteca desde por la mañana temprano hasta bien entrada la tarde, seis días por semana. Del haragán que había sido de niño, había pasado a ser un joven a quien le encantaba estudiar. Era para mí una suerte que fuera así. Cuando tenía diecinueve años, mi padre murió repentinamente de una hemorragia cerebral. La noticia de su muerte fue un golpe terrible que me dejó durante un tiempo en una especie de estado catatónico. Aún hoy no puedo recordar con claridad cómo mis parientes me llevaron a Yevpatoria para asistir al funeral. A partir de aquel momento, durante muchos años desperté de mis sueños pronunciando su nombre.

Pronto descubrí que la muerte de mi padre tenía también consecuencias prácticas. A los pocos meses de ingresar en el MGIMO, pasé de la seguridad y el confort que había conocido durante casi toda mi infancia a una situación casi de pobreza. Mi madre y yo sólo teníamos una pequeña pensión para compartir. Ella la necesitaba más que yo, de modo que el dinero se convirtió en una preocupación constante.

Cuando alcancé calificaciones superiores en los cursos, recibí también una pequeña asignación del gobierno.

Mi vida cambió rápidamente de nuevo cuando conocí a Lina en una fiesta de patinaje en el parque Gorki, a principios de 1951. Era rubia, bonita y delgada como una bailarina, y estaba llena de alegría y de vitalidad. Para mí, fue un amor a primera vista. Lina, apodo de Leonguina, era estudiante del Instituto de Comercio Exterior. Nos casamos en junio de ese mismo año y nuestro hijo Guennadi nació al año siguiente.

La familia de Lina era una mezcla bielorrusa, polaca, lituana y letona. Ella había nacido en la pequeña ciudad de Dziubovo, cerca de las fronteras de las cuatro naciones. Algunos de sus primos, tíos y tías se consideraban polacos; otros, bielorrusos o lituanos. Hablaban incluso distintos idiomas. Algunos habían sido víctimas de la represión policial de finales de los 40 y principios de los 50. Uno de sus tíos, un polaco, fue ejecutado antes de la guerra con Alemania; la familia jamás supo por qué. A Adam, otro tío de Lina, un excelente granjero, le desterraron sin explicación y confiscaron su propiedad. Él mismo me contó esa historia cuando, viejo y enfermo, le permitieron visitar Moscú para ver a mi suegra. Con amargura manifestó su resentimiento contra los soviets, contó los robos a los granjeros y el terror que habían impuesto a la gente de Lituania. En efecto, las tropas soviéticas libraron una especie de guerra de guerrillas contra la gente del lugar hasta finales de la década de 1950. Cuando Adam contó esa historia, de alguna manera yo dudaba de que fuera cierta. En el instituto nos habían inculcado que las personas que relataban esas historias habían colaborado con los nazis.

Mientras tanto, iba familiarizándome cada vez más con la capital. Obtener permiso para una residencia permanente en Moscú es casi imposible. Se pueden hacer cortas visitas a la ciudad, pero para quedarse más de un día es necesario un permiso de la policía local, que puede otorgarlo o denegarlo. Cuando en 1949 fui a Moscú, me dieron una residencia temporal. Sólo después de mi boda con Lina –que ya era una moscovita– obtuve la residencia permanente.

Nuestros primeros años de matrimonio fueron verdaderamente felices. Podíamos incluso pasar por alto la deprimente realidad de nuestro alojamiento en Moscú. La permanente escasez de espacio nos obligaba a vivir en una sola habitación de un apartamento comunitario ocupado por otras dos familias, una de las cuales estaba formada por nueve miembros. En total éramos quince, apiñados en tres habitaciones; compartíamos una cocina y un baño, que tenía únicamente un inodoro y un lavabo. Para bañarnos, íbamos a una casa de baños pública cerca del apartamento, separada por sexos.

Y, sin embargo, teníamos suerte de poseer esa miserable vivienda. Esa habitación había pertenecido a la madre y al padrastro de Lina. En ese momento, vivían en Austria, donde él trabajaba como ingeniero en las industrias que los soviéticos habían confiscado como reparaciones de guerra. A través de ellos conocimos las posibilidades de una vida mejor, o al menos más desahogada, en Occidente. A mí, la vida occidental me parecía fascinante por la diversidad y las increíbles oportunidades que ofrecía. Para Lina, la atracción era fundamentalmente material y, si bien las historias de su madre sobre Viena y las ropas que traía de Austria alimentaban fundamentalmente la imaginación de Lina, tampoco yo era inmune a todo eso.

Todos los años, al empezar el otoño, había una campaña en el MGIMO llamada *na kartoshku* (para las patatas) y nos hacían ir a un *koljoz*[1] cerca de Moscú para ayudar en la recolección de la patata. La mano de obra de un *koljoz* era siempre muy escasa y la miseria de las *koljozniki* –la mayoría eran mujeres– era impresionante. Muchas de ellas vivían en barracas de una sola habitación, algunas de suelos sucios y sin agua corriente. Aunque estaban cerca de Moscú, en general no tenían electricidad. Naturalmente, esas personas no tenían demasiado entusiasmo por trabajar en el *koljoz*, ya que debían entregar toda la cosecha al Estado. Preferían gastar las energías en sus propias pequeñas parcelas privadas; gracias a ellas se alimentaban y vendían los productos en el mercado ilegal de campesinos de la ciudad, donde podían obtener bastante dinero por los productos de buena calidad.

La mayoría de los estudiantes sabíamos poco acerca de las granjas o de las cosechas, y nuestra asistencia era, en el mejor de los casos, marginal. Además, las campañas interrumpían nuestros estudios y al final de la cosecha debíamos estudiar el doble para ponernos al día.

Así como para las «campañas de las patatas», a mis compañeros y a mí nos utilizaban para participar en las elecciones locales para escoger los Representantes del Pueblo del Soviet de Moscú, el Soviet Supremo, como propagandistas o agitadores. Formaba parte de nuestras obligaciones con la Komsomol. La gente se mostraba indiferente a los votos, y nuestra tarea consistía en presionarla para que votara por la mañana y, si era posible, conseguir el ciento por ciento de participación, como pretendía el Partido. Algunas personas se quejaban de que, de cualquier manera, todos los candidatos designados serían elegidos. Intentábamos convencerlas de que esos candidatos eran los me-

1. Forma abreviada de *kollektivnoie jozyaistvo* (granja colectiva). Teóricamente, eran cooperativas de productores agrícolas controladas por sus propios miembros. En realidad, estaban controladas por el gobierno y el Partido.

jores representantes y de que no hacía falta más de uno, puesto que no queríamos copiar el ejemplo de las «corrompidas democracias burguesas».

No comprendía entonces que el Soviet Supremo, como otros soviets locales, era sólo un sello de goma. Mis compañeros y yo creíamos que la actitud pasiva de los votantes indicaba «elementos antisociales» a quienes se debía detectar y enseñar a ser buenos ciudadanos soviéticos. No obstante, comprendía muchas de sus quejas, puesto que también tenía las mías, y empecé a sentirme cada vez menos seguro de las respuestas correctas a las preguntas que la gente me hacía como agitador electoral.

Una noche, en un restaurante de Moscú, empecé a quejarme ante la peor audiencia que hubiera podido elegir: un funcionario de la KGB de alto rango. Su hija había sido paciente en la clínica de Yevpatoria y, agradecida por la atención especial que mi padre le había dado, el coronel nos invitó a mi madre y a mí a cenar. No sé si fue el renovado dolor por mi padre o el vino, pero repentinamente empecé a enunciar las cosas que creía equivocadas en la sociedad soviética. Protesté por el atraso de nuestra agricultura, los niveles bajos de vida de los trabajadores de Moscú, el ritmo lento de la reconstrucción de Yevpatoria, la injusta represión de algunos de los médicos colegas de mi padre que habían sido capturados por los alemanes y que seguían siendo tratados casi como traidores. Le conté mis experiencias en la campaña para las elecciones. Mi pasión aumentaba a medida que le transmitía las cosas que había aprendido en un curso especial sobre Francia en el que había preparado un trabajo sobre el sistema constitucional francés, en particular sobre las prácticas electorales. Señalé que, aunque se podía criticar ese sistema, el hecho era que en la estructura política pluralista de Francia el Partido Comunista tenía una representación fundamental en el Parlamento y que los votantes podían elegir entre varios candidatos.

Con la insolente impertinencia de la juventud, recordé al coronel que estábamos en el año 1951 y que el Partido no había convocado un Congreso desde 1939. Mi madre estaba inquieta y me miraba enojada, pero nuestro anfitrión no contestó a mis preguntas ni discutió conmigo. Finalmente, se inclinó sobre la mesa y habló de un modo tranquilo y directo.

–Arkadi, yo era un gran admirador de tu padre, así que te hablaré como a un amigo. Eres joven y necesitas algunos consejos. Hablas demasiado. Hablar demasiado puede traerte problemas. Piensa lo que quieras, pero mantén la boca cerrada. Quizás esto te desagrade, pero no te matará. Si hablas con tanta libertad, en cambio... bueno, las consecuencias pueden ser desagradables. Tu padre era un hombre excelente. No dañes su memoria.

Sus palabras fueron como un jarro de agua fría para mí; y sus advertencias tocaban un punto vulnerable. Me fui con un sentimiento de tristeza e inutilidad.

Mis estudios de derecho generaron más interrogantes. El derecho soviético, tal como lo definió Andre Vishinski, que alcanzó notoriedad internacional como fiscal en los juicios de defensa en la década de 1930, escarneció e invirtió la mayoría de las premisas básicas de la justicia aceptadas por gran parte de la civilización durante cientos de años. El libro de Vishinski *Sobre la teoría de la prueba judicial* era el texto básico en el MGIMO sobre la ley criminal soviética. Su tesis principal era que se podía sentenciar a una persona acusada simplemente si existían indicios de culpabilidad; que la confesión de un acusado se consideraba una prueba concluyente; y que el peso de la prueba de inocencia recaía en el acusado.

Si bien esta filosofía era inquietante, la experimenté en carne propia cuando a los catorce años la KGB intentó hacerme su cómplice. Además, ya había comprendido que la crítica abierta era peligrosa. Un conocimiento de esta clase actúa como un poderoso soporífero en nuestra conciencia. Esos debates internos acababan generalmente recordándome a mí mismo que, después de todo, había habido en rápida sucesión una guerra mundial, una revolución, una guerra civil y otra guerra mundial. Y habían estallado además otras revoluciones y guerras civiles no sólo en Rusia, sino también en América y Europa, por no mencionar el resto del mundo. Pero al leer historias sobre las purgas de los «enemigos del pueblo», era difícil imaginar que muchos de nuestros líderes revolucionarios se habían convertido en espías y criminales del imperialismo.

En ese momento, por supuesto, no sabía que el período del régimen de Stalin –que llegó a conocerse como los años del terror masivo– aún continuaba. Ninguno de nosotros conocía los *gulags*. Los pocos que difundían rumores sobre los campos de concentración eran destituidos y se les consideraba locos o simpatizantes de los nazis. Para los estudiantes del MGIMO –al menos para una abrumadora mayoría– no había elección aparte de la que escogía Stalin, a quien idealizábamos. No eran Stalin ni el sistema los responsables de los errores o los fallos, sino los individuos. Estábamos seguros de que se corregirían los errores. Creíamos que los «agresores imperialistas» que nos espiaban eran en gran parte los responsables de muchas deficiencias. Disculpábamos alegremente a nuestros líderes y a nuestro sistema porque aceptábamos la versión oficial de que nuestro país se veía obligado a destinar innumerables recursos valiosos para la defensa en caso de guerra. Lo creíamos porque el recuerdo de las penurias y la destrucción de los años de la guerra eran todavía demasiado evidentes a nuestro alrededor.

Además del extraño clima dentro de la Unión Soviética, estaba la tensa situación internacional. Mi esperanza en la amistad soviético-americana después de la guerra se evaporó cuando empezó la guerra fría. Como la mayoría de mis compañeros, acepté la explicación oficial: los norteamericanos habían intentado hacernos un «chantaje atómico». Por otra parte, sabíamos que su líder era Harry Truman, un obstinado anticomunista. Estábamos preparados para creer cualquier cosa de él.

El suceso más prometedor que se produjo fuera de nuestras fronteras fue la victoria de Mao sobre los anticomunistas en China. Nos alegramos verdaderamente cuando conocimos en Moscú la noticia de la proclamación de la República Popular de China, en 1949. Las discordancias chino-soviéticas fueron casi imperceptibles desde 1949 hasta 1956, cuando las dos naciones se unieron en un frente común contra el imperialismo. Pero aunque el intercambio estudiantil entre los chinos y nosotros proclamaba nuestra hermandad, incluso durante ese período de solidaridad los chinos, a diferencia de los estudiantes de los países de la Europa del Este, de alguna manera se mantenían apartados. La larga tradición de desconfianza entre nuestros países nunca se disipó por completo, ni siquiera durante aquel período de cordialidad.

La guerra fría se volvió glacial con el estallido de la guerra de Corea en junio de 1950. Al principio, parecía que Moscú no iba a intervenir. Los sucesos de la primera semana de guerra sólo aparecieron en las últimas páginas de los periódicos, y con titulares más bien pequeños. Pero en julio el gobierno empezó a organizar reuniones masivas en todas partes. El rector de nuestro instituto condenó enérgicamente la agresión americana y exigió que los Estados Unidos «sacaran las manos de Corea».

La mayoría de nosotros, en el instituto, temíamos que la guerra condujera a una confrontación militar con los Estados Unidos, y que sufriéramos la repetición de la segunda guerra mundial o algo peor. Algunos no creíamos del todo la versión oficial de que Corea del Sur había atacado a Corea del Norte, pero comentar sospechas fuera del círculo íntimo era buscar problemas.

Ése fue el auge de la obsesión del espionaje. Ya fuera por asuntos importantes o insignificantes, el gobierno, nuestros profesores y hasta nosotros mismos estábamos constantemente advirtiendo a la gente sobre los espías o acusándola de hacer espionaje.

Una mañana de enero de 1953, *Pravda* publicó un artículo titulado «Arresto de un grupo de médicos saboteadores». Esta increíble historia inició la infame «conspiración de los médicos», una campaña antisemita urdida en gran parte por Stalin. Moscú se llenó de rumores. Aparentemente, muchos estaban dispuestos a creer que los médicos judíos inyectaban a sus pacientes agentes cancerígenos, o les contagiaban de sífilis, o que los farmacéuticos judíos, denunciados como agentes americanos, daban a la gente píldoras hechas con pulgas disecadas.

Era una historia tan fantástica que ni Lina ni yo podíamos creer lo que decía ese artículo. Desde que era pequeño había conocido a muchos colegas judíos de mi padre, hombres y mujeres que hacían todo lo que podían por sus pacientes. Pero una tía de mi mujer estaba casada con un médico judío y empecé a interesarme seriamente en el asunto cuando él se refirió con miedo a lo que estaba pasando como consecuencia del artículo. En una cena en su apartamento, Lina y yo intentamos calmarlo diciéndole que probablemente la «conspiración» era un hecho aislado, el resultado indudable de que se debían corregir ciertos errores. Pero todos sabíamos que eso era un pobre consuelo, tanto para él como para el resto de nosotros.

Sin embargo, en los días siguientes, Lina y yo empezamos a sentir aprensión por otro motivo. Después de todo, se suponía que el artículo había sido escrito por el mismo Stalin. El líder del Partido era infalible; estábamos condicionados a creer que su posición en todos los asuntos era la correcta. Nosotros mismos empezamos a dudar: ¿existiría un fundamento en las terribles acusaciones hechas en *Pravda*?

Aunque ese artículo era un crudo indicador del clima antisemita existente, sólo más tarde comprendí qué profundamente enraizado estaba el antisemitismo en la sociedad soviética. Por ejemplo, cuando yo estudiaba en el MGIMO, no se permitía la entrada a los judíos. Del mismo modo, la política del instituto no admitía mujeres. Se las consideraba diplomáticas potencialmente mediocres; se casarían. Como se suponía que en la mayoría de los casos sus maridos no serían diplomáticos, no podrían vivir con sus mujeres en el extranjero. Además, enviar a trabajar a otro país como diplomática a una mujer sola era una invitación al peligro. Podían ser víctimas de aventuras amorosas y transformarse en presa fácil de los servicios de inteligencia imperialistas. Se pasaba por alto el hecho de que los hombres no eran inmunes a esos enredos emocionales. Por supuesto, no hay reglas sin excepciones y cuando la hija de Molotov solicitó el ingreso al MGIMO, fue admitida. Despejó el camino para otras pocas mujeres, aunque todavía hoy no son demasiado bien recibidas.

Como en el MGIMO, también se excluye a mujeres y judíos del Ministerio de Asuntos Exteriores. Sólo conocí a un judío con el rango de embajador que era lo suficientemente valiente como para no ocultar sus orígenes. La muerte de Stalin, menos de dos meses después de la publicación de ese artículo en *Pravda*, salvó la vida de los «médicos judíos conspiradores» y evitó *pogroms* en gran escala. Sin embargo, en ese momento, yo no había llegado a esa conclusión; creía con firmeza en Stalin.

9

La muerte de Iosif Stalin en marzo de 1953 fue un golpe terrible. Durante los años de su gobierno nos habían enseñado a reverenciarlo como al salvador de la nación. Nuestra adoración semirreligiosa del *vozhd* o «gran jefe» prácticamente no tenía límites. Casi todos, en el MGIMO, habíamos memorizado virtualmente *La pequeña biografía de Stalin*, que en parte había escrito él y que lo mostraba como a un superhombre de gran bondad y enorme capacidad. Creíamos que era así y lo amábamos. En ese momento no había una biografía de Lenin comparable a la de Stalin.

No queríamos ver en él los defectos que señalaban algunos estudiantes occidentales: la codicia de Stalin por acaparar el honor, su fuerte acento georgiano acompañado de una forma de hablar aburrida. Para nosotros, Stalin era un orador fascinante, y lo que escribía, una maravilla. A menudo se comentaba con amor y admiración que las ventanas iluminadas del Kremlin que veían las personas que cruzaban la Plaza Roja por la noche, indicaban que Stalin estaba allí, trabajando sin cesar para nosotros, pensando constantemente en nuestro bienestar.

Retrospectivamente, resulta increíble esa adoración crédula e ingenua por parte de una nación entera, en particular cuando se oponía a los horrores perpetrados por Stalin. Pero el poeta soviético Evgueni Evtushenko describió acertadamente la desorientación que mucha gente sentía: «Una especie de parálisis general invadió el país. Convencido de que Stalin lo protegía, el pueblo se sentía perdido y confundido sin él. Toda Rusia lloraba. Y yo también. Llorábamos sinceramente de pena, y quizá también de miedo por el futuro».

El día de los funerales de Stalin era frío y desolado. Yo me encontraba entre la multitud en la Plaza Roja. A cierta distancia vi la procesión de los líderes soviéticos y de algunos familiares de Stalin, incluido su hijo Vasili, un general de la Fuerza Aérea. Seguían el féretro de Stalin, que habían colocado sobre una cureña. Malenkov, Beria y Molotov pronunciaron discursos elogiando al último dictador. Beria, con un sombrero negro y grande que le llegaba a los ojos y su abrigo pesado, típicamente ruso, parecía tan siniestro como Rasputín. Mientras hablaba, observé cierta confusión cerca del féretro de Stalin. No podía ver lo que ocurría, pero más adelante supe que Vasili Stalin, que estaba borracho, había gritado a Beria, insultándole y acusándole de que había matado a su padre.

Con frecuencia, la conducta desordenada de Vasili era tema de comentarios en Moscú mientras vivía Stalin. Se decía que, aunque estaba constantemente borracho, salía en su coche y conducía a toda velocidad por las calles. Se vio involucrado en varios accidentes con víctimas mortales. Parecía increíble que hubiera salido ileso de esos accidentes; lograba siempre que su padre se limitara a reprenderle y le impusiera un pequeño castigo.

Esa vez, sin embargo, Vasili tuvo que pagar un precio. Beria no perdonaba ni olvidaba. Muy poco después del incidente del funeral, Vasili se vio involucrado en una pelea en un bar. Beria lo consideró un deshonor para la Fuerza Aérea y le condenó a ocho años de prisión. Después, lo exiliaron a Kazán, donde murió, víctima del alcohol, en 1962.

No nos sorprendimos cuando Gueorgui M. Malenkov se transformó al mismo tiempo en primer secretario del Partido y en primer ministro. Su actuación en los años previos a la muerte de Stalin, así como las de Beria y Viacheslav M. Molotov, le llevaron al primer triunvirato posterior al liderazgo de Stalin. Se decía que Malenkov era sobrino de Lenin. Se decía también que el mismo Malenkov había inventado esa historia como una forma de eregirse en el legítimo sucesor de Stalin. Inició rápidamente una remodelación de la política interna y de la política exterior. Recuerdo las impacientes reacciones a las proclamas de Malenkov apoyando niveles de vida más altos, el mejoramiento de la agricultura y la disminución de los impuestos estatales a los granjeros.

Los estudiantes del MGIMO especulaban constantemente sobre los cambios que causaría toda esa agitación y se hablaba de una lucha de poderes dentro del Presidium del Partido. Nikita Jruschov, que tenía más influencia de lo que sospechábamos los estudiantes, continuaba consolidando su posición, sobre todo en el aparato del Partido y, simultáneamente, se oponía a Malenkov y Beria.

A principios de junio de 1953, enviaron a nuestra clase a un campo de entrenamiento militar. Una mañana, cuando nos reunimos como de costumbre en el patio para que pasaran lista, observamos que el retrato de Beria no estaba al lado del de los otros miembros del Presidium, junto a la bandera. Resultaba desconcertante; era el segundo después de Malenkov. Nuestro oficial no dijo nada, pero comprendimos que algo grave había ocurrido. El 10 de julio, después de nuestro regreso a Moscú, la prensa informó que Beria había llevado a cabo «actividades criminales contra el Partido y el Estado» y que había intentado sustituir al ministro de Asuntos Exteriores pasando por encima del gobierno y del Partido. Lo arrestaron en una reunión entre el Presidium del Partido y el Consejo de Ministros y más tarde lo fusilaron.

Acabé mis estudios en el MGIMO en 1954. Aunque me había gustado estudiar en el instituto, deseaba acabar de una vez ese programa universitario monótono y riguroso. En esa época, el MGIMO tenía gran reputación debido a su denso programa académico y a la cantidad de prestigiosos profesores que había en su plantel. En la década siguiente, formó a un gran número de los actuales políticos y burócratas, que sin duda desempeñarán papeles importantes en el destino de la URSS hasta después de finales de siglo. En cualquiera de las diversas ramas de la estructura política actual se encontrará a un licenciado del MGIMO en posiciones destacadas, muchos de ellos en los principales cargos oficiales. Por ejemplo, en el Ministerio de Asuntos Exteriores fueron alumnos del MGIMO dos viceministros –Anatoli Kovalev y mi compañero de clase Viktor Komplektov–, numerosos embajadores en el exterior y jefes de varios departamentos clave. Del mismo modo, en el Comité Central, en la Academia de Ciencias y en el periodismo político, los licenciados del MGIMO son numerosos, influyentes y conocidos en Occidente.

Mi intención era hacer el curso para posgraduados. Sin embargo, un día el jefe de la oficina de personal del instituto me pidió que fuera a una dirección en Moscú. Dijo que me darían un pase para hablar con alguien sobre mi futuro. La dirección era un gran edificio en la sección Sadovoe Koltso de Moscú. Apenas entré me sorprendieron las estrictas medidas de seguridad. Controlaron minuciosamente el pase en varios sectores del edificio y un guardia me acompañó hasta una oficina donde me recibió un comandante de la KGB. Me di cuenta de que era de la KGB porque las insignias de la agencia son características. Era educado y tenía buenos modales. Me invitó a que me sentara y dijo:

–El instituto nos ha dado buenas referencias de usted. ¿Qué pensaría si le pidiera que trabaje para la KGB?

Me sorprendió la oferta; yo jamás había manifestado el más mínimo interés en semejante carrera. Le dije que quería seguir mis estudios como posgraduado. Respondió que me comprendía pero me aconsejó que considerara seriamente la propuesta. Le dije que lo haría. Algunos días después, con cierta aprensión, llamé a la oficina de personal del MGIMO y le dije al comandante que había decidido continuar mis estudios. Para mi alivio, la KGB no intentó detenerme. La caída de Beria había debilitado notablemente su influencia.

Como universitarios, mis compañeros y yo sabíamos muy poco del mundo, aparte de la URSS. Se podría suponer que por ser estudiantes privilegiados del instituto diplomático teníamos acceso a la información de Occidente, pero no era así. Yo jamás había leído un periódico «burgués», como el *New York Times* o *Le Monde*. A esos materiales sólo tenían acceso los estudiantes de posgrado, y con muchas limitaciones. Como las que había para oír las emisiones de radio extranjeras, un delito que se castigaba.

Como estudiante de posgrado, sin embargo, pronto empecé una doble educación por caminos simultáneos aunque divergentes. Mi segunda educación se realizaba en la sección especial de la biblioteca donde se guardaban periódicos, revistas y libros occidentales. La bibliotecaria me tomó aprecio y, violando las normas, me dejaba curiosear en los estantes que sólo podían mirar quienes tenían autorización para hacerlo. Lo que allí leí me ayudó a comprender mejor el mundo. Los problemas, las ideas y hasta las soluciones que desconocía generaron en mí confusión y dudas adicionales sobre la validez de muchas de las cosas que me habían enseñado.

Las publicaciones occidentales sobre derecho, como la *Revue Générale du Droit International Publique* francesa y otras, contenían anexos con crónicas de acontecimientos internacionales. Además, incluían reseñas de diversos acuerdos y publicaban los textos completos de discursos presidenciales. Hasta aparecían algunas declaraciones de Hitler que evidentemente los censores habían pasado por alto. Mi comprensión de la historia reciente dio un giro fundamental.

Pero quien mayor influencia ejerció en mí fue el profesor Vsevolod Nikolaievich Durdenevski. En mi último año del MGIMO me sentí increíblemente afortunado cuando él aceptó supervisar mi tesina. Aprobó mi propuesta de hacer un estudio de la política soviética de desarme, y con su guía sutil y eficaz logré un trabajo original pero no peligroso.

Durdenevski creía en la investigación académica libre. Flaco, algo encorvado, de maneras formales y severo con sus alumnos, se había educado en la tradición prerrevolucionaria del conocimiento y continuaba fiel a esos valores. Aunque desempeñaba un cargo de consejero legal de alto rango en el Ministerio de Asuntos Exteriores, nunca se afilió al Partido Comunista. Su pericia lo defendía de la política, pero su cargo le permitía profundas reflexiones sobre la política exterior soviética. Me parecía que tenía lo mejor de los dos mundos: libertad para realizar sus propias investigaciones y autoridad para aconsejar a los responsables políticos de ese momento. Se mantenía apartado de la burocracia, pero podía influir sobre ella. Le envidiaba y quería ser como él.

Debido a que la escasez de viviendas afectaba también los despachos del MGIMO, Durdenevski empezó a invitarme a su casa para hablar sobre mi proyecto. Allí, en un estudio atestado de libros, se inició mi verdadera educación. Durdenevski se negaba a que yo simplemente repitiera como un loro lo que sabía sobre el desarme. Insistía en que leyera mucho y sacara mis propias conclusiones.

El papel de Durdenevski como tutor no era puramente académico. Nos hicimos tan buenos amigos que a veces me hablaba del hermético mundo del Ministerio de Asuntos Exteriores. Supe a través de él que la investigación sobre Beria había manchado a Malenkov. Beria se defendió diciendo que puesto que Malenkov había sido la mano derecha de Stalin para perseguir a los comunistas honestos en las grandes purgas, él (Malenkov) era el culpable del error. Me enteré también del liderazgo cada vez mayor de Jruschov. Finalmente, Jruschov sustituyó a Malenkov como primer secretario, en septiembre de 1953.

Durdenevski dijo que Nikita Jruschov había insistido en una revisión sustancial de la política exterior de Stalin, y que iba más lejos que Malenkov y Molotov. No obstante, con la suficiente experiencia para ser prudente en sus opiniones, Durdenevski no debilitó mi propia esperanza en que la política soviética, en ese campo y en otros, después de años de absoluta rigidez, comenzara a cambiar.

No sólo yo tenía esperanzas. Los estudiantes del MGIMO sentíamos un nuevo dinamismo en el país y creíamos que las cosas iban a mejorar. Muchos de mis compañeros de clase tenían expectativas acerca de una muy vieja idea rusa: la apertura de nuestra sociedad a las energías y los recursos de Occidente. Jruschov alentó esa esperanza con sus viajes a Yugoslavia, la India, el Reino Unido, con la reunión cumbre –cordial pero sin conclusiones– de Ginebra de 1955 y con esfuerzos entusiastas para crear una nueva base económica en la Unión Soviética, que generaron gran agitación y escaso éxito.

Empezó a interesarme el tema del desarme a medida que leía artículos sobre él en publicaciones soviéticas. Al mismo tiempo, no sabía si realmente valía la pena dedicar tanto tiempo a ese asunto. El archivo de las conversaciones sobre el tema no era fascinante ni alentador. Además, no era fácil seguir el curso exacto de los avances en las negociaciones. Las pilas enormes de documentos sobre el desarme entre las dos guerras mundiales que encontré en la biblioteca del instituto no estaban debidamente actualizadas. Era evidente que ese material no despertaba demasiada curiosidad. Los informes textuales de la Comisión para la Energía Atómica de las Naciones Unidas, que cubrían el período inmediatamente posterior a la segunda guerra mundial, guardaban una cierta cronología, pero faltaban muchos documentos. Las denuncias de Andrei Vishinski acerca del plan de Bernard Baruch sobre el control internacional de la energía atómica parecían convincentes. Pero también muchas propuestas de Baruch eran razonables. Lo que me atrajo del tema fue lo que Durdenevski me contó.

A través de él intuí que había nuevas iniciativas soviéticas de desarme en el aire. De nuevo, él mencionaba a Jruschov como el principal promotor. Acepté escribir mi tesis sobre el tema anticipándome a esa esperanza. Durdenevski y yo colaboramos en un artículo publicado en la primavera de 1955: «La ilegalidad del uso de las armas atómicas y la ley internacional». Más adelante se publicó mi ensayo *Los problemas de la energía atómica y la coexistencia pacífica*. De este modo, mi compromiso con el desarme iba a ocuparme profesionalmente durante varios años.

Fue mi ensayo sobre este tema lo que motivó mi primer encuentro con Andrei Gromiko. Anatoli, hijo de Gromiko y compañero mío de estudios, me propuso en 1955 que escribiéramos juntos un artículo para el periódico *Vida Internacional* sobre el papel de los parlamentarios en la lucha por la paz y el desarme. *Vida Internacional* es el órgano semioficial del Ministerio de Asuntos Exteriores; Andrei Gromiko era (y es) su director. Anatoli sugirió que primero mostráramos el artículo a su padre. Acepté complacido. Gromiko era el primer viceministro de Asuntos Exteriores, muy conocido en la Unión Soviética y también en el extranjero como eminente diplomático.

Nos recibió cordialmente en su apartamento, muy espacioso, en uno de los edificios del centro de Moscú reservados para los altos funcionarios del Partido y del gobierno. Las habitaciones eran grandes y demasiado impersonales, para parecer modestas. Los muebles eran pesados, oscuros y muy barnizados; la tapicería de felpa era sombría.

Gromiko, sin embargo, resaltaba en ese ambiente indescriptible. Era igual que en las fotos, fuerte y bien proporcionado, de peso algo mayor que el normal, con labios delgados y bien marcados, cejas pobladas y pelo completamente negro. Sus atentos ojos marrones, toda su apariencia, reflejaban autoridad y confianza en sí mismo. Hablaba en voz baja pero resonante, con inflexiones meditadas; articulaba cada palabra con precisión y medía cada frase. Cuando recuerdo este primer encuentro con Gromiko, me sorprende lo poco que ha cambiado a lo largo de los años.

Después de leer atentamente nuestro manuscrito, Gromiko nos dio su aprobación, haciendo unos breves comentarios, razonables y precisos. En la conversación que mantuvimos a continuación, me impresionó por la pasión de sus observaciones sobre la alianza soviético-americana contra la Alemania de Hitler durante la guerra. En aquel momento, estábamos viviendo los días más álgidos de la guerra fría; pero sus comentarios, que defendían la necesidad y la posibilidad de restablecer buenas relaciones –aunque no verdaderamente amistosas– con los Estados Unidos, superaban notablemente la posición soviética oficial sobre el tema.

Finalmente, Gromiko me preguntó qué iba a hacer cuando acabara mi tesina. Le dije que me gustaba la investigación pero que, al mismo tiempo, me interesaban mucho los asuntos exteriores.

–Siempre es útil investigar –observó–, y nada impide combinar la investigación con el servicio diplomático.

Anatoli me contó luego que su padre, a pesar de la carga de su trabajo en el ministerio, había hallado tiempo para escribir su tesis doctoral sobre la dominación del dólar americano en el mundo capitalista.

Anatoli se parecía a su padre en muchos aspectos, en la apariencia y en el carácter. Tenía la tenacidad, la excelente memoria, la atención a los detalles y los modales secos de su padre. Sin embargo, ni su vida personal ni su carrera han sido gratificantes. Su primera mujer lo abandonó por el hijo de Anastas Mikoyan, cuyo padre era en ese momento una figura más destacada que Gromiko. Anatoli deseaba mucho ser un diplomático de carrera, pero la posición de su padre le ocasionó ciertas dificultades. Tuvo varios cargos en el exterior, pero no logró altos puestos en el servicio diplomático. Trabajó durante un tiempo en el Reino Unido y luego como ministro consejero en las embajadas soviéticas en los Estados Unidos y en la Alemania oriental. Pese al habitual nepotismo feroz de los líderes, resultaba excesivo para la élite soviética poner a los hijos o las hijas bajo la supervisión directa de los padres.

Como estudiantes de posgrado en la mitad de la década de 1950, Anatoli y yo compartimos muchas opiniones con respecto a lo que ocurría en la Unión Soviética. Recuerdo que ambos esperábamos con gran interés el Congreso del Partido, en febrero de 1956. Habían tenido lugar muchos sucesos importantes desde el último Congreso, en 1952: había muerto Stalin y la denuncia de Beria había dado como resultado una KGB menos autónoma y menos arbitraria; era evidente que se producirían cambios en la política, tanto interior como exterior.

En el Congreso, el informe del Comité Central realizado por Jruschov y los discursos de otros líderes contenían muchas conclusiones y afirmaciones nuevas. A todos nos sorprendía la crítica abierta a la política anterior, dentro y fuera de la Unión Soviética, y el público reconocimiento de nuestros fallos en economía, agricultura y en el área ideológica.

En su informe, Jruschov mencionaba sólo una vez el nombre de Stalin diciendo que «la muerte apartó de nuestras filas a I. V. Stalin». Pero aludió a su «culto a la personalidad» y a los «errores» que había cometido. Estas referencias a Stalin también aparecieron en los informes de otros líderes en el Congreso, en particular en el informe de Mikoyan, que fue mucho más explícito que Jruschov. El discurso de Mikoyan me interesó especialmente porque respondía a interrogantes que nuestros profesores del MGIMO nos habían ocultado. Criticó abiertamente el libro de Stalin *Problemas económicos del socialismo en la URSS*, del que nos habían obligado a aprender cada frase. Dijo que el libro no explicaba el fenómeno complicado y contradictorio del capitalismo moderno o el hecho de que la producción capitalista había aumentado en muchos países desde la guerra. Fue aún más allá afirmando que «no sometemos los hechos y los números a un examen completo, y a menudo nos satisface, con fines propagandísticos, elegir hechos aislados que sugieren una crisis inminente o que ilustran el empobrecimiento de los trabajadores [en los países capitalistas], pero no ofrecemos ninguna evaluación, profunda y que contemple diversos aspectos, sobre los avances que se producen en otros países».

En el informe de Mikoyan se ponía en tela de juicio la validez de nuestras lecturas y de nuestros libros de texto: «La mayoría de nuestros teóricos están ocupados en repetir viejas citas y fórmulas, viejos postulados. ¿Qué clase de ciencia se puede hacer sin innovaciones?», preguntaba de forma retórica. «Se trata en todo caso de un ejercicio para el estudiante, pero no de ciencia, porque la ciencia es un proceso creativo y no la repetición de antiguallas.»

Lo que se decía en el Congreso del Partido confirmaba mis sospechas de que en muchos casos era imposible hallar la verdad en los trabajos aprobados oficialmente o en los libros de texto. Pero todo eso era trivial comparado con la revelación que se iba a producir.

Después del Congreso, el secretario de la oficina de posgrado del Partido me dijo que se iba a realizar un encuentro a puerta cerrada entre los miembros del Partido. Se iba a leer un documento muy importante para la organización local. Aunque yo todavía no pertenecía al Partido, me consideraban un miembro importante de la Komsomol; así que lo arregló todo para que me admitieran en la reunión.

El secretario abrió la sesión diciendo que leería en voz alta otro informe que Jruschov había presentado en el Congreso, un informe que no había sido ni sería publicado. Añadió que su contenido era para nuestra estricta información y que se debía considerar secreto. Se oyó un murmullo en la sala cuando empezó, lentamente y con voz clara, a leer el informe:

> «Después de la muerte de Stalin el Comité Central del Partido empezó a poner en práctica una política que explicara, brevemente y con firmeza, que es inadmisible y extraño al espíritu del marxismo-leninismo elevar a una persona, transformarla en un superhombre que posee características sobrenaturales semejantes a las de un dios [...] Durante muchos años se ha cultivado entre nosotros semejante creencia, y específicamente en la persona de Stalin.»[1]

Se produjo una conmoción aún mayor cuando dijo que mucho tiempo antes Lenin había detectado esas características negativas de Stalin, lo que había causado graves consecuencias. Leyó:

> «En diciembre de 1922, en una carta al Congreso del Partido, Vladimir Ilich [Lenin] escribió: "Después de alcanzar el cargo de secretario general, el camarada Stalin acumuló un poder incalculable y no estoy seguro de que pueda usar siempre ese poder con el necesario cuidado".
>
> »Esta carta –un documento político de fundamental importancia, conocido en la historia del Partido como el "testamento" de Lenin– se distribuyó entre los delegados del Vigésimo Congreso del Partido. [...] Vladimir Ilich dijo: "Por esta razón, propongo a los camaradas que consideren el método por el cual Stalin deberá ser apartado de su cargo...".»

Por supuesto, ninguno de nosotros tenía idea de que existiera ese

1. Cita del texto publicado por el Departamento de Estado de los Estados Unidos el 4 de junio de 1956.

testamento de Lenin. No estaba incluido en la recopilación de sus escritos. Superaba lo imaginable que un documento tan importante se hubiera omitido en su obra. Me pregunté qué más se habría omitido.

Dijo después:

> «Stalin creó el concepto de "enemigo del pueblo" [...] En su nombre se produjeron violaciones de legalidad revolucionaria y en los hechos fueron víctimas muchas personas completamente inocentes [...].»

Así había sido. Pero esas revelaciones generaron otras confusiones. ¿Sólo Stalin y Beria eran los responsables de todos esos crímenes? ¿Se podía creer que los colaboradores de Stalin –Zhdanov, Malenkov, Molotov, Kaganovich, Bulganin y el mismo Jruschov– no sabían lo que estaba ocurriendo? ¿No serían sus cómplices?

Durante mucho tiempo se murmuró del carácter de Stalin y de su trato con la gente; como yo prestaba atención a esas versiones, recordé una conversación con Alexandr Piradov, uno de mis profesores. Me había presentado a un colega suyo del MGIMO, Grigori Morozov. Piradov dijo que Morozov era el primer marido de Svetlana Stalin, y judío. La curiosidad me llevó a pedir a Morozov la opinión que tenía de Stalin como suegro. Respondió que Stalin no había querido conocerlo. No sólo le despreciaba por ser judío sino que, finalmente, había obligado a su hija a divorciarse de él para casarse con el hijo de Zhdanov. Stalin no envió a Morozov a un campo de concentración, pero le impuso un cruel castigo: decretó que no le dieran trabajo en ninguna parte. El pobre hombre se ganó la vida escribiendo artículos con seudónimos; sus antiguos condiscípulos le ayudaron clandestinamente publicándolos. Después de la muerte de Stalin, Morozov pudo formar parte del claustro de profesores del MGIMO, así como del Instituto de Relaciones Económicas Internacionales de la Academia de Ciencias.

Cuando el secretario acabó la lectura, no se discutió el informe. Se aceptó con absoluta unanimidad la sugerencia de aprobar «totalmente y sin reservas» la línea leninista del Partido adoptada por el Congreso. No hubo ninguno de esos encendidos debates que solían generarse al término de una clase o una reunión. Traté de apoyarme en la esperanza inaugurada por Jruschov al decir que todo eso pertenecía al pasado y que a partir de ese momento se podían esperar cambios en la sociedad soviética. Habría más democracia y más franqueza, acabaría la hipocresía y cambiaría la política, tanto la interior como la exterior. Traté de creer que Jruschov no tenía nada que ver con las atrocidades de Stalin. Después de todo, había tenido el coraje de revelar la verdad.

Como muchos rusos, estaba leyendo con avidez la novela de Ilia Ehrenburg *El deshielo*. Era un reclamo de mayor libertad intelectual en la URSS y su título se refería al período de la historia soviética conocido como «el deshielo de Jruschov», el inicio de una política liberal limitada después de la muerte de Stalin.

No sólo de pan, de Vladimir Dudintsev, se transformó en una novela muy popular después de su publicación por capítulos en la revista *Novi Mir*, en 1956. Su tesis central era una defensa de los derechos individuales contra la autoridad oficial. En tiempos de Stalin habría sido una afirmación de una osadía impensable y fatal.

Hubo también un cambio positivo en mi propia vida. En 1955, con lo que ganaba con los artículos que ya podía publicar, una beca más alta y el dinero de la venta de un piano, Lina y yo logramos encontrar un apartamento menos exiguo, aunque igualmente comunitario. Las ventanas daban a las chimeneas de una fábrica; pero teníamos un cuarto de baño completo y sólo lo compartíamos con una pareja de ancianos. En ese momento de cambios en mi vida –el fin de mis estudios y el inicio de mi carrera profesional– era optimista. Las innovaciones de la política de Jruschov y mi felicidad con Lina y Guennadi, que para entonces ya era un niño hermoso y listo, fortalecían mi creencia de que el futuro era brillante.

10

Acababa de terminar los estudios y de escribir la parte final de mi tesina cuando me llamaron del Ministerio de Asuntos Exteriores para que fuera a hablar con Vladimir Suslov, el asistente de Semion Tsarapkin, jefe del departamento a cargo de las Naciones Unidas y de los asuntos del desarme (OMO). Suslov, un hombre flaco, de ojos almendrados, calvo y de cabeza alargada, me recibió afectuosamente.

–Sabemos que en el instituto ha trabajado en el tema del desarme –me dijo–. He leído sus artículos. El desarme se está convirtiendo en un tema importante y nos gustaría que trabajara con nosotros.

Me interesaba, pero vacilé. Me gustaba la vida académica aunque sabía que los académicos soviéticos sólo tenían un acceso limitado a la información y a quienes tomaban decisiones políticas; y mientras me interesaba el conocimiento que podría adquirir en el ministerio, me disgustaba el sistema burocrático. Por algunos compañeros del instituto que ya trabajaban como diplomáticos, conocía la frustrante lentitud de las promociones, la disciplina rígida, casi paramilitar, y las órdenes de los superiores jerárquicos, indiferentes a las sugerencias de sus subordinados, todo ello debido a la persistente influencia de los mediocres del Partido que habían ocupado los cargos del ministerio con tanta rapidez como las purgas de Stalin habían diezmado a los diplomáticos más profesionales de la vieja escuela.

Sin embargo, una parte de mí –la parte que siempre había soñado conocer París, Nueva York, Occidente– me empujó a aceptar la oferta de Suslov. También Lina me animó a hacerlo. Me contaba que algunos de mis compañeros, que ya habían conseguido cargos en el exterior, regresaban a Moscú trayendo artículos de lujo occidentales que alegraban la monotonía de la vida soviética. Eran felices y, de acuerdo con sus ambiciones, tenían una vida más prometedora.

–Es una oportunidad maravillosa –decía Lina, intentando convencerme–. Para eso has estado estudiando y trabajando durante todos estos años. El puesto es excelente y al fin tendremos la oportunidad de vivir decentemente, de tener cosas buenas, de prosperar.

Sin embargo, antes de que pudiera dar una respuesta a Suslov, el Ministerio de Asuntos Exteriores me volvió a llamar, esta vez para que hablara con Semion Tsarapkin. Le encontré posando como un zar detrás de su escritorio, pavoneándose entre el desorden de un despacho atestado de papeles y libros, adornado con una batería de teléfonos y donde se respiraba hasta la opresión su propia y áspera personalidad.

–Estamos iniciando una nueva política que significará serias negociaciones sobre el desarme –empezó–. El puesto que le ofrecemos es para estudiar estos asuntos, aunque también incluye otras cosas. ¿Por qué no lo intenta? Acéptelo durante un tiempo y así sabrá si le gusta y si quiere quedarse en él.

Me ofrecía un puesto de agregado, una categoría superior a la normal para un principiante. Sin dudarlo más, acepté. Empecé a trabajar para el Ministerio en octubre de 1956.

Mi primer problema fue encontrar un despacho donde pudiera trabajar. No se me había ocurrido que sería un largo proceso. Descubrí que, debido a la burocracia soviética, siempre había muchas más personas que despachos y que, a menudo, varios funcionarios estaban obligados a compartir los lugares de trabajo. Tuve suerte: me asignaron el escritorio de alguien que por el momento estaba en Londres, pero tuve que esperar más de seis meses para conseguirlo.

En el edificio de veintitrés pisos de la plaza Smolensk estaba el Ministerio de Asuntos Exteriores y también el Ministerio de Comercio Exterior. El edificio es el resultado frío y tosco de un conjunto de torres del estilo arquitectónico estalinista. No se habían escatimado gastos para el florido embellecimiento exterior del edificio, pero los diseñadores habían dedicado poca atención a las comodidades del interior. Pasillos cavernosos, resonantes y de color gris con suelos de parquet oscuro y una fila de seis ascensores antiguos ocupaban más del cuarenta por ciento del espacio interior. A cada lado de los pasillos había hileras de oficinas, grandes y de techos altos, en las que se apiñaban de seis a diez personas (o más) entre escritorios y archivadores, sin separaciones que permitieran una cierta intimidad o un respiro frente al ruido constante de los teléfonos y las máquinas de escribir.

Había varios puntos de control de seguridad en el edificio. El primero estaba en las puertas de la entrada principal y el segundo en la entrada a los ascensores del Ministerio de Asuntos Exteriores. Uno de mis colegas me explicó que existía ese sistema porque de lo contrario los funcionarios del Ministerio de Comercio Exterior, que ocupaba los primeros seis pisos del edificio, podían «penetrar» en nuestro ministerio, y esos «hombres de negocios» no podían ser de confianza. Había un tercer punto de control en el ascensor del séptimo piso, donde estaban las oficinas de Gromiko y de los cargos superiores de la jerarquía ministerial. En ese piso, los pasillos eran de madera barnizada, y los suelos con moqueta silenciaban los ruidos.

Me asignaron una oficina en el décimo piso ocupada por otros tres funcionarios de menor rango. Todos pertenecíamos a una *referentura* (sección) especial sobre el desarme que se había creado recientemente en el OMO. Mi superior inmediato, Pavel Shakov, era el jefe de la *referentura.* Era un funcionario de ministerio de la vieja guardia y un diplomático de considerable experiencia. Se suponía que debía explicarme lo que tenía que hacer, pero sólo me dio una idea muy superficial de lo que implicaba mi trabajo. Que me asignaran una tarea llevó más tiempo del previsto porque prácticamente la atención de todos estaba centrada no en el desarme, sino en los acontecimientos, en rápida sucesión, de Polonia y Hungría.

Mi amigo y ex compañero de clase Vitali había trabajado en nuestra embajada de Varsovia durante varios años. Durante una de sus visitas a Moscú fuimos a cenar a un restaurante para recordar nuestra época de escuela y para hablar de política, como hacíamos siempre. Vitali dijo que en octubre Wladislaw Gomulka había sido elegido primer secretario del Comité Central del Partido Polaco desafiando el liderazgo soviético. Aunque nadie lo dijo, Jruschov y los otros líderes soviéticos se vieron obligados a aceptar a Gomulka porque eran reacios a reprimir por la fuerza a los polacos. Hubiera sido peligroso hacer eso en Polonia, un país grande con una población importante. Y no era sólo ése el problema.

–Ya sabes –añadió Vitali–, los polacos nos odian: lucharían de buena gana contra nosotros.

Yo sabía que era cierto. No obstante, subrayó que el Partido Comunista Polaco controlaba la situación, limitando sus concesiones a unas pocas cuestiones internas. No había peligro de que Polonia rompiera con nosotros.

Tuve otra confirmación de los sentimientos polacos a través de otro amigo y ex compañero, Sasha, sobrino del famoso mariscal soviético Konstantin Rokosovski. El mariscal era un brillante comandante que había sido víctima de las purgas militares de Stalin anteriores a la guerra y condenado a prisión por sus antecedentes polacos. Sin embargo, cuando los nazis atacaron a la Unión Soviética, Stalin se vio forzado a recurrir a Rokosovski. En 1949, Stalin le nombró ministro de Defensa de Polonia. Sasha me dijo que el ejército polaco odiaba a su «mariscal ruso» y que se sentía humillado por ese nombramiento. Los polacos atentaron varias veces contra la vida de Rokosovski; eran raras sus visitas a las unidades del ejército, que efectuaba con una fuerte guardia de seguridad soviética.

Más preocupantes nos resultaron a mí y a mis amigos del ministerio los sucesos de Hungría. La explosión antisoviética y anticomunista de Hungría, que siguió inmediatamente al «octubre polaco», fue un intento de verdadera revolución. Los rebeldes húngaros tenían apoyo moral y simpatías de Occidente pero ninguna ayuda militar. Lucharon con valentía, pero el levantamiento fue aplastado con considerables pérdidas humanas, tanto húngaras como rusas.

Como muchos de mis colegas, pensaba que Imre Nagy había ido demasiado lejos al declarar la retirada de Hungría del Pacto de Varsovia y al intentar romper ese sistema socialista de naciones. No obstante, me alarmó la brutalidad de las represalias. Si realmente Jruschov quería cierta democratización en la URSS, ¿por qué trataba a los húngaros con tanta crueldad? Empecé a preguntarme si en verdad Jruschov tenía el control completo del Presidium del Partido. Quizás hubiera una oposición fuerte y oculta a su política de desestalinización.

Poco tiempo después, otro compañero del MGIMO que había trabajado en nuestra embajada de Budapest me ayudó a ver las cosas claras. En ese momento oí hablar por primera vez de Yuri V. Andropov, nuestro embajador en Hungría. Mi amigo, que estaba estrechamente vinculado a Andropov y que había trabajado directamente con él, lo elogiaba generosamente. Aunque solía ser bastante florido en sus descripciones, era evidente que admiraba realmente a su jefe. Despertaba mi curiosidad su admiración, y le pregunté qué le impresionaba tanto de Andropov. Respondió que, aunque Andropov era relativamente joven –apenas un poco más de cuarenta años–, no había dudado de lo que debía hacer durante la crisis de Budapest.

–Estaba muy tranquilo –dijo mi amigo–, incluso mientras se cruzaban las balas, cuando todos en la embajada sentíamos que estábamos en una fortaleza sitiada.

Me dijo también que antes y durante los días críticos del levantamiento, las instrucciones de Moscú eran a veces confusas y en ocasiones revelaban una falta de comprensión de lo que verdaderamente estaba sucediendo. Sin embargo, los informes de Andropov a Moscú eran amplios y sirvieron de base a las decisiones. Por ejemplo, había advertido previamente al Presidium del Partido que el líder del Partido Comunista Húngaro, Mátyás Rákosi, sería destituido de su cargo porque había dejado de tener autoridad. Según mi amigo, fue también Andropov quien «descubrió el juego» de Imre Nagy, antes que Moscú.

–¿Crees que se podrían haber evitado algunos enfrentamientos? –pregunté.

Me contestó con otra pregunta.

–¿Crees que podríamos haber hecho otra cosa?

En los años siguientes, empecé a prestar atención cada vez que oía hablar de Andropov.

Finalmente, mi jefe, Pavel Shakov, decidió explicarme qué debía hacer. Mi primer trabajo fue una nada envidiable tarea de limpieza: organizar un conjunto de carpetas que habían sido literalmente desatendidas durante años. Antes de que se creara esa nueva sección, en realidad sólo había dos diplomáticos que se encargaban del desarme: Alexei Popov, medio sordo y débil mental, y Leonid Ignatiev, cuyo trabajo consistía en mantener en orden las carpetas. Ignatiev era el hombre más desorganizado que jamás había conocido. Los documentos a su cargo parecían haber sufrido los embates de una guerra. Costaba creer que se pudieran hacer negociaciones de desarme con un desorden semejante en los archivos. En verdad, no fue necesario mucho más orden durante los años del eslogan «por el desarme nuclear» puesto que, para favorecer recursos propagandísticos simplistas, se ignoraban los datos aburridos que contenían los documentos.

Los diplomáticos soviéticos necesitaban una compilación rápida y accesible de los documentos básicos sobre el desarme y un archivo de las propuestas y negociaciones realizadas a través de los años; materiales que era fácil conseguir en Occidente pero que no se habían reunido de forma sistemática en Moscú. Mi proyecto de poner en orden los documentos fue aprobado con la condición de que los mantuviera en secreto. Se podían hacer copias de la documentación pero exclusivamente para uso oficial. Los censores soviéticos no permitirían una distribución más amplia.

Esa tarea despertó mi interés en la organización y en las funciones generales del ministerio. Me dio además la oportunidad de hablar de esas cosas con algunos viejos empleados.

Después de la Revolución de Octubre, el servicio exterior estuvo a cargo de figuras como Trotski, Chicherin, Litvinov, Molotov y Vishinski. Se le conocía como el Comisariado de Asuntos Exteriores del Pueblo.

En 1939, Maxim Litvinov, un viejo intelectual bolchevique cuya orientación anglo-americana chocaba con las políticas de Stalin y de Molotov con respecto a la Alemania nazi, fue sustituido en su cargo de comisario de Asuntos Exteriores del Pueblo. Siguió a la dimisión de Litvinov una aniquilación masiva del aparato del comisariado como parte de las purgas. Casi el noventa por ciento del personal diplomático de todas las categorías fue fusilado, encarcelado, enviado a campos de concentración u obligado a buscar otro empleo. Litvinov tuvo suerte: le nombraron embajador en Washington.

El comisariado se pobló de gente nueva designada según el reclutamiento de emergencia del Partido. Manejaban la diplomacia hombres completamente carentes de experiencia o competencia. El requisito fundamental para acceder a esos cargos era la ortodoxia estalinista: demostrar invariable dureza ante «los enemigos del pueblo» y estar libre de toda influencia occidental perniciosa. Rápidamente se llevó a cabo un breve programa de formación; muchos nuevos diplomáticos eran incapaces de desempeñar tareas complejas.

Después de la muerte de Stalin mejoró el nivel profesional del personal diplomático soviético. Los licenciados del MGIMO formados para el servicio exterior o los licenciados de otras instituciones elegidos por las organizaciones locales del Partido reemplazaron gradualmente a las personas de poca cultura y mal preparadas contratadas por el Ministerio de Asuntos Exteriores a finales de 1930. El nuevo personal se había formado en la Escuela Diplomática Superior, llamada más adelante Academia Diplomática.

Dentro del ministerio, el ministro de Asuntos Exteriores era el jefe absoluto. La mayoría de los funcionarios subalternos o de rango medio no tendrían jamás la oportunidad de hablar con él, aunque quizás hicieran toda su carrera en el ministerio. Cuando me inicié en el servicio diplomático, el ministro de Asuntos Exteriores era Dmitri Shepilov, economista de formación y de profesión. Había empezado a reorganizar el ministerio y a reorientar su enfoque, acentuando la importancia de los problemas económicos en la política interior y en la exterior.

Ese «período del economismo», como se conoció la era de Shepilov, formaba parte del espíritu del pensamiento de Jruschov. Recuerdo la consternación de las viejas generaciones de diplomáticos, muchos de los cuales habían olvidado los detalles de la economía política del marxismo-leninismo, cuando empezaron a estudiar los libros de texto y los clásicos del marxismo. No era simplemente servilismo o una forma de conformar al nuevo líder; Shepilov estaba plenamente decidido a educar al personal del ministerio. Ordenó que todos los empleados siguieran cursos de economía política. Además, era necesario que aprobáramos un examen sobre el tema.

Al iniciar mi trabajo en el OMO, no sabía qué afortunado era por formar parte de ese grupo. Los «germanistas», los «chicos del desarme», los «americanistas», los «europeos» (interesados principalmente en las relaciones soviético-francesas) y otro pequeño grupo, pertenecíamos a una casta privilegiada. Los «de provincias», que con frecuencia hacían toda su carrera en África y Asia, nos envidiaban. No sólo sus destinos eran poco atractivos, debido a los climas desagradables, los bajos salarios y la falta de artículos de consumo, sino que rara vez los diplomáticos asignados a esas zonas alcanzaban posiciones más importantes. En cambio, los privilegiados estaban casi siempre en contacto con el líder. A muchos de ellos Gromiko les conocía personalmente, recordaba sus nombres y estimulaba a los más capaces, ascendiéndolos rápidamente. Ese grupo constituía la espina dorsal de la generación más joven del ministerio.

Durante mis años de posgrado y mi trabajo en la tesina, había aprendido mucho sobre las negociaciones de desarme pasadas. Sólo entonces comprendí verdaderamente la nueva realidad de la era nuclear. En los medios de comunicación soviéticos se habló muy poco de las bombas arrojadas sobre Hiroshima y Nagasaki. Stalin no quería alarmar a la gente ni, menos aún, admitir que los Estados Unidos poseían semejantes armas revolucionarias. Además, la aceptación de esa circunstancia real iba contra los dogmas del marxismo-leninismo, que negaban que cualquier tipo de armas nuevas, por más destructoras que fueran, pudieran ejercer por sí mismas un papel importante en la transformación de un proceso histórico.

La Unión Soviética hizo estallar su primera bomba atómica en 1949, dando por terminado así el monopolio atómico de los Estados Unidos. En contraste con la reacción de mutismo con respecto a las bombas arrojadas en el Japón, esta vez los soviéticos se felicitaron entre ellos mismos a grandes voces. Al finalizar la segunda guerra mundial, los expertos americanos habían asegurado que pasarían entre diez y quince años antes de que la Unión Soviética estuviera en condiciones de crear sus propias armas atómicas. Después de sólo cuatro años, la URSS alcanzó la capacidad nuclear. Me pregunté por qué se habían equivocado tanto los expertos americanos y concluí que en Occidente se habían subestimado los progresos soviéticos en física atómica antes de la guerra. Además, si no hubiera sido porque Stalin no había comprendido su importancia, la Unión Soviética podría haber inventado la bomba mucho antes.

Los esfuerzos de los espías atómicos soviéticos también ayudaron a acelerar las cosas. Sin embargo, lo más importante de todo era que el sistema soviético permitía que los líderes pusieran el acento en cualquier área que desearan fomentar. En el período inmediatamente posterior a la guerra, miles de ciudadanos murieron de hambre y millones de ellos carecían de lo más elemental, pero esto no impidió que Stalin usara los recursos vitales para crear una bomba atómica.

Sólo después de que la URSS hubo alcanzado su impresionante potencial nuclear, los líderes que siguieron a Stalin se mostraron dispuestos a hablar sobre las medidas para el control de armamentos con el propósito de alcanzar resultados prácticos. Mientras yo estaba todavía en el MGIMO, la política soviética sobre desarme cambió considerablemente –debido en gran parte a los esfuerzos de Nikita Jruschov– y se hicieron concesiones sustanciales a Occidente. Esto llevó a un acercamiento entre las posiciones de las naciones occidentales y de la Unión Soviética.

Personalmente, yo estaba contento de trabajar en el ministerio y me consideré afortunado cuando recibí una inesperada promoción al cargo de tercer secretario. A Tsarapkin le encantaba entonces bromear sobre mis anteriores dudas con respecto a mi carrera en el gobierno y me prometió futuras promociones si continuaba trabajando bien.

Durante la primavera y el verano de 1957, se realizaron negociaciones serias y pragmáticas en Londres, en el subcomité de las cinco potencias de la Comisión de Desarme de las Naciones Unidas (Estados Unidos, Unión Soviética, Reino Unido, Francia y Canadá). Casi todos mis superiores asistieron a esas sesiones como parte de una delegación encabezada por el viceministro de Asuntos Exteriores Valerian Zorin. Mi tarea consistía en controlar las negociaciones de Londres. Como tercer secretario, no tenía acceso a los cables en código que Zorin enviaba al ministro, y sin ellos era prácticamente imposible hacer el trabajo. Me quejé a Tsarapkin, que se encogió de hombros y me recordó que sólo el primer secretario o los superiores tenían acceso a esa información. Sin embargo, aceptó mostrarme, extraoficialmente, los cables más importantes de Zorin.

En los primeros días de abril, mantenía casi con regularidad reuniones con Tsarapkin que a veces duraban hasta altas horas de la noche. Los miembros de alto rango del Personal General, así como los destacados científicos del Ministerio de Fabricación de Maquinaria Mediana, la rama gubernamental responsable de la construcción de las armas nucleares, participaban en estas reuniones. Fue la primera vez que tuve la oportunidad de tomar parte activa en la formulación oficial de propuestas presentadas en Londres por nuestra delegación.

Creía que Jruschov estaba haciendo un verdadero esfuerzo para lograr un acuerdo con los Estados Unidos y con otros países occidentales con respecto, al menos, a algunas medidas tendentes a limitar la carrera armamentista, y que llevaba a nuestro país por el camino adecuado. Aunque en este tema no se podía evaluar con facilidad si su política era buena o mala, era evidente que Jruschov trataba, por lo menos de un modo distinto, de encontrar nuevas formas de detener a los conservadores reaccionarios que se resistían a cualquier cambio.

Cuando Zorin informó desde Londres que su colega norteamericano, Harold E. Stassen, había manifestado su deseo de discutir con nosotros en privado las nuevas propuestas soviéticas y le había entregado un documento informal en el que indicaba que en varios puntos la posición americana se acercaba a la de la URSS, me sentí muy complacido. Desafortunadamente, mi alegría había sido prematura: muy poco después, Stassen retiró ese documento y la posición americana se endureció. En sus memorias, el presidente Eisenhower dice que Stassen había mostrado el documento a Zorin sin consultarlo previamente con los aliados de los Estados Unidos, lo que provocó la cólera del primer ministro británico, Harold Macmillan.[1] De cualquier modo, yo estaba convencido de que la Unión Soviética tenía más interés que los Estados Unidos en un avance real de las negociaciones.

Tsarapkin me dijo que Jruschov estaba muy preocupado por la posición de los Estados Unidos y de sus aliados. No era extraño: Jruschov se enfrentaba no sólo a la oposición de las partes en las negociaciones de Londres, sino también a su propio Partido. Empezaron a correr rumores en Moscú de intrigas y luchas por el poder en la sesión plenaria a puerta cerrada del Comité Central. Se decía que Molotov, Kaganovich, Malenkov y el ministro de Asuntos Exteriores, Shepilov, se habían separado de Jruschov en el Presidium del Partido y habían formado su propia camarilla, denominada «grupo anti-Partido». En un primer momento parecía que podrían tener éxito en su intento de golpe palaciego, pero en junio de 1957, después de que el Presidium del Partido decidiera destituirlo, Jruschov se desquitó. Convocó rápidamente una sesión plenaria del Comité Central, su aliado más firme. El ministro de Defensa, el mariscal Gueorgui Zhukov, que apoyaba a Jruschov, reunió a los miembros del Comité Central de las distintas provincias y los trasladó a Moscú en aviones de transporte militar. Jruschov ganó en la reunión del plenario. Malenkov, Molotov, Kaganovich y el infortunado Shepilov fueron destituidos de sus cargos y acusados de sectarios. Andrei Gromiko fue nombrado ministro de Asuntos Exteriores.

En la reunión del Partido en el ministerio se aprobó unánimemente una resolución apoyando a Jruschov y condenando al grupo anti-

1. Dwight D. Eisenhower, *Waging Peace, 1956-61* (Doubleday, 1965), páginas 472-474.

Partido. No hacía falta una votación; nadie se hubiera atrevido a votar en contra (ni siquiera a abstenerse) de una resolución que se basaba en una decisión del Comité Central.

Los estalinistas que sobrevivieron a las purgas de la década de 1930 eran los más estrictos guardianes de la doctrina comunista, y aún hoy ocupan importantes cargos en el ministerio. Uno de ellos era mi superior, el subjefe de nuestro departamento, Kiril Novikov. Junto con Tsarapkin, había ocupado un asiento detrás de Stalin durante la Conferencia de Potsdam, en 1945. Rígido e inteligente, se cuidaba mucho de no mostrar sus convicciones. Sin embargo, a medida que nos fuimos conociendo, después de la jornada de trabajo a veces revelaba sus pensamientos.

–En la época de Stalin –recordaba– había verdadero orden. No existía esta retórica florida y no se permitían las vacilaciones. Las instrucciones de Stalin a los embajadores en el extranjero, a muchos de los cuales había formado él mismo, se distinguían por su impecable claridad.

Por otra parte, aumentaba cada vez más la cantidad de hombres jóvenes que ocupaban cargos en el ministerio. Lo interpreté como una señal de que Jruschov aspiraba a sustituir a la vieja guardia estalinista por personas menos conservadoras. La expulsión del poder del «grupo anti-Partido» no hizo más que fortalecer mi esperanza en Jruschov. La existencia de ese grupo entre los líderes parecía explicar muchas cosas: la brutalidad en Hungría, los desaciertos en la política de desarme, los pocos resultados de los nuevos dirigentes. Además, pensaba que se justificaban las decisiones adicionales que Jruschov había tomado en contra de otros personajes destacados, como el mariscal Zhukov.

Si bien Zhukov había ayudado a Jruschov en su lucha contra el grupo que se oponía al Partido, poco tiempo después Jruschov le acusó de «bonapartista» y de que no había reconocido la supremacía del Partido con respecto al Ejército.

En mi época, el mariscal Zhukov era probablemente el héroe militar más respetado en la Unión Soviética. Aprovechó la rivalidad entre los líderes políticos y se transformó en el primer militar de carrera elegido en el Presidium del Partido. Cuando intentó reducir el papel del Directorio Político Principal dentro del Ministerio de Defensa, cometió un error que pagó muy caro. Zhukov no intentaba dar un golpe militar ni pretendía sustituir a Jruschov. Aunque eran ambiciosas, las pretensiones de Zhukov, como las de otros líderes militares, nunca hubieran ido tan lejos. Simplemente quería afirmar su propia autoridad sobre el ejército y aumentar la influencia militar.

Los militares soviéticos podían ejercer una poderosa influencia en períodos críticos de agitación política, como el que se produjo durante el arresto de Beria, haciendo presión sobre el consejo superior del Partido para que apoyara a determinados políticos en detrimento de otros durante las luchas por el poder. Podían vetar también ciertas propuestas relativas al control de armas y, en muchos casos, se complacían sus demandas de programas militares. Sin embargo, su importancia política en la estructura de poder se hallaba limitada por la superioridad del Politburó. Es posible que Zhukov cometiera el mismo error que los expertos occidentales al evaluar el papel de los militares en los procesos políticos soviéticos. A pesar de su amplia popularidad –y, en este sentido, no había otro militar que igualara a Zhukov–, le degradaron oficialmente y le obligaron a retirarse. Los poderes del Directorio Político Principal del Ejército y la Marina, la organización que supervisaba todas las ramas del servicio militar, eran muy amplios. Jruschov reemplazó a Zhukov como ministro de Defensa por un obediente camarada, el mariscal Rodion Malinovski, que aceptaba por completo la supremacía del Partido.

Cada ministerio tenía su propia organización interna del Partido, y la nuestra, para mi sorpresa, evitaba intervenir en asuntos esenciales. No agregaba ni quitaba nada a nuestro manejo de la política exterior. Su función principal era garantizar la disciplina y procurar que cumpliéramos de la mejor manera posible nuestros deberes, según las órdenes de nuestro jefe. El aspecto de la responsabilidad y del quehacer del Partido que yo encontraba más degradante era la tarea de controlar la vida de los demás. Se esperaba que los comunistas fueran un ejemplo brillante de conducta. Si en cambio tenían *amoralka* (mala conducta; las formas más frecuentes eran la borrachera, los flirteos y, entre los diplomáticos, el contrabando de artículos de consumo occidentales), se suponía que sus camaradas debían llamarlos a la reflexión. El Partido disponía de una serie de métodos para esas situaciones, que iban desde la palmada en el hombro (una *vygovor* o reprimenda) hasta la expulsión. Pero se prefiere redimir a castigar. Además, cuanto más alto es el cargo del transgresor, mayor es la tendencia a encubrir sus infracciones.

Me afilié al Partido en 1958 por una razón muy práctica: sin las adecuadas credenciales políticas no lograría la aprobación del Partido ni de la KGB para promociones o nombramientos en el exterior. Sin embargo, ser miembro del Partido acarreaba obligaciones; no bastaba tener el carnet y trabajar bien. Un funcionario soviético que quiere progresar, aunque sus antecedentes de trabajo sean excelentes, debe además ganarse la aceptación del Partido; salvo cuando el favoritismo proporciona coartadas, el Partido exige una dedicación de tiempo y a menudo un tedioso despliegue de activismo.

No puedo calcular las horas que pasé en las reuniones de organización del Partido en el ministerio, oyendo o leyendo informes aburridos sobre temas doctrinales o sobre las flaquezas o los errores de otros «camaradas». Como norma, cuanto más insignificante era el problema, más se prolongaba la discusión.

A finales de 1957, las negociaciones de Londres sobre el control de armas reclamaron una vez más mi atención. Las conversaciones habían acabado en un agudo desacuerdo. Como los resultados habían sido tan escasos, me preocupaba que los Estados Unidos y la Unión Soviética volvieran de nuevo a recriminarse mutuamente la responsabilidad del fracaso. Muchas naciones practicaban ese juego viejo e infantil: tratar de ganar ventajas en las negociaciones para el control de armas y no lograr un acuerdo razonable. Un ejemplo llamativo fue el de las conversaciones mantenidas a finales de la década de 1950 y a principios de la de 1960 para la supresión de pruebas de explosiones atómicas. Parecía un juego de cartas. Cuando la Unión Soviética tenía el triunfo –es decir, cuando acababa sus propias pruebas y sabía que los Estados Unidos estaban a mitad de camino en las suyas–, presionaba para que se llegara al acuerdo de acabar las pruebas. Cuando los Estados Unidos tenían el triunfo, presionaban para llegar a un acuerdo antes de que la Unión Soviética iniciara una nueva tanda de pruebas.

En 1958, el interés soviético por frenar las pruebas era tan grande que el propio Jruschov se dedicó a analizar los detalles de las negociaciones. Se decía que lo que quería era modificar las propuestas y las tácticas soviéticas. Una de sus ideas era el cese unilateral de las pruebas de armas nucleares.

A principios de febrero de 1958, Kiril Novikov me llevó a una reunión en el despacho de Gromiko, donde se iba a discutir el tema. Era la primera vez que veía a Gromiko desde que había empezado a trabajar en el ministerio. Gromiko empezó el debate con una perorata propagandística. Dijo que Jruschov creía que era necesario llevar a cabo una campaña para frenar las pruebas armamentísticas y demostrar al mundo que era la Unión Soviética quien insistía en hacerlo sin demora.

–Jruschov ha decidido que debemos dar el ejemplo –dijo– y abandonar unilateralmente las pruebas de armas nucleares.

Nuestro departamento fue el encargado de preparar los documentos adecuados.

Cuando acabó la reunión, me acerqué a Gromiko. Dijo que le

alegraba ver que había seguido su consejo y que hacía un uso práctico de mi educación. Le pregunté cómo íbamos a explicar nuestra decisión del cese de pruebas; poco tiempo antes habíamos declarado que la Unión Soviética no daría ese paso porque se pondría en desventaja con respecto a los Estados Unidos. Antes de responder a mi pregunta dijo que le gustaba comprobar que había prestado atención a nuestra posición anterior. Luego, frunciendo el ceño, añadió:

–No necesitamos explicar nuestro cambio de posición. Lo fundamental es que nuestra decisión tendrá un efecto político impresionante. Ése es nuestro principal objetivo.

Me pareció que era un enfoque más bien desacostumbrado entre nosotros, pero no dije nada. Mi fascinación por el trabajo y mi gran excitación cuando participaba en reuniones con algunas de las figuras mundiales más importantes, acabaron con las dudas que tenía con respecto a hacer de la diplomacia el trabajo de mi vida.

11

En septiembre de 1958, después de haber trabajado en el Ministerio de Asuntos Exteriores durante casi dos años, tuve la primera oportunidad de viajar al extranjero; y no solamente al extranjero, sino concretamente a los Estados Unidos. Había soñado con eso desde la infancia; era una imagen que flotaba tan misteriosamente en mi imaginación como la de *Las mil y una noches*.

Iría formando parte de la delegación soviética que asistiría a la sesión anual de la Asamblea General de las Naciones Unidas, en Nueva York, como especialista en desarme y estaría allí tres meses. Era una oportunidad excelente. Algunos funcionarios de mi departamento habían esperado años hasta obtener esa recompensa. Un *komandirovka* (viaje de negocios) a los Estados Unidos era un gran regalo. Los salarios de los diplomáticos de menor rango y de nivel medio eran bajos, incluso para el nivel de vida soviético. Pero había algunos privilegios fundamentales y el mejor premio era un *komandirovka* a un país occidental, donde se pueden comprar artículos –desde ropas hasta equipos de música, medicamentos y electrodomésticos– generalmente demasiado caros o inaccesibles a cualquier precio en la URSS.

Aunque dispusiese de una autorización de alta seguridad –y yo la tenía–, cada diplomático que viajaba al extranjero debía llenar formulario tras formulario, cada uno con su foto correspondiente, y debía mantener numerosas entrevistas con los funcionarios de personal del ministerio y finalmente con un instructor del Comité Central. Todo el procedimiento acababa con una lista firmada de normas detalladas con respecto a la conducta adecuada en el exterior: no ver películas antisoviéticas, no comprar libros ni revistas antisoviéticos, y docenas de «no». Pero ninguno de esos procedimientos tediosos y consumidores de tiempo redujeron mis expectativas.

Como no había enlaces aéreos directos, el vuelo de Moscú a Nueva York duraba entonces más de veinticuatro horas. Cuando aterrizamos, sentí que estaba en un mundo completamente diferente. Había visto fotos de Nueva York, pero no estaba preparado para el impacto de esa ciudad de edificios tan altos. En el trayecto del aeropuerto a Glen Cove, Long Island, donde íbamos a residir, vi casas muy cómodas rodeadas de un césped impecable, hileras interminables de coches que serpenteaban a lo largo de las amplias autopistas y un sinfín de tiendas repletas de mercancías. Lo que me causó más impresión fueron las docenas de pequeñas tiendas de comestibles con toda clase de frutas y hortalizas apiladas en cajas y canastas sobre la acera. Jamás había visto semejante despliegue en la Unión Soviética, donde todo era escaso y muchos productos inaccesibles. En realidad, si una tienda se atreviese a sacar afuera una caja de fruta, se la llevarían al instante.

Pasó tiempo antes de que tuviera la oportunidad de conocer Nueva York. Vivíamos recluidos en Glen Cove. La delegación se concentraba allí no sólo para ahorrar dinero sino también por conveniencia de la KGB, que debía vigilarnos. La casa de Glen Cove servía admirablemente a ese propósito; todos estábamos constantemente a la vista, nadie podía pasear demasiado, y había poco contacto con otra gente. Debía compartir mi habitación con otras tres personas, pero no me quejaba. Todo, por más trivial que fuera, me parecía exótico y fascinante, desde el jabón perfumado del lavabo reluciente y casi individual hasta el esplendor de la casa de Glen Cove.

La casa principal, construida a principios de siglo, era del estilo de un castillo escocés. Según la leyenda del lugar, la había hecho edificar un hombre como regalo a su joven novia. Evidentemente, era rico y tenía buen gusto, y también amaba la naturaleza. Los jardines, la piscina, las fuentes y las esculturas eran todavía magníficas, aunque habían sufrido notablemente el abandono de los años. Se decía que todo había acabado con el doble suicidio de la pareja.

También se decía que la propiedad estaba habitada por el fantasma de la novia. La pusieron en venta, pero como no apareció ningún comprador su valor se redujo cada vez más. El gobierno soviético la compró a un precio irrisorio en 1948.

Excepto el jefe de la delegación, el viceministro de Asuntos Exteriores Valerian A. Zorin, todos comíamos en el comedor principal. La comida era rusa, pero los alimentos no tenían el mismo sabor que en Rusia; la leche, los huevos y prácticamente todo lo demás sabía diferente. Pero lo que más nos impresionó fue el pan blanco empaquetado del supermercado: tenía el sabor y la textura de la goma. No podíamos entender que los norteamericanos lo compraran y que les gustara.

Sin embargo, si bien el pan era malo, no había nada mejor que la Coca-Cola; la bebíamos por litros durante los todavía calurosos días de otoño.

Quizá lo que me asombró más que ninguna otra cosa fue la riqueza y el volumen de la información en todo tipo imaginable de periódicos, revistas, libros, y en la televisión y la radio. Me costaba acostumbrarme a esa increíble apertura de la sociedad americana. Era seductora y, de alguna manera, al mismo tiempo, inquietante. Yo era como un hombre muerto de hambre ante un festín. Durante tres meses leí todas las publicaciones norteamericanas que caían en mis manos y logré aprender mucho en poco tiempo.

Descubrí también que podía comprar el *Pravda* y muchos otros periódicos soviéticos en los quioscos que vendían publicaciones internacionales. Nos habían dicho que en los Estados Unidos no había información sobre nuestro país porque los norteamericanos no querían reconocer que vivíamos mejor en la Unión Soviética.

Dejábamos la casa principalmente para asistir a las reuniones en las Naciones Unidas. Me inspiraban admiración los edificios y estaba tan asombrado como cualquier turista de la cantidad de idiomas y nacionalidades que encontraba a cada paso. Pasaba la mayor parte del tiempo asistiendo a las discusiones sobre desarme. Ahora comprendo que eran lentas y aburridas, pero en aquel momento me parecían fascinantes, esclarecedoras y cargadas de situaciones nuevas. A veces, algunas observaciones bastante críticas sobre la posición soviética me hacían titubear y me obligaban a reconsiderar una cantidad de cosas que daba por sentadas.

Mi tarea básica era ayudar a preparar informes y evaluaciones de esas discusiones y hacer sugerencias sobre la votación de diversas resoluciones.

Eran limitados los contactos con diplomáticos extranjeros, incluidas las delegaciones de otros países socialistas. Únicamente podía hablar con ellos mediante un permiso especial de mis superiores. Sólo a los funcionarios con experiencia se les permitía hablar con extraños. Los miembros de la delegación me habían hecho creer que yo era importante, pero mi verdadero trabajo me hizo comprender que no lo era. Sin embargo, me sentía feliz. Participar en la danza que se bailaba en las Naciones Unidas era excitante. Aprendí muchísimo al observar lo que hacían los delegados, y mucho más aún al conversar, limitadamente, con extranjeros, incluidas esas criaturas exóticas, los americanos. Tenían una forma de hablar tan franca y abierta –aun cuando criticaban aspectos de la política de su propio gobierno– que me dejaban sin aliento.

Jamás había visto tantos contrastes y tanta energía como vi en Nueva York. Me preguntaba si el resto de los Estados Unidos pondría los pelos de punta de la misma manera. Simplemente, esa ciudad nunca descansaba y en ella todo estaba mezclado: los edificios viejos y fuertes y los nuevos, menos resistentes; los puentes; la multitud que arribaba todos los días al puerto; el esplendor de las calles ricas del centro; la gama de diversiones, desde bares y garitos miserables hasta suntuosos museos y elegantes restaurantes. El espíritu de libertad de la gente era asombroso. Me maravillaba el modo en que a Nueva York no parecía importarle la cara que mostraba al mundo; con la misma indiferencia, exhibía sus miserias y sus grandezas: o lo tomas o lo dejas.

Vi zonas de tráfico revuelto y ruidoso y de calles diminutas y sombrías como cintas negras de máquinas de escribir abriéndose paso entre los edificios monolíticos. En eso Nueva York también era distinta de Moscú: no había espacio, ni anchos bulevares o amplias avenidas con filas regulares de árboles, como había por todo Moscú. Me parecía raro que el espacio de Nueva York fuera hacia arriba y no hacia los lados.

En las pocas ocasiones que recorrimos la ciudad, nos llevaron a algunos de los peores barrios pobres, a Harlem y al Bowery. Esos paseos excepcionales se hacían con el objeto de que comprobáramos los riesgos de vivir dentro de ese capitalismo feroz y para que no albergáramos ninguna idea de quedarnos a vivir en los Estados Unidos.

Mi primer encuentro con la sociedad de consumo se produjo en los grandes almacenes Woolworth. Jamás había visto semejante cantidad de artículos, y sin esas largas colas que eran corrientes en la URSS. Pero, para mí, la joya de la gran ciudad eran las librerías. Si me hubieran dejado, habría pasado todo el tiempo en ellas. La variedad de títulos, incluidos los libros en ruso de los emigrantes y disidentes soviéticos, era seductora, casi irresistible.

Digo casi, porque con una dieta diaria de diez dólares, podía curiosear más que comprar, pero quería llevar regalos a Lina y a Guennadi. Descubrí que casi todos los soviéticos de Nueva York, de alto o bajo rango, iban de compras cuando tenían un minuto libre. Generalmente se dirigían a la calle Orchard, en el centro de Manhattan, donde había muchas tiendas que pertenecían a emigrantes judíos que hablaban ruso. En ellas se podían comprar artículos que ya no estaban de moda a buen precio. Los soviéticos compran ropa, zapatos, telas, todo tipo de artículos que en la Unión Soviética rara vez –o nunca– son accesibles, ni siquiera para los funcionarios más importantes. A la KGB no le gustaban nuestras correrías por la calle Orchard, y a menudo veíamos que merodeaban a nuestro alrededor mientras buscábamos alguna oferta. Sin embargo, ellos hacían lo mismo.

No sólo nuestra residencia en Glen Cove sino también nuestros medios de locomoción limitaban nuestra libertad. Nos asignaban un solo coche para varias personas, lo que impedía nuestra independencia. El arreglo era que, al terminar cada día nuestras reuniones de las Naciones Unidas, todos los que teníamos un determinado coche asignado nos debíamos reunir en la Legación soviética para trasladarnos desde allí a Glen Cove. Naturalmente, el sistema jamás funcionó como se esperaba, puesto que nadie acababa su trabajo al mismo tiempo. El resultado: un sinfín de trastornos y fricciones.

Una tarde, mi colega Misha y yo perdimos el coche; el funcionario de servicio nos dijo que pasarían varias horas antes de que llegara otro. Decidimos ir a ver una película en un cine de la zona. Era una violación de las normas: sencillamente, nadie podía ir al cine por su cuenta, se tratara o no de una película antisoviética. Ocurrió entonces que también perdimos el último coche que iba a Glen Cove. Pensamos que lo mejor era tomar el tren, ya que no podíamos pagar un taxi hasta Long Island. Llegamos alrededor de medianoche, y nos encontramos con Yuri Mijeiev. A Mijeiev lo llamaban «ratoncito» por su extraordinario parecido con este animal. No se le tenía demasiado aprecio, porque todos sabíamos que era un soplón.

–Valerian Alexandrovich [Zorin] les está esperando. Será mejor que no le hagan esperar más –dijo con una sonrisa burlona.

Nos dimos cuenta de inmediato de que íbamos a tener algún problema.

Zorin, en bata, estaba ante el escritorio de su oficina, grande y débilmente iluminada.

–¿Dónde demonios se habían metido? –gritó en cuanto nos vio–. Tuve que ordenar que los buscaran, estúpidos. –Empezamos a excusarnos, pero no estaba de humor para oírnos. Nos interrumpió y, levantando un dedo amenazador, nos dijo indignado que si eso se volvía a repetir nos mandaría inmediatamente a casa y ya vería la forma de procurar que no nos dejaran viajar más al extranjero. Era la última advertencia, y Zorin tenía el poder necesario para cumplirla. Misha y yo quedamos escarmentados para el resto de nuestra estancia en Nueva York.

Confinados como estábamos, ya que pasábamos la mayor parte de nuestro tiempo libre en Glen Cove, podíamos ahorrar gran parte de nuestro salario y de nuestras dietas diarias. A Lina le compré ropa y zapatos de moda, y a Guennadi tantos juguetes como pude. Quedaron encantados con los regalos que les llevé cuando regresé a casa, aunque Lina me reprochó que no hubiera llenado las maletas, como habían hecho muchos de mis colegas, de telas americanas baratas, que se podían vender a muy buen precio en Moscú. La consolé diciéndole que quizás haría otros viajes y que posiblemente algún día viajaríamos juntos.

En realidad, me transformé a partir de entonces en uno de los que soñaban con volver a la tentadora libertad que había saboreado durante tan poco tiempo en Nueva York. «París bien vale una misa», había dicho Enrique IV cuando se convirtió al catolicismo para autoproclamarse rey de Francia. Mi experiencia en Occidente bien valía todos los compromisos que implicaba una carrera en el Ministerio de Asuntos Exteriores.

En nuestra política exterior se produjeron más cambios positivos hacia Occidente. En 1959 invitaron a Jruschov a hacer una visita oficial a los Estados Unidos, la primera de un líder de nuestro país. Ese verano, antes del viaje, Zorin mantuvo una reunión con todos los que trabajábamos en el tema del desarme. Con su monotonía característica, dijo que Jruschov había decidido «emprender una nueva iniciativa fundamental». En la sesión de septiembre de la Asamblea General de las Naciones Unidas en Nueva York iba a proponer una política de desarme completa y general.

–A partir de ahora –manifestó Zorin–, la lucha por el desarme completo y general será la política principal y a largo plazo de la Unión Soviética.

Nos advirtió además que guardáramos silencio acerca de nuestro trabajo preparatorio sobre la propuesta.

Me sentí abatido ante ese cambio repentino y dramático de nuestra posición, y empecé a dudar acerca de la inteligencia y la capacidad de Jruschov para tratar los problemas de desarme. Era exasperante comprobar que las discusiones relativamente serias sobre el control de armamentos iniciadas a finales de los 50 acabarían con otra ruidosa batalla propagandística. Si hasta el momento, con medidas modestas y parciales, no se había llegado a ningún acuerdo para frenar la carrera armamentista, era evidente que no habría ni siquiera la más mínima posibilidad de que el mundo consintiera, como por arte de magia, el desarme. Siempre he creído que, en la diplomacia, la fantasía es una pérdida de tiempo; teníamos la absurda tarea de demostrar lo indemostrable. Solamente recurriendo a la más absoluta sofisticación era posible creer que sería más fácil lograr un desarme completo y general que un desarme parcial, como nos obligaron entonces a defender. Y los líderes militares no aprobaban la idea de un desarme completo y general. Oí más de una queja acerca de que esa decisión ejercería una mala influencia sobre la moral de los jóvenes. Pero no se atrevieron a desafiar a Jruschov.

La propaganda oscureció casi todo lo referente a la visita de Jruschov a los Estados Unidos. Era evidente que le complacía que el presidente Eisenhower le hubiera invitado a hacer una visita oficial. El simple hecho de la invitación ya era importante: Jruschov interpretó que los Estados Unidos admitían que la Unión Soviética era un igual con el que se debían buscar soluciones a los problemas internacionales. Jruschov pensó que su visita les daría prestigio, a él y a la Unión Soviética, independientemente de que las conversaciones con Eisenhower tuvieran éxito o fracasaran.

Además, buscaba la ayuda americana y quería un intercambio comercial entre las dos naciones. Por esta razón, los medios de comunicación soviéticos empezaron a «recordar» los olvidados puntos de vista de Lenin con respecto a la importancia de la cooperación económica con los países capitalistas y la necesidad de analizar «la eficacia americana».

Jruschov estuvo trece días en los Estados Unidos. Su visita tuvo un gran impacto entre los norteamericanos y su estilo sembró una popularidad que aún se mantiene. Los norteamericanos vieron un líder soviético en persona que se mostraba sociable y humano y que trataba a todo el mundo sin ceremonias ni rigidez. Hablaba con los periodistas haciendo gala de un gran sentido del humor, y sin recurrir a notas o textos preparados. Y, sobre todo, no se parecía en nada al ermitaño y siniestro Stalin.

Cuando presentó ante la Asamblea General de las Naciones Unidas su propuesta de un desarme completo y general, alcanzó el éxito propagandístico previsto. Los líderes occidentales comprendieron que era una maniobra, pero ninguno se puso abiertamente en contra.

La siguiente aventura de Jruschov iba a crearle problemas en la política interna. Con la afirmación de que «las nubes de la guerra se han empezado a disipar» como resultado de su visita «histórica» a los Estados Unidos, inició una reducción significativa de las fuerzas armadas soviéticas. En una sesión del Soviet Supremo, en enero de 1960, se aprobó por ley una reducción del personal militar de un millón doscientos mil miembros.

Jruschov justificó su decisión manifestando que el potencial moderno de defensa no estaba determinado por la cantidad de soldados sino por el poderío nuclear y por la calidad de los sistemas de transporte requeridos. Infló excesivamente la capacidad soviética nuclear y de misiles, jactándose de que «poseemos ahora todo el armamento» y de que los misiles soviéticos eran tan precisos que podían matar a «una mosca en el espacio exterior». Esas amenazas de Jruschov eran muy exageradas –como se encargó de verificar la historia–, pero muchos occidentales, incluidos políticos y militares expertos, las creyeron. Sin embargo, esas declaraciones eran simplemente una forma de guerra psicológica; la verdadera situación era tan distinta como el día de la noche. Pero Jruschov fue aún más lejos: afirmó que «la aviación y la marina han perdido su significado anterior». No era algo que los líderes militares y las industrias de armamento pudieran dejar pasar.

La pérdida de la moral y el espíritu de lucha de las fuerzas armadas alcanzó proporciones alarmantes. En la primavera de 1960, nos visitó el capitán de marina Barabolia y, en un arranque de pasión, describió cómo algunos oficiales navales habían llorado al observar el desguace de cruceros y destructores en las dársenas de Leningrado por orden de Jruschov.

Sin embargo, más significativa que el disgusto de la Marina era la alarma que sentían los ideólogos del Comité Central. Con la reducción de las fuerzas convencionales, especialmente la Marina, Jruschov estaba destruyendo los medios más eficaces de ayuda a los movimientos de liberación prosoviéticos y a los aliados de la Unión Soviética en el Tercer Mundo. A largo plazo, tuvo que pagar caro esas acciones.

Al empeñarse en sus iniciativas occidentales, Jruschov cometió aún otro error: dar la espalda a China. La tirantez de las relaciones chino-soviéticas, no demasiado visible en la superficie, se hizo pública cuando la URSS tomó una posición neutral durante el conflicto fronterizo entre China y la India en 1959. Inmediatamente después de regresar de los Estados Unidos, y para calmar a Mao, Jruschov viajó a Pekín con motivo de la celebración del décimo aniversario de la República Popular China.

Las conversaciones con Mao, en las que intentó preservar la estructura monolítica del comunismo, fracasaron. La visita tuvo lugar en una atmósfera de gran tensión, y la despedida de Jruschov fue aún más fría que su recepción. Amigos del Comité Central me dijeron que los chinos le habían acusado de sacrificar la lucha revolucionaria por la distensión con los norteamericanos y otros «imperialistas». Esto amenazaba con socavar el liderazgo del Kremlin en los movimientos revolucionarios. A partir de ese momento los soviéticos debieron compartir con los chinos ese liderazgo, y el resultado fue la aparición de una nueva actitud militante en la política exterior soviética.

En 1960, Jruschov estaba en la cima como líder del Kremlin; las luchas con sus más firmes oponentes habían quedado atrás. Sin embargo, su política se vio frustrada más allá de su control. Muchos de sus programas estaban parados o habían fracasado. Había intentado lograr demasiado en muy poco tiempo. Algunas de sus acciones no sólo iban contra sus rivales individuales en el liderazgo o atentaban contra los intereses de varios grupos poderosos, sino que se oponían a las reglas básicas que hacían funcionar el sistema.

Inevitablemente, las dificultades le obligaron a repudiar el «espíritu de Camp David», a retardar sus esfuerzos por reorganizar las fuerzas armadas, y a cambiar sus prioridades económicas. Los trastornos políticos se manifestaron de varias formas. La primera señal pública fue la reacción al incidente del U-2. La aviación de reconocimiento americana había sobrevolado territorio soviético durante varios años, y los líderes soviéticos lo sabían. Gromiko aconsejó a Jruschov que no se derribaran los aviones, para evitar un deterioro excesivo en las relaciones soviético-norteamericanas. Según Gromiko, una protesta y una advertencia severas eran suficientes para impedir esos vuelos. Jruschov desatendió los consejos de Gromiko y sacó buen provecho de ello cuando la defensa antiaérea soviética derribó el U-2 e hizo prisionero a su piloto, Francis Gary Powers.

Jruschov era un hombre inestable que hacía pocos esfuerzos por controlar sus emociones. Decidió tender una trampa para desacreditar públicamente a Eisenhower. Powers estaba vivo y en manos soviéticas pero, ocultándolo, Jruschov engañó a Eisenhower y le indujo con éxito a que negara que la aviación norteamericana hubiera realizado vuelos de reconocimiento.

Finalmente, se descubrió el plan de Jruschov debido a la locuacidad de Yakov Malik. Malik, viceministro de Asuntos Exteriores en aquel momento, era uno de los pocos que sabían que Powers estaba vivo; en una conversación con el embajador de un país socialista, no pudo resistir la tentación de revelarlo. Contó al diplomático que el piloto del U-2 estaba vivo y que lo probaría públicamente. Afortunadamente para Jruschov, el embajador era consciente del problema de seguridad que eso representaba e inmediatamente informó al Comité Central de esa charla.

Furioso, Jruschov decidió expulsar a Malik del Partido y destituirlo de su cargo. Sin embargo, Malik logró una audiencia con Jruschov en la que, aparentemente, cayó a sus pies y lloró pidiendo perdón. Para ese momento, el plan U-2 había llegado a su fin con éxito, y Jruschov se contentó con administrar un castigo humillante a Malik: obligarle a hacer una confesión pública en una reunión del Partido con todo el Ministerio de Asuntos Exteriores.

La sala oval de conferencias del ministerio, de columnas de mármol y elevada tarima, estaba repleta. Sobre la tarima, con evidente vergüenza, Malik dijo:

–Camaradas, jamás he revelado secretos de Estado.

Todos se echaron a reír.

En otro momento, hubiera acabado en prisión o algo peor, pero entonces sólo recibió una *strogach* (severa reprimenda).

Después del incidente del U-2, Jruschov hizo temblar la Cuarta Conferencia Cumbre de París, en mayo de 1960. Ese verano formé parte del equipo especial que cada año preparaba las instrucciones y otros asuntos para la apertura de las sesiones de la Asamblea General de las Naciones Unidas. Pero no fue para mí un trabajo rutinario. Un día, me llamaron de la oficina de Pavel Shakov.

–Arkadi –dijo con ancha sonrisa–, ha sido incluido entre los expertos de la delegación soviética para asistir a la próxima sesión de la Asamblea General de las Naciones Unidas. Comprenderá, por supuesto, que es un gran honor y a la vez una gran responsabilidad. Nikita Sergueievich será el jefe de la delegación.

No podía creer en ese golpe de suerte. Mis colegas y yo sabíamos que eso daba un profundo giro a mi carrera. Empecé a prepararme de nuevo para otro viaje a Nueva York.

12

A principios de septiembre de 1960, cuando zarpé de Kaliningrado hacia Nueva York, Nikita Jruschov era el líder indiscutido de la Unión Soviética.

Viajar con Jruschov y tener la posibilidad de serle útil, a él y a otras figuras importantísimas de su séquito, era una oportunidad extraordinaria. Se suponía que, normalmente, no se debía ver ni oír a los funcionarios del ministerio de mi edad y rango. Soldados anónimos de la diplomacia soviética, quizás algunas veces por año teníamos la suerte de asistir a una reunión de personal con el viceministro de Asuntos Exteriores o, en casos excepcionales, con Gromiko. Sin embargo, a los veintinueve años estaba haciendo un viaje de diez días por el Atlántico a bordo de un pequeño barco de pasajeros, el *Baltika*, con el jefe supremo de la Unión Soviética, para trabajar con él en la propuesta más importante sobre descolonización y desarme de la Asamblea General de las Naciones Unidas.

Nikolai Moliakov, jefe delegado del Departamento de Organizaciones Internacionales para el que yo trabajaba, fue designado secretario general de la delegación. En gran medida, él elegía la delegación; y yo mantenía muy buenas relaciones con él. En ese momento, yo tenía experiencia en tareas de desarme y estaba familiarizado con los detalles de las propuestas soviéticas que debían hacerse en la Asamblea General. Había estado presente en algunas discusiones sobre desarme en la oficina de Gromiko, y cuando Moliakov recomendó mi inclusión en la delegación, Gromiko la aprobó.

Además de muchos funcionarios soviéticos, viajaban con Jruschov en el *Baltika* algunos líderes de los partidos comunistas de otros países socialistas: János Kádár, de Hungría; Gheorghe Gueorghiu-Dej, de Rumanía; y Todor Zhivkov, de Bulgaria. Puesto que esas figuras tenían varios acompañantes, es posible imaginar la cantidad de personas –entre funcionarios del Partido y del Estado y diplomáticos– que viajaban en el pequeño *Baltika.* Los cómodos camarotes privados eran limitados, y sólo había un restaurante para todos los pasajeros. En consecuencia, el primer problema, y por cierto el más delicado, que debían enfrentar los delegados rusos, ucranianos y bielorrusos era qué camarotes ocuparían y si querían o no estar entre los que habrían de comer en el restaurante con Jruschov y los otros líderes. Era en parte un asunto de comodidad y conveniencia, porque los que no estarían entre los privilegiados tendrían que viajar apiñados en la bodega, con la tripulación.

Poco después de subir a bordo del *Baltika,* Moliakov se acercó a mí con aire conspirador y susurró triunfalmente:

–Arkadi, tendrá un camarote en cubierta y no en la bodega e irá al restaurante donde come Nikita Sergueievich. –Mostró una amplia sonrisa, me dio una palmada en la espalda y añadió–: Los amigos están para ayudarse. –Moliakov estaba seguro de que yo no olvidaría ese favor.

Lejos de ser lujoso, mi camarote tenía una litera, una pequeña mesa, dos sillas y un armario. Sin embargo, la primera noche experimenté no sólo la buena vida que se daba la élite –un banquete de caviar y otros manjares–, sino también el estilo ruidoso y accesible de Jruschov.

La cena había sido seria y formal; la mayoría de los viajeros estaban vestidos como para una recepción. Pero al acabar la cena, Jruschov dejó la mesa principal y se dedicó a recorrer el comedor. Cuando llegó a nuestra mesa vio que la abundancia de comida nos había quitado el apetito.

–¿Qué ha pasado? –rió, con la mano alzada en un gesto de burla–. ¿La producción del departamento de alimentos del *Baltika* no les agrada?

Antes de que pudiéramos contestar, se inclinó hacia su yerno, el director de *Izvestia,* Alexei Adzhubei. Le cogió el vaso de cerveza, lo olfateó y dijo en voz alta:

–Ya comprendo. Han intentado camuflarla pero les he descubierto bebiendo una cerveza que es casi vodka.

Todos nos echamos a reír.

Era la primera vez que estaba tan cerca del líder soviético. Bajo y gordo –«N.S.» le llamaban en su círculo íntimo y entre los diplomáticos–, era un hombre sencillo, casi pelado, de ojos pequeños de cerdito y varias verrugas en la cara redonda, típicamente rusa.

Cuando salimos del mar Báltico el tiempo era bastante bueno, sólo había unas pocas nubes. Dos destructores que habían escoltado al *Baltika* dispararon salvas de despedida y regresaron a puerto. Estábamos solos, aunque, mientras cruzábamos el Atlántico, encontramos un montón de barcos soviéticos. Moscú les había ordenado que cambiaran de rumbo y que navegaran cerca de nosotros.

Me pregunté qué le pasaría al *Baltika* si hubiera una tormenta. Sabía que el barco ni siquiera tenía estabilizadores. Poco después, mis temores se confirmaron. Se levantó un viento muy fuerte y el pequeño barco empezó a zarandearse mientras cruzaba el Atlántico. El restaurante, los pasillos y la cubierta estaban desiertos. La mayoría de los pasajeros, mareados, descansaban en los camarotes. Casi la mitad de la tripulación del barco también estaba descompuesta.

Sin embargo, Jruschov se mantuvo fuerte y valiente, y no sucumbió al percance. Como si no ocurriera nada, continuó yendo al restaurante de muy buen humor y se burló de quienes, según sus palabras, eran tan flojos.

Estuve en mi litera casi todo el día, levantándome sólo para correr al lavabo. Por la tarde, apareció Moliakov. Con un aliento que apestaba a vodka, me preguntó socarronamente:

–¿Qué hace acostado?

Él consideraba que la mejor medicina para un mareo era tomar «un vaso» (de vodka) y me insistió para que le acompañara al bar. Su sugerencia me mareó aún más, pero pensé que tal vez sería mejor morir en el bar que en mi camarote, de modo que fui con él.

Muchos allegados de Jruschov estaban allí, medio borrachos, contando historias obscenas y evaluando los encantos de las azafatas, las camareras y las secretarias incluidas en la delegación. Los que pertenecíamos al Ministerio de Asuntos Exteriores éramos generalmente más cuidadosos, porque a Gromiko no le gustaba que bebiéramos o habláramos demasiado. Pero sabíamos que, a diferencia de Jruschov, él jamás aparecía en el bar –lo consideraba indigno–, de modo que nos permitíamos ciertas libertades.

Los búlgaros frecuentaban el bar y, en general, no evitaban nuestro contacto. El líder búlgaro, Zhivkov, atendía diligentemente a Jruschov y, cuando conversaba con él, aprobaba cada cosa que decía N.S. A los búlgaros –con la menor excusa, y a veces sin ella– les encantaba manifestar abiertamente su semejanza de espíritu con los rusos y la amistad histórica entre Rusia y Bulgaria, insinuando que ellos y sólo ellos eran los verdaderos hermanos y aliados de la Unión Soviética.

En cambio, los rumanos se mantenían apartados, y existía una evidente frialdad entre ellos y la delegación soviética. En su mesa del comedor, Gheorghiu-Dej permanecía casi siempre callado. A Jruschov le molestaba bastante esa actitud, pero no demostraba públicamente sus sentimientos hacia los rumanos, excepto en una ocasión en que perdió el control ante un pequeño grupo de soviéticos. Declaró que Gheorghiu-Dej no era, en general, un mal comunista pero, como líder, no tenía fuerza; era demasiado pasivo. Añadió que en Rumanía, incluso en los cargos del Partido Comunista, se habían desarrollado actitudes nacionalistas y antisoviéticas perniciosas que debían ser cortadas de raíz.

–Necesitan mano dura –afirmó–. *Mamalyzhniki*[1] no es una nación, sino un prostíbulo –Jruschov se interrumpió, comprendiendo que había ido demasiado lejos–. Me refiero –añadió no muy convencido, tratando de salir del paso– a la Rumanía anterior a la revolución.

Aparentemente, los húngaros eran leales, pero no proclamaban «su eterna amistad» como los búlgaros, y mantenían un absoluto silencio con respecto a los sucesos de 1956. János Kádár me pareció inteligente, sagaz y enérgico. En el *Baltika* evidentemente había decidido descansar, dedicándose a jugar a las cartas. Por cierto, jugar a las cartas parece ser una obsesión para los húngaros: si tienen cinco minutos libres, colocan los naipes sobre la mesa. En ese viaje, hasta Jruschov estaba un poco harto de verlos jugar día y noche. Después de jugar hasta muy tarde, a menudo Kádár estaba demasiado cansado para ir a desayunar.

No se discutió con nuestros amigos socialistas el contenido de las propuestas que Jruschov intentaba presentar en Nueva York. Habíamos recibido instrucciones precisas de no revelarlas, de no dar ninguna información acerca de ellas, y de ocultar nuestro estilo y nuestros métodos de trabajo. Jruschov sólo había informado de modo general de sus propuestas a los líderes búlgaro, húngaro y rumano.

Una vez Moliákov observó cínicamente que «debemos ser muy cuidadosos al hablar con nuestros amigos» y que «no debemos analizar con ellos asuntos oficiales sin una autorización especial». Era casi seguro que lo dirían todo antes de tiempo. Quizás había entre ellos enemigos, agentes de los servicios de inteligencia occidentales.

–¿Qué se supone que debemos hacer? –pregunté a Moliakov. Dije que evitar discutir con ellos las propuestas era difícil, porque constantemente demostraban su interés por nuestra posición.

–Nada es difícil, excepto ponerse los pantalones por la cabeza –respondió, usando un viejo dicho campesino–. Que esperen. Nikita

1. Un apodo ruso para Rumanía, irónico e insultante. Proviene de la palabra rusa *mamalyga*, una especie de avena rumana espesa.

Sergueievich hablará en la Asamblea General, y así conocerán las propuestas.

Ésa era la verdadera actitud de los líderes soviéticos hacia nuestros supuestos hermanos y aliados. Yo sabía que no dábamos toda la información, pero no sospechaba que esa postura arrogante hacia «nuestros amigos» era la base real de nuestras relaciones. Las afirmaciones de amistad fraternal entre la URSS y otros países socialistas, que constantemente proclamaban al mundo los líderes y propagandistas soviéticos –y que, según los ideólogos soviéticos, es la base de «la ley indestructible del socialismo»–, eran pura hipocresía.

Cada mañana Jruschov se dirigía a cubierta, se sentaba en una mecedora, y su asistente, Oleg Troianovski, le leía los últimos resúmenes de noticias enviados por radio desde Moscú. Sin embargo, nuestras comunicaciones con la capital no eran muy buenas. El *Baltika* no estaba debidamente equipado y a veces no podíamos comunicarnos directamente con Moscú.

Jruschov era afable con todos. Se mezclaba con los miembros de la tripulación y no evitaba las conversaciones con personas que no conocía. Con gusto se dejaba fotografiar con miembros de la delegación, a pesar de la desaprobación de los guardias de seguridad de la KGB. Le gustaban mucho los juegos de cartas. También era un apasionado jugador del juego del tejo de a bordo, y se esforzaba por vencer a sus competidores por tantos puntos como fuera posible.

Leía con frecuencia, pero su conocimiento de la literatura era fragmentario y nada sistemático. Lo que menos sabía era literatura occidental y decía que, si alguna vez tenía tiempo, le gustaría llenar ese vacío. Jruschov no sabía idiomas extranjeros, y no tenía intención de estudiar ninguno. «Sería mejor que dominara bien el ruso», reconocía críticamente. Su falta de educación era evidente: cometía errores gramaticales al hablar y muchas veces no pronunciaba correctamente las palabras.

Jruschov era verdaderamente distinto de otros líderes soviéticos. Gromiko tenía el típico carácter burocrático soviético y evitaba los contactos con la gente común. A diferencia de la mayoría de los líderes occidentales, los altos funcionarios soviéticos ocupaban sus cargos durante muchos años, y a veces durante toda la vida. Como su contacto con la gente era cada vez más distante, lentamente se apartaban de las necesidades y la forma de pensar de su pueblo.

La tormenta, que arreció e hizo marear a más pasajeros todavía, me favoreció. Debido al vodka recomendado por Moliakov o a la resistencia de la juventud, se me pasó el mareo. Como la mayoría de mis superiores estaban aún acostados en sus literas, me ordenaron trabajar directamente con Gromiko y Jruschov.

Tuve la oportunidad de hablar a solas con Jruschov algunas veces, jugando con él al tejo o paseando por cubierta. Manifestaba un vivo interés por todo, hacía muchas preguntas y a veces las contestaba él mismo, sin esperar mi respuesta. Era un hombre desaliñado, y en ese ambiente informal su apariencia general era descuidada: chaqueta holgada y pantalones anchos y arrugados. Era inconstante y, ante el más leve motivo, su buen humor podía transformarse rápidamente en una explosión de cólera. En ocasiones, cuando estaba solo o con sus allegados, revelaba una extraña melancolía, una especie de triste cansancio. Sin embargo, esa imagen era pasajera y difícil de descubrir detrás de su vigorosa alegría.

La preparación de las propuestas, o «las nuevas iniciativas soviéticas fundamentales», como se conocían en los círculos internos del Comité Central y del Ministerio de Asuntos Exteriores, se había hecho en Moscú. En el *Baltika* había que pulirlas y darles su forma final, en especial para que tuvieran un tono propagandístico atractivo. Jruschov exigió que los textos de las propuestas y los borradores de sus discursos se redactaran en un estilo simple, inteligible y accesible para la mayor cantidad posible de personas, incluso para quienes nada tenían que ver con la política. Le encantaba repetir uno de los axiomas sagrados del marxismo: «Una idea cobra su fuerza material cuando las masas se apoderan de ella».

La búsqueda de expresiones incisivas, de comparaciones y argumentos vívidos y precisos, y de dichos y proverbios populares rusos no era menos importante durante nuestro trabajo que la formulación sustancial de las propuestas. La compilación de proverbios y dichos famosos era una tarea básica para quienes preparaban los textos de Jruschov. Alexei Adzhubei y Pavel Satiukov, director del *Pravda*, que pasó toda su vida trabajando en el aparato del Partido, eran los asistentes indispensables de Jruschov con respecto al ingenio literario o propagandístico. En el dominio de esa capacidad superaban ampliamente a Gromiko, que aportaba ideas pero que no poseía elocuencia ni capacidad literaria. A Gromiko no le gustaba la importancia que daban a Adzhubei. Aunque Jruschov valoraba la gran experiencia diplomática de Gromiko, no se podía resistir a fastidiarlo llamándole a menudo burócrata árido. «Mírenlo», decía Jruschov, moviendo la cabeza hacia Gromiko y sonriendo. «¡Qué joven parece Andrei Andreievich!» (Verdaderamente, parecía muy joven para sus años.) «No tiene ni una cana. Es evidente que lo único que hace es sentarse en un sillón cómodo y tomar té.» A Gromiko no le gustaban nada esas bromas, pero siempre esbozaba una sonrisa.

Habitualmente, el propio Jruschov trabajaba en la redacción de sus discursos. Durante horas, sin interrupción, en el camarote o en la cubierta, dictaba borradores de sus ideas a un ritmo tal que hasta la taquígrafa más rápida apenas tenía tiempo de dar vuelta a la hoja de su bloc. Los borradores eran frecuentemente caóticos y contenían numerosas imprecisiones; muchas veces, ni siquiera una mecanógrafa experimentada era capaz de trasladar a la gramática rusa muchas de las frases desordenadas que él dictaba. No obstante, sus discursos estaban llenos de vida, y sus ideas, argumentos y razonamientos se distinguían por su originalidad y su tono persuasivo, salpicados con la agudeza de los dichos y proverbios que tanto le gustaban.

Por la noche, después de la cena, generalmente nos reuníamos en una pequeña sala en la que los miembros de la tripulación pasaban películas u ofrecían entretenimientos. Jruschov siempre asistía; no le gustaba estar solo. Le encantaban las películas y veía cualquiera que pasaran –soviéticas o extranjeras–, pero disfrutaba especialmente con las películas y los noticieros soviéticos anteriores a la guerra.

Jruschov bebía en abundancia –vodka, vino y coñac– pero no se emborrachaba fácilmente. A veces, por la noche, después de haber bebido mucho durante todo el día, se complacía en hacer bromas y travesuras. Con frecuencia, su compañero de copas era János Kádár, que no era un bebedor cualquiera. Varias veces al día Jruschov lo invitaba a su camarote. Pero su invitado y compañero de charlas más habitual era Todor Zhivkov. Aunque el impasible búlgaro no era tan simpático como Kádár, Jruschov y él podían conversar con mayor facilidad. Zhivkov entendía el ruso casi a la perfección, a diferencia de los húngaros o los rumanos, que con frecuencia necesitaban intérpretes.

Una noche, cuando estábamos reunidos en la sala esperando que pasaran una película, Jruschov –que había bebido bastante– decidió divertirse. Nikolai Podgorni, que en ese momento ocupaba el antiguo cargo de Jruschov como jefe del Partido en Ucrania, estaba sentado a su lado. Jruschov se volvió hacia él y dijo:

–¿Por qué no baila un *gopak*?[2] Echo tanto de menos las danzas y canciones ucranianas... –Era evidente que Jruschov había disfrutado de su estancia en Ucrania y a menudo recordaba con placer los días pasados en Kíev.

Podgorni miró con asombro a Jruschov. Tenía más de sesenta

2. Una agotadora danza nacional ucraniana para hombres, que se baila poniéndose de cuclillas y estirando con rapidez una pierna y luego la otra, describiendo constantemente un gran círculo.

años y bailar el *gopak* era imposible a su edad e inadecuado para su posición. Jruschov insistió. Podgorni comprendió que su líder no bromeaba. Muy a su pesar, se puso de pie y con dificultad se agachó y alzó unas pocas veces simulando los movimientos del *gopak*. Era indudable que no podía bailar esa danza, pero Jruschov aplaudió ruidosamente y felicitó a Podgorni.

–¡Muy bien! –dijo–. Kíev es el lugar apropiado para usted.

En una de nuestras conversaciones Jruschov me preguntó si tenía algo que ver con Taras Shevchenko, el famoso poeta ucraniano. Le dije que no, pero que mis padres y yo habíamos nacido en Ucrania y que, aunque había pasado la mayor parte de mi vida en Rusia, me consideraba ucraniano. Mi respuesta pareció complacerle; durante un momento temí que fuera a pedirme que bailara el *gopak*. Pero, con una amplia sonrisa, me dio simplemente una palmada en el hombro y dijo:

–Hace bien en estar orgulloso de su tierra.

Alentado por la sociable informalidad de a bordo, decidí correr el riesgo de manifestar mis preocupaciones sobre nuestro último enfoque en la política de desarme. La promesa de «negociaciones serias» sobre la reducción de armas me había llevado, en un principio, al Ministerio de Asuntos Exteriores; pero ahora había un cambio radical de las negociaciones hacia el programa propagandístico del desarme completo y general.

Con prudencia, le sugerí a Jruschov que la propaganda no podía reemplazar las conversaciones, necesarias para avanzar en la detención de la carrera armamentista. De alguna manera me sorprendió que me escuchara. Luego dijo que el tema se podía tratar a dos niveles: el de la campaña, con fines propagandísticos, para el desarme completo y general, y el de las negociaciones concretas y reales.

–Cada hortaliza tiene su estación –dijo, usando un antiguo refrán para ilustrar la explicación. Subrayó que no sería inteligente rechazar medidas parciales, pero que lo principal era el desarme completo y general; y el arte de la política consistía en elegir el momento adecuado para cada cosa.

–No olvide –me adoctrinó– el impacto que tiene en el mundo la idea del desarme. Todo lo que hay que hacer es decir: «Estoy a favor del desarme», y así se conseguirán grandes dividendos. –Admitiendo con una sonrisa que ni esperaba que Occidente se desarmara completamente ni contemplaba esa posibilidad para la Unión Soviética, añadió–: Un eslogan seductor es el instrumento político más poderoso. Los americanos no lo entienden. Sólo insisten en luchar contra la idea de un desarme completo y general. Lo que hacen es tan inútil como la lucha de Don Quijote contra los molinos de viento.

Jruschov dijo que la propaganda y las negociaciones reales no se debían considerar contradictorias sino complementarias. Aunque su teoría de que el fin justifica los medios era cínica, la franca justificación de su política era mucho más persuasiva –como generalmente lo es la verdad– que las frases hipócritas de Valerian Zorin y otros.

Mientras que mi acción sobre la política era insignificante, el impacto que ese viaje transatlántico tuvo en mí fue enorme. El simple hecho de mi proximidad con Jruschov y sus principales consejeros me otorgó, ante los ojos de los demás, una importancia que me llevó a un rápido progreso. Sin embargo, mi contacto directo con el líder soviético y su séquito, y con el cinismo perverso de quienes tomaban las verdaderas decisiones políticas, era tan inquietante como estimulante. Comprobé con claridad la irrefrenable ambición de poder de los líderes soviéticos. La coexistencia pacífica era la máxima de la era de Lenin que Jruschov había revivido y proclamado. Constituía la barrera de humo detrás de la cual se planeaba la expansión de la influencia soviética.

Un tema del que se solía hablar abiertamente era el de la situación en el ex Congo Belga, que acababa de independizarse y estaba asolado por una contienda civil. La agitación de la incipiente nación la hacía suelo fértil para las manipulaciones soviéticas, pero quizás esos desafortunados sucesos ayudaron a que el país evitara entrar en la órbita soviética. Por la razón que fuera, los acontecimientos del Congo no siguieron el camino de Moscú. A Jruschov le enfurecía que el Congo «se nos escapara de las manos».

Durante todo el viaje estuvo obsesionado por la intervención de las Naciones Unidas en el Congo, en especial por el papel de las tropas de paz y las actividades del secretario general, Dag Hammarskjöld.

–¡Malditas sean las Naciones Unidas! –estalló después de que Oleg Troianovski leyera algunas noticias particularmente malas de África–. No es *nuestra* organización. Ese inútil *Ham* [palabra rusa para «campesino» con la que apodaba al jefe de las Naciones Unidas] está metiendo las narices en asuntos importantes que no le incumben. Se está arrogando una autoridad que no le pertenece. Lo va a pagar. Tenemos que librarnos de él de cualquier forma. Se lo pondremos bien difícil –gruñó.

Su furia le llevó a hacer una propuesta desatinada: instalar una ejecutiva de tres miembros, una troika, en lugar del secretario general. El plan pretendía inutilizar las Naciones Unidas, pero nadie se opuso a Jruschov y éste presentó formalmente la idea en su discurso de la Asamblea General. Gromiko reconoció que el proyecto se oponía totalmente a la vieja política soviética contra cualquier revisión de la Carta de las Naciones Unidas, pero ni siquiera él pudo disuadir a Jruschov.

Volví a recordar la amenaza personal de Jruschov contra Hammarskjöld en septiembre de 1961, cuando el secretario general murió en un accidente de aviación en el Congo. Amigos que trabajaban en asuntos africanos me dijeron una vez que habían visto un informe secreto de la KGB que indicaba que el avión había sido derribado por fuerzas angoleñas prosoviéticas asesoradas por Moscú.

Jruschov me dio todavía otro sobresalto el día que hizo una descripción, vaga pero coherente, sobre sus intenciones de explotar lo que llamaba «las contradicciones intraimperialistas» a favor del poder soviético. Estaba en cubierta y sostenía su gastado pero querido sombrero de paja con una mano para evitar que se lo llevara el viento.

–No puedo desprenderme de él –dijo con una sonrisa–. Me ayuda a pensar. Y no me imagino que mi sombrero guste a los tiburones.

Esa palabra, sin más, lo puso en marcha. Parecía que pensaba en voz alta.

–En Nueva York –dijo– tendremos que enfrentarnos a toda una escuela de tiburones imperialistas, y de varias clases.

Durante la siguiente media hora, más o menos, analizó los principales países occidentales y la estrategia soviética para ponerlos unos en contra de los otros. Los británicos, aceptó, no tenían remedio, eran visceralmente antisoviéticos.

–La melena del león puede estar sucia –dijo–, pero sus mordiscos todavía son peligrosos. Por algo tenemos el dicho «las inglesas cagan sin cesar».

Francia era otro asunto. Mirándose la barriga, recordó su última visita a París.

–Nos recibieron maravillosamente: grandes comidas y *champagne*. Y nosotros alimentamos el ego de De Gaulle. Le llenamos de cumplidos. Ésa es la forma de tratarlo.

No era tan fácil lidiar con los alemanes, juzgó, pero su economía y su tecnología representaban un premio aún mayor. Se debía convencer a Alemania Occidental de que no podía esperar la reunificación.

–Si es necesario –reflexionaba Jruschov, nueve meses antes de que el muro de Berlín fuera una realidad–, haremos un despliegue de fuerzas para calmar a esos alemanes occidentales que no comprenden la situación. –Sin embargo, una vez que aceptaron lo inevitable, Jruschov creyó que sería posible lograr concesiones comerciales de los alemanes y explotar su economía para mejorar la de la Unión Soviética–. No lo olvide: Alemania fue nuestro primer socio comercial después de la Revolución.

En cuanto a los Estados Unidos, él veía en ese momento pocas esperanzas de que cambiaran su actitud, pero había muchas oportunidades de «aumentar la desconfianza hacia los americanos» en Europa.

–El año pasado ya asustamos un poco a los países de la OTAN con el espíritu de Camp David –dijo, recordando sus conversaciones con el presidente Eisenhower en 1959–. Debemos trabajar más para que los Estados Unidos se vuelvan contra Europa, y Europa contra los Estados Unidos. Vladimir Ilich [Lenin] nos enseñó esa técnica. No he olvidado su lección –dijo, alzando un dedo ante mí.

Mientras hacíamos los retoques finales al discurso principal de Jruschov ante la Asamblea General, proclamando los «éxitos» del socialismo en la Unión Soviética, algunos de nosotros empezamos a preguntarnos si ese discurso no tenía demasiados datos estadísticos sobre nuestros logros. Cuando le dije a Jruschov, prudentemente, que quizá sería una buena idea pensar en recortar el discurso omitiendo varias secciones que no guardaban relación directa con los temas principales de las propuestas soviéticas ante las Naciones Unidas, se puso furioso.

–Esa gente de las Naciones Unidas tendrá que oírnos –dijo–. Todo lo que hacen es hablar inútilmente y gastar montañas de papel todos los días. No podemos preocuparnos de economizar folios cuando lo que intentamos es el adoctrinamiento político de las Naciones Unidas.

Dijo que Lenin había enseñado que «el socialismo posee el poder del ejemplo» y que «es necesario demostrar el significado del comunismo mediante el ejemplo». Luego empezó a dar una entusiasta lección sobre la importancia y la utilidad de aplicar el legado teórico del marxismo-leninismo al trabajo práctico, diciendo que él siempre había encontrado la guía adecuada en los trabajos de Marx y Lenin.

Todos sabíamos que Jruschov nunca sería un teórico. No obstante, se pronunciaba detalladamente sobre problemas teóricos. Un día, mientras me acercaba a él en cubierta, sacó un pañuelo del bolsillo y se sonó ruidosamente la nariz. En ese momento, descubrió a Gromiko, a cierta distancia de nosotros, con un borsalino italiano pasado de moda calado hasta las orejas y un impermeable azul oscuro abotonado hasta arriba. Gromiko, muy serio, estaba conversando con el embajador en Gran Bretaña, Alexandr Soldatov.

–Allí está –dijo Jruschov–. Andrei Andreievich es un diplomático y un táctico excelente; conoce las negociaciones de la A a la Z. Pero como teórico e ideólogo es bastante pobre. Tiene poca intuición para la teoría. Sin embargo, le estamos enseñando: todavía sacaremos algo de él.

Me sentí algo incómodo ante esos comentarios sobre el hombre que había influido para que yo ingresara en el servicio exterior. Jruschov no tenía en cuenta que estaba hablando con un subalterno del ministro.

Al cabo de varios días, el *Baltika* dejó atrás la zona de tormentas; se había desviado mucho de su rumbo, hacia el sur. Una brisa suave y un sol maravilloso ponían de muy buen humor a los pasajeros a medida que salían a cubierta.

Jruschov pasaba gran parte de su tiempo al aire libre. En una ocasión, le vi solo, apoyado sobre la baranda del barco y mirando el brillante océano a través de sus prismáticos. Evidentemente, sus compañeros de charla se habían ido. Me acerqué a él y precisamente en ese momento se le resbaló el brazo de la baranda y perdió el equilibrio. Le sostuve rápidamente. Se giró hacia mí y, con una alegre chispa en los ojos, me dijo:

–No soy un marinero, pero tengo los pies bien apoyados sobre la cubierta. Y si me cayera al agua, tampoco sería demasiado terrible. En este momento no estamos lejos de Cuba, y probablemente ellos me recibirían mejor que los americanos en Nueva York.

No sé por qué de pronto Jruschov pensó en Cuba. Quizá la relativa proximidad de la isla le dio la idea que más adelante concluyó en la aventura cubana, que condujo a la crisis más aguda de la era nuclear.

–Deseo –reflexionó– que Cuba se transforme en la guía del socialismo en América Latina. Castro ofrece esa esperanza, y los americanos nos están ayudando.

Dijo que en vez de establecer relaciones normales con Cuba, los Estados Unidos estaban haciendo todo lo posible para derrocar a Castro mediante campañas en su contra, favoreciendo la oposición de otros países latinoamericanos y estableciendo un bloqueo económico contra Cuba.

–Eso es estúpido –exclamó– y es el resultado de los aullidos de los celosos anticomunistas de los Estados Unidos que ven rojo en todas partes, aunque probablemente sea rosa, o incluso blanco.

Luego, haciendo un chasquido con los labios como si se anticipara a una sabrosa comida, vaticinó:

–Castro gravitará hacia nosotros como las limaduras de hierro hacia un imán.

Observé que aunque el líder cubano se inclinaba hacia el socialismo, había oído decir que el jefe del Departamento Internacional del Comité Central del Partido, Boris Ponomarev, no estaba seguro de las verdaderas intenciones de Castro.

–Bueno, Ponomar[3] es un valioso funcionario del Partido, pero tan ortodoxo como un sacerdote católico –gruñó Jruschov con cierta irritación, agregando que se formaría su propio juicio durante su encuentro con Castro en Nueva York.

Nos sentimos excitados cuando el *Baltika* entró en el puerto de Nueva York y pasó ante la estatua de la Libertad. Estábamos en la cubierta superior del barco, que, pocos días antes, durante una parada especial en mitad del océano, había sido pintada de blanco. Pero el esplendor de nuestro barco contrastaba bruscamente con el muelle, sucio y medio destruido, donde debía atracar el *Baltika.* Jruschov y todos nosotros estábamos sorprendidos. Nadie esperaba una cosa así. Con evidente malestar, Jruschov rezongó:

–Otra sucia jugada de los americanos.

Sin embargo, no eran los americanos quienes tenían la culpa sino nuestro embajador en Washington en ese momento, Mijail Menshikov, y Valerian Zorin, que acababa de ser nombrado representante de la URSS ante las Naciones Unidas. Habían cumplido demasiado al pie de la letra las instrucciones de Moscú de que no debían gastar mucho dinero en un muelle para el *Baltika.* Era indudable que se habían preocupado de encontrar un muelle barato. En realidad, ese arruinado amarradero cerca de la calle Treinta y Tres había estado abandonado hasta que lo alquiló Menshikov.

En general, Menshikov, el protegido de Anastas Mikoyan, no se distinguía por su inteligencia ni por su capacidad. En Moscú, «el sonriente Mike», como le llamaban en las Naciones Unidas, tenía fama de presuntuoso esnob. Como Zorin, era dogmático hasta la médula y siempre seguía las instrucciones al pie de la letra, sin tener en cuenta –como debería hacerlo– adónde podrían conducir. El arruinado muelle era un ejemplo.

En seguida descubrimos otra dificultad. La Asociación Internacional de Estibadores, en un gesto antisoviético, decidió boicotear la llegada de Jruschov y se negó a prestar sus servicios al *Baltika.* Como resultado, la propia tripulación del barco debió amarrarlo. Era divertido ver con qué torpeza los diplomáticos ayudábamos a los marineros a atar los cabos.

Cuando Jruschov se hubo instalado en la Legación soviética de la Park Avenue, Zorin convocó una conferencia para resumir el programa del *premier* en Nueva York. Zorin dijo que «Nikita Sergueievich atribuía una especial importancia al encuentro con Fidel Castro».

3. El nombre «Ponomarev» proviene de la palabra rusa *ponomar*, que designa a un sacristán de la Iglesia ortodoxa.

La dificultad principal era que Castro debía trasladarse desde el centro hasta el viejo Hotel Theresa, en Harlem. El lugar estaba en ruinas, y había borrachos en todas las esquinas, pero Castro intentaba demostrar que era un hombre del pueblo. Los encargados de la seguridad de Jruschov, así como el Servicio Secreto de los Estados Unidos, no querían que el líder soviético fuera a ese lugar. Zorin sugirió invitar a Castro a la Legación soviética, pero Jruschov se mostró inflexible. Iría a ver a Castro a Harlem, para mostrarle su respeto. Quería demostrar que, aunque era el líder de una gran nación, no le preocupaban las cuestiones de protocolo y seguridad. Él también era un hombre del pueblo.

Cuando Jruschov volvió de Harlem, estaba sumamente complacido por el cariz que habían tomado las cosas. Nos dijo que había descubierto que Castro deseaba establecer unos fuertes lazos de amistad con la URSS, y que había pedido ayuda militar. Aunque Jruschov se mostraba entusiasta, agregó también que convenía actuar con prudencia.

–Castro es como un potrillo que no ha sido domado –dijo–. Necesita un poco de entrenamiento, pero tiene un gran espíritu; de modo que debemos tener cuidado.

El orgullo de Jruschov se sintió herido cuando las autoridades de Nueva York indicaron a la Legación soviética que, debido a problemas de seguridad, no podría circular fuera de los límites de Manhattan. Jruschov, que había planeado pasar su tiempo libre en Glen Cove, interpretó inmediatamente que esas limitaciones eran de orden político. En su primer discurso ante la Asamblea General, acusó a los Estados Unidos y a las autoridades americanas de no crear «condiciones favorables» a los representantes de los Estados miembros y de limitar y usurpar sus derechos.

–Se impone una pregunta –manifestó–: ¿no es hora de pensar en elegir un lugar distinto para la sede de las Naciones Unidas, un lugar que promueva de modo más eficaz el fructífero trabajo de esta organización internacional? Podría ser, por ejemplo, Suiza, o Austria. Afirmo, con la más absoluta responsabilidad, que si se creyera conveniente elegir a la Unión Soviética como sede de las Naciones Unidas, garantizaríamos las condiciones más favorables para su trabajo y una completa seguridad para los representantes de todas las naciones.

Por supuesto, Jruschov no lo decía en serio. Lo que menos le interesaba era el traslado de las Naciones Unidas. Ni en Moscú, durante los preparativos para la sesión, ni en el *Baltika* se había discutido ese asunto. La «responsable» declaración de Jruschov con respecto al traslado de la sede de las Naciones Unidas a la Unión Soviética era particularmente irresponsable. Esa posibilidad se podía convertir en un caballo de Troya y aumentar el miedo que el régimen tenía ante cualquier tipo de presencia de las Naciones Unidas en Moscú. En el mismo momento en que Jruschov hacía sus declaraciones, el miedo era ya tan grande que el gobierno soviético se negaba a que hubiera un simple empleado extranjero en el modesto centro de informaciones de las Naciones Unidas en Moscú.

Había otro factor en contra del traslado de las Naciones Unidas fuera de los Estados Unidos. La sede de Nueva York permitía a Moscú enviar una cantidad prácticamente ilimitada de funcionarios de la KGB como supuestos representantes ante las Naciones Unidas. Naturalmente, la KGB se oponía terminantemente al traslado de la sede de las Naciones Unidas de Nueva York: significaría liquidar uno de sus principales centros de espionaje. En ese sentido, ni Viena ni Ginebra podían reemplazar a Nueva York.

Cuando trabajé en la Legación soviética de las Naciones Unidas en la década de 1960, y cuando fui subsecretario general en la de 1970, oí a menudo la opinión de la KGB al respecto. El más leve rumor de un supuesto traslado de la sede les producía pánico.

Jruschov pasaba mucho tiempo en las Naciones Unidas. Superó todos los anteriores récords de discursos presentados, dirigiéndose a la Asamblea once veces durante una sola sesión. Para él, no existían las normas. Eso se veía claro cuando hacía payasadas, que una vez fueron tan lejos que alcanzaron notoriedad internacional.

El primero de octubre de 1960, yo estaba sentado en el vestíbulo de la Asamblea, no muy lejos de él. Quería un cigarrillo, pero en el vestíbulo estaba prohibido fumar. Me puse de pie para ir al pasillo, pero Lev Mendelevich, subjefe del Departamento de Organizaciones Internacionales, alzó el dedo y me dijo:

–¿Está loco? Va a hablar Nikita Sergueievich. ¿Qué van a pensar si usted se va ahora?

Aunque el discurso de Jruschov se refería a la restauración de los derechos legales de China en las Naciones Unidas, decidió utilizarlo para dirigir un ataque personal contra el jefe del Estado español, general Franco. En particular, Jruschov declaró que Franco había establecido una dictadura sangrienta y que estaba eliminando a los mejores hijos de España.

Frederick Boland, el israelí que presidía la Asamblea en aquel momento, era un hombre tranquilo y sosegado. Pero Jruschov iba tan lejos en sus manifestaciones que Boland le interrumpió. Le resultaba asombroso tener que interrumpir el discurso de un jefe de Estado, pero tuvo que pedir a Jruschov que no se entregara a ataques personales contra los jefes de otros Estados miembros de las Naciones Unidas. La observación no tuvo el resultado previsto. Jruschov pareció irritarse aún más y continuó injuriando a Franco.

Al terminar el discurso, el ministro español de Asuntos Exteriores, Fernando Castiella, se dirigió al estrado. Jruschov, completamente encolerizado, olvidó todas las leyes de la diplomacia y empezó a insultar al ministro español. Apareció el actor que había en él y acompañó los insultos golpeando con los puños la mesa y luego, también, con uno de sus zapatos. Otros miembros de la delegación soviética comenzaron a hacer ruido y a golpear sus mesas, aunque no se quitaron los zapatos.

Cuando terminó su réplica, Castiella volvió a su asiento, situado justamente enfrente de la mesa de Jruschov. Mientras el ministro español se acercaba a su asiento, Jruschov, incapaz de controlarse, se levantó y, agitando los puños, se lanzó contra el débil y rechoncho Castiella. El español adoptó una postura defensiva cómica, pero los guardias de seguridad intervinieron y los separaron.

Quedamos asombradísimos ante la conducta de Jruschov. En la Legación, después del cierre de la sesión, todos estábamos avergonzados y molestos. Gromiko, que se destacaba por su estricta e impecable conducta, aparecía pálido y nervioso. Pero Jruschov actuaba como si nada hubiera pasado. Se reía a carcajadas y bromeaba. Decía que había sido necesario «inyectar un poco de vida en la aburrida atmósfera de las Naciones Unidas». No parecía comprender ni preocuparse de lo que los otros miembros de las Naciones Unidas podrían pensar de él.

Cuando Jruschov se fue de Nueva York, a mediados de octubre, los Estados Unidos estaban en las semanas finales previas a la elección presidencial. Públicamente, Jruschov se declaraba indiferente a los resultados. Había llamado a los candidatos, Nixon y Kennedy, «un par de zapatos», explicando que «no se puede decir cuál es el mejor, si el izquierdo o el derecho».

Pero en privado Jruschov tenía una actitud diferente. En una comida anterior a su partida, se irritó ante la mención del nombre de Nixon.

–Es un producto típico del macartismo, un títere de los círculos más reaccionarios de los Estados Unidos. Nunca podríamos hablar un lenguaje común con él.

Jruschov estaba tan convencido de ello que había rechazado los intentos de Nixon y de Eisenhower para calmar su hostilidad. Supimos que le habían dicho que no debía tomar al pie de la letra lo que Nixon decía en la campaña. Le aseguraron que Nixon simplemente hablaba para causar efecto; la verdad era que Nixon deseaba establecer mejores relaciones con la URSS. Pero Jruschov no lo creía.

Jruschov dijo que «también podemos influir en la elección presidencial americana». Se refería orgullosamente al modo en que él «había cogido al vuelo» a los americanos cuando la administración de Eisenhower le pidió que liberara a Powers y a los pilotos derribados en el Ártico, antes de la elección.

–¡Jamás le haremos ese regalo a Nixon! –exclamó.

Jruschov se había mostrado satisfecho con algunas declaraciones de Kennedy. Dijo que, aunque las manifestaciones de Kennedy eran a menudo contradictorias y vagas, era evidente que temía la guerra y que, por esa razón, intentaba mejorar las relaciones con la URSS.

Resulta fácil ahora acusar a Jruschov de falta de visión política. A pesar de todo, fue Nixon el primer presidente de los Estados Unidos que visitó oficialmente la Unión Soviética y que defendió la política de distensión en las relaciones soviético-norteamericanas. Sin embargo, ni el más perspicaz profeta soviético lo hubiera previsto en 1960.

13

Era la víspera de Año Nuevo cuando llegué a Moscú en tren desde París. Generalmente oscura y triste, la ciudad estaba llena de luces y decoraciones para celebrar festivamente la llegada de 1961. Cuando salí de la estación, empecé a reflexionar sobre el año intenso y excitante que iba a terminar. El hecho de haber formado parte de la comitiva de Jruschov me aseguraba un papel continuo y destacado en las negociaciones por el desarme. En los años que siguieron al viaje en el *Baltika*, Jruschov siempre me saludó cordialmente cada vez que nuestros caminos se cruzaron.

Sabía que a Jruschov le complacía que John F. Kennedy hubiera ganado las elecciones; prefería por amplio margen al joven senador de Massachusetts. Aunque para la mayoría de los líderes soviéticos Kennedy era prácticamente un desconocido, conocían demasiado bien a Richard Nixon. Jruschov recordaba un breve encuentro con Kennedy durante su visita oficial a los Estados Unidos en 1959. Vio lo que quería ver cuando Kennedy habló de «una manifestación de inteligencia y madurez que lleve a un intercambio constructivo de puntos de vista y negociaciones con la Unión Soviética». Evaluó como soberbias y realistas las críticas de Kennedy sobre el incidente del U-2, y el discurso de mayo de 1960 en el que Kennedy declaró que, si él hubiera sido presidente, «no habría autorizado ese vuelo de reconocimiento». También le gustaron las declaraciones de Kennedy acerca de que los Estados Unidos «no desean una guerra nuclear».

Pero la luna de miel no duró mucho.

Cuba originó el primer conflicto entre Jruschov y Kennedy. Jruschov sabía que existía la posibilidad de que los Estados Unidos trataran de derribar el régimen de Castro, pero no esperaba que Kennedy diera semejante paso inmediatamente después de asumir la presidencia.

Cuando el 15 de abril de 1961 un grupo armado de exiliados cubanos, apoyados por los Estados Unidos, desembarcó en Cuba cerca de Bahía Cochinos, los planes de Jruschov se desbarataron por dos razones: se veía obligado a defender a Cuba, empeorando las relaciones con Kennedy en lugar de mejorarlas, como era su intención, y la abortada invasión intensificaba la disposición antinorteamericana del Politburó y de los líderes militares soviéticos. El fracaso de la operación cubana dio la impresión a Jruschov y a otros líderes de que Kennedy estaba indeciso. Tuvo amplias consecuencias e inspiró futuras crisis, no sólo en el Caribe sino también en Europa.

En este contexto Jruschov y Kennedy se reunieron en Viena en 1961. Leonid Zamiatin, subjefe del Departamento de los Estados Unidos en el Ministerio de Asuntos Exteriores, me lo dijo. Zamiatin parecía siempre estar muy bien informado; era relativamente joven para disfrutar de esa carrera en ascenso. Aparentemente, su asombroso aplomo y su seguridad en sí mismo le ayudaban a compensar la falta de genuino talento y le permitían progresar. Muy pronto Gromiko le nombró jefe del departamento de prensa del ministerio. El tiempo que desempeñó ese cargo le favoreció cuando fue designado director general de TASS, la agencia de noticias soviética. Finalmente, se convirtió en el portavoz principal de Brezhnev y en jefe del Departamento de Información Internacional del Comité Central. Junto con Gueorgui Arbatov y Vladim Zagladin, formó parte de la troika de rostros soviéticos más familiares que aparecían en Occidente cuando el Kremlin necesitaba influir en la opinión pública occidental.

Zamiatin me dijo que el encuentro de Viena simplemente había servido para que cada uno conociera las medidas que iba a tomar el otro, y que Jruschov no había intentado resolver ningún asunto importante durante la reunión. El *premier,* dijo Zamiatin, había llegado a la conclusión de que Kennedy era sólo un «muchacho» vulnerable a las presiones.

–En este momento –afirmó–, Nikita Sergueievich está pensando qué podemos hacer para favorecer nuestros intereses y, al mismo tiempo, someter a Kennedy a una prueba de fuerza.

Entre las personas que esperaban a Jruschov a su llegada de Viena estaba su antiguo rival, Viacheslav Molotov. En ese momento, Molotov era el representante soviético ante la Agencia de Energía Atómica Internacional, un cargo relativamente inferior en el servicio exterior soviético.

Poco tiempo antes, estuve con Molotov y su esposa Polina, que había pasado varios años en el exilio por órdenes de Stalin. Mi familia y yo pasábamos las vacaciones en un *dom otdija*, una colonia de vacaciones del ministerio, en la pequeña ciudad de Chkalovskaia, cerca de Moscú. Compartimos con los Molotov la misma vivienda. Molotov ya no pertenecía a la élite superior y debía pasar las vacaciones en el mismo lugar que los diplomáticos de rango menor.

Debido a nuestra proximidad y a las charlas que manteníamos, tuve la oportunidad de observarle bien. A pesar de que no había perdido ni la vitalidad ni la claridad de pensamiento, percibí en él una depresión y una preocupación profundas. Nunca mencionó lo que le había pasado ni expresó ninguna opinión sobre Jruschov. No obstante, tenía una viva curiosidad por el Ministerio de Asuntos Exteriores y me presionaba para que le diera detalles, intrascendentes o fundamentales. Una vez dijo que, cuando él trabajaba, la política exterior era mucho más sólida y coherente. Pasaba muchas horas del día escribiendo, y cuando algunas veces estuve en su habitación, siempre le encontré detrás del escritorio.

Era extraña la sensación de estar cerca de un hombre de su reputación, difamado con justicia por su brutalidad durante el régimen de Stalin. Pensé que no estaba bien que Molotov ocupara cargos en el gobierno, y me puse contento cuando, muy poco tiempo después de nuestro encuentro en la colonia de vacaciones, fue destituido de su cargo en Viena y expulsado del Partido. Su rehabilitación en las publicaciones soviéticas durante la época de Brezhnev y, finalmente, en 1984, su readmisión en el Partido hasta 1994, indican el resurgimiento del estalinismo en la Unión Soviética.

Poco después de la abortada cumbre soviético-americana en Viena, me incorporaron a un grupo que trabajaba en asuntos alemanes. El equipo estaba abrumado por las peticiones de información, los borradores de mensajes para los mandatarios de países occidentales y la preparación de los larguísimos discursos de Jruschov sobre temas alemanes. Anatoli Kovalev, un licenciado del MGIMO y consejero de Gromiko en ese momento, era mi superior, y un hombre casi imposible de complacer. Con frecuencia rechazaba borradores y textos exigiendo que se rehicieran totalmente y, en general, con el comentario de que «cada palabra es totalmente trivial» cuando los devolvía. El infortunado personal del ministerio le acusaba, a su vez, de poner más atención en la forma que en el contenido y de preferir un lenguaje muy fluido a una exposición clara de la posición soviética. Pero, puesto que Gromiko tampoco toleraba el lenguaje simple, el estilo de Kovalev se ajustaba bien a sus exigencias.

Kovalev era el favorito de Vladimir Semionov, el viceministro de Asuntos Exteriores a cargo de los asuntos alemanes. A mediados de la década de los cincuenta, Semionov había sido alto comisionado de

Alemania en la Zona Soviética; cuando recordaba su época de comisionado y más tarde de embajador en Alemania Oriental, afirmaba con jactancia:

–Yo era el jefe de casi la mitad de Alemania.

Había escrito bastante sobre temas teóricos –demasiado, según él– para justificar que se le considerara un segundo Lenin. Tenía incluso un cierto parecido físico con Lenin: cabeza ovalada, calvicie y cejas pobladas. Evidentemente, le encantaba caminar por la oficina con la mano derecha metida en el bolsillo del chaleco, como Lenin, mientras les hablaba a sus subalternos. Esto provocaba muchas risas a sus espaldas, así como el hecho de que a menudo publicara artículos con uno de los seudónimos de Lenin, K. Ivanov.

La posición soviética con respecto a Alemania consideraba que en el suelo alemán habían surgido dos Estados soberanos. Como resultado del desarrollo del período de posguerra, cada uno era «una nación independiente». Por lo tanto, era imposible alcanzar «una integración mecánica de las dos partes de la Alemania anterior».

Una vez le dije a Semionov que, según el marximo-leninismo, la idea de las dos Alemanias no correspondía a las características de la independencia de una nación. Semionov me contestó, despectivamente, que el marxismo-leninismo era un aprendizaje dialéctico en constante renovación. Sentí como si estuviera nuevamente delante de un profesor del MGIMO; no podía creer que se engañara de esa manera.

Pero el pueblo alemán se resistía a esa división artificial. Alemania Oriental tenía bastantes dificultades con Berlín Oeste porque éste demostraba a los ciudadanos de la República Democrática Alemana que el nivel de vida era incomparablemente más alto en Occidente. ¿Cómo podía el régimen de Walter Ulbricht adoctrinar política e ideológicamente al pueblo de Alemania Oriental si Berlín Oeste debilitaba sus esfuerzos? Muchos científicos, expertos tecnológicos, intelectuales y gran número de los sectores más activos de la población, especialmente los jóvenes, pasaban a Berlín Oeste y, a través de esa ciudad, a la República Federal. En un tiempo relativamente breve, más de tres millones de personas abandonaron la República Democrática Alemana hacia el oeste.

Para frenar ese éxodo, la noche del 13 de agosto de 1961 se empezó a construir el muro de Berlín. En muchas oficinas del ministerio, a la espera de las medidas que iba a tomar Kennedy, se vivía una atmósfera de crisis. Pero excepto un momento tenso en noviembre, cuando los tanques americanos se apostaron en la línea divisoria de Berlín frente a los tanques soviéticos, no se produjo ningún incidente que pudiera llevar a un enfrentamiento militar.

La presión sobre Berlín Oeste coincidió con otra acción soviética que despertó indignación en todo el mundo: la decisión de violar la moratoria informal de pruebas nucleares que observábamos junto con los americanos desde 1959. Los responsables de armamentos probablemente habían forzado a Jruschov a reiniciar las pruebas, porque estábamos en medio de las consultas con los norteamericanos sobre los medios para terminar completamente con ellas. Casi no lo podía creer; me pidieron que ayudara a preparar nuestra declaración justificando la nueva ronda de pruebas. Kiril Novikov nos dijo que preparáramos «una explicación convincente y sólida» de la decisión.

–Pero es imposible –protesté–. No se puede justificar. Todo el mundo nos va a condenar por esto. Parecerá que no respetamos las negociaciones y que todo fue pura charlatanería. No puedo inventar argumentos para lo indefendible.

–Arkadi, Arkadi –me interrumpió Novikov ásperamente–, nadie le ha pedido su opinión. Es una orden. Ya se ha tomado la decisión, y debe justificarse. Usted tiene que hallar esas justificaciones. Échele la culpa a Francia. Son aliados de los norteamericanos en la OTAN, y han estado haciendo pruebas a pesar de la moratoria. Los preparativos militares de Occidente nos han forzado a tomar esa decisión. Usted sabrá lo que hay que decir. Así que póngase a trabajar y cierre la boca.

Se dio la vuelta, bebió un vaso de vodka y se despidió. Yo sabía que compartía algunas de mis preocupaciones pero era demasiado sensato, o quizá demasiado débil, para manifestar sus opiniones. La mayoría de mis colegas, hasta los de mi edad, se ponían la misma máscara. La mayor parte del tiempo, también yo. Tenía pocos amigos con los que podía hablar con franqueza –alguna vez en un apartamento privado y siempre después de que la bebida encendiera la charla–, pero casi no encontraba alivio para la inquietud que a menudo sentía. Por dentro, hervía; por fuera, me conformaba.

Aparentemente, la política de Jruschov con respecto a Alemania y la reanudación de las pruebas nucleares se oponían a un diálogo fructífero con Kennedy, que era fundamental si quería llevar a cabo su plan de reformas económicas en la Unión Soviética. Pero era el estilo de Jruschov: desplegar una iniciativa atrevida y confundir a sus enemigos. No trataba de exacerbar más la situación de Europa. En octubre retiró su amenaza de firmar un tratado de paz por separado con la República Democrática Alemana. Ya no era necesario oponerse a la Europa occidental ni apoyar la unidad de Europa con los Estados Unidos.

Mientras tanto, en el XXII Congreso del Partido, a finales de

1961, se adoptó el nuevo programa. Durante años el pueblo se había preguntado cuánto tiempo debería esperar para experimentar la perfección de una sociedad comunista. Después de todo, habían pasado décadas desde la promesa de esa vida idílica. Pues bien, el programa se proponía dar una respuesta a ese interrogante y ofrecer por fin el modo de lograrla. Pero, sin un conocimiento detallado de la economía y la tendencia del desarrollo, la mayoría de nosotros no percibía lo lejos que estaban de la realidad los objetivos del nuevo programa. La meta era construir, en lo fundamental, el comunismo en la Unión Soviética para 1980. El Partido también se comprometía a asegurar que la Unión Soviética sería para ese momento el primer país del mundo en la producción per cápita.

La proclamación de esos objetivos inspiró un gran optimismo en nuestro futuro. Otras decisiones aumentaron el entusiasmo. No sólo se dieron a conocer los errores de Stalin con más detalles que cinco años antes, sino que se aprobó un enérgico programa de desestalinización. Parecía finalmente posible que algunos simpatizantes de Stalin tuvieran que expiar sus culpas. Sacaron el cadáver embalsamado de Stalin de su lugar de honor junto al cuerpo de Lenin en el mausoleo de la Plaza Roja. Aunque no se anunció la nueva sepultura, el hecho tenía un fuerte sentido simbólico.

En 1962, la revista literaria *Novi Mir* publicó la impresionante novela de Alexandr Solzhenitsin sobre los campos de prisioneros *Un día en la vida de Ivan Denisovich.* Causó sensación. Para la mayoría de nosotros, que no conocíamos la realidad de los campos de prisioneros, el libro significó el desmentido final de las posibles buenas intenciones de Stalin. Pero esa segunda falsa ilusión, un «deshielo» más estimulante que el breve período que siguió al informe secreto de Jruschov de 1956, acabó muy pronto con una reafirmación de la censura y de la ortodoxia cultural. Sin embargo, dejó un residuo de franqueza en nuestras vidas. Ninguno de nosotros se arriesgaba a hablar, pero nos complacía el tráfico casi conspiratorio de libros, canciones y poemas prohibidos que realizaban los más valientes.

Pasé prácticamente todo el año 1962 en Ginebra como miembro de nuestra delegación en la Comisión de Desarme. Las negociaciones sobre la fantasía de Jruschov del desarme completo y general se encuentran entre las experiencias más aburridas y desgastadoras de mi carrera. No era menos frustrante tener a Valerian Zorin de jefe de la delegación. Lo peor de todo era que las facultades de Zorin empezaban a fallar. Perdía la memoria en la mitad de una conversación. A veces esto ocurría durante discusiones formales. Estaba exponiendo un argumento y de pronto empezaba a hablar de cualquier otra cosa. Cuando hablaba con sus ayudantes, ocurría lo mismo. Se quedaba en silencio y luego nos miraba y preguntaba aturdido:

–¿En qué año estamos?

Era bastante deprimente, pero lo más irritante era la falta de acción de nuestros superiores ante la evidente enfermedad de Zorin. Jamás informaban a Moscú cuando algo iba mal. Pretendieron que todo era normal hasta que, en julio, Gromiko llegó a Ginebra para participar en las etapas finales de la conferencia sobre la neutralidad de Laos. En una sesión en el jardín de la residencia soviética, Zorin entró en uno de sus lapsus. Gromiko se inclinó hacia mí.

–¿Hace mucho tiempo que ocurre esto? –preguntó.

Le contesté la verdad: hacía meses que ocurría.

A los pocos días, Zorin fue enviado a Moscú para seguir un tratamiento. Para reemplazarle enviaron a Vasili Kuznetsov. Sin embargo, si no hubiera sido por la visita de Gromiko, no sé qué habría pasado. Estábamos paralizados ante el deterioro de Zorin, pero nadie se atrevía a asumir la responsabilidad. A pequeña escala, era el modelo que iba a ver durante los años siguientes.

Otra razón de mi irritación por el aburrido trabajo de Ginebra era que, precisamente antes de llegar allí, en febrero de 1962, había nacido mi hija. Su nacimiento había sido prematuro, pero era una niña sana y alegre. Quería regresar a Moscú, y Kuznetsov consintió en dejarme ir cuando el Comité suspendiera las sesiones. Pero las negociaciones entre los Estados Unidos, el Reino Unido y la Unión Soviética sobre la interrupción de pruebas de armas nucleares continuaron. Semion Tsarapkin sustituyó a Kuznetsov durante el receso; insistió en que debía quedarme.

Pasé la tarde del 22 de octubre de 1962 jugando al ajedrez con Tsarapkin en la residencia soviética del Chemin du Boucher, una calle pequeña y tranquila. Después de perder deliberadamente algunas partidas ante el caprichoso Tsarapkin, a quien no le gustaba ser derrotado, me acosté. Él y yo compartíamos la casa con otros cuatro miembros de la delegación. La casa era pequeña y su distribución estaba lejos de ser la ideal. Tsarapkin, como jefe de la delegación, ocupaba una habitación con baño privado. El resto hacíamos cola cada mañana ante el otro baño. Nos pasábamos el día tropezando unos con otros, puesto que no sólo vivíamos en esa pequeña casa sino que también trabajábamos en ella.

Cuando esa noche de octubre me fui a la cama, no sospechaba

que a los pocos minutos el presidente Kennedy anunciaría que la marina de los Estados Unidos iba a interceptar –e inspeccionar– todos los barcos soviéticos que se dirigieran a Cuba y que no iba a permitir el paso de ningún barco con misiles de carácter ofensivo.

Todos sabíamos que la situación en aquella parte del Caribe era tensa. Pero no pensábamos que Cuba se convertiría tan rápidamente en el centro de un cataclismo potencial. Estábamos mucho más preocupados por la intensificación de la hostilidad entre Moscú y Pekín y por las tensiones en Europa.

Sin embargo, la mañana del 23 de octubre Cuba ocupó toda nuestra atención. En silencio, nos sentamos en la sala a leer los periódicos que cada mañana nos traían de la Legación. Los titulares de primera página del *International Herald Tribune* anunciaban el aislamiento de Cuba por parte de Kennedy. Nadie quería ser el primero en manifestar miedo o preocupación por las posibles consecuencias. Finalmente, un colega rompió el silencio al sintonizar la radio para oír las últimas noticias; oímos un torrente de comentarios sobre la inminente confrontación soviético-norteamericana.

Tsarapkin entró en la sala. Era un hombre alto, y parecía aún más alto a raíz de una enfermedad deformante que había padecido de joven y que le había alargado de modo grotesco el cuerpo, los dedos, las orejas, la nariz. Intentó mostrarse tranquilo y optimista. Nos dijo que podíamos estar completamente seguros de la victoria de la causa justa por la que luchaba la Unión Soviética. Se declaró convencido de que los americanos habían ido demasiado lejos y de que, sin duda, iban a pagar las consecuencias. La Unión Soviética no permitiría que cometieran impunemente semejante acto caprichoso.

Asentimos ante los puntos de vista de Tsarapkin. Sin embargo, casi todos pensábamos de otra manera. Teníamos serias dudas acerca de que las acciones de Jruschov fueran razonables, como pude descubrir en cuanto nos pusimos a charlar después de que se fuera Tsarapkin.

Después del desayuno, Tsarapkin y yo salimos hacia la Legación soviética en la Avenue de la Paix, no muy lejos de la residencia. Nikolai Moliakov, el representante permanente de la URSS ante la oficina de las Naciones Unidas en Ginebra, nos recibió cordialmente, aunque Tsarapkin y él no se apreciaban demasiado.

Poco antes de la crisis cubana, se produjo un episodio que en gran parte agravó la natural antipatía entre ambos. Tsarapkin, como todos los diplomáticos soviéticos, tenía unas dietas muy bajas mientras trabajaba en el extranjero y trataba de ahorrar. Difícilmente los que estábamos en la residencia comíamos en restaurantes. A menudo, cocinábamos nosotros mismos. Pero la conducta de Tsarapkin era extrema: se negaba a sí mismo una alimentación normal. De Moscú le enviaban grasa de cerdo y en Ginebra compraba casi exclusivamente huevos, porque eran baratos. Un día ese régimen alimenticio por poco le cuesta la vida: comió un montón de grasa y huevos duros, lo que le produjo una obstrucción intestinal.

Al día siguiente, fui a visitarlo al hospital. Para mi sorpresa, el personal del hospital me dijo que «el embajador Tsarapkin ha desaparecido». Informé inmediatamente a Moliakov, que movilizó a toda la Legación en su busca. Sin embargo, Tsarapkin apareció muy pronto. Apenas curado, se escapó de la habitación del hospital a través de la ventana y fue caminando hasta la residencia. Era muy conocido en Ginebra, tanto por su cargo como por su apariencia, y no quería que se supiera que había estado enfermo ni por qué.

Moliakov, que era el responsable de la seguridad de los diplomáticos soviéticos en Ginebra, se encolerizó porque Tsarapkin no se había puesto en contacto con él antes de dejar el hospital. Se irritó aún más cuando descubrió que Tsarapkin se había registrado en el hospital con un nombre falso, dejando que Moliakov se las arreglara para que el gobierno soviético pagara los gastos de hospital de un ciudadano que no existía. Por su parte, Tsarapkin estaba enfadado con Moliakov porque éste había alertado a la Legación de su «desaparición» y, por lo tanto, de su hospitalización.

Pero la mañana del 23 de octubre Tsarapkin y Moliakov no pensaban en asuntos personales. Moliakov anunció que no había recibido en absoluto instrucciones de Moscú sobre el modo de actuar en el rápido desarrollo de la crisis. Tsarapkin dijo que quería saber si debía continuar las negociaciones con los Estados Unidos y el Reino Unido sobre el cese de las pruebas nucleares. Moliakov no pudo ayudarle. Tsarapkin decidió hablar con Moscú y me pidió que preparara el cable.

Moscú no contestó. Durante trece días nosotros y el resto del mundo contuvimos el aliento. Y durante todo ese tiempo, que destrozaba los nervios, los miembros de la delegación ignoramos la posición de Moscú. No sabíamos nada sobre los planes de Jruschov de colocar misiles en Cuba y no podíamos explicar la política soviética a los negociadores occidentales o a nuestros aliados del bloque socialista. Fue una experiencia surrealista. Pudimos seguir el desarrollo de la crisis a través de la prensa occidental y de la radio, pero no conocíamos los planes o la posición de nuestro propio gobierno.

No comprendí la razón por la que Jruschov corrió el riesgo de semejante aventura hasta que regresé a Moscú, a finales de 1962. Supe la verdad a través de personas como Vasili Kuznetsov –que participó en la resolución de la crisis en Nueva York–, amigos del Comité Central, militares de alto rango, y otros.

El despliegue de misiles nucleares en Cuba fue una idea del propio Jruschov; varios años más tarde lo admitió en sus memorias.[1] Más que defender Cuba, la razón más importante era mejorar el equilibrio de poder entre los Estados Unidos y la URSS. El plan de Jruschov era poner un «puño» nuclear cerca de los Estados Unidos y, a primera vista, la idea parecía seductora. La Unión Soviética podía obtener un factor «barato» de disuasión con cohetes nucleares y lograr mucho con muy poco.

Con varias docenas de misiles de alcance medio instalados en Cuba, los soviéticos tendrían la capacidad de lanzar un ataque nuclear contra los Estados Unidos que pondría en peligro Nueva York, Washington y otros centros vitales de la costa este. Además, la proximidad entre Cuba y los Estados Unidos mermaba la eficacia del sistema de alarma americano. En comparación con los misiles situados en territorio soviético, las cabezas nucleares instaladas en Cuba podían llegar a su objetivo en muchísimo menos tiempo.

Los cálculos de Jruschov se basaban en la suposición que, mediante la instalación rápida y secreta de los misiles, podía engañar a los americanos. Luego, enfrentaría a los Estados Unidos con un hecho consumado. Creía que, después del éxito de la puesta en práctica del plan, los Estados Unidos no se atreverían a lanzar un ataque, ya que eso amenazaría con desencadenar una guerra mundial nuclear.

Hasta cierto punto, esas premisas se apoyaban en la evaluación de Jruschov de las cualidades personales de Kennedy como presidente y hombre de Estado. Al finalizar la cumbre de Viena, Jruschov llegó a la conclusión de que Kennedy aceptaría prácticamente cualquier cosa para evitar una guerra nuclear. La falta de seguridad del presidente durante la invasión de Bahía Cochinos y la crisis de Berlín confirmaban ese punto de vista.

Comprendí cuál era la actitud de Jruschov a finales de 1961, cuando asistí a una reunión en la oficina de sus asistentes personales. Alguien observó que Jruschov –para decirlo con moderación– no tenía un alto concepto de Kennedy. En ese momento, el *premier* entró en el despacho e inmediatamente empezó a hablar de la conducta pusilánime de Kennedy.

–Sé con certeza –afirmó para terminar– que Kennedy no posee gran determinación ni, en general, el coraje para hacer frente a un desafío.

1. *Khrushchev Remembers* (Little, Brown, 1970), p. 493.

La impresión de Jruschov acerca de Kennedy era la que generalmente dominaba entre los líderes soviéticos.

En Occidente se piensa que Jruschov emprendió la operación cubana instigado por los militares. No es cierto. Jruschov impuso una decisión arbitraria a los líderes políticos y militares. Aunque algunos le apoyaban, la mayoría no estaban interesados en meras demostraciones de capacidad nuclear. Querían programas sólidos de largo alcance para conseguir la igualdad con los Estados Unidos en cantidad y calidad de armamento nuclear estratégico y, más adelante, lograr la superioridad. Llevaría tiempo y se gastarían sumas astronómicas, pero no se corría ningún riesgo. Inevitablemente, esos gastos redundarían negativamente en los planes de Jruschov de ayuda a los consumidores. Jruschov se había propuesto de forma ilusoria cumplir la promesa de «equiparar y superar a los Estados Unidos» en 1970 con respecto a la producción per cápita. Quería armas y mantequilla o, en cualquier caso, una modesta cantidad de mantequilla.

Los militares más serios comprendían además que los Estados Unidos podían descubrir los cargamentos de misiles que se enviaban a Cuba y tratar de detenerlos. Sabían muy bien que si eso ocurría poco podrían hacer con las fuerzas convencionales. Jruschov sencillamente descartó ambas posibilidades e impidió una amplia discusión del tema en el Presidium del Partido (el Politburó), al mismo tiempo que limitó el número de funcionarios políticos y militares de alto rango que estaban informados de la operación.

Una vez que estalló la crisis, Jruschov, si quería una confrontación, sólo tenía dos opciones: una guerra nuclear, para la que los Estados Unidos estaban mucho mejor preparados, o una guerra limitada a la zona, con ventaja también para los Estados Unidos. Dada la posición geográfica y el poder americano en la zona, resultaría carísimo para los soviéticos romper el bloqueo o defender sus barcos. Además, Vladimir Buzikin, jefe del Departamento Latinoamericano del ministerio, me dijo que, en el caso de que fracasara la operación cubana, no existían planes de recambio. Era Kennedy el que enfrentaba a Jruschov con un hecho consumado.

Después de la crisis resultó evidente que no habíamos estado al borde de una guerra nuclear. En ningún momento Jruschov, ni nadie en Moscú, intentó utilizar armas nucleares contra los Estados Unidos. Nuestros líderes estaban preocupados casi exclusivamente por la forma de salir de esa situación con la menor pérdida de prestigio.

Como resultado de la crisis de los misiles, prevalecieron los argumentos militares: la Unión Soviética debía aumentar la cantidad y la calidad de las armas nucleares estratégicas. En los años siguientes, si alguien se oponía a esa idea, inmediatamente otro decía: «¿Y lo que pasó con Cuba?». Recuerdo a Kuznetsov, hombre generalmente tranquilo, cuando declaró emocionado que en el futuro «no deberemos tolerar la humillación que sufrimos en la crisis de los misiles». Jruschov tuvo que olvidar la mantequilla. Tuvo que proclamar que estaba a favor del gasto de «enormes recursos financieros y de otro tipo para mantener nuestro poderío militar en su nivel adecuado», y añadió que esa prioridad disminuía la posibilidad de «beneficios directos al pueblo».

Hubo otras señales que evidenciaban las concesiones de Jruschov a los ideólogos de línea dura. Empezó a manifestar una valoración más «equilibrada» de Stalin, diciendo que sus acciones habían sido negativas y positivas. Flotaba en la limitada liberalización que había iniciado, y se demostró que el deshielo no era ni estable ni coherente. Condenó una exhibición de arte abstracto en Moscú. A los pocos meses, atacó las «perversiones» en literatura y declaró que el Partido lucharía contra «las tendencias burguesas decadentes» dondequiera que aparecieran.

Se dice a menudo en Occidente que Cuba fue el principio del fin para Jruschov. Es cierto, pero sólo en un sentido. Hubo otros factores que precipitaron su caída. En mi caso, la crisis disipó mis ilusiones con respecto a él. Con alivio, acepté la oferta de un cargo en Nueva York, en nuestra Legación de las Naciones Unidas; llenos de entusiasmo, Lina y yo empezamos a hacer planes para dejar Moscú.

14

Un año antes de mi llegada a Nueva York, en el verano de 1963, la Unión Soviética había adquirido un nuevo edificio para la Legación en la calle Sesenta y Siete este. Destinado originariamente a una casa de apartamentos, se transformó en una mezcla de oficinas y apartamentos para el personal diplomático y administrativo.

Como se concentraba allí tanta gente, el olor a *borsch*[1] y a coliflor flotaba en el aire, en todos los pisos. Era habitual encontrar en los ascensores a las mujeres de los diplomáticos que llevaban bolsas de ropa sucia al cuarto de lavadoras del sótano. El edificio no tenía una buena distribución: había poco espacio para las oficinas del personal de la Legación y era completamente inadecuado para usarlo como residencia.

Inicialmente, Lina y yo compartíamos una habitación en un apartamento comunitario de tres piezas. Las otras dos habitaciones estaban ocupadas por un general de la Inteligencia Militar (GRU) y su mujer, y por una joven pareja con un niño. Aunque no había comodidad ni intimidad, a todos nos complacía estar allí.

En su primer viaje al extranjero, Lina estaba excitada e impresionada con los Estados Unidos, como lo había estado yo cinco años atrás. Con mi salario mensual de seiscientos dólares nos sentíamos ricos. Podíamos comprar buena comida –y de una variedad impresionante–, ropa, y otras cosas que no podíamos comprar ni encontrar en Moscú. Como muchos otros soviéticos llevábamos una vida apartada. Pasábamos nuestro tiempo libre con unos pocos amigos, alguna vez íbamos al cine y nos familiarizábamos con Nueva York.

Al principio, Guennadi y Anna se quedaron en Moscú. Guennadi

1. Sopa rusa de remolacha y otras verduras. (*N. del T.*)

tenía once años y no podía ir a la escuela en Nueva York (en ese momento, la escuela soviética de Nueva York sólo llegaba hasta el cuarto curso. Nuestro hijo estaba en el quinto. Por supuesto, no nos dejaban enviar a nuestros hijos a las escuelas americanas). Pero lo llevábamos a Nueva York durante las vacaciones de verano. Anna se reunió con nosotros un mes o dos después de nuestra instalación.

Ya estaba familiarizado con la torre de cristal de las Naciones Unidas de East River, pero iba a conocerla mejor que mi propia habitación. Mi trabajo me obligaba a participar en cientos de discusiones en el Consejo de Seguridad y en la Asamblea General y sus comisiones; a veces, trabajaba hasta altas horas de la noche durante las crisis internacionales, que provocaban una febril actividad en las Naciones Unidas. Había consultas interminables y noches y días tensos en los que se analizaban los textos de los mensajes de y para Moscú o los borradores de los discursos, en las pequeñas y sofocantes oficinas de la Legación.

El tema del desarme continuaba siendo mi especialidad, pero cuando pasé de funcionario político a jefe del Consejo de Seguridad y de la División de Asuntos Políticos de la Legación, empecé a familiarizarme con muchos otros temas. Comprobé aún más la rigidez de la política soviética y la inutilidad de los esfuerzos de los de abajo para modificar las ideas de sus superiores. La política cambiaba, a menudo sin previo aviso, pero jamás porque un subalterno persuadiera a sus superiores, los cuales, a su vez, recibían órdenes de otros.

Sin embargo, en ocasiones, mi trabajo era gratificante. El embajador Nikolai Fedorenko, el jefe de la Legación, era un hombre elegante y un jefe respetuoso; su pericia y su interés en asuntos exteriores se centraban en China. Para otros asuntos se apoyaba en su personal y delegaba gran parte de la responsabilidad en los funcionarios subalternos.

Fedorenko tenía una personalidad brillante, era tranquilo y amable, de maneras aristocráticas. De joven había sido muy atractivo; era refinado y seductor cuando estaba acompañado. Descubrí que trabajar con él era un placer. Conocía a la perfección la literatura china clásica y moderna; hablaba chino con tanta fluidez que había sido el intérprete de los encuentros entre Stalin y Mao, incluido el último, en 1950. Se decía que hasta los chinos estaban impresionados, no sólo por su dominio de la lengua china moderna, sino también por sus conocimientos de mandarín antiguo.

Yo había sentido curiosidad por China y su pueblo desde mis años de estudiante en el MGIMO, en especial cuando llegaron al instituto los primeros estudiantes chinos después de la Revolución de 1949.

Aunque proclamábamos nuestra solidaridad en actividades sociales y académicas, existía una cierta tensión entre nosotros y los chinos que no podían ocultar la fanfarria propagandística sobre amistad eterna ni los elogios a la Revolución china. Cuando era estudiante de diplomacia, uno de mis tutores, el embajador Lev Mendelevich, me dijo una vez:

–Jamás podrá comprender a los chinos ni su lógica, Arkadi. Ninguno de nosotros puede hacerlo.

Yo pensaba que en parte tenía razón, pero tenía la convicción cada vez mayor de que no queríamos comprenderlos. Creía que debíamos estudiar tanto el Este como el Oeste. Después de todo, los rusos temíamos la amenaza de Oriente desde las invasiones de Gengis Jan, amenaza que alimentaba nuestra incertidumbre sobre si Rusia sería un puente o un campo de batalla entre el Este y el Oeste. A menudo el conocimiento fomenta la tolerancia, incluso la comprensión. Pero si el conflicto se produce, es mejor tener un buen conocimiento, arma importante en los arsenales del ataque y la defensa.

Fedorenko había pasado muchos años en China, antes y después de la Revolución; amaba todo lo chino: cultura, arte, historia, tradiciones... Conocía personalmente a Mao y a sus principales colaboradores, así como a la mayoría de los más destacados escritores chinos modernos. Tradujo al ruso las obras de Mao.

La aceptación de Stalin garantizó el progreso de la carrera de Fedorenko. Sin embargo, no creo que haya perdonado a Stalin el trato que éste dio a Mao y a los chinos. Además, yo tenía la impresión de que el distanciamiento chino-soviético se había convertido en una tragedia personal para él; era la principal razón de que, a veces, delegara en sus subordinados las obligaciones oficiales como embajador ante las Naciones Unidas. Se refugiaba cada vez más en la investigación. Esa actitud provocó la desconfianza de Gromiko. Según éste, no había pecado mayor que el incumplimiento de las obligaciones. Pero había algo más que eso. A Gromiko le disgustaba profundamente Fedorenko por su estilo personal –pelo largo, ropas chillonas, corbatas de lazo–, que chocaba con la apariencia oficial y rígida que, según Gromiko, debían tener todos los hombres serios.

Además, Gromiko envidiaba la posición de Fedorenko en la Academia de Ciencias y estaba resentido porque se había apropiado de los muebles y las chucherías de la finca de Glen Cove, que Gromiko consideraba de su propiedad. Lidia Gromiko consiguió llevarse dos espejos antiguos de la mansión de Long Island para decorar su dacha de Vnukovo, pero perdió un par de candelabros de bronce que los Fedorenko se llevaron antes que ella.

Fedorenko –como Malik, que después le reemplazó en su cargo de embajador– detestaba a Gromiko. Pero a diferencia de Malik, que era un león con sus subordinados pero un gatito con Gromiko, Fedorenko no le tenía miedo. No le importaba perder su trabajo y, en realidad, abandonó la burocracia mucho antes de la edad de jubilación.

Le gustaba pasar tanto tiempo como fuera posible en la serenidad de Glen Cove, donde podía pensar, escribir y olvidarse de las Naciones Unidas. De vez en cuando, iba a verlo, tomábamos una copa y charlábamos. Durante esas conversaciones, en una atmósfera relajada, Fedorenko fumaba su aromática pipa y tomaba una copa del mejor coñac, mientras se lamentaba en tono melancólico de que Stalin no había entendido el carácter de los chinos ni la magnitud de la Revolución china. Criticaba la opinión de Stalin de que Mao era «un marxista blando», «un líder campesino», pero no «un gran revolucionario».

Decía que Mao había hecho bien en no seguir el ejemplo ruso al tratar de encontrar un camino al socialismo para China. Aseguraba que Stalin siempre había desconfiado de Mao, hasta casi la víspera de la victoria, y había cortejado al mismo tiempo a Chiang Kai-shek.

Para Fedorenko, Mao era un gran héroe del pueblo, un notable pensador, un hombre sencillo y encantador. Stalin consideraba a Mao casi como un alumno, y lo trataba como a un escolar al que tuviera el derecho de castigar golpeándole los nudillos con una regla.

Normalmente reservado y tranquilo al hablar, Fedorenko se alteraba cuando relataba la forma en que, durante una visita del líder chino a la URSS, Stalin había herido su orgullo y su dignidad obligándole a que esperara horas fuera de su despacho, en el pasillo, para verle; Stalin creía que, al ignorar la presencia de Mao en Moscú, le demostraba su superioridad.

–Fue una canallada. El desprecio de Stalin era tan descarado que yo no sabía cómo hacer para evitar que Mao estallara –explicó Fedorenko.

Mao tuvo que contenerse. Necesitaba la ayuda económica de los soviéticos. Deseaba también el Tratado de Amistad, Alianza y Asistencia Mutua, para protegerse de Japón y de la hostilidad de los Estados Unidos. Finalmente, Stalin firmó el tratado como si diera una limosna; la asistencia económica fue inicialmente más pequeña que la que la URSS había aceptado dar a algunos de sus satélites de la Europa oriental.

Fedorenko dijo que Jruschov había repetido algunos errores de Stalin, aparte de cometer los suyos propios. Uno de ellos era el tema de las armas atómicas. La Unión Soviética había prometido facilitar a China esas armas, pero no quería cumplir la promesa y, finalmente, acabó por negárselas. Nuevamente el Kremlin había tratado como niños a los chinos. Naturalmente, esa conducta exacerbó la animosidad cada vez mayor de Pekín hacia Moscú. Para Jruschov, sencillamente era impensable tratar a los chinos como iguales. No deseaba asumir ninguna clase de compromiso sobre el tema. Una vez le oí declarar:

–La Unión Soviética ha sido y debe seguir siendo el líder indiscutido del movimiento revolucionario internacional. Mao debe mantenerse en su lugar.

En la cumbre de la gran brecha entre China y la Unión Soviética, muchos de nosotros pensábamos que el endurecimiento de nuestras relaciones con China produciría consecuencias a largo plazo para la URSS. China era nuestro vecino, lo quisiéramos o no. Era la nación más poblada del mundo y con la que compartíamos una frontera de más de seis mil kilómetros. ¿Qué hacía Jruschov? Muchos creíamos que era imprudente. Pero desde nuestros cargos no podíamos hacer nada para cambiar esa política chauvinista y autoritaria, que con gran acierto los chinos llamaban «hegemónica». Tanto Stalin como Jruschov se habían equivocado al pensar que China soportaría todo lo que la Unión Soviética le hiciera y que no dejaría la «comunidad» de países socialistas. Aparentemente, a ninguno de ellos se le ocurrió que Mao, finalmente, podría pagarles con la misma moneda. Ésta fue la semilla del distanciamiento entre la Unión Soviética y China, plantada en el corazón de la desconfianza histórica. Pero nuestros líderes, y no nuestra historia, son los culpables de la conducta paranoica que la Unión Soviética tuvo hacia Pekín.

Cuando Fedorenko y yo trabajamos juntos, las relaciones chino-soviéticas estaban en el peor momento. La reacción china a la crisis de los misiles cubanos había sido violenta. Pekín acusó a Jruschov de «aventurero» por haber instalado los misiles en Cuba, y luego de «capitulador» por la retirada de los mismos.

Por otra parte, paradójicamente, después del quebranto cubano mejoraron las relaciones soviético-americanas, y el prestigio de Kennedy aumentó considerablemente en Moscú. Llegué a Nueva York para hacerme cargo de mi trabajo el mismo día que el presidente Kennedy pronunciaba un discurso en la American University de Washington, en el que hacía pública su decisión de mejorar las relaciones con la Unión Soviética. Era una señal de los buenos deseos de Kennedy; Jruschov actuó de forma recíproca. Ambos líderes empezaron a desarrollar un acercamiento más racional en relación con ciertos asuntos importantes. Muy pronto, las negociaciones para el cese de las pruebas de explosiones atómicas alcanzaron resultados positivos. Se interrumpieron todas las pruebas nucleares en la atmósfera, debajo del agua y en el espacio. El 5 de agosto, Gromiko, el secretario de Estado Dean Rusk y el secretario de Exteriores británico lord Home firmaron el tratado. Fue el verdadero primer paso para el control de armas de la era atómica. Rápidamente, la gran mayoría de las naciones del mundo se unieron al tratado.

Pero esas señales de distensión entre Moscú y Washington fueron de nuevo una falsa ilusión. Sin embargo, esa vez no fue Jruschov el responsable del deterioro de las relaciones.

En noviembre de 1963, el presidente Kennedy fue asesinado en Dallas. En la Legación la noticia produjo un gran impacto y una fuerte impresión, en particular cuando empezaron a correr rumores de que la URSS había inspirado el crimen. Tales acusaciones se basaban en el hecho de que el asesino, Lee Harvey Oswald, había vivido en la Unión Soviética durante algún tiempo. Casi inmediatamente, Moscú nos advirtió que fuéramos prudentes y que informáramos de todo lo que pasaba, por insignificante que fuera. Nos dieron instrucciones, además, de que expresáramos las sinceras condolencias del gobierno soviético al pueblo americano y al gobierno de los Estados Unidos.

Después de ese lamentable suceso, nos sentimos aliviados al saber que la administración de Lyndon B. Johnson no pretendía acusar a la URSS de haber participado en el asesinato. Pero seguía la duda. A veces los americanos me preguntaban si el Kremlin había perdonado a Kennedy la humillación de los soviéticos en Cuba, o si ésa no podría ser una razón para la participación soviética en el atentado. Siempre dije que no creía que aquello hubiera tenido algo que ver con el asesinato del presidente. El atentado contra Kennedy no habría despertado tanta inquietud en nuestros líderes si ellos lo hubieran planeado; la KGB no habría participado en semejante aventura sin la aprobación del Politburó. Y, lo que es más importante, la opinión de Jruschov con respecto a Kennedy había cambiado. Después de lo de Cuba, Moscú comprendió que Kennedy era el único presidente que había logrado un mejoramiento de las relaciones entre los Estados Unidos y la URSS. Consideraban a Kennedy un hombre con determinación y agallas, las únicas cualidades que verdaderamente respetaba el Kremlin.

Además, en Moscú estaban absolutamente convencidos de que el asesinato de Kennedy había sido planeado por las «fuerzas reaccionarias» de los Estados Unidos con el fin de dañar el nuevo giro de las relaciones. El Kremlin ridiculizó la conclusión de la Comisión Warren que afirmaba que Oswald había actuado solo. En realidad, los diplomáticos soviéticos creían cada vez más que Lyndon B. Johnson, junto con la CIA y la mafia, había dirigido la conspiración.

Quizás una de las razones más poderosas por la cual la URSS prefería a Kennedy era la de que Jruschov aborrecía a Johnson. Como era un sureño, Moscú le consideraba un racista (el estereotipo de todo político americano que está por debajo de la línea Mason-Dixon), un antisoviético y un anticomunista hasta la médula. Además, puesto que Johnson era de Texas –centro de las fuerzas más reaccionarias de los Estados Unidos, según los soviéticos–, estaba asociado con el capitalismo de la industria petrolera de los buenos tiempos, famoso también por antisoviético. «Huele a petróleo»: así describían a Johnson en Moscú.

Según los soviéticos, se había decidido el asesinato de Kennedy porque, por su parte, Johnson se oponía violentamente al deseo de aquél de aumentar los impuestos del petróleo; la CIA no podía perdonar a Kennedy su prohibición de que la Fuerza Aérea americana ayudara a los mercenarios en el ataque a Bahía Cochinos, en el que también la Mafia estaba interesada, porque quería recuperar sus negocios en Cuba.

Yo pensaba que si alguien de fuera de los Estados Unidos podía estar interesado en el asesinato de Kennedy, era Fidel Castro. Mis colegas de Nueva York y de Moscú dijeron muchas veces que Castro tenía miedo de Kennedy. Naturalmente, los cubanos sentían gran hostilidad hacia éste, sentimientos ampliamente fomentados por uno de los colaboradores más próximos de Castro, el Che Guevara.

En diciembre de 1964, Guevara fue a Nueva York encabezando la delegación cubana para la sesión de la Asamblea General. Fedorenko creyó que iban a encontrarse, pero Guevara se mostró totalmente indiferente. El embajador le invitó a la Legación, dando por sentado que era mejor mantener una conversación franca con adecuadas medidas de seguridad. Guevara se negó a ir a la Legación pero aceptó encontrarse con Fedorenko en las Naciones Unidas. La conversación tuvo lugar en el edificio de la Secretaría, en un destartalado despacho que más bien parecía un refugio antiaéreo.

Guevara llevaba su boina habitual y su ropa de fajina y fumaba su habitual cigarro. Era hosco. Lo que pasaba en las Naciones Unidas le interesaba muy poco. Se refería fundamentalmente al hecho de que la amenaza de los Estados Unidos contra Cuba no había sido eliminada. Acusaba a Kennedy de criminal; era igualmente crítico con el presidente Johnson. No solamente los grandes poderes, decía, debían beneficiarse con la coexistencia pacífica. El concepto debía ser aplicado, sin excepción, a todos los países. Confirmó que cuando Jruschov sugirió la instalación de misiles en Cuba, los cubanos recibieron muy bien la idea y aceptaron complacidos. Guevara afirmó que la posibilidad de quitar los misiles de Cuba jamás les había pasado por la cabeza.

Declaró también con firmeza que los líderes cubanos deseaban que Moscú comprendiera que ellos tenían «un sabor amargo en la boca». Los cubanos creían que la Unión Soviética debería haber sido más firme en la defensa de su posición. Fedorenko le dio las explicaciones oficiales. El gélido ambiente que rodeó la charla se mantuvo hasta el final.

Bajo la presidencia de Johnson las relaciones soviético-americanas sufrieron un gran deterioro, que aumentó con la guerra de Vietnam. Recibimos instrucciones de que, en las Naciones Unidas, aprovecháramos cualquier oportunidad para condenar a los Estados Unidos por la agresión contra ese país. Pero cuando los Estados Unidos pidieron que se realizara una reunión en el Consejo de Seguridad para considerar el tema de Vietnam, nos ordenaron que no aceptáramos esa reunión y que dijéramos que el tema sólo se debía tratar dentro del marco de los Acuerdos de Ginebra de 1954.

–Es absurdo –dije a Fedorenko–. Todos pensarán que la política soviética es una gran mentira y que lo que se busca es propaganda y no un acuerdo de paz para Vietnam.

Sugerí que informáramos a Moscú de que la gran mayoría de los Estados miembros de las Naciones Unidas estaban de acuerdo en discutir el tema y que deberíamos reconsiderar nuestra decisión. Fedorenko se negó.

–Por principio, estoy de acuerdo con usted –dijo–, pero ésa es nuestra política básica. Si aconsejamos a nuestro gobierno que la cambie, probablemente nos sustituirán y enviarán a otros que la pongan en práctica. ¿De qué serviría?

Aunque estuve en Moscú en el verano de 1964, no tuve la menor noticia de la inminente destitución de Jruschov. El absoluto secreto y el número estrictamente limitado de los participantes clave fueron los principales ingredientes del golpe de palacio triunfal de octubre de 1964. Hasta ese momento, el hecho de que el poder de Jruschov se tambaleaba era prácticamente invisible. El mismo Jruschov fue incapaz de detectar las intenciones del poderoso grupo del Kremlin que planeó su caída.

Los americanos, invariablemente, buscan sólo la razón principal de cualquier acción importante. Los soviéticos no enfocan las cosas de ese modo. Hubo muchas razones –todas importantes– por las cuales los oponentes de Jruschov le echaron del poder. Sin embargo, si existió una última causa fue probablemente su determinación de realizar una nueva reorganización del aparato del Partido en el pleno del Comité Central que debía celebrarse en el mes de noviembre. Esa vez no iba a abarcar sólo a los *aparatchiki* o miembros ordinarios del Partido, sino también a los cuadros superiores. Ya no se podía tolerar más la intromisión de Jruschov.

Los burócratas del Partido estaban alarmados ante la decisión de Jruschov de fraccionar su autoridad en las provincias en sectores industriales y agrícolas separados. Temían una falta de seguridad personal con las nuevas normas de organización del Partido que Jruschov prácticamente había impuesto en el XXII Congreso del Partido, en el verano de 1961.

Estaban particularmente molestos con las nuevas medidas para un cambio sistemático en la composición de los cuerpos del Partido, incluida la reelección limitada de esos cuerpos durante una cantidad específica de mandatos sucesivos. Por ejemplo, los miembros del Presidium no podrían tener más de tres mandatos (quince años). Los funcionarios municipales y regionales iban a ser elegidos incluso con mayor frecuencia y estarían en posesión del cargo no más de seis años. Nada podía contrariar más a los funcionarios del Partido. Ya no podrían disfrutar de las prebendas –con todos los privilegios que implicaban– de una carrera para toda la vida.

Jruschov intentaba poner en práctica esas nuevas medidas y también dar a conocer su plan para una reorganización fundamental del aparato principal del Partido. De ese modo, invadía lo más sagrado, el santuario de la clase dirigente.

El estilo del régimen de Jruschov y los cambios que intentó impulsar volvieron finalmente los intereses creados contra él. Su revelación de los crímenes cometidos por Stalin provocó la hostilidad de la KGB. Los militares estaban resentidos por su decisión de reducir los efectivos militares del Ejército, lo que obligaba a retirarse a un gran número de oficiales. Su aventura en Cuba había acabado en un desastre. Sus experimentos económicos y agrícolas en gran parte habían fracasado. Sus esfuerzos intermitentes para reducir, aunque sólo fuera mínimamente las prohibiciones que recaían sobre escritores y artistas, para promover un mayor contacto entre la URSS y Occidente, únicamente causaron problemas, especialmente a los ideólogos ortodoxos y a la KGB, que no podían tolerar una relajación de la censura.

Creo que Jruschov comprendía lo que estaba haciendo, pero, como ocurrió con sus otros planes, no reflexionó demasiado sobre la manera de reestructurar el Partido y el gobierno. Valoró desmesuradamente su fuerza y su autoridad. El resentimiento contra él alcanzó tales proporciones que los miembros clave del Presidium decidieron que debía irse. Ese factor fue decisivo. Desde la Revolución de Octubre, la sucesión en el poder de la Unión Soviética no dependía de una mayoría de *aparatchiki* sino de un pequeño grupo de políticos muy influyentes que tomaban sus decisiones en el más absoluto secreto. La coalición que derribó a Jruschov, encabezada por Suslov y Kosiguin, usó esa táctica.

Sabían que mientras Jruschov estuviera en Moscú podría, como ya había hecho antes, reaccionar contra ellos y acusarles de realizar «actividades en contra del Partido». Para sorpresa de todos –el pueblo soviético, el Partido en general, los diplomáticos, así como el resto del mundo–, Jruschov fue sorprendido con la guardia baja.

En el otoño de 1964, Jruschov se fue de vacaciones al Cáucaso. El grupo actuó con rapidez; confiaban en el apoyo que les ofrecerían el Partido, el Ejército y la KGB. En octubre, Jruschov perdió sus cargos de primer secretario del Comité Central y de primer ministro. Fue reemplazado por Leonid I. Brezhnev y Alexei N. Kosiguin, respectivamente. Se le permitió mantener su afiliación al Partido y se le asignó una pensión. El destino fue mucho más amable con él que con muchos otros políticos soviéticos. En la época de Stalin, le habrían ejecutado, pero en ese momento le dejaron morir de muerte natural.

Su caída provocó en mí una mezcla de sentimientos. No hay duda de que Jruschov fue una personalidad compleja y contradictoria que dejó una impronta significativa en la historia de la Unión Soviética y del mundo. Me gustaban su energía, su humor espontáneo, su relativa apertura. Tuve la esperanza de que pudiera destruir el legado estalinista y de que pudiera llevar a la Unión Soviética por un camino más liberal. Aunque había acumulado poder, intentó implantar reformas en nuestro país, dejando que entrara un poco de aire y de luz –aunque solamente fuera por poco tiempo– en nuestra estancada sociedad.

En Jruschov se combinaban el comunista ortodoxo y el intrigante hábil. El realismo y el pragmatismo coexistían en él con la aventura y la irracionalidad de un jugador; los engaños, las fanfarronadas y las amenazas con un enfoque práctico. Comprendía el peligro de la guerra nuclear pero no se pudo resistir al expansionismo. Se esforzó por reavivar la economía y elevar el nivel de vida del pueblo, pero lo hizo de una forma experimental que demostró ser catastrófica. En él convivían la bondad y la crueldad.

Era a la vez soñador y cínico; estaba dotado de la sabiduría y la astucia de un campesino; de educación pobre, pero con una mente inquisitiva, vital y llena de imaginación, era impulsivo y entusiasta.

Y fue el último político. Aunque en la cima de su carrera tomó individualmente muchas decisiones de importancia crucial y dispuso de gran poder, jamás alcanzó el despotismo absoluto e incontrolado de Stalin. Especialmente durante los últimos años de su mandato, parecía comprender las limitaciones inherentes a la capacidad de un solo individuo para determinar la política interior y exterior de la Unión Soviética.

El error principal de Jruschov consistió en que, simplemente, no podía medir completa y coherentemente las consecuencias de sus acciones. Fue el fallo que precipitó su caída final.

La reacción mundial a su expulsión fue tan contradictoria como su propia personalidad. Jruschov se había convertido en el hombre de Estado soviético más popular en Occidente. Pero, a pesar de su carisma, no consiguió ganarse el aprecio de su propio pueblo. Deseaba que le elogiaran constantemente. Cuando en abril de ese mismo año cumplió setenta años, a todos los miembros del Partido de la Legación soviética nos obligaron a aprobar una resolución formal para felicitarle calurosamente. Fedorenko dirigió el obligado coro. Su hábil retórica glorificó «el liderazgo inteligente y previsor» de Jruschov. Los demás aplaudimos.

Recordé todos esos homenajes en octubre, cuando expulsaron a Jruschov. También esa ocasión exigía un acto de obediencia. Fedorenko volvió a reunirnos, esa vez para condenar las «aventuras» de Jruschov. La resolución que entonces aprobamos unánimemente garantizaba nuestro total apoyo a los nuevos líderes soviéticos.

Ni los acontecimientos de abril ni los de octubre eran demasiado importantes excepto para recordarnos que éramos títeres, y que se esperaba que nos conformáramos con cualquier cambio y que rechazáramos todo papel que excediera el anonimato de miembros de coro fáciles de reemplazar. Por lo demás, no era un papel totalmente incómodo de representar. No ofrecía ningún riesgo. Suponía recompensas –en su mayoría, materiales– y también la satisfacción de ganar la aprobación de nuestros iguales y de nuestros superiores. Había también una especie de placer amargo y perverso en ser sirviente voluntario del sistema soviético: yo no era el único hipócrita. Los líderes debían fingir que me creían leal, un creyente verdadero de una filosofía decadente. También ellos debían mentirme, mentir a todos, mentirse a ellos mismos.

La mayor parte del tiempo yo simplemente trabajaba. Desde 1964 hasta 1966 se produjo un verdadero caleidoscopio de sucesos a gran velocidad. El barómetro internacional casi siempre indicaba tormenta. A causa de Vietnam las relaciones soviético-americanas empeoraron de mes en mes. La agitación en Chipre, el Congo y la República Dominicana, así como el conflicto entre la India y Pakistán, mantuvieron a las Naciones Unidas casi en sesión continua.

Deseaba un descanso cuando me llamaron desde Moscú, en 1966, para que ayudara a preparar la visita del presidente francés Charles de Gaulle. Estaba ansioso por ver qué pasaba en Moscú después de la destitución de Jruschov, y deseaba conocer a nuestro nuevo líder, Leonid Brezhnev.

La elección –o, más bien, la selección– de Brezhnev como primer secretario del Partido resultó una gran sorpresa para todos los que trabajábamos en las Naciones Unidas. Mijail Suslov o incluso Kosiguin parecían figuras mucho más destacadas. Brezhnev era simplemente una más entre las caras ordinarias que de vez en cuando aparecían y desaparecían del horizonte político. Había iniciado su carrera política a finales de la década de 1930, durante el período de las purgas de Stalin. Se rumoreaba que había aprovechado esa atmósfera en su propio beneficio, y que Stalin lo había advertido complacido. Sin embargo, después de la muerte del dictador, Brezhnev fue degradado. Pero no pasó mucho tiempo antes de que Jruschov le ascendiera, de la que estaba destinada a ser una rutinaria carrera de Partido, a miembro del Presidium y secretario del Comité Central. Cuando en 1960 Brezhnev se convirtió en el presidente del Presidium del Soviet Supremo, pensé que había acabado su carrera política, puesto que ese cargo nominal de jefe de Estado era inferior al de los líderes del gobierno y del Partido. Tradicionalmente, lo habían ocupado personas que no lo habían abandonado hasta la muerte o la jubilación. Así había ocurrido con los antecesores de Brezhnev: Mijail Kalinin, Nikolai Shvernik y Kliment Voroshilov.

Jruschov creía que Brezhnev era partidario suyo, puesto que gracias a él había avanzado en su carrera, pero se equivocaba. Las ambiciones de Brezhnev quedaron de manifiesto cuando expulsaron a Jruschov. No había participado en el plan de expulsión y es probable que en realidad no lo conociera hasta que Suslov le habló de él en el último momento. Brezhnev no defendió a su protector; por el contrario, se unió al grupo que se oponía a Jruschov.

Tiempo después, Fedorenko me dijo que la designación de Brezhnev como primer secretario del Comité Central se produjo en circunstancias bastante especiales. Suslov y Kosiguin, los principales enemigos de Jruschov, subestimaban a Brezhnev. Suslov parecía satisfecho con ser el patriarca y principal ideólogo del Partido. Kosiguin era feliz en su cargo de presidente del Consejo de Ministros, desempeñando un papel principal en la economía interna y en la política exterior. Pero les resultaba difícil ponerse de acuerdo sobre la designación del primer secretario del Comité Central. Finalmente se apoyaron en un candidato inesperado: Leonid Brezhnev. No previeron su posterior influencia. Aunque comprendían que Brezhnev podría usar ese cargo para alcanzar sus objetivos personales, sabían que su capacidad intelectual era más bien baja. Estaban convencidos de que ese hombre nada atractivo no sería capaz de volverse contra ellos.

Después de ser nombrado primer secretario, Brezhnev actuó con cautela. Era imposible detectar que en realidad era el número uno en el Kremlin posterior a Jruschov. No se produjeron cambios drásticos ni en la política exterior ni en la interior. Aparentemente, los hombres que derribaron a Jruschov eran unánimes en su determinación de derrocarlo, pero en otros aspectos tenían intereses distintos. Lo que más me preocupaba era el resurgimiento de un nuevo liderazgo y la revalorización del estalinismo.

Como Brezhnev era un *aparatchik* profesional del Partido, empezó a reforzar su posición entre sus camaradas y entre aquellos que habían tenido experiencias similares y que mantenían parecidos puntos de vista en el Partido. Prometió reunificar las ramas de la agricultura y la industria del aparato y anular las innovaciones de Jruschov con respecto a las reelecciones.

En la primavera de 1966, cuando llegué a Moscú, Brezhnev había creado una base de apoyo más amplia en el Partido. En el XXIII Congreso, el Presidium del Partido fue rebautizado Politburó, como se llamaba cuando vivía Lenin. El cargo de Brezhnev, de primer secretario, pasó a ser de secretario general. Detrás de ese simbolismo, se evidenciaba el poder creciente de Brezhnev. Los bromistas de Moscú fueron los primeros en describir la actitud del nuevo líder. Fedorenko me contó una historia que ilustraba el poder de Brezhnev y el viejo amor ruso a los juegos de palabras. Un trabajador preguntó a Brezhnev cómo podía llamarle. Éste respondió tímidamente: «Llámeme simplemente Ilich». Era el patronímico de Brezhnev –que coincidía con el de Lenin– e indicaba que estaba muy lejos de ser tímido. Pronto descubrí que la imagen ególatra reflejada en las anécdotas que circulaban por la ciudad no era exagerada, cuando conocí a Brezhnev mientras trabajaba en la preparación de la visita a Moscú del presidente De Gaulle.

Anatoli Kovalek, encargado de las relaciones con Francia, había propuesto y obtenido mi participación en el proyecto. En nuestra primera charla, dijo cándidamente que, debido al empeoramiento de las relaciones con los Estados Unidos y con China, debíamos promover mejores relaciones con Europa, y Francia era el blanco número uno.

A medida que escuchaba la exposición de Kovalek, aparecieron en mi mente algunos recuerdos de juventud. Durante mucho tiempo, después de finalizar la segunda guerra mundial, los estudiantes del MGIMO considerábamos a Charles de Gaulle una mera pieza del aparato militar con cerebro de gallina, grandes ambiciones y tendencias fascistas. Todavía en 1966 varios líderes políticos le desacreditaban, llamándole «narigón con piernas de rana».

Los líderes del Kremlin sabían que las negociaciones con el presidente francés serían difíciles, pero estaban dispuestos a ignorar algunos intereses del Partido Comunista Francés uno de los más importantes de Europa, que mantenía una postura crítica hacia De Gaulle, para poner al general en contra de los Estados Unidos.

No obstante, los funcionarios del Comité Central y del Ministerio de Asuntos Exteriores que trabajaban en el tema estaban preocupados por la reacción de los comunistas franceses. Me sorprendió oír afirmar a Kovalev, con su habitual vanidad diplomática, que «necesitamos al Partido Comunista Francés, pero no tanto como para que alcance la victoria en las elecciones y llegue al poder en Francia. Nos traería más complicaciones que ventajas. Después de todo, difícilmente podrían mantener el poder durante mucho tiempo, teniendo en cuenta el carácter y el estilo de vida franceses. La verdadera fuerza está en De Gaulle y los gaullistas. Debemos apostar por ellos».

Gromiko no estuvo presente en la reunión con Brezhnev, pero yo sabía que su influencia había aumentado enormemente bajo el nuevo régimen. La primera vez que estuve en su oficina, uno de los asistentes de Gromiko dejó entrever que el ministro estaba casualmente en una «reunión de alto nivel con el camarada Brezhnev». A partir de otras conversaciones en el ministerio, deduje que Gromiko se había convertido en el consejero de Brezhnev para asuntos exteriores.

Lo que más me sorprendió fue el contraste entre Brezhnev y Jruschov. El traje de excelente corte, la elegante camisa con puños franceses y un estilo de pretendidos buenos modales de Brezhnev estaban muy lejos de las ropas holgadas y el trato espontáneo y nada afectado de Jruschov. Brezhnev rezumaba una presuntuosa seguridad en sí mismo, pero era también amable y cordial. Después de una breve charla, leyó lentamente el material que habíamos preparado. Las observaciones triviales sobre nuestras propuestas me dieron la impresión de que no sabía demasiado de qué estaba hablando, como si no comprendiera qué pretendíamos de De Gaulle.

A diferencia de Jruschov, Brezhnev parecía no tener ninguna idea propia que aportar. Jruschov se oponía o adornaba siempre cualquier sugerencia con conceptos propios generalmente agudos y a menudo originales. Brezhnev parecía mostrar la verdad de otro conocido chiste en el que un político, a quien preguntaban si finalmente se había erradicado el culto a la personalidad después de la expulsión de Jruschov, contestaba: «No puede haber culto a la personalidad donde no hay personalidad». Ciertamente, Brezhnev no era ningún visionario, ni siquiera un intelectual. Su fuerza radicaba en que era un hombre de una capacidad de organización inhabitual. Tenía también el don del compromiso y lograba mantener el equilibrio exacto entre fuerzas diferentes, a veces opuestas. Era un líder sin inspiración cuya ilusión de conductor fuerte y firme había sido inventada fundamentalmente por sus subalternos.

La visita de De Gaulle tenía una significación especial para Brezhnev. En ese momento había iniciado sus esfuerzos para apartar a Kosiguin y encargarse él mismo de los asuntos importantes de política exterior. Quería ser el único en enfrentarse con De Gaulle, pero quizá no fue demasiado afortunado al elegir esa visita para empezar a dominar la política exterior. El general era un hueso duro de roer.

De Gaulle me impresionó por su inteligencia, su orgullo y su gran dignidad. Al mismo tiempo, era duro y arrogante. En una reunión en la que habíamos hecho un esfuerzo sobrehumano para agradarle, Kovalev sugirió que De Gaulle debía conocer a los altos líderes militares, y que convenía hacerle el honor de ser el primer extranjero invitado a visitar el centro espacial soviético de Baikonur, en las estepas del Kazajstán. El Politburó aprobó la idea y fue un éxito. De Gaulle disfrutó enormemente de esa visita, el único signo de placer real que manifestó durante toda su estancia en la URSS.

El resultado de las negociaciones entre los soviéticos y De Gaulle no colmó las expectativas soviéticas. Fue prudente con los problemas europeos y se negó a aceptar nuestras formulaciones sobre el tema alemán y el desarme en la declaración soviético-francesa final. Compartía bastante la posición soviética crítica con respecto a la política americana en Vietnam, pero se cuidó muy mucho de afirmar que era una agresión, como pretendían los líderes soviéticos.

En mi nuevo cargo de jefe del Consejo de Seguridad y de la División de Asuntos Políticos de la Legación, tenía más de veinte diplomáticos a mi cargo. Pronto descubrí que, en realidad, sólo había siete verdaderos diplomáticos; el resto eran funcionarios de la KGB y del GRU con cobertura diplomática. Entre ellos estaban Vladimir Kazakov, un joven enérgico y estrella en alza en la KGB, e Ivan Glazkov, general de división y jefe de operaciones del GRU en Nueva York.

Cierta cantidad de ciudadanos soviéticos que trabajaban en la Secretaría de las Naciones Unidas formaba parte también de mi división, violando las normas que se aplican a los funcionarios civiles internacionales. El trabajo que realizaban en la Legación no era importante e iba en detrimento de sus verdaderas obligaciones en la Secretaría. Era habitual en la Secretaría de las Naciones Unidas el comentario de que los soviéticos eran perezosos y borrachos. En muchos casos, eso era cierto.

Yuri Ragulin, que pertenecía al personal de la Secretaría y era yerno del embajador en Alemania Oriental, Pietr Abrasimov, era un ejemplo de esa imagen lamentable de los soviéticos. A menudo llegaba tarde a su trabajo, o simplemente no acudía a él, debido a sus constantes juergas. Una vez, en una fiesta en el apartamento de un amigo, en el alto West Side de Manhattan, se emborrachó tanto que cayó de una ventana del quinceavo piso mientras vomitaba. Tuvo una suerte increíble: aterrizó en el tejado de una iglesia contigua al edificio. Sufrió serias lesiones, pero sobrevivió. Los bomberos tuvieron que rescatarlo. Por supuesto, si hubiera sido un diplomático subalterno común, habría sido destituido y le habrían mandado inmediatamente a Rusia, pero su suegro le salvó.

También provocaba rumores despectivos en la Secretaría la retención que hacía el gobierno sobre los salarios que los ciudadanos soviéticos recibían de las Naciones Unidas. A finales de cada mes, los empleados soviéticos de la Secretaría hacían cola delante de la oficina de contaduría de la Legación para entregar el dinero que habían ganado en las Naciones Unidas. La Legación exigía a todos los ciudadanos soviéticos que trabajaban en la Secretaría de las Naciones Unidas que hicieran efectivos los talones antes de dirigirse a la oficina financiera de la Legación, en donde se les obligaba a ingresar todo el efectivo. Recibirían luego el salario equivalente en la escala establecida por el gobierno soviético, que deducía una cantidad considerable del dinero recibido de las Naciones Unidas. Por ejemplo, en mi época el salario mensual de un funcionario superior de las Naciones Unidas (P-5) era aproximadamente de dos mil dólares. La escala soviética equiparaba el salario de ese funcionario al de un consejero de la Legación (menos de ochocientos dólares mensuales). De ese modo, el gobierno soviético retenía cada mes más de mil dólares de cada salario mensual de un P-5 de las Naciones Unidas.

Naturalmente, esa extorsión provocaba resentimiento, pero había muy pocas posibilidades de hacer algo con ese dinero. Todos los meses, el departamento de contabilidad de la Legación preparaba una lista con los nombres de los que habían tardado incluso unos pocos días en devolver sus «excedentes». La lista se entregaba al embajador y a la organización del Partido. Durante cierto tiempo, a los culpables se les ponía la etiqueta de «deudores deshonestos» y estaban sujetos a la crítica pública en las reuniones del Partido. Además, el embajador en persona les reprendía porque no observaban la «disciplina».

Esas retenciones proporcionaban ventajas significativas a la Unión Soviética. La Legación cubría casi todos los gastos con los sueldos que las Naciones Unidas pagaban a los empleados soviéticos. Quienes más perdían en todo esto eran los Estados Unidos, porque con el presupuesto de las Naciones Unidas pagaban la carga financiera más pesada de la Legación. Como si eso fuera poco, al menos la mitad de los ciudadanos soviéticos que trabajaban en la organización internacional no eran diplomáticos, sino funcionarios de la KGB o del GRU. A través de las retenciones ejercidas por el gobierno soviético, los Estados Unidos financiaban indirectamente la actividad de los servicios de inteligencia soviéticos.

El secretario general de las Naciones Unidas, U Thant, sucesor de Dag Hammarskjöld, probablemente estaba informado de todo este asunto, pero poco podía hacer. Si acusaba a los soviéticos, ellos simplemente negarían que fuera cierto y eso sería todo. Los ciudadanos soviéticos no se atreverían a presentar pruebas.

U Thant, tan tranquilo que casi era apático, contrastaba muchísimo con el pintoresco Hammarskjöld. Desempeñó un papel importante calmando las pasiones despertadas durante la crisis de los misiles cubanos y en su posterior resolución. Pero su decisión de retirar las fuerzas de las Naciones Unidas desplegadas en la península del Sinaí, en vísperas de la guerra de los Seis Días, en 1967, fue considerada un gran error por parte de muchos miembros de las Naciones Unidas, y U Thant recibió severas críticas por ello.

15

El 4 de junio de 1967, un domingo por la tarde, estaba con Fedorenko en Glen Cove. Tomando una copa de coñac, discutíamos las tensiones cada vez mayores en Oriente Medio. Era evidente que la guerra estaba cerca y que se avecinaban días difíciles para nosotros en el Consejo de Seguridad. Como de costumbre, Fedorenko estaba tranquilo. Hizo referencia a un telegrama *top-secret* que había recibido hacía muy poco y que indicaba que Moscú había aconsejado a Nasser que no iniciara una guerra. Yo dudaba de que el líder egipcio hiciera caso. Mis anteriores experiencias con los representantes de los países árabes me habían enseñado que nuestro gobierno seguía la línea árabe, y no a la inversa. En el Consejo de Seguridad habíamos recibido instrucciones de no tomar ninguna decisión contra Egipto, Siria ni Jordania. Deberíamos hacer, además, todos los esfuerzos imaginables para conseguir la condena de Israel por parte del Consejo.

Alrededor de las cuatro de la madrugada, el funcionario de guardia de Glen Cove me despertó.

–Ha llamado Hans Tabor.[1] Es un asunto urgente –dijo–. ¿Debo o no despertar a Nikolai Trofimovich?

Le contesté que yo hablaría primero con Tabor.

Muy excitado, Tabor me dijo que había estallado la guerra entre Egipto e Israel y que quería comunicar a los representantes soviéticos su intención de convocar al Consejo de Seguridad por la mañana, tan temprano como fuera posible. Desperté a Fedorenko; aceptó la propuesta de Tabor.

Fedorenko dijo que debíamos ir inmediatamente a la Legación so-

1. Representante permanente de Dinamarca ante las Naciones Unidas, y presidente del Consejo de Seguridad en aquel momento.

viética. Allí encontraríamos instrucciones de Moscú. En el coche, oímos las noticias por la radio. Según los informes de la prensa, Israel había destruido casi toda la fuerza aérea egipcia en el primer día de la guerra.

Cuando llegamos a la Legación, no encontramos instrucciones. Esperamos un rato, pero como no recibimos ni un solo mensaje fuimos a las Naciones Unidas. Nuestro primer encuentro fue con el representante egipcio, Mohammed el-Kony, un personaje absolutamente mediocre. Estaba alegre e insistía en que los informes de que Egipto había perdido su fuerza aérea eran inexactos.

–Hemos engañado a los israelíes. Han bombardeado aeropuertos falsos en los que pusimos deliberadamente aviones de madera. Ya veremos quién gana la guerra.

Yo estaba lejos de creer que su valoración fuera correcta. Se lo dije a Fedorenko, que estuvo de acuerdo.

–No se puede confiar en el-Kony. Esperemos a ver qué dice Moscú.

La sesión de la mañana del Consejo de Seguridad no fue muy larga. Una vez finalizada, Hans Tabor dirigió las consultas privadas entre los miembros del Consejo y las partes interesadas. La situación militar era confusa. Incluso en el caso de que Israel hubiera destruido gran parte de la fuerza aérea egipcia, los carros de combate israelíes todavía no se habían enfrentado a las fuerzas blindadas egipcias. Al mismo tiempo, Siria, Jordania e Iraq habían iniciado operaciones contra Israel.

Entre los miembros del Consejo de Seguridad reinaba la confusión. La figura que más destacó en esas consultas fue el embajador Arthur Goldberg, representante permanente de los Estados Unidos ante las Naciones Unidas. Capaz, inteligente y buen orador, Goldberg era nuestro decidido y formidable oponente. Fedorenko y otros miembros de nuestra delegación se referían a él como «judío listo capaz de engañar al mismísimo diablo». Pero al mismo tiempo que le desacreditaban, sentían envidia de su talento. Aunque defendíamos posiciones distintas, Goldberg y yo nos hicimos amigos y siempre mantuvimos buenas relaciones de trabajo. Yo valoraba en particular su eficacia frente a problemas difíciles y delicados. Despreciaba las conversaciones aburridas, tan características de muchas reuniones de las Naciones Unidas. Y era un maestro para crear fórmulas de compromiso. Varios años como abogado, su cargo de secretario de Trabajo en la administración Kennedy y su trabajo en el Tribunal Supremo de los Estados Unidos le daban la experiencia necesaria para actuar entre las distintas posiciones existentes en las Naciones Unidas.

Durante las consultas, Goldberg insistió en que se debía conseguir un inmediato cese de las hostilidades. Al mismo tiempo, sugirió de forma no oficial que el cese debía ir acompañado por el retorno de las fuerzas árabes e israelíes a sus posiciones del 18 de mayo, antes de que Egipto llevara sus tropas al Sinaí y Aqaba. La propuesta de Goldberg significaba que las fuerzas israelíes deberían retirarse de la zona ocupada del Sinaí y que, por su parte, las fuerzas egipcias deberían retirarse a su posición anterior, al otro lado del canal de Suez. Los egipcios se negaron terminantemente. Pretendían que sólo se retiraran las fuerzas israelíes y querían mantener agrupadas sus tropas en la frontera con Israel.

Finalmente, llegaron instrucciones de Moscú; tenían un tono de «esperar y ver» aunque, en términos generales, proponían el apoyo a la posición árabe. Nos ordenaron que consultáramos con los árabes y que condenáramos a Israel en los más duros términos.

El 5 de junio, se produjo un estancamiento en las conversaciones del Consejo de Seguridad. Por la noche, Fedorenko y yo nos volvimos a reunir con el-Kony y con representantes de Siria y Jordania. Aconsejé a Fedorenko que tratáramos de influir sobre ellos para que aceptaran la propuesta no oficial de Goldberg. Aceptó, pero el-Kony se mantuvo inflexible. Pensé que los árabes estaban cometiendo un grave error. Todo indicaba que muy pronto perderían la guerra, y yo creía que si ellos no aceptaban la propuesta de Goldberg, iban a arrepentirse.

A media mañana del 6 de junio, recibimos una llamada telefónica en línea abierta desde Moscú –hecho poco frecuente– del viceministro de Asuntos Exteriores, Vladimir Semionov. Dijo que pronto tendríamos nuevas instrucciones y que debíamos mantener una reunión con Goldberg inmediatamente después de recibirlas. Las nuevas órdenes indicaban que aceptáramos la propuesta de Goldberg, pero si era imposible alcanzar una decisión en ese sentido, debíamos aceptar, como primer paso, la resolución del cese de hostilidades propuesta por el Consejo de Seguridad. Las instrucciones, firmadas por Gromiko, afirmaban: «Deben hacerlo aunque los países árabes no estén de acuerdo; repito, aunque los países árabes no estén de acuerdo».

Intentamos ponernos en contacto con Goldberg, pero no le encontramos en seguida. Era evidente que el curso de la guerra se había decantado a favor de Israel. Moscú quería que el Consejo de Seguridad actuara lo más pronto posible. Cuando finalmente Fedorenko encontró a Goldberg, ya era demasiado tarde. Goldberg dijo que su propuesta anterior no era oficial y que, en ese momento, los Estados Unidos insistían sólo en un inmediato cese de las hostilidades. Añadió agriamente que la parte soviética, en particular Fedorenko, no había dado una respuesta positiva a su idea inicial y que entonces lo más urgente era interrumpir las hostilidades sin más complicaciones. Aceptamos su propuesta.

Antes de que la guerra acabara con un agitado alto el fuego, el Consejo de Seguridad adoptó varias resoluciones. Se iniciaron entonces las interminables discusiones sobre la retirada de las tropas israelíes de los territorios árabes ocupados y el establecimiento de la paz en Oriente Medio.

La lección para los árabes había sido clara. La Unión Soviética estaba dispuesta a proporcionar armas a algunos países árabes, a entrenar a sus ejércitos con expertos militares soviéticos, a prestarles ayuda económica, pero no estaba dispuesta a correr el riesgo de una confrontación militar con los Estados Unidos en la zona. Los líderes soviéticos querían establecer su influencia sobre los países árabes, pero no estaban dispuestos a defender eficazmente a sus clientes. Por el contrario, la guerra de los Seis Días demostró que la Unión Soviética había abandonado a esos países en un momento crítico, después de haber encendido las pasiones que precipitaron la confrontación.

He observado de cerca ese proceso durante más de diez años. En las Naciones Unidas y en el Ministerio de Asuntos Exteriores, cada vez más la Unión Soviética apoyó las posiciones y los regímenes árabes más extremistas. Con el tibio apoyo de Gromiko, traté de moderar esa situación restableciendo contactos de trabajo con Israel y Egipto. Pero mis esfuerzos no tuvieron una importancia relevante. Sin el decidido apoyo de Moscú, poco significaban.

La ambición de una gran influencia en Oriente Medio llevó en 1948 a la Unión Soviética a ser la primera nación del mundo que reconocía el nuevo Estado judío. Sin lazos con los árabes en la región, Moscú esperaba ejercer gran influencia sobre los judíos –muchos de los cuales habían nacido en Rusia–, que habían creado el Estado de Israel. La revolución de Nasser en Egipto y la negativa de los Estados Unidos a ayudarle en sus proyectos económicos abrieron, en la mitad de la década de 1950, otra puerta para la actividad política y militar de los soviéticos. Así, fuera Egipto, Siria, el Yemen del Sur, Iraq o los palestinos, el cliente, el objetivo del Kremlin era siempre el mismo: establecer y ampliar el poder soviético en Oriente Medio y usar la zona y sus rivalidades como una forma de responder y socavar las fuerzas de Occidente. Los que tomaban las decisiones del Partido consideraban al mundo árabe suelo fértil para la implantación de la ideología soviética. Los estrategas militares veían en esa zona geográfica el lugar apropiado para el tráfico y la asistencia de barcos soviéticos en el Mediterráneo y el océano Índico, para el asentamiento de tropas y para la instalación de armamento soviético. Con semejantes pretensiones, poco podíamos hacer los diplomáticos para calmar las tensiones.

Derrotados, al menos en las personas de sus aliados, en el Sinaí y en otros frentes, los soviéticos también perdieron su ofensiva diplomática en el Consejo de Seguridad para la inmediata retirada de los israelíes; los Estados Unidos vetaron la propuesta de Moscú. Con la esperanza de que la mayoría de la Asamblea General aprobara la propuesta, los soviéticos pidieron una sesión de urgencia de ese organismo y enviaron a Nueva York una delegación de primer orden encabezada por el *premier* Alexei Kosiguin y por Gromiko.

Kosiguin mantenía aún el cargo de portavoz del Kremlin en asuntos exteriores, aunque la autoridad cada vez mayor en ese campo de Brezhnev, guiado por Gromiko, había debilitado notablemente su situación. Kosiguin, otro de los líderes soviéticos destacados después de las purgas de Stalin, apareció y sobrevivió dentro de la jerarquía soviética siguiendo una carrera de tecnócrata. Aburrido hasta para los propios soviéticos, se distinguía apenas del modelo burocrático habitual por la notable paciencia que demostraba hacia sus subalternos. Era más inteligente que muchos de sus colegas y solía expresarse con claridad, con lógica y en forma directa, rasgos que diferían notablemente de las evasivas y los rodeos tan característicos de los burócratas soviéticos. Libre de debilidades y de características personales, era tan ascético que en Nueva York, a su hija Ludmila, después de confeccionar una larga lista de compras, no se le ocurría nada que su padre pudiera querer o necesitar.

Durante la mitad de la década de 1960, Kosiguin se mantuvo firme y eficaz en la promoción de algunas reformas económicas necesarias. Sus esfuerzos para alentar una conducción económica menos rígida, sin interferencias de los funcionarios del Partido, fracasaron; también Jruschov había fracasado en su intento de modificar el sistema.

Yo pensaba que Kosiguin, preocupado por su seguridad, había decidido deliberadamente evitar las intrigas y los juegos de poder del Kremlin. Más adelante, Brezhnev le apartó todavía más de las áreas de responsabilidad y, varias veces, Kosiguin tuvo que someterse al Politburó. Aunque existía poca simpatía entre ambos, Brezhnev aparentaba respetar a Kosiguin cuando, en realidad, ignoraba cada vez más sus puntos de vista. A Kosiguin tampoco le había resultado simpático Jruschov, cuyo estilo desenfadado era absolutamente incompatible con el estilo prudente y bien organizado de Kosiguin.

Kosiguin consideraba que Occidente era una fuente útil de ayuda para la Unión Soviética. Favoreció el desarrollo de las relaciones comerciales y económicas con los Estados Unidos y con la Europa occidental. Pero también en eso fue prudente; a veces, receloso. Con respecto a la guerra de Vietnam, era aún más ortodoxo que Brezhnev (éste ya había empezado a considerar que no había nada mejor que explotar la intervención de los Estados Unidos en Vietnam en provecho de la URSS, sin irritar excesivamente a los «camaradas» de Hanoi). Sin embargo, en el verano de 1967, Kosiguin era el líder soviético encargado de abrir el diálogo con el presidente de los Estados Unidos. Además de representar a la Unión Soviética en la sesión de urgencia de la Asamblea General, intentó analizar con el presidente Johnson los temas de Oriente Medio y de Vietnam. Pero prácticamente no tenía autoridad para establecer ningún compromiso y le habían otorgado muy poco margen de maniobra; Kosiguin supuso, acertadamente, que el encuentro con Johnson sería inútil para resolver cualquiera de los dos asuntos. Le molestaba la idea de volver a Moscú con las manos completamente vacías. El embajador Dobrinin y el asistente de Kosiguin, Boris Batzanov, otro licenciado del MGIMO, me dijeron que Kosiguin no quería ver a Johnson. El fracaso de las conversaciones reduciría su prestigio como negociador y alentaría a Brezhnev para seguir limitando el papel de Kosiguin en los asuntos exteriores. No obstante, la reunión debía realizarse: era una decisión del Politburó. Durante un corto tiempo, merced al *impasse* entre las instrucciones de Moscú de que él no debía viajar a Washington bajo ningún concepto y la negativa de los americanos a permitir al presidente que se trasladara a Nueva York, pensó en la forma de evitar ese encuentro. Ambas partes discutieron durante días el lugar donde debía celebrarse la reunión cumbre. Finalmente, se halló un adecuado territorio neutral: la casa de un rector de universidad en Glassboro, Nueva Jersey. Kosiguin regresó de Glassboro con muy escasos resultados.

–No estuvimos de acuerdo prácticamente en nada –se quejó.

En ese momento, los líderes soviéticos, como ha observado Adam Ulam, «estaban todavía indecisos sobre la forma de explotar el desgaste del poder en los Estados Unidos y el prestigio soviético debidos a la política desastrosa de los Estados Unidos en el sudeste de Asia».[2] Existían también distintos puntos de vista entre los principales líderes soviéticos con respecto a la actitud que debía adoptarse en Oriente Medio: una postura inflexible contra Israel o una posición que dejara lugar a las negociaciones entre árabes y judíos. En ese momento y durante los años siguientes, Gromiko se mantuvo dentro de esa ambi-

2. Adam B. Ulam, *Expansion and Coexistence: Soviet Foreign Policy, 1917-73*, 2.ª ed., Praeger Publishers, 1974.

güedad. Sin embargo, Kosiguin había traído de Moscú un borrador de discurso en el que condenaba la agresión de Israel contra Egipto, Siria y Jordania, exigía la completa retirada de los israelíes de todas las tierras ocupadas durante la guerra de los Seis Días y no mencionaba en absoluto el derecho de Israel a la existencia.

Después de largas discusiones, que Kosiguin seguía con interés y sin pasión, Gromiko y Dobrinin le persuadieron para que incluyera una mención del apoyo soviético a la nación israelí. Moscú la aprobó, pero la delegación soviética tuvo que contentarse con una formulación típicamente negativa: «La Unión Soviética no se opone a Israel [...] Cada nación tiene el derecho de crear su propio Estado independiente». Sin embargo, el resto de la declaración era violentamente antiisraelí; la resolución, que condenaba la agresión de Israel, pedía la retirada incondicional de sus tropas de todos los territorios árabes ocupados.

La propuesta era injustamente severa, pues no reconocía los intereses de Israel. Resultó demasiado enérgica para lograr el apoyo mayoritario de la Asamblea General, pero cuando los países latinoamericanos prepararon un borrador con una resolución de compromiso, los Estados Árabes lo rechazaron porque era demasiado débil. Kosiguin regresó a Moscú, mientras Gromiko permanecía en las Naciones Unidas negociando con Goldberg a través de Dobrinin una tercera versión que incluía la retirada de las tropas y el derecho de todos los Estados de Oriente Medio a la independencia y a vivir «en paz y seguridad». Sin embargo, ni siquiera esa formulación logró satisfacer a los árabes. La sesión de urgencia acabó en un fracaso.

La paz diplomática se restableció en noviembre, cuando el viceministro de Asuntos Exteriores, Vasili Kuznetsov, llegó con órdenes de romper el estancamiento de las negociaciones. Mientras él consultaba con las delegaciones árabes y con los poderes principales, yo actuaba de intermediario con los países no alineados que estaban tratando de hacer su propio borrador de resolución de la forma más secreta posible. El lenguaje de compromiso de los no alineados no satisfizo a todos los miembros del Consejo de Seguridad; lord Caradon, embajador británico ante las Naciones Unidas, intentó alcanzar un compromiso aceptable. El agudo e inteligente inglés descubrió la llave que finalmente abrió el *impasse.* Su formulación, que pedía «la retirada de las fuerzas armadas israelíes de los territorios ocupados en el reciente conflicto», era deliberadamente ambigua con respecto al tema clave de si Israel debía o no renunciar a *todas* sus conquistas.

Las negociaciones que generó ese texto intencionadamente impreciso fueron intensivas y arduas; intervinieron en ellas diplomáticos de verdadero talento: Kuznetsov, Caradon, Dobrinin y Goldberg. Pero la Resolución 242, adoptada unánimemente por el Consejo de Seguridad, no resolvió el problema. Todas las partes –los países árabes e Israel, la Unión Soviética y los Estados Unidos– la interpretaron de formas distintas; los esfuerzos para ponerla en práctica no dieron resultado.

A principios de agosto de 1968, fui de vacaciones a la Unión Soviética. Cuando llegué al Ministerio de Asuntos Exteriores, en Moscú, observé gran agitación en los despachos de Gromiko y de Kuznetsov. Todos habían trabajado hasta el agotamiento en el tema de Checoslovaquia; cuando conocí los preparativos para una invasión militar, me alegré de no estar en Nueva York para defender la posición soviética.

En Nueva York, durante cierto tiempo, había seguido el desarrollo de los acontecimientos en Checoslovaquia con Jiři Hayek, el representante checo ante las Naciones Unidas –que, más adelante, se transformó en el ministro de Asuntos Exteriores de su país–, y con Milán Klusak, yerno del presidente Ludvik Svoboda. A fines de 1967, se destituyó de su cargo de líder del Partido checo a Antonín Novotný, que fue remplazado por Alexander Dubček, en el período conocido como «la primavera de Praga». Brezhnev parecía estar haciendo esfuerzos para resolver el problema de los llamados «revisionistas» checos a través del diálogo y, aparentemente, aceptaba el proceso de liberalización. Sin embargo, fuera esto así o no, había una fuerte presión por parte de los miembros del Politburó (en especial de Mijail Suslov y Petr Shelest) para frenar ese proceso por la fuerza. Los líderes soviéticos dudaron, prácticamente hasta el último momento, sobre la invasión de Checoslovaquia; todavía estaban frescos los recuerdos de la reacción mundial ante la intervención soviética en Hungría en 1956. Finalmente, el Politburó aprobó la invasión e inventó, para justificarla, la «Doctrina Brezhnev», que sostiene –contrariamente a los principios de la Carta de las Naciones Unidas– que la Unión Soviética y otros países comunistas tienen el derecho de intervenir militarmente si consideran que uno de ellos sigue una política que amenaza intereses comunes esenciales.

El 21 de agosto, las tropas soviéticas, con destacamentos de cuatro países del bloque oriental, invadieron Checoslovaquia en una rápida operación. Un general de tres estrellas me dijo que el ejército había aprendido muy bien la lección después de su experiencia en Hungría y que, debido a ello, la operación en Checoslovaquia había sido «brillante». Era cierto. Las fuerzas móviles de emergencia soviéticas –paracaidistas, unidades de carros de combate y otras tropas– lograron todos sus objetivos en pocas horas sin sufrir bajas.

Después de la expulsión de Jruschov, el Presidium del Partido ordenó a los militares crear una fuerza móvil para esas emergencias, que pudiera emplearse no sólo en los países del bloque soviético sino también en cualquier parte del mundo. Ese programa disponía la construcción de portaaviones, helicópteros y aviones de transporte militar capaces de trasladar carros ligeros, cañones y misiles tácticos, y el entrenamiento de una fuerza especial de paracaidistas encabezada por oficiales que hablaban varios idiomas. La fuerza móvil es mucho más poderosa y sofisticada hoy que en 1968.

A pesar de las crisis, las frustraciones y las revueltas de la década de 1960, tuve momentos de satisfacción en mi trabajo. Las negociaciones finales de 1968 para lograr el Tratado de No Proliferación no fueron fáciles, pero finalmente se llegó a un acuerdo. En gran medida, ese éxito se debió a los esfuerzos del peripatético Vasili Kuznetsov, que había regresado a Nueva York.

A diferencia de la mayoría de los que habían aumentado su poder durante la época de Stalin, Kuznetsov era un ser humano sensible y un político sofisticado. Nos conocíamos desde principios de los 60, cuando estuve en Ginebra participando en las negociaciones de desarme; mantuvimos muy buenas relaciones de trabajo y personales. Kuznetsov era el funcionario soviético de más alto nivel a quien yo había oído hablar con tanta amargura de la era estalinista. Una tarde, mientras caminábamos junto al lago de Ginebra, admirando su belleza, empezó a hablar de pronto sobre el infierno del régimen de Stalin.

–En cualquier momento podían llamar a tu puerta. Nunca se sabía si a la mañana siguiente ibas a ir a trabajar o a la cárcel.

Despreciaba especialmente las *anonimki* (cartas anónimas) que llegaban a su despacho, en las que se denunciaban los errores o pequeñas faltas de este o aquel diplomático. Esa práctica obscena, que generalmente se debía sólo a la maldad o la envidia del remitente, ha continuado; pero durante la era de Stalin se había convertido en un arte.

–Si alguien quiere corregir algo debería hacerlo abiertamente y no enviando esas notas cobardes y maliciosas –dijo Kuznetsov.

La amplitud de miras de Kuznetsov quizá se debiera a que había vivido varios años en los Estados Unidos. A principios de la década de 1930 vivió en casa de una familia americana en Pittsburgh, donde se formó como ingeniero metalúrgico. Cuando regresó a la Unión Soviética, unos años más tarde, fue nombrado presidente del Consejo de la Unión Sindical Soviética. Después de la muerte de Stalin, le nombraron embajador en China, donde destacó como diplomático. Sereno, razonable, pragmático y prudente, Kuznetsov tenía una especial habilidad para manejar el intrincado laberinto de la política exterior soviética. Con paciencia infinita, podía persuadir poco a poco a sus adversarios y al Politburó para que realizaran un cambio pequeño y aparentemente insignificante tras otro, hasta lograr el acuerdo deseado.

Tenía un extraordinario sentido de la oportunidad: sabía perfectamente cuándo era inevitable ser duro y severo y cuándo mostrarse flexible. Tenía también un profundo conocimiento de los estados de ánimo del Kremlin y poseía la virtud de ser eficiente y cordial y, al mismo tiempo, absolutamente franco con sus adversarios en la mesa de negociaciones. Invariablemente, le asignaban las negociaciones críticas y le pedían que salvara la situación.

Debido a los esfuerzos de Kuznetsov para lograr la aprobación del Tratado de No Proliferación, lord Caradon, representante británico ante las Naciones Unidas, le rindió homenaje de un modo singular. Caradon acabó un discurso ante el Consejo de Seguridad, en junio de 1968, de la siguiente manera:

> Aquí en el Consejo me dedico
> a componer estas líneas memorables
> para el viceministro de Asuntos Exteriores.
>
> Cuando flaquea la esperanza y el futuro es negro
> sabemos que es hora de llamarle;
> cuando la tormenta invade el cielo,
> todos dicen «¡Qué venga Kuznetsov!».
>
> Vuela como la paloma desde el arca comunista
> y brota la luz en mitad de la tiniebla;
> con su llegada cambia la marea
> y se acaba la propaganda.
>
> Y ahora que el clima ha mejorado,
> votan juntos la oveja y el león.
> Bendita sea la delegación rusa.
> (No pediré traducción simultánea.)

A pesar de las serias tensiones a causa de Vietnam y Oriente Medio, hubo una cooperación positiva entre las dos superpotencias para conseguir la aprobación del Tratado de No Proliferación. Dividíamos a los miembros de las Naciones Unidas en dos categorías de acuerdo a la influencia predominante que recibieran, la de Estados Unidos o la de la Unión Soviética. Mi colega Oleg Grinevski y yo visitamos la Legación de los Estados Unidos para analizar la forma de actuar sobre los representantes de las Naciones Unidas de ambas categorías, la forma de convencerlos para que votaran el tratado o la forma de proseguir nuestros esfuerzos en varias capitales de los Estados que no disponían de armamento nuclear para ganar su apoyo.

Descubrí algo interesante. La delegación de los Estados Unidos podía comunicarse directamente con sus embajadores en África, Asia y los países latinoamericanos y pedirles que hicieran negociaciones al más alto nivel con los gobiernos anfitriones. Sin embargo, nosotros no podíamos comunicarnos con nuestros embajadores en el extranjero. Debíamos pedir a Moscú que diera instrucciones a nuestros embajadores para que iniciaran esas negociaciones. Las respuestas de los embajadores iban primero a Moscú y luego nos llegaban a nosotros. Era ridículo; pero ni siquiera la Legación soviética de Nueva York estaba autorizada para coordinar sus acciones con la Legación soviética de Washington. Si era necesario analizar cualquier asunto con el gobierno norteamericano, debíamos enviar un telegrama a Moscú, y Moscú lo transmitía a Dobrinin, a pesar de que la Legación soviética y la embajada estaban a menos de cuatrocientos kilómetros de distancia. Esto no significa que los embajadores soviéticos de Nueva York y de Washington no mantuvieran conversaciones entre ellos; pero esas conversaciones no eran oficiales.

Estos medios tortuosos de comunicación significaban que, en algunos casos, el mensaje resultante era tan distorsionado como un cuento contado por cuarta vez. Algunos embajadores soviéticos informaron a Moscú del éxito alcanzado en la aprobación del tratado. Pero eso podía ser falso, porque ni los embajadores ni, en algunos casos, los funcionarios con quienes habían hablado en varias capitales, conocían los detalles. A menudo, las posiciones que tomaban algunos embajadores de esos países ante las Naciones Unidas eran distintas de las que nos adelantaban desde Moscú. Entonces debíamos aclarar con Moscú qué era lo que pasaba, pidiendo que se realizaran más conversaciones entre los embajadores soviéticos y los líderes de distintos países; los resultados de esas conversaciones llegaban a Moscú y desde Moscú hasta nosotros. Si no se hubiera tratado de un proceso tan frustrante, habría resultado una historia de Laurel y Hardy.

El esfuerzo conjunto soviético-americano fue decisivo para asegurar la aprobación por mayoría en las Naciones Unidas del Tratado de No Proliferación. No resultaron sorprendentes el duro ataque de Albania y las posiciones de Tanzania y Zambia; actuaron bajo la influencia de China. La actitud de Cuba molestó muchísimo a Kuznetsov. A pesar de sus esfuerzos y los de otros, los representantes cubanos criticaron duramente el tratado afirmando que, simplemente, «legaliza el abismo entre los fuertes y los débiles».

En general, las relaciones entre Moscú y La Habana se habían caracterizado por importantes desavenencias. En los primeros años de la década de 1960, los líderes soviéticos no creían que se dieran las condiciones para la revolución socialista en América Latina, y no apoyaban el objetivo de Castro de derrocar varios gobiernos de la zona. Por el contrario, a Moscú le interesaba desarrollar relaciones normales con algunos de esos gobiernos. Pero Castro creó un centro de adiestramiento guerrillero en Cuba.

Por supuesto, la crisis cubana precipitó el empeoramiento de las relaciones entre La Habana y Moscú. En 1962, Castro exigió la destitución del embajador soviético en Cuba, Serguei Kudriavtsev, y, en realidad, eligió a su remplazante, Alexandr Alexeiev, que en ese momento era consejero de la embajada soviética en La Habana. Todos sabían que Alexeiev era un oficial de la KGB. Si Castro también lo sabía –y probablemente fuera así–, no le importaba. Eran amigos personales, bebían y se divertían juntos. Lo peor de todo fue que esa relación fortaleció la inclinación natural de la KGB a aceptar las ideas de Castro sobre las actividades subversivas. Muy a pesar suyo, Moscú aceptó que Alexeiev fuera embajador en La Habana, aunque era bastante raro que un oficial de la KGB ocupara un cargo de embajador.

Castro boicoteó la celebración del 50.° Aniversario de la Revolución Soviética, en octubre de 1967, aunque sabía la importancia que esa conmemoración tenía para los soviéticos. Criticó a la Unión Soviética por no haber prestado una ayuda eficaz a Egipto durante la guerra de los Seis Días, y manifestó su disgusto por la actitud de la Unión Soviética hacia China.

Castro intentó una participación activa en el movimiento de los países no alineados, a menudo sin respetar ni la guía ni la coordinación de la URSS. Moscú no se oponía a que Cuba difundiera sus ideas entre los países no alineados, pero no le gustaba nada la creciente influencia de Castro en el Tercer Mundo.

En las Naciones Unidas, los cubanos solían ignorar las reuniones no oficiales con los países socialistas. Antes de cualquier votación importante en la Asamblea General, la Unión Soviética convocaba una reunión con sus aliados para que conocieran la posición soviética sobre el asunto en cuestión. Esas reuniones se celebraban en la Legación, en la Sala de Indonesia, en las Naciones Unidas, o incluso en los pasillos de las Naciones Unidas. A veces se generaba una discusión sobre la posición soviética; en ocasiones, Rumanía y otros aliados expresaban sus reservas. Los delegados soviéticos pedían también a los representantes de sus aliados que solicitaran los votos de otros países no pertenecientes al bloque socialista. El embajador cubano ante las Naciones Unidas, Ricardo Alarcón, casi nunca iba a esas reuniones, y ni siquiera se preocupaba de avisar. El embajador Malik, que había reemplazado a Fedorenko en 1968, se ponía furioso.

–¿Dónde está Alarcón? –preguntaba–. Llamen a la Legación cubana.

Cuando Alarcón iba, hablaba muy poco. No informaba debidamente a la Unión Soviética sobre lo que ocurría en las reuniones con los países no alineados. Si se lo preguntaban directamente, sonreía con suficiencia y permanecía en silencio.

Castro se permitía rabietas e insultos porque Cuba era importante para los futuros planes soviéticos. Aunque el líder cubano había pedido apoyo a China, Pekín no podía prestar demasiada ayuda económica a Cuba. De modo que Castro no tuvo otro remedio que volver a los brazos de Moscú. Sin embargo, el Kremlin se mostró cada vez más favorable al punto de vista de Cuba de que, en América Latina, se alcanzaría la revolución socialista por medios militares y no por medios pacíficos.

En 1970 yo había alcanzado el límite de tiempo ininterrumpido admitido para los diplomáticos que trabajaban en el extranjero. Normalmente, el período total podía ser de dos etapas de cuatro o cinco años en el mismo país (el embajador Dobrinin, en Washington, es una excepción). Sin embargo, una persona puede ser elegida para una tercera etapa, y entonces el Departamento de Cuadros Extranjeros del Comité Central estudia cuidadosamente el nombramiento.

En general, al acabar su misión en el extranjero, los diplomáticos soviéticos no saben cuál será su futuro trabajo. El nuevo nombramiento depende a menudo de circunstancias accidentales –por ejemplo, una vacante en el aparato central del ministerio– y, principalmente, de los contactos y las relaciones personales en el ministerio y el Comité Central. Por lo tanto, antes de conocer el nuevo cargo, casi todos los diplomáticos soviéticos pasan por un período de gran tensión y de intrigas para conseguir el nombramiento que desean. Tuve suerte, ya que supe de antemano cuál sería mi nuevo trabajo.

Había llegado a Nueva York como primer secretario y me iba de esa ciudad con el rango de enviado extraordinario y ministro plenipotenciario, un rápido avance profesional para lo que es normal en la URSS. Mis sueños materiales se habían realizado. Mientras vivíamos en Nueva York, Lina y yo compramos un gran apartamento en Moscú y lo decoramos con muebles de estilo. En 1968, adquirimos una dacha, el máximo símbolo de privilegio en la sociedad soviética.

Cuando Gromiko, en una visita a Nueva York en 1969, me ofreció el cargo de consejero suyo, acepté rápidamente. No era sólo la importancia del cargo lo que me complacía. Esperaba que al lado de Gromiko podría desempeñar un papel importante en la reformulación de la política soviética hacia los objetivos que creía más adecuados.

En abril de 1970, Anna, Lina y yo salimos de Nueva York en el barco soviético *Alexandr Pushkin.* Desembarcamos en Leningrado y tomamos un tren a Moscú. La madre de Lina nos esperaba.

–Arkadi, te han llamado varias veces del Comité Central. Querían saber cuándo llegabas. Dejaron dicho que llamaras –dijo.

–¿Quién era?

–No sé, pero dejaron un número.

Pocas horas después, llamé al Comité Central.

–Ah, Arkadi Nikolaevich –contestó una voz desconocida–. ¿Ya ha llegado a Moscú? Soy el asistente de Boris Nikolaevich [Ponomarev]. Quiere hablar con usted tan pronto como sea posible.

–Pero acabo de llegar a mi casa –protesté–. Debo ir primero al ministerio a ver a Gromiko.

–Es muy urgente –insistió–. Antes de ir al ministerio, pase por aquí a primera hora de la mañana. Perderá sólo unos minutos.

Al día siguiente, fui a las oficinas del Comité Central. No había motivo de alarma: Ponomarev quería simplemente ofrecerme un trabajo en su departamento. Me habló del atractivo futuro de una carrera en el Comité Central y me dijo que, con él, podía aspirar a un rápido ascenso. No le contesté directamente y le dije que debía discutirlo con Gromiko. Comprobé que no estaba habituado a esas evasivas, pero no puso ninguna objeción. Pocas horas más tarde, hablé con Gromiko sobre la oferta de Ponomarev. No ocultó su irritación ante ese intento de usurpación de su empleado.

–Shevchenko, ¿usted qué quiere? ¿Quiere trabajar para el Comité Central o quiere ser mi consejero? –preguntó directamente.

Dije que deseaba trabajar con él y que le agradecía su oferta. Pareció complacido y prometió que ese mismo día firmaría la orden de mi nuevo nombramiento. Llamó después a Ponomarev y le dijo claramente que no hiciera nuevas incursiones en el ministerio.

16

Cuando llegué al séptimo piso del Ministerio de Asuntos Exteriores para hacerme cargo de mi nuevo trabajo, me instalaron en el despacho de Vasili Makarov, el principal asistente de Gromiko. La arrogancia, el sarcasmo y la ostentación de que hacía gala Makarov contrastaban con la personalidad fría, aunque generalmente cortés, de Gromiko. Makarov había trabajado durante varios años con Gromiko y se había convertido en el poderoso guardián de sus intereses. Después de observar la forma de trabajar de Makarov –rechazaba bruscamente las solicitudes de audiencia de «unos pocos minutos» con el ministro que le solicitaban muchos diplomáticos; ordenaba fríamente a los jefes de departamento que reescribieran y ampliaran los informes que debían presentar a Gromiko–, comprendí por qué Gromiko le había elegido y por qué continuaba con él. Makarov era el perfecto perro guardián. Protegía a su amo de los contactos innecesarios con seres humanos inferiores. Evitaba las tensiones del mundo real para preservar a Gromiko y ayudar a que pareciera un ser superior. Los diplomáticos de alto nivel tenían por costumbre hacerle grandes regalos para que aceptara los informes que enviaban a Gromiko o su nombramiento en un cargo deseado. Makarov aceptaba esos sobornos como si fueran una obligación. A veces, los buscaba él mismo; en una ocasión me dijo descaradamente qué bien le vendría una alfombra de tal color y tal tamaño para su apartamento.

Nos conocíamos desde hacía años y manteníamos buenas relaciones. Me pidió que me instalara cerca de su despacho, pero pasó bastante tiempo antes de que pudiéramos hablar. Sus teléfonos sonaban continuamente y a cada rato aparecían empleados en busca de instrucciones o consejos. Era un clima tenso y de gran trabajo.

No era sorprendente. Se esperaba en pocos días la visita a Moscú de Nasser, el presidente de Egipto; la situación de Oriente Medio continuaba siendo difícil. La firma del tratado entre la Unión Soviética y Alemania Occidental estaba a punto de concretarse. En agosto se esperaba la llegada de Brandt a Moscú; estaban en marcha las negociaciones sobre la Conferencia de Seguridad y Cooperación en Europa y las SALT; se estaban haciendo los preparativos para la visita del presidente francés Pompidou; las relaciones chino-soviéticas seguían tan tensas como de costumbre, en especial con respecto a la guerra de Vietnam. Finalmente, pude comunicar a Makarov que quería ver a Gromiko tan pronto como fuera posible para saber exactamente qué era lo que debía hacer y cuáles eran mis funciones.

–¿Está ciego? –me dijo, haciendo una mueca–. ¿No se da cuenta de lo ocupado que está Andrei Andreievich? Si cree que lo más importante que tiene que hacer es verlo a usted, está loco. –Luego, cambiando de tono, añadió–: Arkadi, quédese tranquilo. Familiarícese con su nuevo trabajo.

Dije que no podía seguir mirando el techo. Tenía que saber qué era lo que iba a hacer, y sólo Gromiko podía decírmelo. También le dije que necesitaba un despacho cerca de Gromiko para poder acudir rápidamente cuando él me llamara. Además, según había entendido, debía leer todos los documentos políticos enviados a Gromiko y todos los telegramas en código recibidos en el ministerio.

–Usted quiere demasiado, Arkadi –dijo–. Dudo que lo consiga.

Cuando finalmente vi a Gromiko, me dijo que mis obligaciones y responsabilidades serían muy amplias. Estaba preparado para enfrentarme a cualquier problema. Pidió que me olvidara de la *Fedorenkovschina,* aludiendo al estilo informal de Fedorenko. Además, comunicó a Makarov que yo debía tener acceso a toda la información secreta; esperaba que la analizara, que hiciera propuestas concretas y que luego le informara personalmente.

Había visto tantas veces a Gromiko y en circunstancias tan distintas que pensaba que le conocía muy bien. Pero sólo después de haber trabajado para él durante un tiempo pude comprender realmente que es un hombre difícil y complejo. Andrei Gromiko parece una máquina eficaz, construida para funcionar y perdurar; es una persona abnegada, solemne y privada casi por completo de calor humano. Puede bromear y puede enfurecerse; pero por debajo de cualquier expresión hay una fría lógica y una disciplina que le hacen excepcional como superior o como adversario.

La devoción de Gromiko hacia el sistema soviético es completa e irreversible. Actualmente es un elemento fundamental del sistema: una de sus fuerzas conductoras más poderosas, producto y amo a la vez de ese sistema. En una ocasión, cuando un periodista le pidió un dato biográfico, afirmó: «No me interesa mi personalidad». No era una pose, sino la absoluta verdad, aunque, en realidad, posee una personalidad bastante extraordinaria. Jruschov dijo una vez que si a Gromiko le ordenaran que se bajara los pantalones y se sentara sobre un bloque de hielo durante un mes, lo haría; era la forma en que el *premier* rendía homenaje a la tenacidad casi legendaria de Gromiko y a su persistencia en el cargo de ministro de Asuntos Exteriores.

Es notable la llegada de Gromiko a figura política de primer orden, en el mundo y dentro de la Unión Soviética; mucho más si se considera que, en realidad, empezó su carrera en el Ministerio de Asuntos Exteriores, cuyos políticos de alto nivel casi siempre surgen de las filas de la burocracia del Partido. Andrei Andreievich Gromiko nació en 1909 en el seno de una familia mitad campesina mitad obrera (descripción del propio Gromiko) en la ciudad bielorrusa de Starie Gromiki. Su apellido deriva de ese lugar. Después de acabar los estudios en el Instituto Agrónomo de Minsk, se trasladó a Moscú, donde trabajó como científico en la Academia de Ciencias del Instituto de Economía de la Unión Soviética, desde 1936 a 1939. Se afilió al Partido Comunista en 1931 e ingresó en el servicio exterior en 1939.

Gromiko debe su temprana notoriedad a las purgas masivas de Stalin entre la primera generación de funcionarios civiles revolucionarios. Consiguió cargos que habían pertenecido a hombres condenados a ejecuciones sumarias o a una muerte lenta en campos de internamiento. A menudo esos puestos los ocupaban personas mediocres, y entre ellas Gromiko sobresalía. No sólo era leal y disciplinado; también era inteligente, bien educado, trabajador y activo. En realidad, no tenía experiencia en la diplomacia. No obstante, inició la carrera diplomática como jefe del Departamento Americano del Comisariado del Pueblo para Asuntos Exteriores, y en 1943 le nombraron embajador soviético en Washington; es el único superviviente de los que asistieron a una entrevista personal con Stalin que se inició, según me dijeron, con espantosas apuestas sobre si Gromiko sería enviado a Occidente (a los Estados Unidos) o a Oriente (a Siberia).

Fedor Tarasovich Gusev, secretario del Partido del Comisariado del Pueblo en 1939 –más adelante diplomático y consejero destacado de Gromiko al mismo tiempo que yo–, describió la atmósfera en que inició la carrera Gromiko. Viacheslav Molotov sustituyó a Maxim Litvinov como comisario de Asuntos Exteriores en mayo de 1939; promovió el alejamiento político de las democracias occidentales y una revuelta interna que finalmente diezmó los cuerpos diplomáticos soviéticos. Al día siguiente de su nombramiento, Molotov mantuvo una reunión con Gusev y con el jefe del departamento de personal, a quienes comunicó, en tono duro, la necesidad de acabar con esa etapa de ceguera política eliminando del personal a los enemigos de clase. Refiriéndose a su antecesor judío, Molotov dijo:

–Se acabó el liberalismo de Litvinov. Voy a arrancar de raíz ese avispero judío.

Gromiko no habla mucho de esos años. Jamás le oí una observación crítica sobre Stalin o Molotov. Creo que sentía un gran respeto por ambos. Una vez me contó, divertido, cómo Stalin, cuando Gromiko se preparaba para su nombramiento en Washington, le había aconsejado que, para mejorar el inglés, fuera a las iglesias norteamericanas y escuchara los sermones. Por supuesto, Stalin se había educado en una iglesia ortodoxa y creía que, puesto que la dicción y el uso del lenguaje de los sacerdotes debían ser necesariamente buenos, una iglesia era el mejor lugar para aprender un idioma. Gromiko admitió que se había sentido confundido ante el consejo de Stalin y que no podía imaginar que un embajador soviético ateo pudiera asistir a una iglesia sin que eso despertara una reacción de extrañeza en la gente y en la prensa. Fue la única orden de Stalin que desobedeció.

El impacto de la formación juvenil de Gromiko bajo la influencia de Stalin y Molotov fue evidentemente profundo; aún hoy se observan sus manifestaciones. Pero para mi sorpresa, después de haber trabajado con él, descubrí que no era un estalinista reaccionario, como muchos de sus colegas de ese período. El porvenir político de Gromiko cobró forma cuando la Unión Soviética y los Estados Unidos se aliaron durante la guerra para vencer al fascismo. Guardaba buenos recuerdos de Franklin Roosevelt, a quien consideraba un gran hombre, «un inteligente estadista con una amplia gama de intereses». La profunda influencia de esos inicios se puede ver en Gromiko aun en las épocas de hostilidad en las relaciones soviético-norteamericanas. En este sentido, en su discurso ante la Asamblea General de las Naciones Unidas en 1984, al mismo tiempo que censuró la política de los Estados Unidos, reiteró una vez más que «hoy, más que nunca, nuestro país cree en el mantenimiento de relaciones normales con los Estados Unidos» e hizo referencia a los años en que ambas naciones fueron aliadas durante la segunda guerra mundial.

Gromiko participó en las conferencias de Yalta y Potsdam, en 1945. Encabezó la delegación soviética en los encuentros de Dumbarton Oaks y, posteriormente, después de la partida de Molotov, dirigió la delegación en la conferencia donde se firmó la Carta de las Naciones Unidas. Como uno de los padres fundadores de las Naciones Unidas, se transformó en 1946 en el primer representante del Kremlin ante el Consejo de Seguridad de las Naciones Unidas, donde se ganó el apodo de «míster Niet» por haber pronunciado más de veinte vetos en dos años. Desde ese momento, Gromiko ha participado personalmente en todos los acontecimientos importantes de las relaciones Este-Oeste, en particular las relaciones soviético-americanas, y ha tratado con todos los presidentes norteamericanos, desde Franklin Roosevelt hasta Ronald Reagan, y con todos los secretarios de Estado, desde Cordell Hull hasta George Shultz. Entre los miembros del Politburó, ha compartido con el ministro de Defensa Dmitri Ustinov la peculiaridad de ser los únicos que han servido a todos los líderes soviéticos, desde Stalin hasta Chernenko.

Un toque especial de buena suerte consolidó la posición de Gromiko en un momento en que parecía que su carrera iba a malograrse. Regresó a Moscú en 1948 para desempeñar las funciones de primer asistente de Molotov; pero en 1952 el nuevo ministro de Asuntos Exteriores, Andrei Vishinski, logró desacreditarle. Vishinski, el sanguinario fiscal de las purgas de Stalin, era un ferviente dogmático de la política exterior del dictador. En cambio, el entusiasmo de Gromiko por la guerra fría era limitado. Los dos hombres entraron en pugna. Vishinski, experimentado inquisidor, descubrió una grieta en la aparente respetabilidad de Gromiko y se aprovechó de ella para desprestigiarle.

La llave utilizada por Vishinski era la que el propio Gromiko había forjado. Relativamente modesto en sus hábitos personales y en su estilo de vida, cometió un acto de abuso de autoridad poco habitual en él. A instancias de su mujer, Lidia Dmitrievna, utilizó trabajadores del Ministerio de Asuntos Exteriores y su acceso especial a los materiales para construirse una hermosa dacha en Vnukovo, en los alrededores de Moscú. Entre los miembros de la élite, esas violaciones de la la ley eran y son una práctica frecuente que, en general, se pasan por alto. Todo el que podía manipular el poder para fines personales hacía lo mismo, y todavía lo hace (yo mismo, a finales de 1960, utilicé a los empleados del ministerio para decorar mi apartamento de Moscú). La importancia del cargo que se ocupa impide el escándalo.

Sin embargo, Vishinski se enteró de esas obras y aprovechó la situación para conseguir que el Partido reprendiera oficialmente a Gromiko y no volviera a nombrarle embajador en Gran Bretaña. Para remplazarle, Vishinski propuso a Yakov Malik, que se había destacado como informador de la policía política en la década de 1930 y como sucesor, ferozmente antiamericano, de Gromiko en el cargo de embajador ante las Naciones Unidas. Malik debió de sentirse encantado de sustituir a Gromiko, y creyó que éste se exiliaría en Londres.

La muerte de Stalin, en marzo de 1953, provocó un brusco giro de los acontecimientos. Vishinski fue expulsado y, junto con él, la mayoría de sus compinches. Malik fue a Londres y Gromiko recuperó su posición en Moscú.

A partir de ese momento, la carrera de Gromiko ha ido en ascenso y se ha afirmado su autoridad. Aunque Jruschov le nombró ministro de Asuntos Exteriores en 1957, Gromiko sobrevivió a la caída de su benefactor; era notorio que Jruschov, a expensas de Gromiko, había otorgado una amplia responsabilidad en política exterior a su yerno, Alexei Adzhubei.

Además, en tiempos de Jruschov, Gromiko había tomado una decisión que demostró ser un acierto. Entabló relaciones con Leonid Brezhnev, futuro presidente del Presidium del Soviet Supremo, el parlamento que siempre obedece al Politburó. Para otros, Brezhnev era un miembro del Partido apagado y falto de imaginación. La suerte y el instinto hicieron que Gromiko advirtiera algo más en él.

Cuando Brezhnev necesitaba prepararse para una reunión con líderes extranjeros, Gromiko le ayudaba. Asumía las responsabilidades de Brezhnev como un jefe de Estado nominal. En ocasiones, él mismo daba las instrucciones políticas. Y cuando descubrió que Brezhnev necesitaba una persona que le redactara los discursos, designó a su propio redactor, Andrei Alexandrov-Agentov. Éste y otro funcionario del ministerio, Anatoli Blatov, se convirtieron con el tiempo en poderosos consejeros privados de Brezhnev sobre política exterior. Sin embargo, lograron esa posición como protegidos de Gromiko.

Además, Gromiko fortaleció sus lazos personales con Brezhnev; por ejemplo, acompañaba al líder del Partido en su deporte favorito: la caza. Hasta ese momento, Gromiko sólo hacía ejercicios con pesas y caminatas ocasionales por la mañana. Sin embargo, si empezó a cazar como una obligación política, al poco tiempo la caza se transformó en un verdadero placer para él. Jamás he visto a Gromiko tan feliz como aquel domingo, en 1972, cuando, poco antes de la hora de la comida, entró en su dacha de Vnukovo mostrando orgulloso un pato que acababa de cazar; sonreía con un placer sincero que raramente, o quizá nunca, muestra al mundo.

A través de Brezhnev, a quien llamaba con el sobrenombre de Lionia, Gromiko no sólo alcanzó seguridad sino también autoridad genuina sobre la política exterior soviética. Una vez que Brezhnev se hizo cargo de los asuntos exteriores, con Alexei Kosiguin como primer ministro, a finales de 1960, Gromiko pasó de consejero y confidente de Brezhnev a copartícipe. La transición se formalizó en 1973, cuando Gromiko se convirtió en miembro del Politburó, uno de los pocos que sin tener los antecedentes habituales en el Partido alcanzó esa distinción en el sistema soviético.

La mayoría de los observadores occidentales no comprendieron la importancia de Gromiko en el Kremlin tras la ascensión de Brezhnev. Henry Kissinger se equivocó cuando dijo, refiriéndose a Gromiko, antes de que fuera incluido en el Politburó en 1973: «Pone en práctica la política, pero no la decide».[1] En realidad, durante algún tiempo Gromiko configuró la política. Su posición era casi imperceptible, porque no es una persona que revele públicamente –y menos aún a los extranjeros– su verdadero poder ni su influencia. Siempre callado y reservado, Gromiko opta por la sombra.

Junto con él fue elegido miembro del Politburó Yuri Andropov, el director de la KGB. Esas dos figuras políticas en alza no eran amigos personales, pero mantenían relaciones muy cordiales. A Gromiko no le gustaba la KGB. Él, y especialmente su esposa, siempre sospechaban de la policía política y se mantenían alerta cuando estaban en presencia de oficiales de la KGB. Sin embargo, Gromiko no respetaba a Andropov sólo porque fuera el director de la KGB; y también Andropov sentía un respeto similar por Gromiko. El reconocimiento por parte de Andropov de la antigüedad de Gromiko no era habitual en el trato entre dos políticos soviéticos de un nivel semejante. Sin duda, provenía del hecho de que Gromiko había sido superior de Andropov cuando éste era diplomático. Se había puesto de manifiesto en las visitas regulares de Andropov al Ministerio de Asuntos Exteriores, donde ambos se reunían en privado. Gromiko no hacía lo mismo; a diferencia de muchos otros miembros del grupo del Kremlin, Gromiko nunca iba a los cuarteles de la KGB. La relación entre Gromiko y Andropov se consolidó posteriormente debido al entusiasmo de Gromiko por formar a Igor, el hijo de Andropov, que decidió seguir la carrera diplomática.

Las relaciones personales entre Gromiko y Chernenko, antes de que éste asumiera el cargo de secretario general, eran más bien limitadas. Gromiko prefería tratar directamente con Brezhnev y con Andropov. Como otros miembros del Politburó, consideraba que Chernenko era un oportunista de segunda clase. Pero, también como otros miembros de la vieja guardia del Politburó, pensaba que Chernenko sería el mejor candidato a la muerte de Andropov. Además, debido al estado de las cosas en el momento de la sucesión de Chernenko, el propio Gromiko se ha convertido en una de las figuras de mayor in-

1. Henry Kissinger, *White House Years* (Little, Brown, 1979), p. 789. (Traducción española: *Mis memorias.* Madrid, Cosmos, 1979.)

fluencia en el Politburó, y ejerce la responsabilidad de tomar decisiones políticas como jamás la había ejercido antes. A raíz de su extraordinaria experiencia y de su capacidad política, así como de su dominio de los asuntos exteriores, sus recomendaciones influyen enormemente, sin duda, en otras figuras relevantes del Politburó. Sus opiniones sobre cualquier asunto de política exterior soviética quizá tengan más peso que las de cualquiera de sus colegas. Cuando observé su actuación en las reuniones del Politburó, a principios de la década de 1970, era difícil, si no imposible, discutir con él o desafiar sus puntos de vista. Hoy dudo que nadie, excepto el ministro de Defensa Ustinov, corra el riesgo de enfrentarse con él.

Sin embargo, algunos analistas occidentales han cuestionado el poder de Gromiko argumentando, con razón, que no tiene base política alguna en las instituciones soviéticas clave: el Partido Comunista, el Ejército o la KGB. Pero estos analistas se olvidan de algo: el propio Gromiko se ha convertido en una institución soviética, un símbolo de la continuidad y la estabilidad del régimen y un defensor formidable del mismo, respetado no sólo dentro de la Unión Soviética sino también entre sus adversarios y enemigos extranjeros.

Probablemente, la experiencia adquirida por Gromiko le convierta en el ministro de Asuntos Exteriores mejor informado del mundo. Hasta cierto punto, su longevidad política se debe también al hecho de que, a pesar de tener una formación económica, ha evitado siempre enfrentarse con los problemas internos. Sabe que los problemas económicos de la Unión Soviética son casi insolubles, y que más de una carrera política se ha hundido a causa de ellos.

Ha mostrado además la agudeza política necesaria para mantenerse al margen de las rivalidades internas del Partido y las luchas burocráticas. Ha intentado, dentro de lo posible, ser neutral y no participar en los conflictos e intrigas del Kremlin. Esta actitud y su capacidad para evaluar con precisión el equilibrio de poder en el Politburó le han salvado de las luchas entre líderes que han destrozado, profesional y psíquicamente, a tantos políticos brillantes.

En el transcurso de toda su carrera, haya sido o no quien tomara las decisiones políticas, Gromiko siempre ha conocido perfectamente sus posibilidades y ha sido intolerante con los que, según él, no conocen las suyas. Siempre se ha movido con cautela. Lo que empezó como reticencia natural acabó finalmente en reclusión. La diligencia, la obediencia y la persistencia fueron las claves de su éxito, y la mejor protección contra el peligro de ser sorprendido en un error en el curso de un debate político, especialmente durante el régimen de Stalin.

Por muchas razones, Gromiko sigue siendo un comunista ortodoxo. Sin embargo, ha prestado más atención a la importancia de las relaciones soviético-norteamericanas de cara al futuro que otras personas, en la Unión Soviética o en Occidente. Durante los años que trabajé con él, supe que las relaciones soviético-norteamericanas constituían su principal centro de interés y de actividad. Jamás observé en Gromiko esa clase de odio hacia los Estados Unidos o hacia su pueblo que manifiestan abiertamente otros políticos soviéticos de su generación, así como algunos más jóvenes. Considera que los Estados Unidos son un poderoso rival de la URSS en asuntos internacionales. Como muchos de sus colegas, Gromiko respeta el poder de los Estados Unidos. No es que sea pro norteamericano sino que, a diferencia de otros líderes soviéticos, cree que los Estados Unidos no sólo son el principal adversario de la Unión Soviética sino también su socio mientras coincidan o sean paralelos los intereses, temporales o a largo plazo, de ambas naciones. No creo que, en este sentido, haya cambiado su enfoque básico.

En la actitud de Gromiko con respecto a los asuntos internacionales, existe una buena dosis de la clásica política del equilibrio de poder. Es un profesional hábil y tenaz que busca constantemente sacar ventaja para la Unión Soviética, pero que también está dispuesto a adaptarse a los intereses occidentales en la medida en que lo aconseje una situación táctica. Sus puntos de vista en cuanto a las relaciones soviético-norteamericanas, los asuntos europeos (en particular, los que se refieren a Alemania y Francia), el control de armamentos y los acuerdos SALT, afectan de modo sustancial los principales rumbos de la política exterior soviética.

Conviene recordar que Gromiko fue el principal defensor de la distensión con los Estados Unidos; en este sentido, está más comprometido con ella que ningún otro miembro actual del Politburó. Con respecto a la disminución de las tensiones con los Estados Unidos, así como a las negociaciones de las SALT I, debió enfrentarse con el último ministro de Defensa soviético –antinorteamericano a ultranza–, Andrei Grechko, hasta el punto de que, a veces durante semanas, no se dirigían la palabra. Sin embargo, finalmente prevalecieron los puntos de vista de Gromiko sobre ambos temas. En realidad, era Gromiko –y no el embajador Anatoli Dobrinin– el extremo soviético del canal diplomático Kissinger-Dobrinin durante la administración Nixon. Cuando los informes de Dobrinin llegaban a Moscú, Gromiko era el primero en recibirlos, decidía quién debía conocerlos y sus propuestas servían de base a las decisiones de los asuntos soviético-norteamericanos. Además, Gromiko trataba de controlar –a menudo infructuosamente– el recelo antinorteamericano de Yakov Malik.

Sus colaboradores más cercanos también se dedicaban a los asuntos relacionados con los Estados Unidos y con la Europa occidental. Gromiko nombró primer viceministro a Gueorgui Kornienko, su antiguo socio especializado en temas norteamericanos. Otro de sus colaboradores es el viceministro Anatoli Kovalev, especializado en asuntos europeos. Recientemente se ha unido al grupo de viceministros de Gromiko Viktor Komplektov, ex jefe del Departamento Norteamericano del ministerio. Todos gozan de un fácil acceso al ministro. En cambio, el jefe de asuntos africanos puede pasar varios meses sin ver a Gromiko, excepto en alguna reunión del Cuerpo Colegiado del Ministerio; no creo equivocarme al pensar que rara vez Gromiko echa más que una ligera ojeada a los informes de esa región. A pesar de las infinitas invitaciones recibidas, Gromiko jamás ha visitado un país del África negra. Con la excepción de Cuba, nunca ha estado en un país latinoamericano. China le interesa fundamentalmente en el contexto de las relaciones Moscú-Washington-Pekín. Cuando habla con los miembros de su personal, la razón que invariablemente da para rechazar esas invitaciones es la siguiente:

–¿Para qué necesito ir? ¿De qué voy a hablar? Nigeria [o cualquier otro país] no es una gran nación como los Estados Unidos.

Si verdaderamente conozco cómo funciona la mente de Gromiko, tengo la impresión de que está aburrido de los permanentes desafíos a la dominación soviética en la Europa del Este y considera que esos países son una carga para la Unión Soviética. Jamás lo ha dicho tan abiertamente, pero estoy convencido de que para él siempre es desagradable tratar con los líderes de los países del bloque soviético, o ir a visitarlos. Entre los halcones del Comité Central se ha ganado incluso la fama de ser ideológicamente blando. Hasta que lo admitieron en el Politburó, escuché abiertas críticas sobre Gromiko de algunos de esos ortodoxos de línea dura: le acusaban de ser, en el trato con los norteamericanos, demasiado adicto a la *Realpolitik*.

En una ocasión, en 1972, vi que Gromiko, con desagrado, sintió la necesidad de demostrar su compromiso doctrinario. Habíamos llegado a Nueva York para la sesión de la Asamblea General de las Naciones Unidas; en Moscú, habíamos dejado una copia del borrador del discurso de Gromiko. El discurso se había preparado en el ministerio y luego, en el último momento, se envió al Politburó para lo que debería haber sido una aprobación de rutina. En su lugar, el ministerio envió un mensaje de un asistente de Brezhnev –no dirigido directamente a Gromiko, sino a Makarov– en el que decía que algunos miembros del Politburó pensaban que el texto carecía de fuerza ideológica. Sugerían que si se agregaban más citas de Brezhnev –sólo se había incluido una en el borrador– se podría fortalecer la política exterior soviética que defendía el amor a la paz.

Cuando Gromiko vio que el mensaje estaba firmado por Alexandrov-Agentov, que había sido hombre de su confianza y redactor de sus discursos, se puso furioso.

–¿Pero qué le pasa a Alexandrov? –estalló–. ¿Quién se cree que es? –Por supuesto, Gromiko sabía que Alexandrov simplemente transmitía una idea de Brezhnev o de cualquier otro miembro del Politburó. Gromiko me dio el mensaje–. Aquí lo tiene, Shevchenko. Agregue una cita más de Brezhnev pero no cambie nada más. –Sabía que su situación ante Brezhnev era suficientemente fuerte para tomar esa decisión.

Según parecía a raíz de ese incidente, Alexandrov había olvidado muy rápido que había sido un protegido de Gromiko, y él mismo se apartó de su ex ministro de Asuntos Exteriores. Había alcanzado el rango de *aparatchik* del Comité Central y tenía una considerable influencia en el séquito de su nuevo jefe, Brezhnev. Era un incidente típico de las diversas traiciones personales que se dan entre la élite. Y debo reconocer que también yo traicioné a Gromiko de alguna manera, al no contarle la actitud que Alexandrov desplegaba a sus espaldas. Tampoco informé a Gromiko de que el secretario del Comité Central, Boris Ponomarev, y sus hombres a menudo lo desacreditaban refiriéndose a él como «un simple burócrata del Ministerio de Asuntos Exteriores». Sin embargo, después de que Gromiko accediera al Politburó, nadie se atrevió, al menos en mi presencia, a hacer esas observaciones.

Con Gromiko se ha recuperado y ha aumentado la influencia del Ministerio de Asuntos Exteriores en cuanto a la toma de decisiones, después del deterioro sufrido con los sucesores de Molotov –Vishinski y Shepilov–, una vez finalizada la Segunda Guerra Mundial. Gromiko no es simplemente tan astuto como Maquiavelo o meramente un diplomático destacado. En una ocasión, la revista *Time* sugirió que se le podría comparar con el príncipe Talleyrand, que no sólo fue un pensador original sino que también sobrevivió a la Revolución francesa y a Napoleón y restauró la monarquía borbónica. Aunque ciertamente Gromiko rechazaba esa comparación –por la herencia monárquica de Talleyrand, aunque por ninguna otra razón–, a mí no me parece demasiado desacertada.

Sería muy simple describir a Gromiko como un mero «diplomático para todas las estaciones», como a veces le llaman en Occidente. Es un hombre de convicciones e ideas firmes que, en muchos casos, ha puesto en práctica con brillantez y gran sofisticación. Puede ocultar sus intenciones a los demás durante años, pero nunca las abandona y continúa obstinadamente construyendo «ladrillo a ladrillo» –como le gusta decir– la forma de realizarlas.

Quizás el secreto final de la fuerza de Gromiko como político sea su capacidad para hallar soluciones y compromisos que, finalmente, resultan aceptables para los diversos componentes de las capas superiores de la sociedad soviética. Nikita Jruschov, a diferencia de Gromiko, es un claro ejemplo de lo que puede sucederle a un líder del Kremlin cuando es incapaz de comprender el principio básico de la sabiduría política en la URSS.

Como diplomático, Gromiko tiene pocos rivales. Con una preparación siempre meticulosa, domina fácil y agresivamente a la mayoría de sus adversarios, poniéndoles a la defensiva aunque la posición soviética esté errada. Puede ser enérgico o complaciente y amable, según lo exija la situación. Es un maestro del detalle y suele conseguir algo por nada de su adversario, que quizá ni siquiera comprende lo que está ocurriendo hasta que es demasiado tarde. Es un excelente actor que, con gran facilidad, oculta su verdadero estado de ánimo y sus intenciones. Su conducta habitual es seria y soberbia, pero puede –y en ocasiones lo hace– tener caprichos, verdaderos o fingidos. Puede ser hierático e inaccesible o alegre y bromista, aunque la mayoría de sus intentos de ser ingenioso son poco sutiles.

Tiene el don de saber perfectamente cuándo y cómo transigir y cuándo y cómo exigir. Me ha sorprendido verle de pronto, al principio de una negociación, renunciando a algo que se suponía que era nuestra última reserva; del mismo modo, le he visto defender, con increíble persistencia, lo que se podría haber cedido sin ninguna dificultad, una concesión que el Politburó ya había aprobado.

Gromiko ha ocupado durante tanto tiempo su cargo que da por sentado que cualquier otro diplomático puede caer en el olvido, pero él jamás. El axioma marxista de que el desarrollo histórico futuro está al lado del comunismo –que para Gromiko significa que está al lado de la Unión Soviética– es su guía práctica. Puesto que el tiempo ya está del lado soviético, razona Gromiko, puede seguir manteniendo sus puntos de vista durante semanas, meses o años. Aun cuando es evidente que los objetivos soviéticos son irrealizables en un determinado momento, persigue obstinadamente esos objetivos. Henry Kissinger, que tantas veces se ha sentado frente a Gromiko en la mesa de negociaciones, lo sabe muy bien; ha resumido la actitud de Gromiko de la siguiente manera: «Acumula pacientemente puntos insignificantes hasta que éstos se transforman en una cantidad importante» y «[confía] en el nerviosismo de su adversario para conseguir ventajas de otro modo inalcanzables».[2]

En su actual nivel de poder, Gromiko está muy lejos de sus apodos occidentales de «Grim Grom»,[3] «Mr. Niet» o «Mr. Yes», por su obediencia a sus jefes de Moscú. Ya no se sentaría sobre un bloque de hielo. No es el mismo que, en 1962, negó a Kennedy que se hubieran desplegado misiles nucleares en Cuba cuando Kennedy tenía fotos de esos misiles. No creo que en aquel momento Gromiko supiera verdaderamente qué iba a pasar en Cuba; Jruschov era perfectamente capaz de ocultarle un determinado asunto, como ciertamente hizo también en aquella ocasión con el embajador Dobrinin. Hoy, sin embargo, no existe ningún secreto del Kremlin para Gromiko.

Trabajar con Gromiko es visitar el infierno: es muy difícil complacerle y sus estados de ánimo pueden ser tan inconstantes como eran los de Jruschov. Nunca se sabe exactamente qué quiere, porque siempre quiere más. No puede tolerar la indecisión, ni a las personas que no responden clara e inmediatamente a sus preguntas. Simplemente ignora el hecho de que a veces es casi imposible dar respuestas inmediatas a asuntos complicados. En ocasiones, puede ser brusco y cruel con sus subordinados, defendiendo a viva voz y con arrogancia la idea de su perfección y de la estupidez de los demás. Poco tiempo después, en otra situación, especialmente en una reunión social, donde siempre se siente incómodo, puede hablar complacido, casi tímidamente, como si nada hubiera pasado.

Gromiko rara vez elogia a alguien, ni siquiera cuando se siente satisfecho de su rendimiento. Sin embargo, no sólo los extranjeros le respetan. Yo no diría que, como dijo Kissinger, Gromiko me gusta, pero le tengo respeto por muchas razones. Además de su capacidad como hombre de Estado, no tiene una personalidad tan venal como la mayoría de los líderes soviéticos y no creo, conociendo como conozco su carácter, que alguna vez haya enviado a alguien a los gulags.

El santuario que a través de los años Gromiko ha construido a su alrededor es formidable. Le proporciona el aislamiento de los problemas humanos normales que tanto parecen anhelar la mayoría de los líderes políticos soviéticos y que, desde Jruschov, los mandatarios han adoptado. Gromiko vive en ese santuario como si hubiera nacido en él. Una vez, su hija Emilia me dijo:

–Mi padre vive en otro mundo. Hace veinte años que no camina por las calles de Moscú. Todo lo ve desde la ventanilla del coche.

2. Henry Kissinger, *White House Years* (Little, Brown, 1979), pp. 789-790.

3. *Grom*, palabra rusa que indica trueno. El apodo completo sería algo así como «Gran Trueno». (*N. del T.*)

Mientras fui su consejero, ese coche le dejaba en el ministerio alrededor de las diez de la mañana, seis veces por semana, y generalmente le recogía de nuevo a las siete o las ocho de la noche, siempre que no hubiera algún tema importante que tratar. Una vez dentro del rascacielos de la era de Stalin que alberga al Ministerio de Asuntos Exteriores y al Ministerio de Comercio Exterior, Gromiko subía en un ascensor especial –reservado para él y para muy pocos funcionarios más– hasta su despacho del séptimo piso. Excepto durante la hora de la comida, que tomaba en un comedor privado, permanecía allí todo el día; leía los documentos más importantes que preparaban los miembros de su personal; recibía a funcionarios del ministerio, cuidadosamente seleccionados, o a visitantes extranjeros; hablaba, mediante el sistema telefónico especial del Kremlin (el *Vertushka*), con funcionarios de otros ministerios o, a veces, con sus viceministros, pero rara vez con los diversos jefes de departamento, incluso de su propio ministerio.

Gromiko es un excelente hombre de familia; se ha casado sólo una vez y tiene una fama bien merecida de hombre fiel y solícito con su esposa, Lidia Dmitrievna. Ella ejerce una gran influencia sobre él; Gromiko siempre la escucha con gran atención. Los consejos de Lidia van más allá de los asuntos personales y llegan hasta los asuntos de gobierno, en particular la selección de personas para los cargos más importantes del ministerio. Un bromista la llamó una vez «la verdadera jefa del departamento de personal».

El hijo de Gromiko, Anatoli, que actualmente es el jefe del Instituto Africano de la Academia de Ciencias de la URSS y miembro de esa prestigiosa institución soviética, está muy ligado a su padre. Como su madre y muy pocas personas más, Anatoli puede hablar abiertamente con él acerca de lo que verdaderamente ocurre en la Unión Soviética, fuera de la atmósfera enrarecida del Kremlin.

Gromiko también está muy ligado a su hija Emilia, una mujer culta y muy bien educada que tiene el equivalente soviético a un doctorado en historia de la ciencia. Fue muy mimada por su padre y puede llegar a ser tan obstinada como él para conseguir lo que quiere. Su elección de marido ha sido un ejemplo. Se casó con Alexandr Piradov, un profesor de derecho internacional del MGIMO. Piradov era mucho mayor que Emilia, y ése era su tercer matrimonio. Su primera mujer había sido la hija de uno de los viejos líderes políticos soviéticos, Grigori Ordzhonikidze, que se suicidó en la década de 1930, y su segunda esposa, la directora de una de las más populares revistas mensuales de la Unión Soviética, *Salud*. Intelectual y agudo, pero hombre holgazán y excesivamente parlanchín, Piradov era un georgiano con tendencia a las promesas incumplidas y debilidad por el buen vino. Los padres de Emilia no estaban de acuerdo con ese matrimonio, pero ella estaba decidida y los Gromiko tuvieron que ceder. Sin embargo, cuando fueron abuelos aceptaron mejor al marido de su hija, y su nieto, Andrei, se convirtió en el favorito.

Gromiko, doctor en ciencias económicas, no ha dejado de interesarse nunca por la investigación. Sus libros *La exportación del capital de los Estados Unidos* (1957) y *La expansión del dólar norteamericano* (1961) se publicaron inicialmente con el seudónimo de «G. Andreiev», que también ha utilizado en muchos artículos. Ambos libros se han incluido en un solo volumen, una edición revisada, titulado *La expansión externa del capital*, publicado en 1982 con el verdadero nombre de Gromiko. Continúa siendo el director nominal de la revista política mensual *Vida Internacional*, y muchos artículos que aparecen en ella, incluidos varios míos, están firmados por Gromiko.

Aunque es un hombre refinado con inclinaciones artísticas, no asiste a ningún acto cultural o deportivo, a menos que sea necesario. Es un ávido lector, no sólo de temas políticos sino también de historia y de ficción. Sus gustos van desde Tolstoi hasta Shakespeare y Mark Twain. Habla un inglés fluido y recibe en su casa el periódico *The New York Times*, la revista *Time* y otras publicaciones occidentales. Le divierten las tiras cómicas y las caricaturas políticas. Le gusta también leer archivos históricos y es famosa su admiración por el príncipe Alexandr Gorchakov, un destacado comandante militar y diplomático ruso del siglo pasado.

Le gustan las películas; las ve en su casa de Moscú o en la Legación soviética de Nueva York. El personal de Glen Cove siempre tiene a mano una copia de la película soviética, anterior a la guerra, *La dama de pique*, basada en una novela trágica de Pushkin. Es una de las favoritas de Gromiko, la ha visto al menos una docena de veces y el personal sabe que, en cualquier momento, puede pedir que la pasen otra vez. Le encantó la producción de Hollywood *Lo que el viento se llevó*, pero no le gustó *El padrino*. Sus películas extranjeras favoritas son las realizadas en los Estados Unidos durante y después de la guerra, cuando él vivía en Washington y en Nueva York. Cuando pasan alguna de ellas, en una sesión privada en la Legación, recuerda los nombres de los actores y hace comentarios sobre sus anteriores trabajos. Es como si ese breve período de la alianza soviético-norteamericana contra Hitler fuera el momento más importante de su vida, el idilio que busca restablecer mediante las negociaciones con los norteamericanos.

No obstante, su comprensión de los Estados Unidos (y también de la Unión Soviética) es incompleta. En su horizonte político no hay personas normales y corrientes. En Nueva York, Gromiko no ve otra cosa que el interior de los edificios oficiales donde trabaja o duerme. Sus únicas caminatas tienen lugar en un circuito de un kilómetro, dentro de los jardines amurallados de Glen Cove. Es un hombre más bien ascético que no fuma ni bebe y que ha gozado siempre de una excelente forma física. Sin embargo, a principios de la década de 1970 su salud empezó a deteriorarse. Tuvo problemas de circulación y sufrió varios mareos, uno de ellos durante una reunión del Politburó. Le ordenaron trabajar menos y descansar más. Se ha dedicado cada vez más a la caza de patos y a jugar al ajedrez con su esposa Lidia y con su viceministro Anatoli Kovalev.

Gromiko cuida su vestuario. Usa trajes de corte perfecto y de telas extranjeras caras, confeccionados por la sastrería del Ministerio de Asuntos Exteriores. Sin embargo, su estilo se puede considerar conservador y fosilizado; no ha cambiado nada desde que lo vi por primera vez. Su devoción personal por un viejo sombrero Borsalino me costó una vez una gran pérdida de tiempo y una serie de problemas y complicaciones. Ese sombrero, comprado muchos años atrás, finalmente no aguantó más arreglos. En una de las visitas anuales de Gromiko a Nueva York, envió a sus asistentes a recorrer la ciudad en busca de un sombrero similar, pero todos volvieron con las manos vacías. Aun así, Gromiko insistía en tener ese sombrero; el dueño de una tienda de artículos para caballeros dijo que hacía más de quince años que no se vendía. Lidia Dmitrievna me pidió que resolviera el problema.

–Arkadi Nikolaevich, usted conoce Nueva York mejor que nadie. ¿Por qué no trata de conseguir el mismo Borsalino para Andrei Andreievich?

Buscar un sello original o una pieza antigua única quizás hubiera sido más fácil; después de recorrer, con la ayuda de un amigo americano, docenas de tiendas desde la calle Orchard hasta la zona residencial, encontré por fin el sombrero en una vieja y destartalada tienda.

Gromiko, que cumplió setenta y cinco años el 18 de julio de 1984, se mantiene mucho mejor que sus colegas de la misma edad. Lejos de desear la jubilación, atrae más atención e interés que nunca como formulador de la política exterior soviética. Los especuladores occidentales le han otorgado el dudoso honor de ser el promotor con mayor influencia en el Kremlin de la línea dura hacia los Estados Unidos en 1984. Pero esa suposición me parece exagerada. Es más probable, en cambio, que Gromiko haya sido un factor moderador dentro del Politburó y que se haya opuesto a la frialdad y, a veces, a la hostilidad sin precedentes de las relaciones entre Moscú y Washington en los últimos años de la administración Carter y durante los primeros años de la administración Reagan. Es bastante posible, además, que Gromiko esté aún más preocupado que sus colegas, puesto que ve desmoronarse los mejores logros de tantos años de trabajo. Se puede esperar que reaccione duramente, como en Madrid en 1983, cuando le exigieron que respondiera por la acción soviética contra el avión de las Líneas Aéreas Coreanas. Quizá Gromiko no pudo hacer nada para evitar el derribo del avión; estoy seguro de que habría demostrado muy poca paciencia ante un plan semejante. Es demasiado listo y tiene demasiada experiencia para permitir que su país sea el blanco del oprobio de todo el mundo. En 1960, aconsejó a Nikita Jruschov que no derribara el avión espía americano U-2, pero no le hicieron caso.

Tampoco puede sorprender la furia de Gromiko cuando surge el tema de la violación de los derechos humanos. Los emigrantes y el tema de los disidentes soviéticos son prácticamente dominio exclusivo del Comité Central y de la KGB. Gromiko no se ocupa –ni quiere ocuparse– de esos asuntos. Le interesan las ideas, no las personas; los conceptos políticos, no las tragedias personales.

Durante los últimos años, los líderes soviéticos, en general, han sido más beligerantes e hipersensibles que nunca. En años recientes, el Kremlin no sólo ha sufrido, internacional e internamente, serias derrotas, sino que también ha estado acosado por una transición en el liderazgo, que se extiende más allá de la elección de Chernenko. Una respuesta dura y agresiva y una fuerte cohesión entre los líderes es la tradicional actitud defensiva de los soviéticos cuando creen que Occidente puede pensar que son vulnerables o cuando han sido descubiertos cometiendo alguna infracción. Ésta es también la actitud de Gromiko. Cuando las relaciones entre las superpotencias fueron de mal en peor, el Kremlin perdió más de lo que había previsto o de lo que podía tolerar. Los líderes soviéticos quieren evitar el riesgo de una catástrofe nuclear. Están preocupados por los programas militares norteamericanos, en particular por la iniciativa de la «guerra de las galaxias». Su mayor temor es el de quedarse atrás en la competencia incontrolada de armas estratégicas cada vez más sofisticadas tecnológicamente o de armamento basado en el espacio. Además, deben aceptar la realidad del despliegue de los Pershing II y de los misiles de crucero norteamericanos en Europa occidental. Los soviéticos saben que el deterioro de las relaciones con Washington tiene efectos negativos en Europa occidental, crea tensiones entre los países del Pacto de Varsovia y ofrece a Pekín una baza para oponerse a Moscú.

Sin duda, Gromiko reconoce el significado de todo eso mejor que nadie en el Politburó. Comprende que a la URSS le interesa establecer relaciones normales con los Estados Unidos, independientemente de quién sea su presidente y de que guste o no en Moscú.

Excepto una enfermedad o un accidente no previstos, probablemente Gromiko seguirá durante bastante tiempo en actividad. Y no me sorprendería verle de nuevo –como el insistente bulldog político que es, y a su debido tiempo– intentando restablecer la normalidad de las relaciones soviético-norteamericanas, aunque deba hacerlo «pieza a pieza».

17

Durante el verano Gromiko empieza a trabajar en su discurso anual sobre política exterior para el inicio de la Asamblea General de las Naciones Unidas, en septiembre. A menudo recuerda su trabajo en las Naciones Unidas como primer representante soviético ante el Consejo de Seguridad y cita con frecuencia la Carta de las Naciones Unidas, que conoce casi de memoria. Aunque no es un sentimental, recuerda con cariño el nacimiento de la organización. Sin embargo, a través de los años, su actitud hacia las Naciones Unidas ha cambiado. Su opinión sobre el futuro de la organización y su papel en los asuntos internacionales se ha convertido en una dura actitud crítica. No obstante, cree que las Naciones Unidas constituyen un excelente entrenamiento para los jóvenes diplomáticos.

En vista de mi experiencia en las Naciones Unidas, Gromiko me indicó que supervisara la preparación de su discurso de ese año. Dijo claramente que no quería ser demasiado extenso y que me dejaba a mí la preparación preliminar de los puntos más importantes. De paso, me pidió que buscara las personas adecuadas para trabajar en el proyecto.

Yo no estaba demasiado informado sobre la importancia de seguir al pie de la letra todas las órdenes de Gromiko. No me apresuré en buscar un equipo de gente para que trabajara conmigo en la preparación del discurso porque quería encontrar a las personas más capacitadas y había tiempo suficiente. En los primeros días de la semana siguiente, cuando estaba en la oficina de Gromiko por otros asuntos, me preguntó a quién había elegido. Le dije que muy pronto le daría una lista de esos colaboradores.

Me miró fijamente y señalándome con el dedo improvisó una perorata de casi media hora acusándome de estúpido, irresponsable y de que no seguía sus instrucciones. Me pilló tan de sorpresa la violencia de su estallido que estaba seguro de que jamás volvería a ganar su confianza. Pero al día siguiente me saludó como siempre. Para mi consuelo, descubrí que una orden de acudir a su despacho sembraba inevitablemente el pánico en el corazón de quien la recibía, aunque fuera un viceministro. Gromiko no sólo pretende que toda persona convocada aparezca inmediatamente, sino también que las sugerencias más vagas sean cumplidas como una orden en tiempo de crisis. Se puede esperar de él cualquier cosa. Quienes acuden a su llamada nunca saben si van a sufrir un duro ataque a su integridad y a su inteligencia o un examen meticuloso y aburrido sobre algunos problemas triviales que han llamado la atención del ministerio. Sus momentos ocasionales de buen humor, matizados con chistes torpes, no son suficientes para disipar su fama de hombre duro, lo que ha hecho que se ganara hace mucho tiempo el sobrenombre de «Grom».

Una víctima de sus estallidos fue Rolland Timerbaev, un funcionario político de alto rango en la Legación de las Naciones Unidas, en 1962; a éste le asignaron la nada agradable tarea de supervisar el traslado de la Legación desde el viejo edificio de Park Avenue hasta la nueva sede de la calle Sesenta y Siete Este. Cuando aquel otoño le mostraron a Gromiko las obras terminadas, pasó más de media hora atrapado en un ascensor entre dos pisos. Finalmente liberado, decidió que Timerbaev debía seguir otra carrera.

–Que lo manden al despacho de la recepción –fue su orden–, y que controle los ascensores para garantizar su buen funcionamiento.

El pobre hombre ocupó su nuevo puesto durante el resto de la estancia de Gromiko en Nueva York.

La impaciencia, más que el sentimiento vengativo, es lo que caracteriza a Gromiko en su trato con las personas de rango inferior. En este sentido, su estilo de empresario es un rasgo típico de los burócratas soviéticos más importantes. Se muestran severos para demostrar su propia importancia. A menudo, Gromiko reúne a tres o cuatro colaboradores y, si está de mal humor, les reprende llamándoles «tontos» o «párvulos» que «no se adaptan al trabajo del ministerio». Un informe con errores insignificantes o un documento que ha sido enviado con retraso, pueden provocar esos estallidos, aunque en general suelen durar muy poco.

Gromiko no puede tolerar a nadie que él considere que «no es serio». Aprendimos a ser completamente «serios».

El personal que trabaja en la oficina de Gromiko constituye la Secretaría, que es más bien reducida (ocho o diez personas). Sin embargo, cuando Gromiko se convirtió en miembro del Politburó, se incluyeron en la Secretaría un agregado militar, guardias de la KGB, un médico privado y algunas otras personas. Los embajadores itinerantes, a quienes se confían diversas misiones especiales, están también bajo su supervisión directa. Similares funciones desempeñan algunos consejeros independientes que no pertenecen a la Secretaría del ministro, pero a quien informan directamente. Estos consejeros son también diplomáticos de alto nivel, generalmente con el rango de embajadores. Prácticamente no existe diferencia entre los embajadores itinerantes y los consejeros independientes; la existencia de ambas categorías representa una de las extravagancias de la maquinaria burocrática.

Un pequeño grupo de consejeros que pasan sus informes al ministro, compilan la información sobre diversos temas basada en los telegramas en código enviados por los embajadores soviéticos en el exterior, los *rezidenti* de la KGB y de la GRU, las intercepciones de radio y los materiales de los medios de comunicación internacionales. Este grupo sirve además de conexión entre el Ministerio de Asuntos Exteriores y la KGB.

Aunque los objetivos políticos globales son, evidentemente, la prioridad fundamental del Ministerio de Asuntos Exteriores, casi no existe una planificación política a largo plazo. Durante la década de 1960, el ministerio intentó modificar esa situación mediante la creación de una Dirección de Planeamiento Político Exterior. Al principio, Gromiko tenía gran interés en la actividad de la Dirección, pero pronto lo perdió. En sus inicios, parecía que sería un proyecto importante. El Politburó autorizó su creación con una cantidad de personal sin precedentes (mucho mayor que la de cualquier departamento operativo), con un sistema jerárquico especial y con salarios más altos que los de otros departamentos del ministerio. Aparte de los burócratas, se invitó a varios académicos destacados a trabajar en la Dirección. Sin embargo, al cabo de pocos años, este departamento fracasó por completo. Los largos informes, con opciones políticas distintas, resultaron «un ejercicio escolástico, erudito e irreal», como solían describirlo Gromiko y otros funcionarios del ministerio. Gromiko archivó los informes de la Dirección y el ministerio siguió funcionando sobre la base de las prioridades inmediatas y con unos pocos objetivos a corto plazo.

Gradualmente, la Dirección se convirtió en un lugar de paso para embajadores y otros diplomáticos importantes que esperaban nuevos destinos, y en un refugio para los diplomáticos que estaban a punto de retirarse y que todavía mantenían buenos contactos, aunque ya no se les consideraba capaces de desempeñar con eficacia un puesto en los departamentos operativos. Los empleados del ministerio empezaron a llamar a la Dirección «el cubo de la basura».

Sin embargo, había algunas personas capaces en la Dirección; pedí a varias de ellas que colaboraran en la preparación del discurso de Gromiko ante la Asamblea General. Los imperativos tradicionales y propagandísticos ordenaban que el portavoz soviético aprovechara la ocasión para presentar una propuesta deslumbrante y para demostrar el compromiso de la Unión Soviética con la paz mundial. El proyecto era completamente cínico, pero exigió un esfuerzo enorme por parte de todos los sectores del ministerio. La presión era fuerte, en especial porque el discurso debía contener una idea central nueva.

Sin embargo, el borrador de una declaración sobre seguridad internacional que finalmente el grupo terminó –y que Gromiko aceptó– no era otra cosa que la reorganización de viejas ideas mantenidas durante años por la Unión Soviética. Se limitaba a la mera propaganda con pocos elementos útiles y genuinos. El ataque central iba dirigido contra los Estados Unidos y China. En mi caso, la única diferencia radicaba en que asumía un papel más importante en una actividad en la que antes sólo había sido un participante menor.

Trabajar con Gromiko en el transcurso de ese año fue, para mí, muy esclarecedor. Ciertamente, yo sabía que nuestros líderes hacían todos los esfuerzos posibles para usar a las Naciones Unidas según los intereses de la Unión Soviética y que, a menudo, no actuaban siguiendo las cláusulas de la Carta de las Naciones Unidas; otros países miembros de esta organización hacían lo mismo. Pero en ese momento comprendí que Gromiko, uno de los padres fundadores de las Naciones Unidas, mantenía una actitud nihilista, cínica e hipócrita con respecto a las actividades y los objetivos de la organización. Ha llegado a considerarla como un simple foro para el abuso y la propaganda, ignorándola cuando las Naciones Unidas no actuaban a favor de la política soviética y usándola cuando así convenía a Moscú o a sus clientes. ¿Qué se podía esperar de otros miembros del Politburó si Gromiko demostraba interés por las Naciones Unidas sólo cuando debía hacer su visita anual a Nueva York? A menos que surgieran consideraciones especiales, prácticamente nunca le prestaba atención.

Era terrible comprobar que los siete años de servicio en nuestra Legación ante las Naciones Unidas habían sido casi una pérdida de tiempo. Conocía los fallos y los fracasos de las Naciones Unidas, pero no había perdido todas mis ilusiones; me resultaba difícil aceptar la verdad. Mis dudas con respecto a nuestra política ante las Naciones Unidas eran cada vez mayores.

Desde mis años de estudiante, había deseado verdaderamente participar en las conversaciones sobre el control de armamentos. Suena romántico, pero en realidad me veía como un campeón de la paz. Me sentía orgulloso de haber participado en las negociaciones para la supresión de ensayos de explosiones atómicas y para la no proliferación nuclear que habían concluido con un tratado de importancia fundamental. Lamentaba (en privado, por supuesto) la absurda propuesta de Jruschov sobre el desarme completo y general, y me preocupaba que esas ideas sustituyeran el verdadero desarme, el control de las armas. Al mismo tiempo, creía que mi país tomaba medidas serias en relación con el desarme, en especial la reducción de arsenales nucleares. Sin embargo, durante los últimos años de la década de 1960, dudé cada vez más de que fuera así. Comprendía la importancia de las SALT, pero representaban la búsqueda de un equilibrio estratégico entre la Unión Soviética y los Estados Unidos y no un verdadero intento de lograr el desarme nuclear. En realidad, habíamos cambiado nuestra posición anterior a pesar de los deseos que expresaban la mayoría de los miembros de las Naciones Unidas.

Debíamos haber tratado de avanzar más en las SALT y en otras medidas sustanciales sobre el desarme y el control de armamentos. Mis primeros memorandos a Gromiko sobre el tema no fueron atendidos. Lev Mendelevich, que había regresado de su cargo en Nueva York y había sido nombrado embajador itinerante, unió sus esfuerzos a los míos para modificar nuestra línea en las negociaciones sobre desarme. Preparamos un borrador de tratado sobre el desarme completo y general y se lo enviamos a Gromiko. No lo aceptó. Ya había hablado del tema con Brezhnev y con otros, y nos dijo que la opinión general era que no podíamos hablar seriamente sobre desarme nuclear sin la participación de China en las negociaciones. Tenía sentido, por supuesto, pero sólo hasta cierto punto, ya que el potencial nuclear chino no constituía una amenaza real. China era sólo una excusa.

En mayo de 1971, sugerí a Gromiko que propusiéramos una conferencia, que se realizaría tan pronto como fuera posible, de las cinco potencias nucleares (China, Estados Unidos, el Reino Unido, Francia y la Unión Soviética) para tratar del desarme nuclear. Gromiko dudó, pero no rechazó la idea; insistí. Hice un borrador de la declaración sobre el tema, y a Gromiko le gustó. Envió la propuesta al Politburó para que la considerara.

El debate en el Politburó no fue largo, pero me proporcionó una pequeña y dura lección. El ministro de Defensa, Grechko (que todavía no era miembro del Politburó, pero estaba presente en la reunión), no hizo objeciones directas, pero observó que difícilmente podríamos esperar una respuesta positiva de los chinos o de los norteamericanos. En ninguna discusión sobre desarme, añadió, debíamos permitir que se engañara a nuestro pueblo con respecto a la naturaleza agresiva del imperialismo y al peligro de la guerra. Luego dijo, como decía siempre, que sólo nuestro poder militar era una verdadera garantía de paz, en particular las armas estratégicas y nucleares.

Brezhnev manifestó que estábamos haciendo todo lo necesario para fortalecer nuestras fuerzas estratégicas nucleares y que, por lo tanto, no era necesario discutir ese tema. Gromiko subrayó entonces que lo que estaba en discusión era simplemente una propuesta dentro del marco de las negociaciones sobre desarme nuclear y que era políticamente ventajoso para nosotros que propusiéramos una conferencia de las cinco potencias.

A mediados de junio de 1971, nuestros embajadores en Washington, Pekín, París y Londres transmitieron la propuesta a esos gobiernos. Sin embargo, sólo Francia expresó un claro deseo de participar en la conferencia. China se negó rotundamente; los Estados Unidos y el Reino Unido se mostraron evasivos.

El resultado no fue sorprendente; las conversaciones con Gromiko, con los colaboradores de Brezhnev y con un gran número de militares superiores y personas del Comité Central revelaron que, además del ministro de Defensa, los líderes políticos tampoco tenían interés en realizar negociaciones serias sobre desarme nuclear y no consideraban la posibilidad de tomar verdaderas medidas sobre desarme. Por el contrario, estábamos aumentando nuestro potencial estratégico nuclear. Muchos funcionarios de alto nivel sonrieron ante algunas de mis preguntas sobre desarme y, seguramente, pensaron que era un ingenuo. Algunos, más directos, dijeron con franqueza que, en el caso de un verdadero desarme nuclear, dejaríamos de ser una superpotencia y perderíamos nuestra capacidad de ejercer una eficaz influencia en los asuntos internacionales, más allá de nuestras fronteras. La discusión en el Politburó sobre la conferencia sólo confirmó –si bien indirectamente– la posición general de nuestros líderes.

Esa conclusión fue entonces el fin de mis deseos de un cambio significativo en la dirección del desarme. Me dio además una lección necesaria en *Realpolitik.* No era tanto que yo hubiera sido antes ingenuamente crédulo sobre nuestra propaganda o nuestra posición ante el resto del mundo, y en particular ante los Estados Unidos; era simplemente que en la vida de la mayoría de los burócratas soviéticos –engañados por las falsedades de nuestro gobierno–, cuando se ven tan claramente las intenciones verdaderas y reveladas de modo tan doloroso, algo cambia para siempre.

Nuestras relaciones con China seguían tensas. Pekín, como ya he dicho antes, se había negado a participar en una conferencia entre las cinco superpotencias. En la capital china y en Moscú se recordaban aún los enfrentamientos militares fronterizos entre ambos países; los más importantes se habían producido en 1969.

Una tarde, a principios de marzo de aquel año, yo estaba con Yakov Malik en su oficina cuando el operador de télex le llevó los últimos despachos de Moscú; en uno de ellos se leía: «Muy urgente». El telegrama decía que una unidad del ejército chino había invadido la isla Damanski, en el río Ussuri, sobre la frontera chino-soviética. Un grupo de guardias fronterizos soviéticos se acercó a los chinos e intentó persuadirles para que se retiraran. Los chinos abrieron fuego, matando e hiriendo a varias docenas de soldados soviéticos. Era el peor incidente fronterizo que se producía en varios años.

A medida que leía el telegrama, Malik se puso pálido. Lo había visto enfurecido varias veces, pero jamás de ese modo.

–Ahora les daremos, a esos bastardos de ojos rasgados, una lección que no olvidarán –gritó–. ¿Quiénes se creen que son? ¡Vamos a acabar con esos amarillos hijos de puta!

Había perdido el control; insultó a los chinos de todas las formas posibles en ruso, idioma muy rico en improperios.

Mi primera oportunidad de hablar con algún entendido en asuntos chinos fue una conversación que mantuve con Mijail Kapitsa, un destacado especialista soviético en Asia, y en China en particular, que acababa de ser nombrado jefe del Primer Departamento del Oriente Lejano del ministerio. Erudito y capaz, sociable y jovial, Kapitsa era un hombre de conducta polémica. Indudablemente, habría avanzado más rápido en su carrera si no hubiera tenido una mancha negra en su dossier y una cicatriz profunda en la cabeza debido a que, cuando era embajador en Pakistán, en 1961, se enamoró de la mujer de su chófer. El chófer, cuando descubrió la relación, enfurecido, entró en la oficina del embajador –cuyo diván usaba Kapitsa como lecho– y golpeó al diplomático en la cabeza con una barra de hierro. Si los ayudantes de Kapitsa no hubieran acudido en su ayuda, el hombre seguramente le habría matado. Pero el incidente se olvidó porque se necesitaba la pericia de Kapitsa. En 1983, cuando Andropov se convirtió en secretario general del Partido, Kapitsa fue nombrado viceministro de Asuntos Exteriores, lo que demuestra el interés de Andropov por mejorar las relaciones chino-soviéticas.

Pregunté a Kapitsa cómo era posible que los chinos hubieran matado a más de treinta guardias fronterizos soviéticos en la isla Damanski en 1969, y por qué nuestros soldados no habían podido responder con más eficacia.

–Los chinos nos sorprendieron –respondió–. A pesar de las tensas relaciones con Pekín, el Politburó no pensaba que los chinos hicieran semejante cosa.

Los sucesos de Damanski tuvieron el efecto de un *shock* eléctrico en Moscú. Al Politburó le aterrorizaba la idea de que los chinos pudieran emprender una acción a gran escala en el territorio soviético que China reclamaba. La imagen de pesadilla de una invasión de millones de chinos volvió prácticamente locos a los líderes soviéticos. A pesar de nuestra aplastante superioridad en materia de armamento, no habría sido fácil para la URSS enfrentarse a una invasión de tal magnitud. Oí versiones de que los líderes soviéticos estuvieron a punto de usar armas nucleares contra China. No hallaba palabras para expresar mi consternación. Difícilmente podría haber algo que ilustrara tan dramáticamente el abismo entre nuestras solemnes promesas con respecto a las armas nucleares y nuestra disposición a considerar el empleo de dichas armas.

Un colega del ministerio, que había estado presente en las discusiones del Politburó, me dijo que el mariscal Andrei Grechko –el ministro de Defensa– había defendido enérgicamente un plan para «acabar de una vez por todas con la amenaza de los chinos». Solicitó el uso de una bomba de muchos megatones. Esa bomba podía liberar cantidades enormes de material radiactivo, que no sólo mataría a millones de chinos sino que constituiría una amenaza para ciudadanos soviéticos del Lejano Oriente y para otros países fronterizos con China.

Afortunadamente, no todos los militares compartían la posición descabellada y belicosa de Grechko. En 1970, hablé con uno de sus colegas, Nikolai Ogarkov, un funcionario bien educado, sofisticado y duro. Ese año le habían nombrado mariscal y tiempo después se convertiría en primer viceministro de Defensa y jefe de Estado Mayor. Ogarkov tenía una visión más realista sobre la perspectiva de una guerra con China. Pensaba que la Unión Soviética no podía atacar a China con armas nucleares a gran escala porque ello significaría inevitablemente una guerra mundial. La alternativa era usar una cantidad limitada de armas nucleares en una especie de «operación quirúrgica» para intimidar a los chinos y destruir sus recursos nucleares. Pero, según Ogarkov, también así se corrían riesgos. Una bomba o dos difícilmente aniquilarían un país como China; y los chinos, con una población tan numerosa y una experiencia tan profunda en la guerra de guerrillas, lucharían sin rendirse jamás. La Unión Soviética podría entrar en una guerra sin fin, con consecuencias similares a las sufridas por los norteamericanos en Vietnam, e incluso peores.

No debemos caer en el error de pensar que la posición racional de Ogarkov indicaba un espíritu completamente pacífico. Su devoción por la supremacía soviética era absoluta. No ponía en duda la necesidad de hacer todo lo posible para aumentar el poderío soviético. Además, su repentina destitución, en septiembre de 1984 (fue sustituido por el mariscal Serguei F. Ajromeiev), se atribuyó a su continua demanda de asignaciones militares que el Politburó consideraba excesivas.

Los desacuerdos con respecto al bombardeo de China paralizaron al Politburó. Fueron incapaces de tomar una decisión sobre el asunto durante varios meses. La posición bélica de Grechko se basaba en la suposición de que los Estados Unidos, abiertamente hostiles a China, no se opondrían activamente a una acción soviética, y «la digerirían». Se decidió estudiar por varios canales las reacciones posibles a semejante decisión. El Ministerio de Asuntos Exteriores, la KGB y la Inteligencia Militar sondearon la posible reacción de Washington ante un ataque nuclear contra China. El embajador soviético en Washington recibió instrucciones de que tratara de sondear discretamente esa información entre los burócratas de nivel medio. Sin embargo, el informe del embajador Dobrinin contenía una valoración seria: los Estados Unidos no se quedarían de brazos cruzados si la Unión Soviética atacaba a China. La conclusión a la que había llegado era que se correría el serio riesgo de una confrontación soviético-norteamericana.

Moscú rechazó el plan. Entre los factores que disuadieron al Politburó de aprobar un ataque contra China, el más importante fue, sin lugar a dudas, la advertencia de que los Estados Unidos lo rechazarían violentamente. Fue uno de los primeros indicios de que los norteamericanos intentaban mejorar las relaciones con China. Esa información calmó los ánimo en el Politburó y fortaleció la posición intermedia de Brezhnev: no atacar China pero, en su lugar, mostrar el poder soviético mediante el estacionamiento de grandes contingentes de tropas provistas de armas nucleares a lo largo de toda la frontera. Al mismo tiempo, por vía diplomática se intentaría hallar una solución a los conflictos (territoriales u otros) con Pekín.

No obstante, el combate ideológico y la hostilidad entre soviéticos y chinos siempre se mantuvieron. Nunca dejó de estar presente el peligro de un estallido. Frente a este panorama desalentador, empezaron a circular los chistes habituales. He aquí uno de ellos:

Brezhnev llama al presidente Nixon por el teléfono rojo y dice:

–Me he enterado de que tienen un nuevo ordenador que puede anticipar lo que ocurrirá en el año 2000.

–Sí, señor secretario general –responde Nixon con orgullo–. Tenemos ese ordenador.

–Pues bien, señor presidente, ¿me podría decir los nombres de los miembros del Politburó para ese año?

Un largo silencio.

–¡Ah! –exclama Brezhnev–. Después de todo, su ordenador no es tan sofisticado.

–No, señor secretario general –contesta Nixon–, el ordenador ha dado la respuesta. Pero no puedo entenderla. Está en chino.

Para los líderes soviéticos no era un chiste. El arsenal nuclear chino iba en aumento, y el fantasma de la cooperación militar entre China y los Estados Unidos aumentó la zozobra del Kremlin.

En julio de 1972, Gromiko me preguntó cuál creía yo que sería la nueva iniciativa que presentaría la Unión Soviética en la próxima sesión de la Asamblea General. En un primer momento, creí que se refería a la propuesta propagandística habitual que él incluía todos los años en su discurso ante las Naciones Unidas. Pero, de un modo directo poco frecuente en él, me dio instrucciones para que preparara una propuesta que nos permitiera usar armas nucleares contra China pero de tal modo que no pareciera que estábamos abandonando nuestra posición a favor de prohibir esas armas.

Así asistí al nacimiento de una iniciativa soviética que proponía «la renuncia al uso de la fuerza o a la amenaza de ella en los asuntos internacionales y la *eterna* proscripción del uso de armas nucleares». La palabra «eterna» fue incluida por Gromiko para fortalecer la impresión de que la Unión Soviética no intentaba usar armas nucleares. Fue un engaño con palabras cuidadosamente estudiadas. Aparentemente, en una primera lectura, la iniciativa soviética era una amplia afirmación del compromiso de Moscú por la paz. Sin embargo, entre líneas, estaba la amenaza implícita –dirigida a China– de que la URSS podría reaccionar contra la ruptura de la paz utilizando fuerza nuclear. En la superficie, parecía que la Unión Soviética no abandonaba su apoyo a la prohibición del uso de armamento nuclear. En realidad, era una argucia: quienes desobedecieran la prohibición del uso de todo tipo de fuerza podrían ser castigados mediante represalias nucleares.

Cuando aquel otoño regresó a Moscú, Gromiko me asignó la responsabilidad especial de preparar un borrador de la propuesta. Le preocupaba que Yakov Malik, que estaba a cargo de la delegación, no fuera lo bastante flexible –especialmente con respecto a lo que «oliera a chino»– y que todo acabara en un fracaso. Cuando Gromiko dijo a Malik que yo era el responsable de la propuesta, el embajador aceptó con estoicismo la noticia. Una vez que Gromiko ya no podía oírlo, me dijo con una sonrisa:

–Pues bien, Arkadi, te esperan tiempos difíciles. Si no logramos que la Asamblea General adopte nuestra propuesta, los primeros palos te caerán a ti.

Tenía razón. No sólo no sentía entusiasmo por esa tarea sino que la encontraba completamente desagradable. Gromiko nos citó a ambos para que decidiéramos la estrategia que habríamos de seguir para lograr una aprobación mayoritaria en las Naciones Unidas. Dijo a Malik que no debía expresar su habitual odio a China. Conseguir la resolución de las Naciones Unidas exigía prudencia y autocontrol.

–En primer lugar, debemos evitar señalar con el dedo a China. –Gromiko hablaba monótonamente. En su exposición oficial, y para ocultar su verdadero propósito, no incluyó ni una palabra referente a China.

–Además –prosiguió–, debemos mantener nuestra compostura. No tenemos que ladrar como perros ante cada palabra que digan. Empeoraríamos las cosas y quedaríamos como imbéciles.

Malik parecía que se hubiera comido un limón. A medida que trataba de controlarse, sus facciones se retorcían. No se atrevía a replicar a Gromiko, pero su autocontrol no duró mucho. Poco después de que Gromiko regresara a Moscú, Malik lanzó una diatriba contra los chinos en la sesión de la Asamblea General y luego en el Consejo de Seguridad. El embajador chino respondió con calma, pero eso sólo provocó más furia en Malik. Jamás permitía que otro orador dijera la última palabra.

Las manifestaciones de Malik fueron notorias y dieron como resultado que Moscú exigiera con urgencia el texto completo de las observaciones del embajador. Horas después de que el texto hubiera llegado al Ministerio de Asuntos Exteriores, Gromiko envió a Malik un telegrama breve y contundente: «Tiene instrucciones específicas de no agravar la polémica con los chinos. Debe obedecer esas instrucciones».

Olvidando que yo era el consejero de Gromiko –o estaba tan irritado que era incapaz de pensar en su audiencia–, Malik estalló:

–Es un estúpido. No tiene idea de cómo se debe tratar a los chinos. Hay que ser duro con esos bastardos amarillos. No se puede aflojar.

Pero Gromiko sabía mejor que Malik qué querían los líderes.

Cuando la Asamblea General aprobó la propuesta soviética, con algunas modificaciones sin importancia, manifestó su satisfacción y nos felicitó diciendo:

–Hemos alcanzado nuestro objetivo; ahora somos moralmente libres para usar armas nucleares contra China, si los maoístas tratan de invadir la Unión Soviética.

Sin embargo, la resolución de las Naciones Unidas no fue de ningún modo suficiente. A Moscú le interesaba fundamentalmente asegurar la no interferencia norteamericana en el caso de una guerra entre la URSS y China, así como evitar la ayuda militar norteamericana a China. El Politburó debatió varias veces ambos problemas, pero no hubo consenso sobre la forma de resolverlos. Los soviéticos no creían conveniente revelar demasiado directa y formalmente sus inquietudes sobre esos temas a los norteamericanos. Al mismo tiempo, se consideraba imprudente evitar la discusión conjunta de esos asuntos. Se halló una solución intermedia. Brezhnev trató esos problemas con Henry Kissinger en circunstancias peculiares.[1] Mientras cazaban en Zavidovo, en la casa de campo de Brezhnev cerca de Moscú, en mayo de 1973, éste dijo a Kissinger que se debía hacer algo con respecto al crecimiento del arsenal nuclear de China, pero no dijo qué. Advirtió –aunque no amenazó– al secretario de Estado que toda asistencia militar norteamericana a los chinos llevaría a la guerra, pero no precisó a qué tipo de guerra ni contra quién.

Además del cuidado necesario para tratar ese tema con los norteamericanos, Brezhnev tenía otra razón para ser prudente sobre las relaciones chino-soviéticas. El Politburó siempre había alimentado la esperanza de que algún día las relaciones entre los dos países comunistas pudieran ser normales, incluso amistosas; pero eso no sucedería mientras Mao viviera. El mayor deseo del Kremlin era que Mao muriera.

Las grandes desavenencias entre la Unión Soviética y China hacían que fuera cada vez más importante para Moscú consolidar el frente occidental en Europa. Una tarde, a finales del verano de 1970, Gromiko me pidió que asistiera a una reunión con Kovalev y Valentin Falin para analizar un replanteamiento general de los planes soviéticos con respecto a Europa; muy pronto Willy Brandt visitaría Moscú. En ese momento, los esfuerzos de Falin para mejorar las relaciones germano-soviéticas estaban dando buenos resultados; uno de ellos era la visita de Brandt.

1. Henry Kissinger. *Years of Upheaval* (Little. Brown. 1982). p. 233.

Falin era un hombre inteligente con un enfoque razonable y lógico de los problemas. Tranquilo y reflexivo, le interesaban las cosas importantes y tenía una gran capacidad de trabajo. De adolescente, trabajó de tornero en una fábrica de Moscú, mientras terminaba sus estudios universitarios. Cuando lo conocí, a finales de la década de 1950, era uno de los consejeros de Gromiko y se había convertido en un hombre bien educado, de modales casi aristocráticos. Gromiko valoraba mucho los conocimientos de Falin sobre temas alemanes y le nombró jefe del departamento del ministerio que se ocupaba de los temas relacionados con la RFA y la RDA.

La normalización y el desarrollo de las relaciones con Bonn constituían un tema delicado debido a la desconfianza hacia la RFA por parte del Kremlin y al miedo persistente al revanchismo neonazi. Gromiko quería estar seguro de que la posición que tomaría con el Politburó sobre el tratado germano-soviético reflejase los mejores conocimientos y recomendaciones de sus consejeros en relación con algunos asuntos espinosos. Además, la inminente visita de Brandt estaba muy conectada con aspectos sensibles de las relaciones soviéticas con el jefe del Partido de Alemania Oriental, Walter Ulbricht.

Aunque generalmente no solía expresar sus valoraciones con respecto a las tareas políticas asignadas a sus subordinados, Gromiko, en aquel encuentro, estuvo menos circunspecto y generalizó con mucha libertad. La seriedad de los temas que se discutían se acentuaba aún más por su actitud. Cuando estaba preocupado o tenso, se le llenaba la cara de muecas que parecían tics. Fruncía la nariz, y las espesas cejas negras subían y bajaban como las de Groucho Marx.

–Hemos perdido nuestra última esperanza con los chinos; debemos firmar sin demora el tratado con la RFA –dijo–. Brandt es inteligente y creo que nos ayudará. Es la palanca para liberar a Europa de la influencia de los Estados Unidos.

Continuó diciendo que todavía no podíamos confiar en Nixon y que, a pesar de que las negociaciones de las SALT ya habían empezado, no se sabía aún si se podría hallar un lenguaje común. Todos los que participábamos en esa reunión sabíamos que en el Politburó había divergencias con respecto a las SALT y que todas las negociaciones con los norteamericanos despertaban sospechas.

No obstante, parecía que iba a pasar algo. Yo había leído varios telegramas de Dobrinin desde Washington que contenían alusiones evidentes a un posible cambio de política por parte de Nixon y a una posible ruptura de las relaciones soviético-norteamericanas. Sin embargo, durante el verano de 1970, esas insinuaciones se recibieron con escepticismo. En aquel momento, Brezhnev y la mayoría de los miembros del Politburó estaban más interesados en las posibilidades europeas.

A principios de año, Gromiko negoció personalmente, con el secretario de Estado de la RFA Egon Bahr en primer lugar, y luego con el ministro de Asuntos Exteriores, Walter Scheel, el tratado germano-soviético. No había sido fácil, pero Gromiko, con astucia, hizo formulaciones ambiguas con respecto a algunos puntos clave, y Brandt las aceptó.

Yo estaba impresionado de lo bien informado que estaba el personal de nuestro ministerio sobre lo que ocurría en Bonn, incluidos detalles esenciales de las negociaciones que sólo podían haber salido del despacho del canciller alemán. Vi también varios telegramas del *rezident* de la KGB en Bonn que sorprendían por la calidad y la cantidad de la información. Naturalmente, en los telegramas no se mencionaban nombres; sólo aparecía la indicación de que las noticias eran «de muy buena fuente». Pregunté a Falin cómo podíamos obtener tan buena información. Sonrió misteriosamente y dijo simplemente:

–Ya sabe que tenemos una importante red en Alemania Occidental.

Más adelante, a través de Vladimir Kazakov, jefe del departamento norteamericano del Primer Directorio Político de la KGB, supe la importancia especial de Alemania Occidental para las operaciones de espionaje soviéticas. Él y Dmitri Yakuskin, que luego se convertiría en el *rezident* de la KGB en Washington, me informaron de que Alemania Occidental, como decía Kazakov, era «nuestra puerta a Occidente». Quería decir que, a través de Berlín, la KGB podía distribuir sus agentes en Occidente. La mayoría de ellos eran germano-soviéticos o nativos de las repúblicas bálticas que podían entrar en Alemania Occidental sin ninguna dificultad y sin cobertura diplomática. Las normas sobre visitas entre las poblaciones de Alemania Oriental y Alemania Occidental facilitaban la transferencia de espías.

Mientras se bailaba el vals con Brandt, Walter Ulbricht empezó a intranquilizarse. Aunque la opinión general era que los alemanes del este eran aliados simples y obedientes, Ulbricht era exigente y duro. Nos pedía constantemente que no hiciéramos demasiadas concesiones a los alemanes del oeste. En mayo de 1970, hizo una visita relámpago a Moscú, después de la cual el ministro de Asuntos Exteriores de la RDA, Otto Winzer, y el viceministro de Asuntos Exteriores, Peter Florin, telefoneaban regularmente a la oficina de Gromiko para hablar de la visita de Brandt y del inminente tratado. A Gromiko cada vez le molestaban más esas llamadas y finalmente ordenó a Makarov que las atendiera él. A menudo, Makarov decía a los alemanes del este que Gromiko no estaba en la ciudad. Seguramente, con cara de aburrimiento, apartaba el teléfono del oído para no escuchar lo que le decían y luego colgaba farfullando: «Esos malditos bulldogs alemanes no paran nunca. Son obstinados como mulas». Además, a Makarov le molestaba no poder tratarlos con más dureza.

El Acuerdo de las Cuatro Potencias sobre Berlín fue firmado después de la conclusión del tratado entre la Unión Soviética y la República Federal de Alemania. Brandt lo había defendido, pero fue uno de los acuerdos entre naciones más ambiguos de este siglo. Las potencias occidentales y la Unión Soviética no pudieron ponerse de acuerdo ni siquiera en el nombre del tratado.

Las negociaciones fueron complejas y penosas para ambas partes, agravadas por el hecho de que la delegación soviética estaba encabezada por el embajador en Alemania Oriental, Petr Abrasimov. Hombre de injustificada confianza en sí mismo, Abrasimov solía hacer caso omiso de los consejos de sus ayudantes, e ignoraba muchas veces sus instrucciones; de ese modo, hacía más confusos los asuntos ya de por sí difíciles, cometía errores en las negociaciones y se iba continuamente por las ramas. Pero, por fin, para alivio de todos, unas pocas palabras duras de Moscú lo calmaron y el acuerdo se firmó en 1971.

Con frecuencia, Gromiko y otros destacaban que, aunque la República Federal de Alemania pertenecía a Occidente, sus intereses geopolíticos apuntarían gradualmente hacia la neutralidad, y quizá finalmente se acercaría más a la Unión Soviética que a los Estados Unidos. Esta opinión se basaba en la suposición de que nuestra propaganda y nuestro chantaje provocarían sentimientos pacifistas en la RFA hasta el punto de que, sobre cualquier otra posibilidad, prevalecería el miedo a una guerra nuclear. La política soviética iba a intentar que Bonn creyera que sólo la URSS –no los Estados Unidos– podía aliviar ese miedo. Intentábamos apoyar ese argumento con la afirmación de que Moscú era el socio económico natural e histórico de Alemania. Finalmente, sería Moscú –no Washington– quien apoyaría las aspiraciones alemanas de reunificación o, al menos por el momento, la ampliación de los contactos con Alemania Oriental.

A causa de mi trabajo en las Naciones Unidas, Gromiko me consideraba una especie de experto en asuntos del Oriente Medio. Me ordenó que siguiera los acontecimientos en la región y las tareas de otras personas del ministerio al respecto. Encontré reveladoras las opiniones de un antiguo funcionario del Departamento de Oriente Medio, que observaba desde hacía largo tiempo los sucesos. Especialmente durante los meses que siguieron a la muerte de Nasser, en septiembre de 1970, me transmitió mucha información sobre la naturaleza falsa y siniestra del acercamiento de Moscú al mundo árabe.

Aunque Nasser había sido un visitante habitual de la Unión Soviética, muchas veces para recibir tratamiento médico, el ataque cardíaco que le produjo la muerte sorprendió casi tanto a Moscú como a los egipcios y a sus vecinos. Se vislumbraban serias dificultades para las relaciones soviético-egipcias, que en gran parte se habían fundado en los lazos personales con Nasser. No habíamos adquirido la influencia necesaria en los círculos políticos y militares del país. Tanto la KGB como el Partido Comunista habían fracasado en la tarea de construir una base fuerte y amplia más allá del *entourage* inmediato de Nasser.

Mi fuente de información acertó en sus predicciones a largo plazo, pero se equivocó al pronosticar que Anwar el-Sadat, a quien llamaba «un títere norteamericano», sería solamente un jefe de transición. Además de considerarlo pro occidental, los analistas soviéticos creían que Sadat era una figura débil e indecisa; se decía que era adicto a las drogas, y que tarde o temprano cedería su puesto a Ali Sabry, otro subordinado de Nasser que todavía formaba parte del gobierno. Para Moscú, Sabry era el candidato con más posibilidades de ocupar el sitio de Nasser, pero cuando terminó el año 1970, Sadat continuaba sosteniéndose, y los analistas del Departamento de Oriente Medio empezaban a preocuparse.

–Las cosas van mal –me dijo uno de ellos a principios de 1971–. Sadat es un bandido.

Lo que irritaba a Moscú era que los egipcios postergaran la firma de un largamente esperado tratado de amistad, un documento que, según esperaba la Unión Soviética, retendría firmemente al aliado egipcio. A finales del invierno, un antiguo funcionario del Departamento de Oriente Medio me habló en un tono aún más enérgico.

–Se nos está agotando la paciencia –dijo mientras comíamos en el restaurante Praga. Era un lugar cómodo y apropiado para comer, pero los funcionarios del ministerio generalmente iban a otro sitio si querían hablar con tranquilidad. Todos sabíamos que muchos de los camareros del Praga eran confidentes semiprofesionales a sueldo de la KGB.

Mi amigo estaba demasiado preocupado para ser discreto.

–Empieza a tomar cuerpo la opinión de que debemos librarnos de Sadat –dijo–. El único problema es que no tenemos una figura verdaderamente fuerte para sustituirle. Hay, sin embargo, algunas posibilidades.

Sin duda, demostré mi sorpresa.

–¿Realmente se está planeando algo? –pregunté–. ¿Cómo lo sabe?

–Yo no sé todos los detalles –admitió–. Pero tengo mis propios contactos con la KGB. Y ya se ha concebido un plan general para ocuparse de Sadat. Para liquidarlo. Por supuesto, no lo harán con sus propias manos. Tienen gente lista para actuar.

–Pero ¿se han vuelto locos? –no oculté mi disgusto.

–Tenemos que hacer algo –insistió–. Es una alternativa. Y evidentemente habría que proceder muy cuidadosamente.

Decidí no decir a Gromiko lo que había descubierto. Quizá mi colega se equivocaba. En todo caso, no parecía existir un plan totalmente desarrollado para matar a Sadat. Era muy posible que los miembros de la KGB que mi amigo conocía sólo se estuvieran jactando de lo que podían hacer, y no de lo que estaban autorizados a hacer. Protestar ante el ministro de Asuntos Exteriores de una decisión política que ya estaba tomada hubiera sido inútil; advertirle de algo que podía ser un mero rumor me parecía precipitado.

De modo que callé, aunque un amigo del Comité Central me dijo que Sadat se marcharía «de una manera o de otra». Poco después, las opciones desaparecieron: Sadat atacó a su oposición interna. El 1 de mayo de 1971 expulsó a Ali Sabry de la vicepresidencia, y luego lo arrestó, junto con otros seis miembros del gabinete, a quienes más tarde acusó de alta traición.

Gromiko me envió varias veces al extranjero como representante suyo. Mi misión diplomática en África durante 1971 fue deprimente pero instructiva. Debía encargarme de examinar las quejas de los países africanos y de los representantes soviéticos. El ministro de Asuntos Exteriores de Nigeria estaba irritado porque la Unión Soviética no había entregado a tiempo un gran cargamento de cemento. En Guinea, donde pasé varios días dedicado a delicadas negociaciones, había un cuadro similar de frustración. Los aviones soviéticos estaban inmovilizados por falta de mantenimiento o de repuestos. Ambiciosos proyectos de construcción, financiados con créditos soviéticos, estaban a medio terminar porque los materiales prometidos no habían llegado. Un gran solar situado cerca de la avenida principal de la capital se había convertido en un cementerio de inodoros y urinarios enviados por la Unión Soviética para su instalación en un edificio sin terminar. Los diplomáticos soviéticos de Conakry se quejaban de que sus alimentos llegaban tarde o simplemente no llegaban. Se veían, pues, obligados a hacer sus compras en el comisariado yugoslavo.

Ese viaje me inspiró serias dudas sobre el carácter de nuestra acción en África. A causa de las deficiencias económicas y la inercia burocrática, nos era muy difícil satisfacer las expectativas que nuestra diplomacia expansionista generaba. En lugar de ganar amigos, en muchos casos perdíamos credibilidad.

Por otra parte, los Estados Unidos tenían grandes recursos para contrarrestar la expansión soviética en el Tercer Mundo. Pero también mostraban inercia y una política de incertidumbre. Tendían a ver los problemas en blanco y negro, mostrando una falta absoluta de comprensión hacia las necesidades básicas del Tercer Mundo. Aparentemente, a los norteamericanos les resultaba difícil comprender que algunos de esos países, inicialmente orientados hacia Moscú, no querían imitar el modelo soviético. Debido a sus dificultades económicas, la Unión Soviética no podía utilizar ciertas opciones en su política exterior, opciones fácilmente accesibles para Occidente, más poderoso en términos económicos. Los pequeños lujos económicos que la Unión Soviética podía proporcionar cuando trataba de atraer a su lado a otras naciones no producían resultados significativos. Si bien la fluctuante lealtad de países como Egipto y algunos otros podía considerarse cínica y oportunista, era casi inevitable que esos países aceptaran la ayuda soviética en forma de armamento y luego se volvieran a Occidente para obtener apoyo económico. La gran ventaja de Occidente consiste en que, excepto en estado de guerra, a largo plazo, la ayuda económica producirá siempre mejores dividendos que la ayuda militar. El producto nacional bruto colectivo del mundo libre es muy superior al de los países socialistas. Esta arma, tan efectiva, debería utilizarse para minar la influencia soviética.

También en 1971 fui designado para sondear a los ministros de Asuntos Exteriores de Bulgaria, Hungría y Rumanía acerca de la forma de coordinar acciones conjuntas de los países socialistas que permitieran llegar a un tratado sobre la supresión de las armas químicas y biológicas. La Unión Soviética se ha pintado siempre a sí misma como líder en el esfuerzo para destruir estas armas horribles. Pero, en realidad, no ha dejado de divulgar sus sofisticados programas de producción de armas químicas y biológicas.

La rama militar responsable de estos deplorables programas posee un departamento de gran importancia en el Ministerio de Defensa. Ha rechazado siempre toda clase de control internacional. En varias oportunidades pregunté a los militares por qué eran tan obstinados. La respuesta invariable era que no se podía aceptar el control, porque podía revelar el desarrollo de estas armas y la capacidad soviética de su eventual empleo. Es indudable que la URSS está mucho mejor preparada que los Estados Unidos para este tipo de guerra.

Mientras que los militares se oponían a todo acuerdo sobre armas químicas y biológicas, la dirección política, y Gromiko en particular, pensaban que era necesario, con fines propagandísticos, responder a la propuesta inglesa de prohibir, mediante una convención especial, la guerra biológica, como un primer paso. La reacción militar fue recomendar que siguiéramos adelante y firmáramos la convención. Sin controles internacionales, ¿quién podía saber algo? Se negaron a considerar la posibilidad de eliminar sus reservas e insistieron en el ulterior desarrollo de estas armas. El Politburó aprobó esta decisión. La inútil convención sobre armas biológicas fue firmada en 1972, pero no existe un control internacional del programa soviético, cuyo desarrollo continúa.

Mi recompensa personal por ser el asesor de Gromiko fue la de convertirme en miembro de la *nomenklatura.* La *nomenklatura* es el conjunto de los cargos más importantes en todas las ramas del Partido, la administración gubernamental y otras instituciones. Estos cargos se distribuyen por designación directa del Partido –el Politburó o la Secretaría del Comité Central– o por aprobación del Partido. La *nomenklatura* es un sistema de castas que se aplica solamente a la élite. Sus diferentes niveles gozan de diversos grados de privilegio, de acuerdo con el rango. No hay restricciones para los privilegios de los miembros del Politburó. El Comité Central establece y determina la ubicación de cualquier persona elegible en las diversas categorías: importantes *aparatchiki* del Partido, ministros del gobierno, y otras personas de posición importante. Los obreros de las fábricas, los campesinos, los ingenieros, los abogados, los médicos, los administradores de tiendas, los secretarios y otros ciudadanos privados son excluidos de este sistema y de sus ventajas especiales.

Contrariamente al común de los mortales, los miembros de la élite poseen grandes privilegios exclusivos: altos salarios, buenos apartamentos, dachas, coches oficiales con chófer, vagones de tren especiales, tratamiento de VIP en los aeropuertos, los centros de vacaciones y los hospitales, escuelas especiales para sus hijos, accesos a tiendas donde se pueden encontrar alimentos y bienes de consumo a precios reducidos y en grandes cantidades... Tan alejada está su existencia de la del hombre común, que realmente deben esforzarse para comunicarse con él. El grupo más elevado de la *nomenklatura* está separado de la mayor parte de los ciudadanos por una barrera tan imponente, en términos psicológicos, como la Gran Muralla china. Esta clase constituye virtualmente un Estado dentro del Estado, y toda información sobre ella es un secreto de Estado. Ni la gente de la Unión Soviética ni el resto del mundo deben conocer nada de este estrato social.

La cantidad de las personas incluidas en la *nomenklatura* no es pequeña. Son muchos miles en toda la Unión Soviética. Forman la columna vertebral del *status quo* de la estructura social y gubernamental. No están dispuestos a permitir que nadie transforme la sociedad ni altere su política interior o exterior de modo que pueda afectar a sus privilegios. No es una pequeña ironía saber que esta élite fosilizada controla una nación que exige a las demás cambiar la estabilidad por la revolución, ceder los privilegios a cambio de las bendiciones del socialismo.

Yo había oído hablar de muchas de estas cosas antes de que mi familia y yo pasáramos a formar parte de los ungidos. Cuando nos convertimos en miembros de esta clase, contemplamos los lujos y la cortesía especial que recibimos con fascinado asombro. Y muy pronto las riquezas y la deferencia se convirtieron en algo que nos parecía un derecho de nacimiento.

18

Mis tareas como asesor de Gromiko me pusieron en contacto directo con el Politburó y con algunos miembros clave del Comité Central. Como el águila bicéfala del zar, estas dos entidades surgen de un solo cuerpo, el aparato del Partido Comunista, y constituyen el verdadero mecanismo de poder de la Unión Soviética, en el que el Politburó tiene la última palabra.

Durante largo tiempo el Kremlin ha simbolizado el poder del comunismo. Las fotografías de ese conjunto amurallado de palacios son familiares para los escolares de muchos países del mundo. Los muros de ladrillo rojo que protegen el corazón de la fuerza soviética simbolizan también la actitud de quienes trazan la política en su interior. Los más expertos políticos y las organizaciones de inteligencia de Occidente sólo pueden especular sobre lo que ocurre en el Kremlin.

Los líderes soviéticos consiguen ocultar su proceso de toma de decisiones políticas esencialmente a causa de la extraordinaria concentración de poder en las manos de unas dos docenas de hombres, apoyados por los más influyentes jefes regionales del Partido. No están controlados por ninguna institución democrática en el sentido occidental, y no toleran ninguna oposición. Jamás han olvidado la lección de Lenin de que cualquier oposición organizada al régimen puede constituir una amenaza mortal. El pequeño partido de Lenin (menos de 240 000 personas) logró tomar el poder con lemas populares, una firme organización y una estricta disciplina dentro de sus filas. En las únicas elecciones libres de Rusia, un mes después de la Revolución de Octubre, en 1917, los bolcheviques de Lenin consiguieron el setenta y cinco por ciento de los votos, y, a principios de 1918, disolvieron la Asamblea Constitucional democráticamente elegida.

Otro elemento esencial del desarrollo de la política en el Kremlin es el secreto absoluto. Un chiste muy conocido dice que los bolcheviques de Lenin pasaron a la clandestinidad a fines del siglo pasado y nunca salieron de ella, ni siquiera cuando tomaron el poder. Hay una buena dosis de verdad en esta vieja broma.

Quizá sea difícil para las personas acostumbradas a los sistemas pluralistas comprender que el Soviet Supremo (el parlamento), «la institución principal de la autoridad del Estado», según la Constitución de la URSS, y el Consejo de Ministros, «el cuerpo ejecutivo y administrativo superior», son controlados por el Politburó de modo absoluto y permanente. Ningún candidato propuesto por el Partido ha dejado de ser elegido en el parlamento soviético; y en toda su existencia, ningún diputado de ese cuerpo ha votado en contra de ninguna medida presentada para su ratificación por el gobierno o, para ser más exactos, por el Politburó, y ni siquiera ha habido una sola abstención.

Dentro del Politburó hay un núcleo que podría llamarse el Politburó del Politburó. Fundamentalmente, este grupo lo forman miembros que residen en Moscú. Los que pertenecen a las diversas repúblicas y distritos de la Unión Soviética desempeñan un papel menos importante y con frecuencia ignoran cómo se ha llegado exactamente a ciertas decisiones sobre política interior o exterior. Existen varias razones que lo justifican.

Los miembros que no residen en Moscú no asisten a las reuniones regulares de los jueves del Politburó. Además de esas sesiones, hay también otras no establecidas. En una ocasión pregunté a Vasili Makarov dónde podía encontrar las actas de las discusiones del Politburó. Me dijo que no había actas literales. Sin embargo, en ciertas ocasiones, se han registrado algunas partes de las discusiones del Politburó y, por supuesto, en los archivos del Comité Central se guarda el texto completo de todas las decisiones. Estas decisiones se entregan posteriormente a los responsables de su cumplimiento.

Se permite a quienes deben cumplir las órdenes del Politburó que conserven las decisiones durante treinta días como máximo; después deben devolverlas al Comité Central. Nadie puede fotocopiar o copiar una decisión; sólo se puede pedir el texto al Comité Central por unos pocos días, en caso de necesidad.

Debido a esta práctica y a la ausencia de registros literales, los miembros que no asisten a las reuniones suelen ignorar ciertos matices o condiciones vinculados con muchas decisiones. Por otra parte, el Politburó no tiene normas de procedimiento establecidas. Hace su trabajo bajo la guía del jefe del Partido o bien en la forma que determina la tradición.

Los miembros que no viven en Moscú no reciben (o reciben con gran retraso) la información a la que tiene acceso los de la capital. Por ejemplo, no pueden ver los importantes telegramas en código enviados por los embajadores en los principales países extranjeros. Quizás una de las desventajas más graves es que rara vez participan en las importantes conversaciones informales sobre los temas más delicados y fundamentales. Estos manejos entre bastidores, estas reuniones confidenciales tan características del estilo soviético, se desarrollan siempre en Moscú. Por ello, el conocimiento de quienes están ausentes sobre lo que se ha discutido o sobre las posiciones predominantes es generalmente de segunda mano. Cuando ocupan sus sitios en la larga mesa del Kremlin o en el edificio del Comité Central donde se reúne el Politburó, por lo general consideran las propuestas de una manera que ya representa el consenso de los miembros más poderosos.

Ningún miembro del Politburó que resida fuera de Moscú tiene la posibilidad de ser elegido secretario general del Partido. Más de una vez he oído quejarse de esta situación a los perjudicados, como por ejemplo Vladimir Shcherbitski, jefe del Partido en Ucrania.

El jefe del Partido –el secretario general del Comité Central– es el jefe supremo del país. Es elegido en secreto dentro del Politburó y su designación se confirma en una sesión formal del Comité Central. La carencia de un procedimiento democrático normal para la sucesión en la jefatura del Partido ha llevado a una situación absurda en la que, durante veintidós años de los sesenta y siete que tiene de existencia la Unión Soviética, sus jefes principales han estado incapacitados, parcialmente paralizados, fatalmente enfermos, y sin embargo han continuado en sus puestos.

Desde la época de Jruschov, el Politburó se ha reunido una vez cada semana durante todo el año. Si el secretario general está fuera de Moscú, de vacaciones o en el extranjero, un secretario del Partido ejerce la presidencia. Cuando Yuri Andropov estaba en el poder, la fecha de encuentro se trasladó a los viernes, pero Konstantin Chernenko restauró la sesión tradicional de los jueves.

La agenda de una reunión corriente del Politburó es muy densa. Normalmente incluye de treinta a cuarenta puntos, desde los temas más importantes hasta los asuntos menores. Cuando pedí al principal secretario técnico que me mostrara el archivo donde estaban las propuestas enviadas por nuestro ministerio al Politburó para su aprobación, descubrí que varias se habían resuelto en un día. Si los otros ministerios, la KGB y las demás ramas del gobierno presentaban una cantidad similar de propuestas, me pregunto cómo el Politburó las podía considerar todas seriamente. Pero esa carga creciente no condujo a que se delegaran los asuntos menores en autoridades menores. Ni Andropov ni Chernenko modificaron este estilo.

Es difícil creer qué insignificantes son algunas de las cuestiones que se tratan a tan alto nivel. Entre los asuntos que ocupan regularmente el tiempo del Politburó, se cuentan las listas de ciudadanos e instituciones propuestos para diversos premios y condecoraciones, desde las pequeñas distinciones hasta los prestigiosos premios Lenin. Otro ejemplo: la construcción de un edificio de apartamentos para los soviéticos de Nueva York fue el tema de varias discusiones del Politburó.

La causa de esta resistencia a ceder la supervisión de asuntos insignificantes no es el miedo al error, sino un miedo más profundo: el de que algún político o administrador económico pueda llegar a ser autónomo, jefe de su propia casa, un centro de poder separado más allá del control de la jefatura del Partido. Los líderes soviéticos comprenden que la economía se ha convertido en una cosa tan compleja que dirigirla desde un solo centro ya no es práctico ni eficaz. Pero una vasta gama de restricciones sociales, políticas y económicas impiden todo cambio radical que se proponga reemplazar el modelo anticuado. En el mejor de los casos, sólo se pueden hacer unos pocos cambios limitados. Nadie debe esperar, por lo tanto, que la Unión Soviética atraviese el Rubicón hacia una economía descentralizada y de mercado libre por el mero envejecimiento de su propio sistema. Eso significaría la destrucción de los cimientos de su poder, algo que no pueden aceptar ni el Partido ni la oligarquía del Estado. Un sistema de mercado libre significaría no sólo que los que están en la cumbre perderían el control sobre los acontecimientos, sino que –lo que es peor– gran parte de las funciones burocráticas dejarían de ser necesarias.

La excesiva carga de la agenda del Politburó surge también de una regla tradicional del sistema de toma de decisiones conocida como *perestrakhovka*, que significa algo así como «protección mutua» y «jugar con seguridad» o, en un sentido puramente político, «responsabilidad colectiva». Es lo contrario de la autoridad individual. Norma básica de una conducta segura en cualquier entorno burocrático, ha llegado a ser en la Unión Soviética la guía fundamental del Partido y de la administración a todos los niveles.

Es necesario además, tanto para los funcionarios de mayor importancia como para los de menor jerarquía, tener una defensa contra las acusaciones. Mediante estas últimas los hombres poderosos son despojados de sus cargos. Las acusaciones son lo que más temen los poderosos. La aprobación o la desaprobación del Politburó es definitiva, porque se considera que el Politburó no comete errores.

La actual dirección soviética debe luchar todavía contra los fantasmas de Stalin y Jruschov. Para conservar el poder, los líderes sienten que deben compartirlo; para proteger su autoridad como grupo, diluyen la autoridad de cada uno de los miembros. Cuando uno de ellos intenta apresurar el paso de los cambios, y fracasa, como hizo el ambicioso Alexandr Shelepin a principios de 1975, es expulsado a la oscuridad burocrática exterior: algún cargo administrativo menor. Y, si es preciso renunciar a una política, a veces es necesario hallar una cabeza de turco de gran jerarquía. Después de los desastres agrícolas de la década de 1970, Dmitri Polianski pasó de su puesto en el Politburó como responsable de la agricultura soviética al exilio como embajador en el Japón.

Sin embargo, estas sacudidas son contrarias al estilo y a la esencia del actual gobierno soviético, una jerarquía decidida a perpetuarse. Desde octubre de 1964, cuando Jruschov fue expulsado, se han producido expulsiones individuales pero no masivas, como las del «grupo anti-Partido» (Molotov, Malenkov y Kaganovich), que fracasó en su conspiración de 1957 contra Jrushchov. Las bajas han sido hombres como Shelepin, Polianski y el jefe ucraniano Petr Shelest, quien no consideró sabia la decisión de Brezhnev de recibir al presidente Nixon en 1972 y además toleró que se expresara más sentimiento nacional ucraniano del que Moscú consideraba prudente.

La eliminación en 1977 de Nikolai Podgorni, cuyo papel protocolario como jefe de Estado Brezhnev deseaba para él, reflejaba la lentitud con que actúan los gobernantes. Era evidente la impopularidad de Podgorni en el Partido desde 1971: de los 14 000 votos emitidos para aprobar la lista oficial propuesta al XXIV Congreso del Partido, unos 270 –una cifra muy alta para lo que es normal en la URSS– llevaban su nombre tachado.

Sea como fuere, esas eliminaciones ocurrieron de modo aislado y sin incidentes. En una dirección colectiva, la pérdida de uno cualquiera de los miembros no afecta al organismo. Para evitar convulsiones en su seno, los líderes soviéticos se esfuerzan al máximo para analizar los temas que pueden provocar desacuerdos antes de que se presenten formalmente al Politburó.

Aun así, suele ocurrir que una sesión del Politburó concluya sin tocar algunos de los puntos de la agenda. El remanente, así como los asuntos de emergencia que han surgido entre las reuniones semanales y exigen acción rápida, quedan en manos de los líderes residentes en Moscú, los cuales organizan una votación, llamada *oprosni poryadok*, de la que frecuentemente excluyen a los miembros que no viven en la capital. Los correos del Comité Central llevan los documentos a los miembros del Politburó y esperan a que escriban su aprobación o sus comentarios en el margen. En estos casos, basta con la mayoría de los miembros de Moscú para asegurar la responsabilidad colectiva. Se informa posteriormente a los líderes regionales.

A veces, las reuniones del Politburó incluyen exámenes prolongados de cuestiones importantes. Durante el tiempo que pasé como asesor de Gromiko, esas discusiones conducían a decisiones que eran secretos celosamente guardados. Por ejemplo, cuando Willy Brandt estuvo en Moscú en agosto de 1970, durante la conclusión del tratado germano-soviético, después de extensos debates el Politburó decidió que sólo habría negociaciones sobre la reunificación de Alemania si la República Federal se retiraba de la OTAN y se convertía en un «Estado socialista» en el sentido en que esto se interpreta en la Unión Soviética.

La aprobación de un plan para enviar submarinos a examinar las áreas costeras suecas y noruegas, poco después de que el primer ministro sueco Olof Palme visitara Moscú en 1970 y recibiera la promesa de que la Unión Soviética ampliaría la cooperación amistosa con ese país, demuestra la característica duplicidad de la dirección del Kremlin en los asuntos importantes de política exterior. En una reunión celebrada en la primavera de 1972, se decidió firmar la convención que suprimía las armas biológicas. Pero el general Alexei A. Grizlov me dijo que el ministro de Defensa, Andrei Grechko, había ordenado a los militares que no abandonaran el programa de producción de estas armas. No es posible que el Politburó ignorara esa orden.

Las personas que no están en el secreto –occidentales o soviéticos– imaginan a veces que el Politburó es escena de constantes intrigas y periódicos conflictos dramáticos; pero lo que yo he visto es más plácido. Hay intrigas, por supuesto, pero éstas en su mayoría son intentos de conseguir mayor poder personal y no afectan la línea política básica ni los objetivos finales. A veces ocurre, durante las luchas por el poder dentro del Politburó, que los adversarios adoptan posiciones sobre ciertos temas para conseguir partidarios. Pero, una vez que alcanzan el poder y queda establecido un nuevo alineamiento político, esas posiciones políticas suelen ser olvidadas con facilidad.

El Politburó está de acuerdo en dos proposiciones fundamentales: la necesidad de consolidar el poder del Partido y de la élite, y la necesidad de seguir siendo la dirección –infalible e indispensable– de un régimen cerrado.

Con frecuencia, los políticos, estadísticos y kremlinólogos de Occidente especulan sobre qué miembros de la dirección soviética son halcones y cuáles son palomas. Se supone que hay, en el nivel superior de la jerarquía soviética, un grupo de hombres que aman la paz y no tienen ambiciones extraterritoriales, y que están dispuestos a evitar las actividades subversivas de diversos movimientos comunistas pro Moscú en distintas partes del mundo. Si Occidente se conduce de tal modo que ayuda a este grupo –continúa la argumentación–, sus puntos de vista podrían prevalecer en los debates del Politburó, y la Unión Soviética seguiría un camino menos agresivo.

Pero las diferencias entre los líderes soviéticos no se pueden explicar con calificativos simplistas de «halcones» y «palomas», «duros» y «moderados». Nadie llega al pináculo del poder comunista sin una firme comprensión de la realidad política. Ni tampoco sin fe en la justicia del sistema soviético. Cuando empiezan a trabajar los unos con los otros –aun cuando traten de aumentar su propia autoridad o de disminuir la de otros aspirantes al poder– fundan su conducta en una combinación de motivos ideológicos y pragmáticos. La fábula de los halcones y las palomas que combaten en el Kremlin ha sido alentada por la propaganda soviética y sus canales de desinformación para consumo occidental.

Es verdad que la dirección suprema está formada por personas más dispuestas a abogar por el uso de la fuerza directa (algunos ortodoxos del Comité Central, el Partido o el Ejército), en tanto que otras favorecen la aplicación de medidas políticas (algunos miembros del Ministerio de Asuntos Exteriores y del sector económico). Pero se trata meramente de diferencias en cuanto a los medios. Los jefes soviéticos son *todos agresivos*, todos halcones con respecto a las metas finales de su política. Todos los que han llegado al poder, desde Lenin hasta Chernenko, están cortados con el mismo patrón, y probablemente lo estarán también los futuros gobernantes.

Para la defensa del sistema dentro y fuera de la Unión Soviética, el Partido emplea una gama de elaborados métodos de propaganda. Los herederos del poder en la Unión Soviética no han olvidado la eficiencia de los lemas de Lenin para la movilización de los obreros y soldados activistas. La enorme máquina de propaganda se ha convertido en una piedra angular del régimen, y todo ciudadano soviético recibe una dosis diaria de hipnotismo desde la infancia hasta la muerte. Sin embargo, más tarde o más temprano, muchos terminan por comprender lo que pasa. Existe en la Unión Soviética resentimiento por las constantes mentiras del gobierno y la discrepancia entre los lemas y la realidad.

Sin embargo, el adoctrinamiento es sofisticado, y muchos millones de personas apoyarían gran parte de lo que les han enseñado, especialmente en lo que concierne a la política extranjera y a las relaciones con los países capitalistas. Más de un noventa por ciento de la población soviética no ha salido jamás del país y tiene poco o ningún acceso a la información sobre hechos concretos. El método habitual de la propaganda del Estado es la aplicación práctica de la teoría del reflejo condicionado de Pavlov. La incesante mentalización colectiva a través de las canciones, los discursos, los periódicos, los libros, la televisión, las películas, el teatro, el arte, la poesía, etc., combinada con el estímulo de recompensa material para sectores elegidos de la población, produce la respuesta deseada: la sumisión al sistema. Y para quienes crean dificultades y problemas también hay estímulos, menos agradables: la intimidación, la prisión o cosas peores.

A principios de la década de 1970, Leonid Brezhnev había establecido firmemente su dominio sobre el Politburó como jefe de la Unión Soviética. Pero, al contrario que Stalin o Jruschov, Brezhnev debía conceder al Politburó un poder sustancialmente mayor en el proceso de toma de decisiones. En ese sentido era más débil que cualquiera de sus dos predecesores. De todos modos, como secretario general del Partido ejercía gran influencia sobre la composición y el funcionamiento del Politburó. Moviéndose con su acostumbrada cautela, logró eliminar gradualmente a quienes podían tratar de oponérsele tanto en los asuntos internos como en la política exterior. Designó en su lugar a Andrei Gromiko, Andrei Grechko (el ex ministro de Defensa), Konstantin Chernenko (secretario del Partido), Yuri Andropov (presidente de la KGB), Dmitri Ustinov (ministro de Defensa) y Nikolai Tijonov, que sucedió a Kosiguin como primer ministro. Estos hombres apoyaron la política interior y exterior de Brezhnev. Además, Brezhnev consiguió que sus asistentes más íntimos pudieran influir directamente en el funcionamiento del Comité Central y de varios ministerios. Dirigía su secretaría personal su antiguo camarada Gueorgui Tsukanov, ayudado por Andrei Alexandrov-Agentov, Anatoli Blatov y otros.

Alexandrov-Agentov y Blatov me dijeron abiertamente que con frecuencia sugerían ideas a Brezhnev sin pedir el consejo del Ministerio de Asuntos Exteriores –aunque Brezhnev solía consultar a Gromiko a título personal– o de los departamentos del Comité Central, y que en algunos casos había aceptado su propuesta. La Secretaría Privada fue valiosísima para Brezhnev en su esfuerzo por aumentar su propia autoridad, y le permitió actuar sin informar al Politburó en algunos asuntos de significativa importancia, como sus viajes al exterior o la preparación de sus principales discursos políticos.

Durante mis tres años como asesor de Gromiko, se consideraba que el heredero de Brezhnev era Andrei Kirilenko. Sin embargo, su mala salud y la creciente influencia de Chernenko y Andropov lo eliminaron de la competición. En este sentido debo observar que una prolongada ausencia de apariciones en público de los miembros del Politburó no implica necesariamente su caída en desgracia ni es el preludio de su eliminación, como muchas veces se dice en Occidente. En gran medida, esas enigmáticas desapariciones son el resultado de las necesidades burocráticas. Después de que Gromiko se desmayara durante una reunión, a principios de la década de 1970, el Politburó impuso vacaciones obligatorias de un mes de duración, dos veces por año, a sus miembros.

Los documentos del Politburó deben pasar a través del aparato del Comité Central. Brezhnev situó en una posición clave a uno de sus amigos de mayor confianza: Konstantin Ustinovich Chernenko, que había dirigido el Departamento General del Comité Central y la Secretaría del Politburó durante varios años antes de ser ascendido. Hijo de un campesino siberiano, miembro del Partido desde los veinte años, avanzó firmemente en su carrera desde las provincias hasta la cumbre de Moscú, primero como asistente de Brezhnev y luego casi como su *alter ego*. Yo le conocí después de que Brezhnev llegara a ser jefe del Partido en 1964, y tuve ocasión de conversar con él tanto en Moscú como en Nueva York.

Es robusto y encorvado y padece de enfisema, enfermedad que evidentemente se ha agravado en los últimos años. No posee un intelecto privilegiado, pero es un hombre activo y pragmático que sabe lo que quiere. Es rudo, exigente, autoritario, arrogante y posee una enorme confianza en sí mismo. Es también una figura pública tan poco notoria que, en mi época, no daba motivo a las habituales anécdotas o chistes entre la población soviética. Cuando eran más jóvenes, él y Brezhnev acostumbraban beber juntos. Los líderes soviéticos no bebedores, como Suslov, Kosiguin y Gromiko, despreciaban esas prácticas.

Generalmente taciturno, Chernenko tendía a hablar con frases breves y bruscas, interrumpiendo con frecuencia a los demás y amedrentando a sus subordinados con su fuerte presencia física e incluso por teléfono. Por ejemplo, durante una visita a Nueva York a mediados de la década de 1970, hizo temblar como un ratón al embajador Malik, famoso también él por su conducta imperiosa. En Moscú vi a Vasili Makarov, el asistente de Gromiko, respondiendo nerviosamente a Chernenko, quien le había llamado por teléfono, con una larga serie de rápidos «sí».

Cuando yo era subsecretario general de las Naciones Unidas, Chernenko fue a Nueva York para examinar los procedimientos de la organización y asistir a sus reuniones. Demostró cierto interés por los medios técnicos de las Naciones Unidas, pero ninguno por las discusiones políticas que se celebraban allí ni por la ciudad de Nueva York. Prácticamente carecía de humor.

El acceso de Chernenko al Politburó fue tan rápido que despertó el resentimiento de otras personas. Algunos miembros importantes del Politburó, particularmente Mijail Suslov y Alexei Kosiguin, consideraban que Chernenko era un advenedizo, un hombre que carecía de las calificaciones adecuadas para ser su colega, y mucho menos su jefe. Este juicio era esencialmente correcto. Durante largo tiempo, una de las principales responsabilidades de Chernenko en el Partido había sido la *agitprop* (agitación y propaganda), una parte cruda y estridente del adoctrinamiento político. No fue jamás primer secretario del Partido en ninguna región, ni sirvió militarmente en la segunda guerra mundial. Es el primer jefe soviético después de Lenin que carece de experiencia militar. Fue durante varios años secretario técnico del Politburó, cuyos antiguos miembros consideraban que era meramente un empleado principal, y de ningún modo su igual.

En el último período de su gobierno, Brezhnev, que agonizaba lentamente, dependía cada vez más de Chernenko. Como de costumbre, un chiste resumía la situación: «Hace algún tiempo que Brezhnev está muerto, pero Chernenko todavía no se lo ha dicho». La confianza ciega de Brezhnev en Chernenko significaba una oportunidad que este último no desaprovechó. Hizo todo lo posible para destacar y acumular suficiente poder para competir por la sucesión. Sin embargo, sus maniobras de nada sirvieron después de la muerte de Brezhnev. Chernenko perdió su apuesta por la Secretaría General.

Probablemente su derrota ante Yuri Andropov constituyó un serio golpe y minó aún más su salud. Había estado protegido durante mucho tiempo por el prestigio de Brezhnev. Aunque probablemente jamás se conocerá la verdad, me siento razonablemente seguro de que por esta razón no hizo apariciones públicas durante cierto tiempo después de la elección de Andropov.

Yuri Andropov estaba a mitad de camino entre un burócrata y un funcionario del Partido. Inteligente y muy astuto, logró elevarse hasta la cúspide utilizando a sus leales partidarios de la KGB y proponiéndose como el hombre que podía resolver los problemas de la nación. Como jefe de la KGB durante muchos años y responsable de la supresión de las disidencias, Andropov no era precisamente un liberal progresista. Por esta razón, me sorprendió comprobar con qué facilidad y rapidez muchas personas en Occidente, y en especial los estudiosos de los asuntos soviéticos, cayeron bajo el hechizo de la campaña de desinformación de la KGB que presentaba a Andropov como un «liberal «culto» y un «reformador de mente abierta».

Cuando fue elegido jefe del Partido, era el hombre de más edad que había alcanzado esa posición. Estuvo enfermo durante la mayor parte de su breve período en el poder. Konstantin Chernenko era aún mayor que Andropov cuando le sucedió en febrero de 1984, a los setenta y dos años de edad.

La principal fuerza de Chernenko está en su larga carrera como *aparatchik* profesional del Partido. Es un firme defensor del estricto control de todos los aspectos de la vida en la Unión Soviética. Pertenece a la élite del Partido, la verdadera clase gobernante de la URSS. Como es uno de sus hermanos de sangre, le tendrán más confianza que a cualquier otro que no haya hecho su carrera en el Partido. Siempre consigue lo que quiere en el Comité Central; es un ideólogo y un propagandista. Conoce al dedillo las complicaciones de la actividad del Partido; sin embargo, antes de ocupar el cargo de secretario general, tenía poca experiencia en el manejo de los asuntos económicos internos y en la formulación de la política exterior. En las reuniones del Politburó raramente manifestaba sus propias opiniones sobre esos temas y apoyaba invariablemente las de Brezhnev.

Algunos expertos occidentales creían que se había sobrevalorado a Andropov y que existía el peligro de desvalorizar a Chernenko. Pero la mayoría de esas especulaciones no tienen una base firme. El potencial real de todo líder soviético es una ecuación con tantas incógnitas que los propios funcionarios de más alto nivel del Kremlin –no sólo los observadores extranjeros– se equivocan más que aciertan al valorar las aptitudes de sus colegas. Inicialmente, se subestimó el papel que iban a desempeñar Stalin, Jruschov y Brezhnev; el de Malenkov, se sobrevaloró.

Por supuesto, en el caso de Chernenko hay factores que facilitan la predicción. Como el de Andropov, el gobierno del septuagenario Chernenko probablemente tendrá carácter de transición. Ya en los primeros meses de su mandato padeció evidentes trastornos físicos. Pero seguramente, como Brezhnev, podrá seguir en el cargo más tiempo del previsto. Sin embargo, es indiscutible que, a diferencia de Brezhnev, Jruschov y Stalin, Chernenko no será jamás el único depositario de la autoridad del Kremlin. No tiene otro remedio que aceptar el poder colectivo del pequeño círculo del Politburó que, en realidad, dirige la Unión Soviética desde la incapacitación de Brezhnev a finales de la década de 1970.

Los miembros del Politburó eligieron a Chernenko porque, aunque no le crean lo suficientemente capacitado, lo consideran útil. Los gerontócratas del Politburó y del Partido ven en él la oportunidad de retener el poder durante algún tiempo más, antes de ser remplazados por las generaciones más jóvenes. Puede parecer trivial, pero es preciso recordar que no siempre los grandes hombres dirigen los asuntos de las grandes naciones.

Chernenko no es sólo el hombre más viejo que ha ocupado el cargo de secretario general del Partido en la historia soviética, sino que, probablemente, es el líder más débil y menos capaz que ha tenido el Kremlin. Otros líderes han esperado demasiado su turno para ser ignorados durante mucho más tiempo. Antes de mi ruptura con los soviéticos, comprobé, a través de amigos y colegas del Comité Central y del Ministerio de Asuntos Exteriores, que los miembros influyentes de la élite del Partido y del gobierno estaban cada vez más preocupados por la necesidad de inyectar sangre fresca en la gerontocracia gobernante, que en la actualidad alcanza niveles sin precedentes.

En el Congreso del Partido de febrero-marzo de 1981, se decidió empezar a llamar a los hombres más jóvenes; Mijail S. Gorbachov, de cincuenta años, secretario del Comité Central durante cierto tiempo, fue elegido miembro de pleno derecho del Politburó. Antes de 1978, fue primer secretario del Comité Territorial del Partido en Stavropol (Caucasia). Kislovodsk, un centro turístico, se encuentra en esa zona; oí hablar por primera vez de Gorbachov a la gente de ese lugar, cuando Lina y yo estábamos allí de vacaciones en 1977. Durante nuestra estancia, lo conocí y hablé con él.

Gorbachov es inteligente y bien educado. Licenciado en la facultad de derecho de la Universidad de Moscú, estudió también agronomía en un instituto de Stavropol. Durante el desempeño de su cargo en Caucasia se ganó la reputación de enérgico jefe y conductor regional del Partido y de competente especialista en agronomía. Se le consideraba también un hombre razonable, menos arrogante que la mayoría de los *aparatchik* profesionales del Partido. Aparentemente, era lo bastante inteligente para escuchar a las personas a las que servía. Aparte de sus atributos personales, Gorbachov tuvo la suerte de desempeñar su cargo en una zona de tierras productivas y clima agradable, que hacía mucho más fácil su trabajo.

Sin embargo, lo más importante era que la región de Caucasia gozaba de la atención especial y de las generosas contribuciones de Moscú gracias a sus famosos balnearios de aguas minerales, junto a los cuales se construyeron centros turísticos frecuentados por la élite. Las aguas minerales no sólo constituyeron una ayuda para la salud de muchos miembros de alto nivel del Partido y del gobierno, sino también la base de la carrera ascendente de Gorbachov. Periódicamente, Kosiguin, Andropov y otros jefes soviéticos iban a ese lugar para recibir tratamiento médico y para descansar. Como jefe local del Partido, Gorbachov tuvo la oportunidad de verlos muchas veces y de, como suelen decir los rusos, *pokazat tovar litsom*, mostrarles lo mejor de sí mismo.

Descubrí que era un hombre lúcido y capaz de comprender la verdadera necesidad de impulsar la agricultura y la economía. Según Robert Kaiser, de *The Washington Post*, que estuvo en la URSS en el verano de 1984, había rumores en Moscú de que Gorbachov deseaba introducir cambios importantes en la política económica y de que recababa información de los economistas sobre las reformas promovidas por Piotr Stolipin, el esclarecido primer ministro del zar Nicolás II, que alentó a los campesinos para que aumentaran la producción. Parece ser que también pedía información sobre la Nueva Política Económica de Lenin de los años 20, que reavivó algunas formas limitadas de libre empresa en los difíciles años que siguieron a la devastación de la Revolución y la Guerra Civil.

Gorbachov goza de una posición de poder: es miembro pleno del Politburó y secretario del Comité Central, responsable de la conducción «día a día» de los asuntos del Partido. Evidentemente, esos cargos lo convierten en heredero potencial a la «corona» de secretario general, aunque los viejos jefes del Partido y del Kremlin quizá lo consideren todavía demasiado joven. A los 53 años, es el hombre de menos edad del Politburó. En el Comité Central algunos le llaman «muchacho», pero creo que es una persona para tener en cuenta en el futuro.

Otros dos hombres procedentes de cargos regionales, ambos aproximadamente siete años mayores que Gorbachov, lograron destacar en los últimos años del régimen de Brezhnev y, posteriormente, en el de Andropov: Grigori V. Romanov, ex jefe del Partido en Leningrado, que fue trasladado a Moscú para convertirse en secretario del Partido, y Gueidar Aliev, ex jefe de la KGB de Azerbaiján y posterior jefe del Partido, que se ha convertido, además, en miembro pleno del Politburó y en primer viceprimer ministro.

Aliev es famoso por el interés que demostró en la última lucha contra la corrupción y por sus esfuerzos en pos de una buena dirección económica.

Romanov es más dogmático y arrogante que Gorbachov pero ha dirigido con eficacia y firmeza los asuntos económicos del Partido en Leningrado, su base política. Arquitecto naval de profesión, trabajó algún tiempo como ingeniero de diseño, pero ha pasado la mayor parte de su vida como *aparatchik* del Partido.

Durante años han circulado muchos rumores sobre Romanov, relacionados principalmente con su apellido, el mismo de la dinastía imperial rusa. No sólo se ha comparado su apellido con el del zar, sino también su conducta. Cuentan que Romanov, con ocasión de la boda de su hija, requisó del museo del Ermitage un servicio de vajilla de Sèvres original fabricado para Catalina la Grande. Parece que durante la cena algunos invitados borrachos rompieron varias piezas de ese servicio de valor incalculable. Supuestamente, Andropov –cuando era jefe de la KGB– difundió por todas partes esta historia para desprestigiar a Romanov, a quien veía como rival potencial en la lucha de poderes del Kremlin.

También es famosa otra anécdota que refleja la ignorancia de Romanov sobre los sistemas occidentales: en 1978, durante una charla con el senador norteamericano Abraham Ribicoff, éste manifestó sus dudas con respecto a si otros senadores demócratas votarían a favor de la ratificación de las SALT II.

–¿No puede obligarlos? –preguntó Romanov.

Digan lo que digan de Romanov, es indudable que en Moscú tiene poder. Igual que Gorbachov, es miembro del Politburó y secretario del Partido. A los 61 años, está a cargo de la industria militar soviética y goza del apoyo de los militares, factor siempre importante para la selección de un nuevo líder.

Otro hombre relativamente joven en el escenario político de Moscú es Vitali Vorotnikov, de 58 años, miembro también reciente del Politburó. Es una mezcla de *aparatchik* del Partido y burócrata del gobierno, con cierta experiencia diplomática (fue embajador en Cuba). Es probable que en el futuro desempeñe un papel más importante que el de su cargo actual como primer ministro de la RSFSR (República Socialista Federativa Soviética de Rusia), la más grande y la más importante de las repúblicas constituidas en la URSS. Vorotnikov –como Gorbachov, Romanov y Aliev– ha ocupado también el cargo de primer secretario –regional– del Partido.

En la URSS, el trabajo de primer secretario del Partido de un territorio, distrito o región se podría comparar al de administrador de una colonia. Es importante la capacidad para gobernar el territorio, pero todavía lo es más el talento para atender y entretener personalmente a los funcionarios que llegan de Moscú. Gorbachov es el típico modelo soviético –y quizá no exclusivamente soviético– de los que consiguen llegar a la cima. Hombres como él, Romanov y Vorotnikov, constituyen la esencia del poder en la Unión Soviética y forman la mayoría del Comité Central del Partido.

Tradicionalmente, los candidatos a miembros del Politburó se eligen principalmente entre los secretarios de comité del Partido de los territorios y las regiones de la URSS. En general, son de edad mediana, poseen un gran conocimiento sobre asuntos económicos y agrícolas, son eficaces organizadores y buenos manipuladores de propaganda y adoctrinamiento ideológicos. De lo que carecen, como norma, es de una comprensión objetiva de los problemas internacionales. En este sentido son, en realidad, prisioneros de la propaganda soviética y no saben mucho más de lo que se publica en el *Pravda* o en la revista *Kommunist.* Por lo tanto, los que se convierten en miembros del Politburó deben invariablemente aprender mucho sobre política exterior.

El Ministerio de Asuntos Exteriores disfruta de una situación especial en la estructura de poder de la URSS. En Occidente se supone que el ministerio informa a los diversos departamentos del Comité Central y al Consejo de Ministros; pero es una suposición errónea. Por lo que hace a la mayor parte de las cuestiones, el Ministerio de Asuntos Exteriores, a diferencia de otros ministerios, sólo es directamente responsable ante el Politburó.

Por supuesto, el papel del ministerio con respecto a la formulación y el cumplimiento de la política exterior ha variado según los diferentes períodos. Entre 1939 y 1949 y también entre 1953 y 1956, cuando Viacheslav M. Molotov era ministro, la influencia del ministerio era mayor que durante el período de Vishinski –en los últimos años del régimen de Stalin– o el de Shepilov. Aunque Jruschov valoraba la experiencia de Gromiko y la capacidad de su personal, a menudo no tenía en cuenta o evitaba a los diplomáticos, y delegaba la autoridad en los miembros de su círculo más íntimo. En ocasiones, Jruschov llegó a decir que él mismo era su propio ministro de Asuntos Exteriores. Pero con Brezhnev el papel del ministerio recuperó nuevamente su importancia.

Las propuestas del ministerio sobre política exterior se envían al Comité Central (en realidad, al Politburó) en una *zapiska* o memorándum. Generalmente, esas propuestas surgen del propio ministerio, excepto en los casos –nada frecuentes– en que éste recibe instrucciones del Politburó. Algunas propuestas se presentan ante el Politburó después de consultas preliminares con otros ministerios, en los casos en que se superponen responsabilidades e intereses. Mientras trabajé con Gromiko, no recuerdo que el Politburó haya rechazado una propuesta ministerial.

El Ministerio de Asuntos Exteriores acumula y controla toda la correspondencia y las comunicaciones entre las embajadas soviéticas y Moscú, que se realizan mediante el sistema de código secreto del ministerio. Ni siquiera el Comité Central dispone de un sistema codificado para ponerse en contacto con los partidos comunistas extranjeros. Utiliza el del ministerio o el de la KGB. El ministerio decide la distribución de los telegramas en código enviados por los embajadores. Además, las informaciones importantes no siempre llegan a todos los miembros del Politburó, ni siquiera a todos los que residen en Moscú. Por ejemplo, solamente Brezhnev y Gromiko leían algunos telegramas enviados por el embajador Dobrinin desde Washington.

Es el propio Gromiko quien toma la decisión final de transmitir un telegrama a todos los que forman parte de una lista de distribución general (integrada por los miembros del Politburó y los secretarios del Comité Central), o solamente al secretario general.

Además, un gran número de despachos sólo tienen distribución interna y no salen del Ministerio de Asuntos Exteriores. De este modo, el ministerio determina qué asuntos deben pasar a consideración del Politburó, ejerciendo así una considerable influencia en el proceso de toma de decisiones. Además, está autorizado a dar instrucciones a los embajadores sin la aprobación del Politburó, siempre que esas instrucciones estén dentro de la línea general de la política exterior soviética.

El Ministerio de Asuntos Exteriores prepara el borrador de los textos de la mayoría de las declaraciones del gobierno, de las declaraciones de la agencia TASS y de las principales declaraciones sobre política exterior de la dirección. Por supuesto, todos los borradores están sujetos a la aprobación final del Politburó.

A principios de la década de 1970, Brezhnev consideró la idea de nombrar a Gromiko secretario del Partido para la coordinación de la política exterior. Sin embargo, Gromiko rechazó el cargo porque comprendió que podría convertirse en un general sin ejército; el Ministerio de Asuntos Exteriores es un instrumento importante que prefiere tener bajo su control directo. El nombramiento de Gromiko como primer viceprimer ministro, después de la muerte de Brezhnev, poco añadió a la autoridad que ya poseía. No es el Consejo de Ministros quien toma las decisiones fundamentales de la política interna y de la exterior, sino el Politburó.

Por supuesto, la división de responsabilidades entre el Partido y el servicio diplomático rara vez está clara. La geografía política facilita la superposición de jurisdicciones. Varios departamentos del Comité Central tienen responsabilidades que invaden las del Ministerio de Asuntos Exteriores. Por ejemplo, las relaciones con los países socialistas de Europa oriental, con Vietnam, Mongolia y Cuba, son más una función del Partido que una función diplomática. Estas relaciones están a cargo del Departamento del Comité Central para las Relaciones con los Partidos Obreros y Comunistas de los Países Socialistas, dirigido durante años por Konstantin V. Rusakov.

El Departamento Internacional, uno de los más importantes del Comité Central, está a cargo de Boris Ponomarev, secretario del Partido y candidato a miembro del Politburó desde 1972. Este departamento guía e instruye a los partidos comunistas extranjeros y a importantes organizaciones, como el Consejo Mundial de la Paz, así como a los jefes de varios movimientos de liberación pro Moscú y de otros grupos políticos del Tercer Mundo, cuyas actividades son también de interés para el Ministerio de Asuntos Exteriores.

El Departamento de Cuadros Extranjeros examina a los candidatos a cargos diplomáticos del Ministerio de Asuntos Exteriores y compara sus dossiers con los de la KGB. Sin la aprobación de este departamento, el ministerio no puede enviar personal diplomático o técnico al extranjero. Además, desde 1978, el nuevo Departamento de Información Internacional ha logrado transmitir eficazmente al mundo, paralelamente al Ministerio de Asuntos Exteriores, los puntos de vista de Moscú. Su jefe es el veterano diplomático y ex director general de la agencia TASS Leonid M. Zamiatin. También en este área el poder cada vez mayor de Gromiko ha provocado cambios. Actualmente, el Ministerio de Asuntos Exteriores prepara informaciones más o menos regulares para los periodistas extranjeros acreditados en Moscú, equilibrando de ese modo las actividades del Departamento de Información Internacional.

A pesar de las tensiones que a veces surgen por la superposición de tareas, los diplomáticos e ideólogos del Comité Central tratan de ponerse de acuerdo, ya que, de lo contrario, deben someterse al arbitrio del Politburó.

En cierto modo, Ponomarev, firme y enérgico discípulo de Mijail Suslov y de su rigidez doctrinal, es un rival de Gromiko, pero con mucha menos autoridad. De baja estatura y aspecto desagradable, es muy inteligente pero nada interesante. Un bigote que parece un cepillo de dientes y unos ojos redondos y brillantes le dan el aspecto de un terrier asustado, animal al que también se parece por su tenacidad. Conocí a Ponomarev cuando ya era experto en marxismo-leninismo; en 1961, a los 56 años, había alcanzado el cargo de secretario del Partido. Tenía fama de verdadero creyente, capaz no sólo de recitar una página tras otra de las obras de Marx y Lenin, sus ídolos, sino también de alabar con entusiasmo el dogma comunista ante el auditorio del Partido, dentro de la URSS, y en las reuniones con las fuerzas comunistas, «progresistas» o de los «movimientos obreros», en el exterior.

En cierto sentido, es un hombre contradictorio. Posee una buena educación, es un excelente lector y está profundamente interesado por los asuntos internacionales; no obstante, escribe textos oficiales sumamente aburridos. Además, para sufrimiento de sus colaboradores, le encanta escribir y lo hace con una facilidad y una rapidez de la que carecen la mayoría de los jefes soviéticos.

–Cuando le entregamos un borrador, cruzamos los dedos –me dijo una vez uno de sus asesores–. Tenemos miedo de que «lo mejore» agregando un par de folios que él mismo escribe.

Ponomarev no ha conseguido todo lo que ambiciona. Aunque Suslov lo apoyaba y Brezhnev lo respetaba, no ha logrado el cargo de miembro pleno del Politburó. También en esto es evidente la influencia de Gromiko: desprecia intensamente a Ponomarev. En una ocasión, Gromiko y yo estábamos hablando de Ponomarev y de su departamento; él, visiblemente alterado, dijo que no deberían existir dos organismos para el manejo de la política exterior. Es probable que usara ese argumento ante Brezhnev para oponerse a la ascensión de Ponomarev al cargo de miembro del Politburó. La posición de candidato a ese cargo lo coloca en un grado más bajo que Gromiko, aunque éste jamás ha tenido el cargo de secretario del Partido.

Sin embargo, las ambiciones de Ponomarev se han manifestado en la firme acumulación de personal y de responsabilidades para su departamento. Atento a los detalles y gran conocedor del valor de la eficacia, ha sido muy exigente a la hora de reclutar a sus colaboradores. Ha tratado una y otra vez de persuadir a ciertos funcionarios del Ministerio de Asuntos Exteriores para que fueran a trabajar con él. Aunque rechacé una oferta suya, seguimos manteniendo una relación cordial; en una ocasión tuve la oportunidad de serle útil: le conseguí en Nueva York píldoras de vitamina E. Aparentemente, Ponomarev, que cuidaba mucho su salud, creía que las marcas norteamericanas eran más eficaces que cualquiera de las que podía conseguir en la sección médica –para la élite– del Ministerio de Sanidad soviético.

Una de las principales debilidades del Departamento Internacional era la limitación de su sistema de recopilación de información en el exterior, a pesar de que algunos funcionarios del departamento trabajaban en diversas embajadas. Sin embargo, mediante una serie de contactos alternados con los partidos comunistas y los jefes de varias fuerzas políticas del Tercer Mundo, Ponomarev ha trabajado continuamente para recibir más información y para aumentar las áreas políticas en las que intenta aplicarla.

Como defensor de la fe internacionalista militante, que confía en el triunfo final del comunismo en el mundo, ese departamento es el justificante del expansionismo soviético. Por mantener relaciones con los movimientos extremistas y por constituir un instrumento que influye en la opinión pública occidental, es también el inspirador de muchos desórdenes que amenazan la estabilidad de Occidente y los intereses occidentales en el Tercer Mundo.

Uno de los colaboradores más capaces de Ponomarev es Vadim Zagladin, hombre relativamente joven para el cargo que ocupa. Zagladin eligió el Partido hace más de treinta años como una forma de lograr el poder. Ha llegado muy alto, gracias no sólo a la autoridad que Ponomarev ha delegado en él, sino también a su propia capacidad.

Conocí a Zagladin cuando estudiábamos en el MGIMO, y observé su ascenso con una mezcla de admiración y disgusto. Después de que Jruschov denunciara a Stalin en 1956, él, como muchos de nosotros, recibió con entusiasmo las posibilidades de un verdadero cambio en la vida y el gobierno de la Unión Soviética. Ese idealismo, un fenómeno habitual entre los jóvenes intelectuales de los primeros años posteriores a Stalin, llevó a Zagladin y a otros a la actividad dentro del Partido. Sin embargo, lo que empezó como una especie de cruzada acabó como una carrera. El entusiasmo por el cambio y la renovación se convirtió en ambición de poder. Poco a poco, la sofisticada irreverencia de Zagladin se convirtió en arrogancia y omnipotencia. Fue una transformación desagradable.

A finales de la década de 1950, Zagladin se había convertido en el jefe de un pequeño grupo de asesores del Departamento Internacional, una oficina que ya había adquirido una base sustancial de poder. Los siete u ocho asesores adscritos a la misma escribían y analizaban los discursos del Comité Central. Escribiendo discursos y documentos para los jefes del Partido, incluido Leonid Brezhnev, suministrando informes sobre los sucesos internacionales, evaluando situaciones y personalidades de los partidos comunistas extranjeros, esos asesores llegaron a convertirse en consejeros políticos.

En una ocasión, cuando yo era asesor de Gromiko, mantuve una discusión bastante acalorada con Zagladin. Hablando de la situación en África le dije que me parecía inútil «entablar contacto con ciertos movimientos "de liberación" que surgen de la noche a la mañana y desaparecen a los pocos meses». La respuesta de Zagladin fue reveladora:

–Eres igual que tu jefe –dijo–. Gromiko no tiene idea del aspecto ideológico de las cosas. Es demasiado pragmático; y tú también lo eres. Los que trabajáis en el Ministerio de Asuntos Exteriores no comprendéis el poder de las ideas comunistas en el mundo y la forma de explotarlo.

Zagladin pensaba no sólo que el Departamento Internacional era más realista sino que, en algunos aspectos de la política exterior soviética, estaba mejor preparado para ejercer la autoridad. Desde una perspectiva marxista, pudo conseguir resultados más satisfactorios que los diplomáticos profesionales. En realidad, en el Departamento Internacional solamente había unas pocas personas expertas en asuntos de política exterior (como las relaciones entre los gobiernos) o en problemas de interés internacional general (como el desarme o Alemania).

En mi trabajo en el ministerio, tuve al menos la satisfacción personal de participar en negociaciones específicas; pero pensaba que era triste pasarme la vida sirviendo a la idea de que el Partido representaba los mejores intereses del pueblo. Aunque una pequeña cantidad de obreros de fábrica y campesinos formaban parte de los cuerpos más importantes del Partido, era un número tan insignificante comparado con los miembros del Partido y del gobierno, los militares y los intelectuales que no ejercían en absoluto un papel importante en esos cuerpos. La élite y sus bastiones de poder están muy lejos de la gente común y de sus necesidades vitales. En realidad, comparada con la de otras sociedades importantes del mundo, se ajusta a la definición de Marx: una clase dirigente más cerrada que cualquier clase social o económica o que cualquier remanente monárquico.

19

Richard Nixon llegó a Moscú la tarde húmeda y brumosa del lunes 22 de mayo de 1972. Aunque había participado intensamente en los preparativos de su visita, no me encontraba entre el pequeño grupo oficial que fue a darle la bienvenida al aeropuerto Vnukovo de Moscú. Como a otros funcionarios del Ministerio de Asuntos Exteriores que se dedicaban a los asuntos soviético-norteamericanos, me aconsejaron que no fuera al aeropuerto. Debido a la guerra en Vietnam, el Politburó había decidido ofrecer a Nixon un recibimiento público discreto; apenas un pequeño número de personas lo saludaron en Vnukovo y en las calles de Moscú.

A pesar de las restricciones del Politburó, se produjo un gran revuelo entre los funcionarios del ministerio, estuvieran o no relacionados directamente con los asuntos soviético-norteamericanos e independientemente de si aprobaban o no la visita de Nixon. Jruschov propició el interés soviético por mejorar las relaciones con los Estados Unidos, y Brezhnev lo cristalizó, especialmente después de que se hiciera cargo de la política exterior a finales de la década de 1960. Atrás quedaba el cambio histórico de las prioridades soviéticas posterior a la muerte de Stalin.

La transformación no era fácil. La hostilidad hacia Occidente todavía era intensa. Los rusos no habían olvidado su historia, los siglos de invasiones de los caballeros teutónicos, los polacos, los suecos, los franceses y los alemanes. Tampoco habían olvidado las intervenciones de Inglaterra y de los Estados Unidos en 1919. Pero en la última mitad del siglo XX, la comprensión cada vez mayor del significado de una guerra nuclear allanó el camino para una cooperación económica ventajosa con los Estados Unidos y con Europa occidental.

En mi caso y en el de muchos de mis colegas, la nueva apertura hacia los Estados Unidos, aunque no era bien recibida por todos los miembros del Kremlin, significaba la esperanza de una política exterior realista que reemplazara a una política sujeta a las intenciones subjetivas del estadista de turno. Sabíamos que la mejora de las relaciones con los Estados Unidos no sería fácil, pero creíamos que valía la pena intentarla.

Los que disentían de esa postura estaban preocupados fundamentalmente por la oportunidad del viaje de Nixon. Las últimas acciones de los Estados Unidos en Vietnam –el minado de puertos– habían sido duramente condenadas. Además, los soviéticos tenían presente la personalidad de Nixon, puesta de manifiesto en el famoso «debate de café» con Nikita Jruschov, en la Exposición Norteamericana de Moscú, en 1959. Su dura postura anticomunista había provocado el rechazo de los miembros antinorteamericanos ortodoxos del ministerio y, en general, de toda la Unión Soviética.

La mañana siguiente de la llegada del presidente de los Estados Unidos, tuve un enfrentamiento con un detractor de Nixon. Fedor Tarasovich Gusev, veterano diplomático, ex embajador en el Reino Unido y viceministro de Asuntos Exteriores, era colega mío en la oficina de Gromiko. Para Gusev, viejo y enfermo, el cargo de asesor de Gromiko era una especie de jubilación honoraria. Era un hombre honesto y decente, lo que no alteraba su visión estalinista del mundo.

Aquella mañana agitó un ejemplar del *Pravda* mientras me gritaba furioso:

–¡Arkadi Nikolaevich! Esto ya es demasiado. No puedo creer lo que veo. ¡Te has atrevido a distorsionar la historia para complacer a ese hijo de puta!

Gusev se refería a una afirmación de Nikolai Podgorni en el brindis de una cena ofrecida en honor de Nixon la noche anterior. Yo había escrito el breve discurso de Podgorni. Gusev estaba furioso conmigo porque Podgorni había dicho: «Es la primera visita oficial de un presidente de los Estados Unidos en la historia de las relaciones entre nuestros países».

–El primer presidente de los Estados Unidos que visitó la Unión Soviética fue Roosevelt –bramó Gusev–. No deberíamos olvidarlo. Aquella sí que fue una verdadera cooperación y no estas infames negociaciones con Nixon.

Traté de calmarlo diciendo que nadie había distorsionado la historia: Roosevelt asistió a la Conferencia de Yalta, pero no fue una visita oficial. Gusev no estaba dispuesto a calmarse.

–¡Bah! Ya conozco esas artimañas. Estás dando demasiada importancia a la visita de Nixon. Y recuerda: lo lamentarás.

Pensándolo bien, creo que Gusev tenía razón cuando consideraba que se había dado demasiada importancia a la visita de Nixon, pero yo no estaba de acuerdo –y todavía no lo estoy– con su enfoque de las relaciones entre las superpotencias. El diálogo soviético-norteamericano debe continuar independientemente de la antipatía que puedan profesarse los líderes de ambas naciones.

Mi interés por los Estados Unidos fue en aumento desde mi primer viaje a Nueva York, en 1958. Pero mi acción directa en las complejas y fascinantes relaciones entre la Unión Soviética y los Estados Unidos se inició en la oficina de Gromiko justo cuando se apreció una cierta mejora de esas relaciones, mejora que el presidente Nixon definió como «la entrada en una era de negociaciones» después de «un período de confrontación».

Cuando yo estaba en Nueva York, poco antes de formar parte del personal de Gromiko en Moscú, el embajador Anatoli Dobrinin nos habló, a Yakov Malik y a mí, de la serie de intercambios confidenciales que había mantenido con Henry Kissinger. Esos contactos llegaron a conocerse en la jerga soviético-norteamericana como «el Canal». Me alegró enterarme de esa evidente confianza mutua; pero Malik se mantuvo indiferente.

–Usted alégrese todo lo que quiera –me dijo con amargura–, pero yo no confío en Nixon ni en su profesorcito.

A pesar de la opinión de Malik, era evidente que, al finalizar el mandato de Johnson, las relaciones soviético-norteamericanas habían mejorado. No sólo existía mayor cooperación entre Washington y Moscú para concluir las dilatadas negociaciones sobre el Tratado de No Proliferación de Armas Nucleares, sino que, con respecto a la firma de ese tratado el 1 de julio de 1968, las superpotencias habían anunciado su acuerdo para el comienzo inmediato de las conversaciones sobre limitación de armas estratégicas (SALT). Si no hubiera sido por la invasión soviética a Checoslovaquia, las SALT podrían haber empezado mucho antes. Además, la reunión cumbre soviético-norteamericana podría haber tenido lugar en octubre de 1968.

Oficialmente, se suponía que ni Malik ni ninguno de nosotros debía conocer el Canal; era un privilegio de los miembros del Politburó y de los secretarios del Partido, además de unos pocos burócratas de confianza. El secreto se mantuvo hasta el punto de que solamente Brezhnev, Gromiko y algunos de sus más cercanos colaboradores conocían el contenido de ciertos mensajes importantes que se recibían a través del Canal. Las conversaciones secretas y directas entre Dobrinin y Kissinger se ajustaban perfectamente a la tradición diplomática soviética y al estilo político de Richard Nixon y de su máximo asesor para asuntos exteriores.

El amor a los secretos es una vieja característica rusa (y soviética). A lo largo de la historia ha habido hombres de distintas culturas aparentemente capaces de colaborar entre sí para alcanzar objetivos positivos y complementarios para sus respectivos países, a pesar de ser adversarios. Creo que las respectivas personalidades y capacidades de Dobrinin y Kissinger lograron esa combinación.

Como asesor de Gromiko, comprendí el verdadero significado del Canal Dobrinin/Kissinger: era un medio de manejar los asuntos espinosos entre Moscú y Washington. Desde la segunda guerra mundial no se había analizado con tanta seriedad una gama tan amplia de temas, más o menos libre de polémicas y de propaganda ideológica. A pesar de las sospechas y de la rivalidad entre ambas partes, se produjo un verdadero progreso en las relaciones.

Desde 1969, Anatoli Dobrinin se había convertido en el punto de contacto esencial. Pocos representantes soviéticos estaban tan bien preparados para ejercer ese papel. Pocos podían haber sido tan eficaces. Dobrinin es un diplomático soviético excepcional, no sólo por su servicio inhabitualmente largo en Washington o su acceso y su influencia en los círculos políticos más importantes de Moscú. Su personalidad también lo distingue de la mayoría de los diplomáticos soviéticos que siguen dogmáticamente las instrucciones, preocupados ante todo por la seguridad de sus carreras. Aunque tiene formación académica en historia y posee el grado de ingeniero de aviación –cargo que desempeñó en una fábrica durante la guerra–, Dobrinin ha sido diplomático profesional prácticamente toda su vida.

Cuando era joven se convirtió en uno de los mejores especialistas en asuntos norteamericanos de Moscú. Fue asesor de ministro en Washington desde 1952 hasta 1955. Más tarde, fue jefe del Departamento Norteamericano del ministerio hasta que regresó a los Estados Unidos como embajador en 1962. Lo conocí en Nueva York, en 1958, cuando él era subsecretario general de las Naciones Unidas. A partir de aquel momento, mantuvimos una relación amistosa. Alto e imponente, la primera vez que lo vi me impresionó su afabilidad. Me sentí un poco desconcertado cuando me miró con los ojos iluminados por una mirada pícara y burlona. En realidad, no es ni trapacero ni testarudo. Es de natural vivaz y curioso, y posee una inteligencia penetrante. Generoso y cordial con sus subordinados y sus iguales, puede llegar a ser sumamente cándido con los funcionarios de alto nivel, en especial con Gromiko, de quien fue asistente.

Su gran seguridad en sí mismo no le ha hecho arrogante. Tierno e imaginativo, posee el don de comprender por qué la gente se comporta de una determinada manera; con toda facilidad se siente como en su casa en cualquier parte donde esté, cualidad indispensable en la diplomacia sofisticada. Al aconsejarme lo que debía hacer para triunfar en las Naciones Unidas, Dobrinin me dijo que hiciera mi trabajo con firmeza, con calma y con una sonrisa. Aborrecía los estallidos temperamentales y decía que los exabruptos rara vez alcanzaban los resultados deseados. Él mismo ha empleado esa filosofía y se ha ganado la confianza de muchos funcionarios y ciudadanos norteamericanos.

Henry Kissinger estaba encantado con él. Describió con admiración la forma en que «Dobrinin se movía en los altos niveles de Washington con consumada habilidad», y afirmó que «su papel personal [...] era, casi con toda seguridad, beneficioso para las relaciones entre los Estados Unidos y la Unión Soviética».[1] Pero la evaluación de Kissinger con respecto a la «importante contribución» de Dobrinin a la mejora de las relaciones entre Moscú y Washington, creo que era exagerada. Es indudable que ejerció un papel importante y positivo en ese sentido. Sin embargo, aunque no manifiesta hostilidad hacia los Estados Unidos, no es un ardiente admirador de ese país ni un defensor incansable de la amistad soviético-norteamericana. Por su capacidad, su eficacia y su buena voluntad, Dobrinin fue un instrumento de Brezhnev, Gromiko y otros políticos soviéticos.

Como promotor realista del acercamiento a los Estados Unidos, Dobrinin fue útil a Gromiko en dos sentidos: como intermediario de confianza ante Washington y como apoyo en el Politburó. Durante el período de los preparativos para la primera reunión cumbre Nixon-Brezhnev, en mayo de 1972, Dobrinin fue varias veces a Moscú, no sólo para hablar con el ministro de Asuntos Exteriores, sino también para –con la protección de Gromiko– persuadir a los escépticos de la dirección. Si bien tuvo cuidado de no traspasar los límites de la ortodoxia comunista, habló en las sesiones del Politburó y en reuniones privadas con el mismo encanto convincente que empleaba con los norteamericanos.

El verdadero Dobrinin es un defensor sincero y leal del sistema y del régimen soviético. No duda de la legitimidad de la política soviética, aunque sea agresiva y mentirosa. Considera traidores no sólo a los disidentes políticos, sino también a los artistas desertores. A Dobrinin le encanta tratar con los norteamericanos, y le gusta ser el «caballo» de la Unión Soviética en el ajedrez internacional. Pero los Estados

1. Henry Kissinger, *White House Years* (Little, Brown, 1979), p. 140.

Unidos son el adversario, y están dispuestos a ganar. He visto muchas veces, en privado, cómo sus cálidos ojos azules se llenaban de odio cuando se enfurecía por alguna acción o posición norteamericana.

Los negociadores estadounidenses que han tratado con él conocen su capacidad para explotar la debilidad norteamericana jugando brillantemente con las tendencias masoquistas de éstos, ese curioso sentimiento de culpa que a menudo sienten, mientras –casi como si bromeara– los acusa de todo fracaso diplomático o los culpa de los sufrimientos del mundo. Es tan hábil que muchas veces los norteamericanos acaban acusándose a sí mismos y no a los verdaderos culpables. No es sorprendente, pues, que los periodistas estadounidenses hayan afirmado que, después de haber conocido a Dobrinin durante años, de haber bebido con él, de haber discutido con él de todo, desde las migraciones de los pájaros hasta las películas de moda o el control de armamentos, no están seguros todavía de si es un político de línea dura o un liberal.

Lo cierto es que su gran habilidad en el campo internacional le ha convertido en un instrumento formidable. Su pericia con respecto a qué relaciones conviene cultivar en Washington, su buen sentido sobre qué botón hay que apretar para ejercer influencia en el proceso de toma de decisiones, su fácil acceso a casi todos, han hecho de él un verdadero as soviético.

No debería olvidarse que embajadores como W. Averell Harriman, Charles E. Bohlen y Llewellyn E. Thompson fueron quienes trataron con los soviéticos muchos asuntos norteamericanos importantes. Eran muy respetados en Moscú. El traslado a Washington de las negociaciones con los soviéticos se debió en gran parte al Canal Dobrinin/Kissinger.

Lo curioso es que la propia Casa Blanca contribuyó a ello quizá más que el Kremlin. El resultado fue una evidente ventaja para los soviéticos. Hay muchas menos puertas abiertas para los embajadores norteamericanos en la URSS que las que tiene Dobrinin en los Estados Unidos. El traslado de asuntos diplomáticos tan importantes a la zona comprendida entre la calle Dieciséis y la avenida Pennsylvania limitó aún más el acceso de los diplomáticos norteamericanos en Moscú a los departamentos gubernamentales soviéticos.

–Tenemos a Dobrinin en Washington –dijo una vez Gromiko, encogiéndose de hombros–. ¿Qué más pueden querer los norteamericanos?

Gromiko se resistía a negociar con los embajadores de los Estados Unidos en Moscú; éstos rara vez veían a Gromiko y mucho menos a otros jefes soviéticos. Eran comprensibles las quejas del embajador Malcolm Toon: lamentaba que los Estados Unidos se apoyaran demasiado en Dobrinin para informar al Kremlin de los puntos de vista norteamericanos, y no lo suficiente en el personal diplomático estadounidense que residía en Moscú. El caso del embajador Jacob B. Beam –a quien ni siquiera informaron de la visita secreta de Kissinger a Moscú, en abril de 1972– es un ejemplo.

Para los soviéticos, las ventajas prácticas de este arreglo son considerables. Si el Kremlin tiene otro punto de vista con respecto a una negociación, no existe un compromiso oficial ante la representación de los Estados Unidos en Moscú. El Kremlin siempre puede «corregir» a Dobrinin diciendo que no ha expresado correctamente la posición soviética. Y Dobrinin siempre puede postergar sus respuestas, aduciendo que espera instrucciones del Politburó. Sus frecuentes viajes de consulta a Moscú facilitan el retraso de toda negociación. El propio Kissinger reconoció que Dobrinin empleaba esa táctica con éxito. Al mismo tiempo, es importante la existencia de un canal directo y confidencial entre el Politburó y la Casa Blanca. Sería tan erróneo desestimar ese arreglo como minar la posición del embajador norteamericano en Moscú. La cuestión es encontrar el equilibrio adecuado.

Dobrinin posee un excelente sentido de lo que es aceptable para la dirección soviética. En sus informes a Moscú no se observa la impaciencia de la mayoría de los embajadores soviéticos por manifestar a sus superiores que estarán de acuerdo con las instrucciones que reciban. Los telegramas de Dobrinin llaman invariablemente la atención; cada mañana, Gromiko empieza su día de trabajo leyéndolos. Dobrinin es muy trabajador; casi siempre escribe él mismo los telegramas, con un estilo característico no sólo por la precisión y la claridad sino también por los pintorescos detalles que proporciona al describir los pormenores de una conversación o el estado de ánimo de las personas que participan en ella. Tiene una memoria envidiable. Muchas veces envía los registros textuales de las conversaciones que ha mantenido. Como informador diplomático, Dobrinin otorga al Kremlin un valioso contrapeso a la repetida propaganda de la agencia TASS y de otros corresponsales y diplomáticos soviéticos. Su disciplina y su energía le hacen mantener un horario riguroso, pese a su batalla contra el cáncer, que padece desde hace mucho tiempo.

Dobrinin merece un especial reconocimiento por la notable mejora en la calidad de la información enviada desde Washington a partir de la década de 1950. Su predecesor, Mijail Menshikov, era tan mediocre en su intento de mejorar la imagen soviética como eficaz para distorsionar la realidad en los mensajes que enviaba a Moscú. Para complacer a Jruschov, «el sonriente Mike» superó todos los récords de la mentira. Por ejemplo, afirmó en una ocasión que el público norteamericano casi había condenado unánimemente al presidente Eisenhower por la misión de espionaje del U-2 sobre territorio soviético y el consecuente fracaso de la reunión cumbre de las cuatro potencias en París, en mayo de 1960. Dobrinin jamás caería en semejante insensatez.

Al mismo tiempo, Dobrinin siempre ha sido prudente con respecto a dar a Moscú su análisis personal de la política de los Estados Unidos que, según Kissinger, sin excepción, «era agudo y hasta sensato». Kissinger tenía confianza en que «el Kremlin tendría a su disposición una valoración no falseada de las condiciones de aquí», lo que reducía «las posibilidades de un grave error de cálculo». En muchos casos, Dobrinin sólo manifestaba una expresión de deseos. A diferencia de sus informes sobre negociaciones específicas, su análisis general de la política norteamericana contenía a menudo cierto aire propagandístico. No le culpo por ello; era el precio de su permanente lealtad al sistema soviético y una forma de evitar las acusaciones de que se había «norteamericanizado» de que era objeto por parte de los representantes del Comité Central y del Ministerio de Asuntos Exteriores. Aunque Dobrinin comprende el sistema de gobierno norteamericano, ni siquiera se ha atrevido a realizar un análisis preciso de la división de poder en los Estados Unidos entre la rama ejecutiva y la rama legislativa, un tema confuso para los soviéticos durante el asunto Watergate. Deja que sus colaboradores preparen casi todos los informes de ese tipo.

Dobrinin es, con mucho, el embajador soviético mejor informado. Recibe desde Moscú una gran cantidad de información importante, muchísima más que la que reciben las demás misiones soviéticas en el extranjero. Si se tiene en cuenta la manía soviética de llevarlo todo en secreto, es indudable que con Dobrinin se hace una excepción. Hasta los burócratas del Kremlin comprenden que debe estar bien preparado para cualquier eventualidad. A pesar de las habladurías, Dobrinin es muy respetado en Moscú y siempre ha mantenido un contacto estrecho –y a veces informal– con las personas influyentes que se ocupan de los asuntos norteamericanos.

Su esposa, Irina, es una persona muy valiosa. Alegre y gran observadora, es además una excelente anfitriona. Le gustaría que su marido pudiera abandonar ese «trabajo matador» para regresar a Moscú y enseñar historia, pero a mí me cuesta imaginar a Dobrinin volviendo a la Unión Soviética para dedicarse a la enseñanza. Aparte del inconveniente de encontrar quien lo reemplace, presionarían a Gromiko para que le diera un alto cargo en el ministerio sin destituir a ningún otro hombre importante.

Además de su experiencia diplomática, Dobrinin posee credenciales del Partido nada corrientes en un funcionario soviético que ha pasado tanto tiempo fuera de Moscú. Después de cinco años como miembro candidato, llegó a la posición más alta en el Comité Central en 1971. No sólo aparece con frecuencia en las reuniones del Politburó sino que, a diferencia de otros funcionarios que simplemente acompañan a los ministros, Dobrinin habla –a veces durante mucho tiempo– ante los dirigentes del Partido. Por todo ello, lo más seguro –y también lo más conveniente– es que Gromiko quiera que continúe en Washington. Ambos mantienen una estrecha relación, y el ministro, que llama a la mayoría de sus subordinados por el apellido, siempre se dirige al embajador llamándole Anatoli Fiodorovich.

Ahora resulta irónico que poco después de ocupar el cargo de embajador en Washington, donde se ha convertido en toda una institución –estimado y respetado decano de los cuerpos diplomáticos–, Dobrinin estuviera a punto de ser acusado de mentiroso. En octubre de 1962, en vísperas de la crisis de los misiles cubanos, Dobrinin aseguró varias veces a los norteamericanos que la Unión Soviética no había instalado ni instalaría misiles en Cuba. Dudo mucho que conociera la verdadera situación; Jruhchov utilizaba a su joven embajador sin decirle la verdad. Dobrinin se esforzó por recuperar la credibilidad, y con Kissinger quizá lo consiguió.

La principal diferencia entre sus posiciones consistía en que Kissinger tenía más libertad de acción, así como mayor autoridad. Además, su influencia en la Casa Blanca era mayor que la de Dobrinin en el Kremlin.

La victoria de Nixon en las elecciones presidenciales de 1968 y el nombramiento de Kissinger como Asesor de Seguridad Nacional, al principio fueron un motivo de preocupación para Moscú. Ambos eran odiados por anticomunistas acérrimos. Después de la publicación de su libro *Armas nucleares y política internacional* (1957), la Unión Soviética clasificó a Kissinger como «nuestro peor enemigo y lacayo del imperialismo». No obstante, el disgusto soviético estaba mezclado con la envidia por su inteligencia y su posición fundamental dentro del poder político de los Estados Unidos, debida especialmente a su relación con Nelson Rockefeller, a quien los soviéticos consideraban un pilar de la sociedad capitalista norteamericana; le odiaban y a la vez le admiraban. Pero a medida que fueron conociendo los planteamientos de Kissinger, empezaron a modificar sus impresiones; la opinión soviética sobre éste comenzó a cambiar. Cuando entró a formar parte de la administración Nixon, Kissinger ya había dejado de ser considerado un «belicista». Para Moscú había pasado a ser una eminencia de la escuela «realista».

En su discurso inaugural, Nixon dijo que se iniciaba una era de negociaciones; precisamente esto era lo que quería oír el Kremlin. Moscú esperaba un cambio en las relaciones con los Estados Unidos. Pero Kissinger no se equivocó cuando estimó que las negociaciones con los soviéticos no serían fáciles.

Todos los negociadores de la Unión Soviética son agentes de autoridad limitada que no pueden expresar opiniones diferentes de las del Politburó. Probablemente, los norteamericanos son más abiertos y más flexibles, y además el primer instinto soviético es sospechar de la buena voluntad y dudar de la objetividad de su adversario. Parte de esta actitud se puede atribuir a las instrucciones. Para convertir a sus representantes en negociadores duros, los jefes del Kremlin no suelen incluir entre sus directivas ninguna posibilidad de retroceso, lo que obliga a aquéllos a cantar una sola nota obstinada en la mesa de negociaciones hasta que Moscú llega a un compromiso.

Sin embargo, no es éste el único modo de negociar que utilizan los soviéticos. El Politburó usa todos los medios a su alcance, buenos o malos, para conseguir lo que quiere. A veces, los negociadores soviéticos abandonan bruscamente su obstinación inicial y alteran visiblemente sus posiciones. Pero, aunque parecen ablandarse y torcerse, se mantienen firmes hasta la hora del compromiso. Cuando llega ese momento, los soviéticos venden sus concesiones al más alto precio; en ello son unos maestros.

Cuando la URSS lo ha creído conveniente, ha puesto en práctica todos esos medios, como ocurrió en el curso de las negociaciones soviético-norteamericanas sobre la visita a Moscú de Nixon y sobre las SALT.

Con la estricta supervisión de Gromiko, en el ministerio se creó un equipo especial para preparar la visita de Nixon, encabezado por Vasili Kuznetsov y del que Gueorgui Kornienko y yo formábamos parte. La especialidad profesional de Kornienko eran los asuntos norteamericanos. Había sido asesor del ministro en la embajada en Washington, y en 1966 fue nombrado jefe del Departamento Norteamericano del ministerio. Llegó al cargo de primer viceprimer ministro de Asuntos Exteriores, lo que reflejaba la confianza de Gromiko en la pericia de Kornienko.

La carrera ascendente de Kornienko se debía a que era inteligente y muy trabajador, pero de ella se derivaron problemas de hipertensión y una dolencia cardíaca. Su profesionalidad y su discreción le habían convertido en el favorito de Gromiko; ambos compartían la convicción de que las relaciones soviético-norteamericanas debían ser consideradas prioritariamente por Moscú. Sin embargo, la responsabilidad de Kornienko acababa ahí. Aunque estaba convencido de la importancia fundamental de las relaciones con los Estados Unidos, jamás esperó que fueran fáciles y siempre mantuvo cierto escepticismo sobre la posibilidad de lograr buenos resultados.

Muchos funcionarios del Ministerio de Asuntos Exteriores estaban indignados por el concepto del nexo entre asuntos diversos promulgado por Nixon y Kissinger, que condicionaba el progreso de las relaciones entre ambos países a la cooperación del Kremlin en la resolución de problemas como los del Vietnam, el Oriente Medio y la seguridad europea. Parte de esa indignación provenía de la impotencia. La influencia soviética sobre los norvietnamitas o los árabes no era tan grande como creían los Estados Unidos. Los norteamericanos se equivocaban al pensar que eran unas simples marionetas en manos de la Unión Soviética. Y además Moscú, al proclamar que la ayuda ofrecida a Vietnam del Norte y a otros países representaba su «deber internacionalista» y su solidaridad con los «aliados fraternales y progresistas», limitaba su propia capacidad de utilizar esa ayuda como forma de presión hacia sus camaradas en beneficio de los propios intereses soviéticos.

Lo que más irritaba a la Unión Soviética de los norvietnamitas era la tendencia de Hanoi a enfrentar a soviéticos y chinos, logrando ayuda de ambos lados sin comprometerse con ninguno de ellos. Moscú quería que Hanoi se definiera claramente sobre Pekín. Hô Chi Minh y sus sucesores prefirieron una prudente neutralidad. Del mismo modo, lograron mantener a los soviéticos a buena distancia con respecto a la conducción de la guerra. Los norvietnamitas se quejaban de la lentitud en la entrega de armas y material, y a veces ocultaban a los asesores soviéticos sus planes estratégicos, así como sus negociaciones con los chinos. Los consejeros soviéticos y sus superiores de Moscú consideraban que los norvietnamitas eran obstinadamente independientes e intrigantes. Ilia Shcherbakov, el embajador soviético en Hanoi, a menudo se quejaba de ello a Moscú. Yo pensaba cómo se habrían reído los norteamericanos del dilema soviético si hubieran leído el contenido de esos telegramas. Por último, muchas veces Moscú recibía mejor información de Kissinger que de nuestros «hermanos» vietnamitas sobre las conversaciones con Le Duc Tho en París.

En Oriente Medio, la Unión Soviética se había comprometido en una situación que le dejaba pocas opciones. Después de la muerte de Nasser, no había más remedio que soportar a los extremistas árabes. Cuando el presidente Sadat empezó a consolidar su autoridad –ante el horror de los soviéticos–, Moscú creyó que cualquier desviación de la línea más dura complicaría los esfuerzos del Kremlin para salvar lo que aún quedaba de su deteriorada influencia en Egipto.

Naturalmente, Gromiko consideraba que no debíamos precipitarnos, ya que no sabíamos lo que podríamos ganar si mejorábamos las relaciones con los norteamericanos mediante el concepto del nexo. «Más vale pájaro en mano que ciento volando», decía cada vez que se mencionaba ese nexo. Sin embargo, no fue sólo esa política lo que retrasó el encuentro Brezhnev-Nixon; hubo otros factores que impulsaron al Kremlin y a la Casa Blanca a esperar y ver. Pero los soviéticos fueron tomados por sorpresa.

El inicio de la diplomacia triangular de Kissinger con la visita secreta a Pekín en julio de 1971, fue un golpe para el gobierno soviético. A Gromiko la indignación le duró semanas.

Después del viaje de Nixon a China, en febrero de 1972, y del anuncio del comunicado de Shanghai, hubo una acalorada reunión del Politburó. Precisamente pocos meses antes, las Naciones Unidas habían admitido a China como miembro. De un modo formal, la Unión Soviética había sido el apoyo de China durante muchos años, pero la victoria final fue pírrica. Al mismo tiempo que Yakov Malik daba la bienvenida a la delegación de la República Popular China, recibía de Moscú la información de la «complicidad con el imperialismo» de Pekín.

La declaración del comunicado de Shanghai de que «ninguna de las partes deberá buscar la hegemonía en la región del Pacífico y cada una de ellas se opondrá a los esfuerzos de cualquier otro país [...] para establecer esa hegemonía» enfureció a los soviéticos, puesto que era evidentemente una advertencia. Henry Kissinger confirmó que el Kremlin tenía razón al evaluar el comunicado. «Ambas partes –dijo– fijaban la atención en el objetivo común de la resistencia a lo que el comunicado describía como "hegemonía". En palabras sencillas, eso significaba la resistencia a los intentos soviéticos de modificar el equilibrio global del poder.»[2]

Oficialmente, los líderes soviéticos dijeron que «lo más natural» era que los dos países restablecieran las relaciones. Pero estaban sumamente preocupados. Gromiko afirmó que más tarde o más temprano Nixon y los norteamericanos fracasarían en sus relaciones con Pekín como «hemos fracasado nosotros»; y Vasili Makarov dijo que Brezhnev había recriminado duramente a Gromiko el no haber anticipado el acercamiento chino-norteamericano.

2. *The Washington Post*, 30 de enero de 1983.

A pesar de todo, me pareció que se producía una clara reafirmación de nuestro liderazgo. Después de muchos problemas en la década de 1960 (Berlín, Checoslovaquia y nuestros intentos por equipararnos a los Estados Unidos en la carrera armamentista), la Unión Soviética se había recuperado y resurgía como un rival poderoso para los Estados Unidos. Nuestros jefes estaban revalorando la situación internacional y habían empezado a seguir de nuevo el curso de nuestra política exterior. Mis esperanzas de cambio aumentaron, aunque comprendía que de alguna manera eran contradictorias con lo que había llegado a comprender de nuestra política con respecto a los Estados Unidos, el desarme y otros asuntos.

Me complacía participar en los preparativos para la reunión cumbre y trabajar para que fuera un verdadero éxito. La clave era deshacer los nudos en el tema de las SALT. Mientras estaba en Nueva York, había seguido las acrobacias de mi país en las discusiones iniciales de los problemas relacionados con el control de armas estratégicas. En Moscú, participé directamente en las SALT.

En la década de 1960, la Unión Soviética había desplegado el sistema antibalístico Galosh alrededor de Moscú para defenderse de los misiles ofensivos, afirmando que el propósito era salvar vidas. Durante su encuentro con el presidente Johnson en Glassboro, en 1967, Kosiguin había pensado que los Estados Unidos simplemente querían negociar la limitación de los misiles antibalísticos (ABM), mientras que la Unión Soviética creía que en primer lugar se debía hablar de los misiles nucleares estratégicos ofensivos. Cuando me convertí en asesor de Gromiko, Moscú dio un giro de 180 grados en su posición y quiso analizar primero la limitación de los ABM. Ese salto mortal demostraba que los soviéticos querían paralizar la utilización del sistema norteamericano de misiles antibalísticos Safeguard, una contrapartida al Galosh, que había demostrado ser menos efectivo de lo que se había pensado.

Sin embargo, existía un serio interés por llegar a un acuerdo en el tema de las SALT. El gobierno soviético quería la igualdad con los Estados Unidos. Además, la ansiedad del Politburó sobre el resultado incierto de una competencia en espiral para lograr una ventaja estratégica corría paralela a su preocupación cada vez mayor con respecto a los altos costes de sus programas militares. Los economistas soviéticos advertían con firmeza que si el gasto armamentista continuaba creciendo al mismo ritmo, la producción de artículos de consumo y de productos agrícolas correría serio peligro. Además, el incuestionable liderazgo tecnológico de los Estados Unidos en el tema de la informática despertó el temor soviético a que los norteamericanos se convirtieran en los ganadores de la rivalidad armamentista.

Brezhnev creía que, aunque no se llegara a un tratado, el mero hecho de que tuvieran lugar esas conversaciones era beneficioso. Podían servir para presionar al Congreso norteamericano, de modo que suprimiera algunos programas militares. También podían ser explotadas para que se sospechara la existencia de un acuerdo secreto soviético-norteamericano contra China, lo cual seguramente provocaría el recelo de los aliados de la OTAN. Principalmente por esto los soviéticos favorecieron unas negociaciones estrictamente confidenciales, sin informar en absoluto a las Naciones Unidas, lo que constituía una drástica desviación de su tradicional preferencia por las negociaciones abiertas en el tema del desarme.

Las SALT fueron tan dolorosas para los soviéticos como un parto, en particular para los militares. Después de décadas de completo secreto con respecto a los desarrollos militares, resultaba inconcebible revelar al enemigo hasta los nombres de los sistemas de armamento. Aunque parezca ridículo, los soviéticos no se atrevieron a utilizar su propia terminología armamentista y decidieron adoptar la de la OTAN. El ministro de Defensa, Grechko, estuvo permanentemente al borde de la apoplejía durante las negociaciones de las SALT. Todos los que participábamos en ellas conocíamos muy bien su incurable desconfianza y su violenta oposición a las SALT, lo que influía de modo negativo hasta en los generales y políticos más realistas y astutos. Grechko pronunció muchos discursos, todos irrelevantes, sobre la naturaleza agresiva del imperialismo que, según él, no había cambiado. Seguía existiendo el peligro de una nueva guerra mundial, y el poder armamentístico soviético continuaba creciendo.

Grechko, a quien muchos en Moscú consideraban un necio, no sólo contaba con el apoyo de los militares de la vieja guardia, sino que debía en gran parte su ascenso profesional a su amistad con el joven Leonid Brezhnev durante la segunda guerra mundial. Los lazos que les unían eran profundos y Grechko usó su libre acceso al líder del Partido para tratar de convencerlo de que el avance militar de la URSS debía continuar. Obedeciendo órdenes de sus superiores, Grechko aceptó a pesar suyo las SALT, pero casi de inmediato inició una campaña que contribuyó a retrasar el proceso. Estableció un estricto control sobre sus subordinados y les impidió colaborar con el Ministerio de Asuntos Exteriores. Al principio, Nikolai Ogarkov y sus colegas habían podido hablar con relativa libertad; pero Grechko exigió que todas las propuestas militares se basaran en documentos formales que él debía supervisar primero para su aprobación.

Esa absurda orden fue un verdadero impedimento para la negociación interna del tema de las SALT. Las relaciones entre Grechko y

Gromiko, que jamás habían sido buenas, empeoraron hasta tal punto que durante algún tiempo no se hablaron. El silencio se extendió también a varios funcionarios de ambos ministerios. Por otro lado, la actitud de Grechko chocaba con la manera de ver las cosas de algunos de los políticos más experimentados. Ogarkov, por ejemplo, dijo una vez: «Tenemos algunas personas muy anticuadas en su forma de pensar. Siguen todavía las lecciones de la primera y de la segunda guerra mundial, y no siempre comprenden los problemas militares modernos». Ogarkov no dio ningún nombre, pero era evidente que se refería a Grechko.

Durante las negociaciones de las SALT, el papel de Dobrinin como contacto directo con la Casa Blanca fue muy importante porque Brezhnev y Gromiko –igual que Nixon y Kissinger– desconfiaban de la capacidad de la burocracia soviética para lograr un acuerdo. Al iniciarse las conversaciones, Gromiko intentó comprometer actualmente a los militares en las negociaciones. No quería que él y el Ministerio de Asuntos Exteriores aparecieran como los únicos defensores del control de armas, y esperaba que las fuerzas armadas soviéticas pensaran en la limitación de armamento en lugar de pensar en su aumento.

–Es difícil discutir este tema con los militares –me dijo Gromiko en una ocasión–. Pero cuanto más sepan y cuanto mayor contacto tengan con los norteamericanos, más fácil será que dejen de ser meros autómatas.

Cuando Gromiko me hizo esas observaciones, ya había fallado en su intento de que los militares encabezaran el equipo de las SALT; Grechko se había opuesto terminantemente. Por lo tanto, se nombró al viceministro de Asuntos Exteriores, Vladimir Semionov, jefe de la representación soviética, y fue él quien inició las discusiones de las SALT con la delegación norteamericana, encabezada por Gerard Smith, en noviembre de 1969.

A éste no le complacía demasiado que algunos asuntos clave se discutieran a través del Canal Dobrinin/Kissinger en vez de formar parte de las negociaciones entabladas entre Semionov y él. «Conversaciones dobles» fue el epíteto de Smith para las SALT.[3] Hasta cierto punto, tenía razón. Pero, aunque las negociaciones fueron importantes en muchos sentidos, habría sido imposible lograr avances esenciales si no se hubiera mantenido el secreto de las comunicaciones directas entre los líderes de la URSS y de los Estados Unidos.

3. Gerard Smith, *Doubletalk: The Story of SALT I*. Doubleday, 1980.

Entre los militares de la delegación soviética había varios con verdadera experiencia en el campo del armamento estratégico y, lo que era más importante, de brillante porvenir. Al principio, los oficiales que participaban en las conversaciones eran hombres mal informados que estaban a punto de retirarse. La inclusión de militares más jóvenes y más aptos en el grupo de las SALT fue un paso decisivo para el compromiso de las fuerzas armadas en el proceso del control de armas. Por sugerencia de Gromiko, el Politburó exigió que los siete delegados firmaran los informes que el equipo soviético telegrafiaba a Moscú. Con las firmas de los militares al lado de las de los diplomáticos, Gromiko se proponía desarmar a la oposición militar. Sin embargo, era extraño ver telegramas firmados por siete personas, algo realmente insólito en la diplomacia soviética.

Gromiko no subestimaba el cambio generacional que había dado lugar a un grupo más imaginativo de oficiales destacados dentro de la estructura militar a finales de la década de 1960. En vez de hombres cansados y a menudo de mente estrecha cuyo pensamiento provenía de su experiencia como comandantes de tropas antes o durante la segunda guerra mundial –como el mariscal Matvei Zajarov, jefe del Estado Mayor, quien literalmente dormía en su despacho de Moscú–, empezaron a aparecer oficiales de concepciones más amplias y pensamientos más brillantes.

Ogarkov, a quien conocí cuando era el representante más importante del Ministerio de Defensa en la delegación de las SALT en 1970, era un ejemplo de ese cambio. Me impresionó cuando respondió de una manera directa al tipo de pregunta que la mayoría de sus colegas habría evitado. A pesar de ser un duro y firme defensor de los programas militares, cuando le pregunté si pensaba que necesitábamos las SALT contestó que sí, siempre que se mantuvieran ciertas condiciones.

En las reuniones de la delegación de las SALT, de vez en cuando pude comprobar que Ogarkov iba más lejos todavía. Cuando las discusiones se desviaban hacia temas colaterales poco importantes, las llevaba nuevamente al tema en cuestión haciendo hincapié en los puntos centrales. Era evidente que Ogarkov consideraba las negociaciones de las SALT dentro de un contexto político complejo y que creía que era posible llegar a un acuerdo que reforzara la seguridad soviética.

El general Nikolai Alexeiev, Ogarkov y otros oficiales militares pensaban que las SALT eran un medio para alcanzar, mediante la negociación, lo que los soviéticos temían no alcanzar mediante la competencia: un control sobre la capacidad norteamericana de traducir su fuerza económica y tecnológica en ventaja militar y un respiro durante el cual la URSS se esforzaría por reducir la brecha existente. Vladimir Semionov era un diplomático brillante, pero rara vez dejaba que los principios interfirieran en la ambición. Era lo bastante escurridizo y flexible como para escapar de cualquier peligro o situación difícil. Sus colegas le consideraban un oportunista, siempre dispuesto a cambiar de posición para ajustarse a la dirección de los vientos políticos de Moscú.

La pereza de Semionov y su hábito de hospitalizarse para hacer curas de descanso irritaban a Gromiko, que era un adicto al trabajo. Pero por su innegable capacidad como negociador, Semionov era el hombre idóneo para encabezar la delegación soviética en las negociaciones de las SALT. Gromiko no vacilaba en dejar que su enviado «se enredara» en los aspectos técnicos del control de armas, pues consideraba que las conversaciones tenían una importancia secundaria.

–La mejor forma para llegar a un acuerdo –me dijo enfáticamente una vez– es la forma directa. –Para Gromiko, ese camino llevaba a Kissinger y a Nixon a través de Dobrinin.

Gromiko consideraba que las SALT eran el vehículo de un proceso político mucho más importante. Su objetivo, apoyado por Brezhnev y alentado por Dobrinin, era conseguir una amplia serie de entendimientos con los Estados Unidos; el control del armamento era el aspecto central del acuerdo, pero no el único.

Puesto que hasta cierto punto Semionov era un funcionario menor, no tenía poder para actuar libremente. No podía modificar las instrucciones de Moscú y además se le ocultaba información. Estuviera en Helsinki o en Viena, no recibía demasiados telegramas del Ministerio de Asuntos Exteriores.

Aunque formalmente tenía la responsabilidad, como viceministro que era, de supervisar algunas áreas políticas importantes, incluidas las relaciones con Alemania, Semionov iba con regularidad a Moscú para que yo y otros asesores de Gromiko le pusiéramos al día con respecto a una amplia gama de asuntos políticos. Frecuentemente el ministro no le informaba sobre la evolución de las SALT. A pesar de que Semionov conocía la existencia del Canal Dobrinin/Kissinger, no se enteraba inmediatamente de lo que se había discutido o acordado a través de la «forma directa» de Gromiko, y a veces tardaba mucho en saberlo.

Kissinger, que tenía sus propias razones para tratar a los negociadores norteamericanos de modo similar, menciona dos ocasiones en las que funcionó mal este sistema. En ambos casos, uno en mayo de 1971 y el otro en abril de 1972, Kissinger no excluyó la posibilidad de que las acciones de Semionov fueran intentos «para lanzar a uno de nuestros dos canales contra el otro».[4]

Sin embargo, no fue así. En mayo, los soviéticos abandonaron sus tácticas de filibusterismo con la esperanza de que la campaña interna norteamericana anti-ABM forzara a la Administración a aceptar sólo la reducción de los misiles antibalísticos. En principio, Dobrinin aceptó que se incluyeran en las negociaciones las armas ofensivas. Pero en una cena privada con Gerard Smith, Semionov dijo que estaban dispuestos a discutir la congelación de los ICBM (misiles balísticos intercontinentales) *después* de que se llegara a un acuerdo con respecto a los misiles antibalísticos, y esto Kissinger ya lo había rechazado. Sin embargo, Semionov no planteaba un retroceso en las negociaciones secretas Kissinger-Dobrinin; simplemente obedecía las instrucciones que había recibido, instrucciones que no estaban actualizadas.

El segundo incidente se produjo en Helsinki cuando Semionov declaró que Moscú estaba reconsiderando uno de los temas más importantes de las SALT: poner un tope a los misiles balísticos con base en tierra y lanzados desde submarinos; en realidad, con respecto a ese asunto, Kissinger y Brezhnev habían llegado a un acuerdo durante el viaje clandestino del primero a Moscú. Aunque las declaraciones de Semionov apenas se referían al tema, parece que Kissinger y Nixon las consideraron un intento de quitar al presidente el mérito de haber logrado el acuerdo SALT en la reunión cumbre. Estaban equivocados. Semionov no había recibido nuevas instrucciones de Moscú aparte de unas pocas palabras imprecisas de sus informadores en el ministerio.

La versatilidad de la posición soviética con respecto a los misiles lanzados desde submarinos, que despejaba el camino hacia un acuerdo, fue la victoria principal de Gromiko sobre el mariscal Grechko, que se resistió obstinadamente hasta el final. Varias veces fui testigo de acalorados debates sobre este tema en la Comisión Industrial Militar (VPK), donde Dmitri Ustinov, entonces secretario del Partido, desempeñó un papel importante. Mientras Gromiko, con el apoyo de Brezhnev, se enfrentaba a Grechko, Ustinov trataba de hallar una vía de salida intermedia, lo que hacía que Grechko se enfureciera todavía más.

En aquel momento, nuestro equipo de trabajo había terminado los borradores de varios documentos para la cumbre. Entre ellos estaba la Declaración sobre Principios Básicos de las Relaciones entre la Unión Soviética y los Estados Unidos. Brezhnev y Gromiko conside-

4. Henry Kissinger: *White House Years*, pp. 817 y 1155.

raban de gran importancia esta declaración. Aparentemente, los norteamericanos al principio no comprendieron el significado especial que tenía ese documento para los soviéticos. La observación de Brezhnev de que era aún más importante que el proyectado acuerdo SALT dejó perplejo a Kissinger.

Para los norteamericanos, la declaración no era más que una serie de generalizaciones aromatizadas con retórica propagandística. Para los soviéticos, era un instrumento para silenciar a los miembros de la dirección que tenían dudas acerca de la cumbre de Moscú, en particular porque en ese mismo momento se reiniciaba el bombardeo norteamericano de Hanoi y de otros territorios vietnamitas.

Para el gobierno soviético no eran meras palabras las disposiciones de la declaración de que las relaciones soviético-norteamericanas debían establecerse «sobre la base de la coexistencia pacífica» y basarse en los principios de «la soberanía, la igualdad, la no interferencia en los asuntos internos y los beneficios mutuos». Representaban un cambio fundamental en la política de Washington hacia la Unión Soviética. Se consideraba que esa declaración era el reconocimiento jurídico, por parte de los Estados Unidos, de la idea leninista de la coexistencia pacífica: un gran triunfo para la política exterior soviética.

El estímulo principal para el ego soviético era la aceptación norteamericana del principio de igualdad. No había nada mejor para el gobierno de la Unión Soviética, que había sufrido durante años un complejo de inferioridad con respecto a los Estados Unidos. Para Moscú habría sido satisfactorio incluso que el único resultado de la cumbre hubiera sido la declaración de principios.

A diferencia de ésta –sin duda, un regalo para los elementos más desconfiados del Politburó–, el comunicado conjunto soviético-norteamericano era un asunto delicado. Se refería a problemas concretos acerca de los cuales los Estados Unidos y la Unión Soviética mantenían posiciones drásticamente diferentes. Cuando los documentos de los Principios Básicos de las Relaciones entre la Unión Soviética y los Estados Unidos y el comunicado conjunto se distribuyeron entre los miembros y candidatos a miembros del Politburó, Boris Ponomarev trató de introducir algunos cambios en el texto. Me comunicó sus deseos su asistente, Vadim Zagladin, por teléfono.

–Hay que cambiarlo, Arkadi –su voz sonaba vagamente amenazadora–. El comunicado conjunto no destaca adecuadamente nuestro apoyo a la lucha de los movimientos de liberación nacional de los países en desarrollo. No tiene el grado correcto de fuerza ideológica. Los partidos [comunistas] extranjeros no podrán comprender que firmemos una declaración con los norteamericanos tan vacía de contenido como ésta.

Yo sabía muy bien qué preocupaba a Zagladin. Gromiko nos había ordenado que hiciéramos un borrador que evitara la retórica normal sobre el imperialismo occidental y minimizara el vigor soviético en el combate ideológico internacional.

–No agitemos una bandera roja delante del toro –había ordenado Gromiko.

Según Zagladin, habíamos cumplido demasiado bien las órdenes. Ni en la Declaración sobre Principios Básicos ni en el borrador del comunicado conjunto aparecía la constante exigencia de la Unión Soviética de la retirada completa de las tropas israelíes de los territorios ocupados en 1967. Tampoco se decía una palabra sobre el racismo o la descolonización, ni sobre el compromiso soviético con respecto a los pueblos oprimidos de Asia y África para el logro de la justicia social. En cuanto a Vietnam, ambas partes exponían simplemente su completo desacuerdo.

Como dijo Zagladin, los documentos carecían de contenido político excepto por la afirmación, en los Principios Básicos, de que entre la Unión Soviética y los Estados Unidos «las diferencias ideológicas y [...] de los sistemas sociales [...] no son obstáculo» para el desarrollo de «relaciones normales». Para los guardianes de la doctrina comunista, esa formulación constituía un retroceso ideológico.

Sin embargo, yo sabía que la posición de Gromiko había contado con el apoyo de Brezhnev; por otra parte, gracias a las hábiles maniobras de Brezhnev anteriores a la cumbre, sus colegas no podían cambiar la actitud del líder soviético.

–Andrei Andreievich nos ha dado instrucciones absolutamente claras al respecto –dije a Zagladin–. Si tiene objeciones, ¿por qué no las eleva al Politburó?

Zagladin insistió.

–Por supuesto, Gromiko comprende estas cuestiones –concedió–, pero nosotros también tenemos nuestra opinión.

–Es evidente. No obstante, su opinión no se ajusta a nuestras instrucciones. Informen al Politburó. Ellos tomarán una decisión. Pero en este momento no podemos cambiar las órdenes que recibimos.

–Arkadi, usted sabe que nosotros también tenemos poder.

–Por supuesto, pero en asuntos exteriores ese poder es limitado.

Cuando el borrador se envió por adelantado a los miembros del Politburó, sólo el *premier* Alexei Kosiguin presentó objeciones al texto. Su asistente me pidió que fuera al despacho del *premier*; el interrogatorio fue breve y tranquilo. En la sesión del Politburó se aprobó la versión del Ministerio de Asuntos Exteriores como un instrumento negociador, sin un verdadero debate.

Mientras el Politburó consideraba el texto del cual yo era responsable, me senté junto a Kuznetsov, Kornienko y Makarov, detrás de Gromiko, en la gran mesa del Kremlin. Brezhnev preguntó si todos los miembros del Politburó habían recibido a tiempo el borrador de los documentos soviético-norteamericanos, y si lo habían analizado. La mayoría de los miembros asintió en silencio.

–¿Puedo considerar que se aprueba el borrador? –preguntó Brezhnev. Nadie respondió–. Se aprueba el borrador –dijo Brezhnev, después de algunos minutos de silencio.

Makarov me puso la mano en el hombro y susurró:

–Bien, Arkadi, todo ha terminado. Puede irse.

Por ésa y por otras experiencias, por preparar los textos de Gromiko para muchas sesiones y por hablar con quienes participaban a menudo en las reuniones del Politburó, estaba convencido de que era un procedimiento de rutina. Mientras esperaba mi turno en la antesala, llamaron a otros asesores a la cámara del Politburó y poco después los enviaron de vuelta a sus respectivas tareas. Entre botellas de agua mineral y galletas, los jefes soviéticos realizaban sus funciones formales tan rápido como podían. La sesión a la que asistí, que duró desde las diez y media de la mañana hasta las cinco de la tarde, con un descanso para comer, fue tranquila, ordenada y metódica. Aunque se prepara una agenda, no se exige quórum ni ninguna otra forma de procedimiento parlamentario.

Las sesiones del Politburó pueden tener lugar en la oficina del Kremlin de la Secretaría General o en el edificio del Comité Central, en la plaza Staraia. Las reuniones urgentes, o las reuniones relacionadas con la llegada de un dignatario extranjero, se realizan en el aeropuerto de Vnukovo. En el Kremlin, los miembros se sientan alrededor de una gran mesa, encabezada por el secretario general. La sala del segundo piso es de techo alto y está revestida de madera. El retrato de contempla a los allí reunidos. Las ventanas dan a un patio trasero del Kremlin. Los oficiales de seguridad custodian la entrada y sin duda conocen a todo el que entra.

El borrador del comunicado conjunto soviético-norteamericano se aprobó sin dificultad durante la cumbre de Moscú de 1972. Gromiko me pidió que le acompañara junto con Dobrinin a la reunión con Kissinger en el Kremlin para analizar el comunicado. Fue la primera vez que estuve con un secretario de Estado norteamericano en una mesa de negociaciones.

Me gustó mucho la actitud de Kissinger durante la reunión. Quería algunos cambios menores en el texto, pero al ver la falta de voluntad de Gromiko para complacerle, no insistió.

Cuando regresábamos al ministerio en el coche de Gromiko, hice un comentario a Dobrinin sobre lo fáciles que debían de haber sido sus negociaciones en Washington, puesto que Kissinger parecía dispuesto a llegar a un acuerdo con él. Dobrinin escuchó con expresión seria mi observación y dijo que Kissinger no era tan agradable normalmente; había que estar en constante alerta.

–Antes de que uno abra la boca, él ya sabe lo que puede usar en contra de su interlocutor –dijo.

–Y es tan escurridizo como una serpiente –intervino Gromiko–. No deja que nadie adivine lo que pasa por su mente.

La observación de Gromiko carecía de hostilidad. Incluso frente a un adversario, lo más importante para él era la seriedad. Y creía que Kissinger era un hombre serio.

Al principio, la actitud bromista de Kissinger confundió a Gromiko, pero luego su personalidad, su habilidad como negociador y su profundo conocimiento de los temas internacionales le impresionaron favorablemente. Gromiko hacía un enorme esfuerzo antes de cada reunión con Kissinger para estar bien preparado; y asistía a las sesiones con la impaciencia de un novio en la noche de bodas.

En realidad, las visitas de Kissinger a Moscú y sus conversaciones con Gromiko fueron esenciales para el éxito de la cumbre de mayo de 1972. En este sentido, hay que destacar una vez más la importancia del Ministerio de Asuntos Exteriores y aclarar la opinión errónea de Occidente con relación al papel de otras instituciones o de otros individuos en el contexto de las relaciones soviético-norteamericanas. El nombre de Gueorgui Arbatov se menciona al respecto con frecuencia. En Occidente, le consideraban uno de los asistentes más importantes de Brezhnev para asuntos norteamericanos. Pero jamás le vi en el despacho de Gromiko.

Conocí a Arbatov cuando yo estudiaba en el MGIMO. Mi primo y él, que hacía poco que habían acabado sus estudios, estaban empezando su carrera como periodistas, una profesión en la que Arbatov destacó. También trabajó en el departamento de Yuri Andropov, en el Comité Central, donde estableció buenos contactos. Mis lazos profesionales con él empezaron cuando ambos trabajamos como colaboradores del popular semanario *Tiempos Nuevos.* Nuestras relaciones continuaron después de que Arbatov se convirtiera en director del Instituto de los Estados Unidos y Canadá, organismo que contribuyó a crear. Fue capaz de reclutar no sólo académicos especializados en Estados Unidos, sino también diplomáticos y otras personas competentes. Una acción muy inteligente por su parte fue nombrar al hijo de Gromiko, Anatoli, jefe de una sección de política exterior norteamericana. Además, incluyó en el personal y en puestos de consejeros a expertos militares y de la KGB.

Cuando regresé a Moscú como asesor de Gromiko, en 1970 Arbatov me ofreció una beca de investigación de tiempo parcial en el instituto, un trabajo bien pagado y nada agotador que sólo me obligaba a asesorarlo a él y a unas pocas personas del personal permanente, en especial al joven Gromiko, con respecto a los temas que estudiaban. Normalmente, el ministro de Asuntos Exteriores no dejaba que sus colaboradores trabajaran fuera del ministerio, pero Gromiko aceptó que yo lo hiciera en la sección de Anatoli en el instituto.

En el período de la esperanza, Arbatov se había especializado en asuntos norteamericanos, una elección que le proporcionó muchas recompensas. Entre ellas, muchísimos viajes al exterior y una meteórica carrera académica y también dentro del Partido. En el instituto destacó por su talento para escribir, su sentido político y su don de la intriga. En 1970, cuando tenía cuarenta y siete años, se convirtió en miembro de la Academia de Ciencias, posición de gran prestigio social y académico. Cuatro años más tarde, fue nombrado miembro del Comité Central y entró a formar parte de la élite gobernante.

En varias ocasiones, Arbatov y yo colaboramos en equipos *ad hoc* formados para redactar los borradores de los principales informes de Brezhnev. Agradable y complaciente con sus superiores y amigos –y mucho más si se trataba de extranjeros, y principalmente norteamericanos–, Arbatov era arrogante y a menudo brusco con sus subordinados. Rara vez me he encontrado con un propagandista más firme del sistema soviético. Es un hombre en el que yo no confiaría. Inteligente, ambicioso y carente de principios o escrúpulos, Arbatov estaba siempre dispuesto a servir a cualquiera, si eso convenía a sus intereses.

Arbatov logró su mayor éxito como embajador no oficial en Estados Unidos. Rápido y hábil para comunicarse, se contaba entre los pocos soviéticos que eran bien recibidos en los ambientes empresariales, los seminarios académicos y los salones de Washington. En ellos podía calibrar la influencia de la opinión del gobierno norteamericano y mostrar lo que él presentaba como pensamiento de Moscú. Aunque es miembro del Comité Central, y por lo tanto parte de la élite gobernante, no ocupa ninguna posición oficial en el gobierno. Como director de un instituto académico, pretende ser un portavoz independiente, como suele pasar con los académicos occidentales. Arbatov podía ser más directo que Dobrinin simplemente porque sus puntos de vista siempre se podían desmentir.

Moscú no se opone a que Arbatov abandone la rigidez ortodoxa cuando interpreta la filosofía y la política soviéticas en Occidente sino que incluso le alienta a hacerlo. Por lo tanto, él puede tratar de que en los Estados Unidos y en el resto de Occidente se crea que su instituto es tan independiente como las instituciones académicas y los grupos de estudio norteamericanos.

El instituto de Arbatov es en realidad un frente que el Comité Central y la KGB utilizan para muchos propósitos: conseguir información valiosa, promocionar la posición soviética, reclutar simpatizantes en los Estados Unidos y desinformar. En este último punto, evidentemente han tenido éxito, puesto que los occidentales ven a Arbatov y a su instituto como quieren los soviéticos.

Sin embargo, el instituto no participa en la preparación de la política soviética hacia los Estados Unidos. En realidad, el Ministerio de Asuntos Exteriores nunca consulta a nadie del instituto ni les informa de las propuestas al Politburó sobre las relaciones soviético-norteamericanas.

Mientras la Unión Soviética y los Estados Unidos establecían sus posiciones en las negociaciones de las SALT, muchos norteamericanos creían que Arbatov era una figura fundamental entre bastidores. Pero todas las decisiones las tomaba el Politburó, según las recomendaciones de Gromiko, Ustinov y Grechko, asesorados por sus principales consejeros. A Arbatov ni siquiera le informaban de los factores esenciales que determinaban la actitud del Kremlin. Tenía menos influencia que Dobrinin e incluso que Semionov. Era extraordinario el secreto que rodeaba estas negociaciones, incluso para los soviéticos obsesionados por el secreto. Sólo había unos cuantos hombres en Moscú que sabían verdaderamente lo que pasaba. Arbatov no tenía acceso a los informes enviados por Dobrinin o Semionov, y sólo conocía algunos que tuvo oportunidad de leer cuando preparaba los discursos de Brezhnev. Varias veces yo mismo le informé de los contenidos de los mensajes de Dobrinin y de Semionov, y de las propuestas de Gromiko al Politburó con respecto a las SALT.

Muchos artículos importantes de Arbatov relacionados con las SALT no los había escrito él; en realidad, los preparaban en el Ministerio de Asuntos Exteriores. Sin embargo, cuando lo creen conveniente, utilizan su nombre para dar apariencia no oficial a opiniones que, en verdad, se aprueban oficialmente. Con esto no quiero decir que Arbatov estuviera completamente desinformado. No habría podido desempeñar sus tareas si no hubiera tenido al menos una idea general de lo que ocurría.

La función primordial de Arbatov era descubrir las tendencias y los estados de ánimo de los norteamericanos influyentes, cuyas opiniones eran importantes para la Administración. Además, debía promover y defender la posición soviética. En este sentido, era de mucha importancia para Brezhnev y para otros miembros del Kremlin. Arbatov tenía mucha habilidad para arrancar secretos a las personas desprevenidas, debido a su aparente objetividad e independencia, su calculado liberalismo y su presunta influencia en el gobierno soviético. Estaba más vinculado a los aspectos negativos de la *détente* (la guerra ideológica con los Estados Unidos, la propaganda, la desinformación y la recogida de datos para la KGB) que con sus aspectos positivos. Los Estados Unidos deberían haber presionado a los soviéticos exigiendo reciprocidad. Arbatov ha tenido un acceso prácticamente ilimitado a los medios de comunicación norteamericanos, y en cambio los diplomáticos de los Estados Unidos y de otros países occidentales en Moscú no pueden hacer públicas las declaraciones más inocuas ni siquiera en el día de su fiesta nacional.

En la primavera de 1972, participé en los preparativos para la reunión del Comité Central. Lo esencial de la tarea era justificar completamente ante el Partido el cambio del Kremlin con respecto a la *détente* con los Estados Unidos. Se había decidido convocar una sesión plenaria especial del Comité Central para garantizar por adelantado el apoyo a esa nueva línea política.

Yo era el único representante del Ministerio de Asuntos Exteriores en el grupo de trabajo encargado de preparar el borrador del informe de Brezhnev. Los demás integrantes del grupo eran funcionarios del Comité Central, ya que, básicamente, la reunión plenaria era responsabilidad suya. Nos reunimos en una dacha del Comité Central, que estaba a unos cuarenta y cinco minutos de Moscú. El entorno era agradable. La dacha de ladrillos blancos de dos pisos donde escribíamos, dormíamos y comíamos había sido un regalo para el escritor Maxim Gorki de los hermanos Morozov, ricos industriales que habían patrocinado la cultura de vanguardia y que ayudaron a fundar el partido bolchevique antes de 1917.

Después de redactar el borrador por separado en nuestras habitaciones del segundo piso, nos reuníamos en el gran salón de la planta baja para comparar ideas y planificar la redacción.

Mi tarea era probar que a la Unión Soviética no le interesaba la visita de Nixon y que los acuerdos con los Estados Unidos no significarían el cese de la guerra ideológica contra «el imperialismo», no afectarían el apoyo constante a «los movimientos de liberación» ni minarían nuestros esfuerzos por alcanzar una verdadera igualdad militar con los Estados Unidos.

Escribí que la visita de Nixon era importante no sólo por ser la primera vez que un presidente norteamericano visitaba la Unión Soviética desde la segunda guerra mundial, sino también porque representaba «una gran victoria» para la política de amor a la paz de la URSS. Era una «prueba convincente» del «poderoso aumento de la influencia soviética en todo el mundo».

Mi argumento no era original, ni tampoco controvertido, debido a las generalidades a las que hacía referencia. La mayor parte del texto que preparé se incluyó en el informe final que Brezhnev presentó en la sesión plenaria a puerta cerrada; ese informe se convirtió en la defensa pública y privada del impulso soviético hacia la distensión.

Pero yo sabía que ese informe había evitado más que propiciado un completo debate interno soviético en cuanto a la política de distensión. Brezhnev logró el apoyó del Comité Central para la cumbre después de una apresurada discusión en el pleno; pero lo consiguió manejando a algunos de sus escépticos colegas del Politburó y no enfrentándose con ellos ni con sus eternas reservas. Brezhnev monopolizó el debate llevando el asunto al Comité Central, puesto que sabía que la mayoría de sus miembros –funcionarios locales y regionales del Partido– ignoraban los temas de política exterior y respetaban su autoridad. Y mantuvo la discusión en un plano tan general que no hubo ocasión de plantear problemas específicos como Vietnam o las relaciones comerciales Este-Oeste.

Mientras preparábamos el borrador surgió la cuestión de cómo conciliar la llegada de Nixon con el apoyo soviético a Hanoi. El personal del Comité Central que trabajaba conmigo en la dacha de Gorki me pidió que reforzara los párrafos que había escrito condenando el imperialismo norteamericano en el sudeste de Asia. Cuando regresé a Moscú con el primer borrador completo informé a Gromiko de ello; sin embargo, me dio instrucciones de que mantuviera el estilo moderado que había venido utilizando.

–Debemos manifestar el principio [de oposición a la intervención norteamericana] pero de modo prudente, sin originar ningún escándalo –dijo–. No nos conviene aparentar histeria. Esto no es propaganda para escritores de segunda con tendencia a desbordar las cosas.

En las etapas finales de la preparación del texto, que el mismo Brezhnev redactó, triunfó la línea de Gromiko.

Nixon y Kissinger temieron que los soviéticos retiraran la invitación cuando las fuerzas norteamericanas minaron los principales puertos de Vietnam del Norte, dos semanas antes de la cumbre. Pero no había motivo para preocuparse. En ese momento, Gromiko y Brezhnev ya estaban comprometidos a recibir al presidente en Moscú y a hacer de la visita el punto decisivo para lograr que mejoraran las relaciones entre las dos superpotencias. Ya habían tomado su decisión en abril, cuando sólo hicieron una protesta *pro forma* por el nuevo bombardeo de Vietnam del Norte. El minado de los puertos agregaba un insulto a la injuria, pero a pesar de la consternación que sentían sus aliados vietnamitas, el Kremlin no reconsideró su posición con respecto a los Estados Unidos. Se ignoró la demanda de Hanoi de que se cancelara la visita de Nixon.

Por el contrario, la acción norteamericana de minar los puertos norvietnamitas apenas afectó a los preparativos para la cumbre. El 9 de mayo, día de la celebración de la rendición alemana de 1945, yo estaba en casa y esperaba pasar la jornada con mi familia y unos pocos amigos. Por la mañana, sin embargo, me llamaron por teléfono y me ordenaron que fuera inmediatamente al ministerio a ver a Vasili Kuznetsov. Allí me enteré de que los norteamericanos habían minado el puerto de Haiphong, que era el lugar en el que se entregaban las armas que la Unión Soviética enviaba a Vietnam del Norte.

La situación hizo que yo y otros dos funcionarios del ministerio pidiéramos una aclaración de la política que debíamos seguir. ¿Cuáles eran las prioridades soviéticas? ¿Los norvietnamitas, cuya causa habíamos defendido durante tanto tiempo, o la esperanza de que la cumbre soviético-norteamericana llevaría a un acuerdo sobre las SALT y a un avance en las relaciones políticas con Washington?

Mis dos colegas tenían las mismas dudas que yo sobre lo que debíamos defender. Gueorgui Kornienko se preguntaba si Washington no estaría tratando de cancelar la visita de Nixon. Anatoli Kovalev pensaba si no se podría acelerar el envío de armas a los norvietnamitas a través de China. La conversación empezaba a resultar incoherente cuando, finalmente, intervino Kuznetsov.

–No es hora de filosofar –dijo–. Debemos hacer una declaración y alguien tiene que encargarse del borrador.

Nos lo encargó a Kovalev y a mí; nos pidió que preparáramos una condena breve pero dura de la acción norteamericana, al menos de forma preliminar hasta que supiéramos claramente cuál sería la línea política que debíamos seguir. Nos dijo que mientras nosotros hacíamos el borrador trataría de ver a Gromiko, a los jefes militares y, si podía, a Brezhnev, para que le dieran instrucciones.

Aproximadamente media hora más tarde, Kuznetsov llamó por teléfono a la oficina de Kovalev. No aclaró a quién había visto.

–Las cosas están un poco más claras –dijo–. La declaración no debe ser muy dura. Preparen una condena firme pero moderada. Va a cesar el minado de los puertos. –Me quedé sorprendido. No hacía ninguna mención a posibles represalias–. Y, como comprenderán –acabó diciendo–, el gobierno considera que la visita de Nixon es lo más importante. Todo se hará tal y como estaba planeado.

Yo no lo podía creer. No me preocupaba la decisión en sí. Había trabajado mucho y con cierto optimismo en los preparativos para la visita de Nixon. Lo que no entendía era la facilidad con que se aceptaban las acciones norteamericanas contra Vietnam y la decisión de la Unión Soviética de dar la espalda a su aliado asiático después de llorar una o dos lágrimas de cocodrilo.

En cambio, se ocultaba un asunto tan importante como la promesa de Brezhnev de liberalizar las relaciones comerciales entre los Estados Unidos y la Unión Soviética. En este sentido, Kosiguin y Podgorni albergaban dudas sobre la posición de Brezhnev, pero no tenían suficiente poder para influir en él. Kosiguin reconocía la importancia de las relaciones económicas soviético-norteamericanas y hasta favorecía su desarrollo, pero sólo con la condición de que la Unión Soviética se mantuviera tan autosuficiente como fuera posible. Según sus asistentes, rechazó varias veces las propuestas de que la URSS «malgastara» sus recursos naturales en los tratados comerciales; temía la dependencia soviética de los mercados occidentales. Cuando Brezhnev creía que los convenios de varios billones de dólares significaban la oportunidad de importar eficiencia, Kosiguin percibía el peligro de exportar partidas irreemplazables de petróleo, gas y minerales para favorecer al mundo capitalista en detrimento del desarrollo soviético.

En la recepción ofrecida a Nixon, Kosiguin puso de manifiesto parte de su escepticismo. Al leer el discurso de bienvenida al presidente norteamericano, omitió varias frases optimistas y aduladoras del texto que el Ministerio de Asuntos Exteriores había preparado para que él lo leyera. No obstante, el discurso no resultó hostil. El estilo era el del Politburó y sólo algunos observadores percibieron la frialdad de sus palabras.

Probablemente Kosiguin usaba este tema para desquitarse por la notoriedad que había logrado Brezhnev a expensas suyas. Sea como fuere, algunas de las preocupaciones que transmitía a sus allegados eran tan viejas y constantes como la historia rusa. En el siglo XVIII, la nobleza terrateniente, los boyardos, se opusieron en vano a las reformas de Pedro el Grande por considerarlas un trasplante de algo externo. En cultura y en política, los eslavófilos conservadores quisieron, en el siglo XIX, hacer del retraso de Rusia una virtud, para mantener su aislamiento y su fuerza. Después de la segunda guerra mundial, Stalin asoció la idea del nacionalismo con la política de independencia económica.

Por principio o por ambición, Kosiguin mantuvo esa tradición. Pero Brezhnev defendió la actitud contraria, que también aparece en el pasado de la nación, y logró que la mayoría de sus colegas le siguieran. En su informe ante el Comité Central aparecieron citas de Lenin que defendían la expansión de los lazos económicos con los países y las empresas capitalistas. El hecho de que Lenin hubiera adoptado esa política comercial durante el caos económico posterior a la Revolución no modificó las intenciones de Brezhnev de aplicar esas máximas sagradas fuera de contexto y cincuenta años más tarde.

Sin embargo, el debate previo a la cumbre consistió en muchos susurros y pocas conclusiones. El estilo típico de los políticos de la era Brezhnev no permitía la consideración completa de los argumentos. Se silenciaban las diferencias pretendiendo que no existían o que no importaban demasiado.

De cualquier modo, yo pensaba que los resultados de la cumbre de Moscú habían sido básicamente positivos. Tenía la esperanza de que aumentaría la cooperación con los Estados Unidos y de que, finalmente, el gobierno soviético comprendería las verdaderas intenciones de los norteamericanos. Sobre todo, me complacía que las negociaciones de las SALT hubieran acabado. Se limitaron los misiles antibalísticos y las armas ofensivas estratégicas, lo cual constituyó un paso significativo en el control de armas. Por supuesto, el acuerdo sobre los misiles ofensivos estratégicos establecía límites cuantitativos pero no límites cualitativos. Por lo tanto, en los acuerdos de las SALT I nadie se responsabilizaba de lo que ocurriera más adelante. Los Estados Unidos prácticamente congelaron, por decisión propia, su arsenal estratégico durante la década de 1970, mientras que la Unión Soviética continuó aumentando su poder militar dentro de los límites establecidos en los acuerdos de las SALT. En 1972, no había una verdadera igualdad en el equilibrio nuclear estratégico: los Estados Unidos superaban a la Unión Soviética en los sistemas de misiles, pero ésta iba al frente en cuanto a las fuerzas convencionales. Los acuerdos de las SALT permitían a ambas partes proseguir la modernización de sus armas ofensivas estratégicas. Moscú lo aprovechó al máximo; Washington, en menor escala.

La cumbre permitió además que los líderes de ambos países se conocieran mejor, hecho cuya importancia a menudo se olvida en esta época de impersonalidad creciente. Sin embargo, Brezhnev y otros jefes soviéticos jamás se sintieron verdaderamente tranquilos con Richard Nixon ni le comprendieron demasiado bien; desconfiaban de él. Hiciera lo que hiciera con respecto a las relaciones soviético-norteamericanas –incluidas algunas medidas que la propia Unión Soviética aprovechó–, continuaba siendo el enemigo ideológico de los soviéticos, quienes no valoraron el sincero acercamiento que Nixon intentó. El enigma de Nixon quizá no resulte tan extraño si tenemos en cuenta que hasta Kissinger, que conocía muy bien al presidente norteamericano, dijo en una ocasión refiriéndose a Nixon: «Varias personalidades guerreras luchaban por el dominio del mismo individuo».

En una de nuestras reuniones previas a la cumbre, en el despacho de Gromiko, nos pusimos a pensar, sin éxito, en un regalo adecuado para Nixon.

–Casi todos los norteamericanos tienen alguna clase de *hobby* –observó Gromiko–. ¿Nadie sabe cuál es el de Nixon? –preguntó mirándonos. Después de un silencioso movimiento negativo de cabezas, Gromiko dijo ásperamente–: Creo que lo que más le gustaría sería la garantía de permanecer para siempre en la Casa Blanca.

Nixon nos resultaba tan impenetrable que no teníamos idea de lo que podía gustarle. Finalmente, los expertos del ministerio decidieron regalarle un hidroplano, simplemente porque Brezhnev tenía uno que le encantaba.

Los jefes soviéticos encontraban cierta similitud entre su conducta y la de Nixon, y llegaron a la conclusión de que quizá sería posible negociar con éste en el mundo de la *Realpolitik*. Les gustaba su pragmatismo, sus maneras secas, su natural inclinación hacia los acuerdos secretos y la forma en que desplegaba su poder presidencial; comprendían y aceptaban esos aspectos de la personalidad de Nixon.

Además, los miembros del Kremlin tenían la impresión de que el presidente norteamericano era más poderoso de lo que en realidad era, lo cual les condujo a serios errores en su apreciación de la política norteamericana. Brezhnev actuó con un complejo de inferioridad en sus negociaciones con Nixon que, por supuesto, trató de no demostrar delante de los norteamericanos. Pero durante las conversaciones privadas con Gromiko y algunas personas más vinculadas a la cúspide de Moscú, a veces traicionó sus verdaderos sentimientos. Leyó y releyó los temas de conversación que el ministerio había preparado para sus discusiones con Nixon. En una ocasión, dijo que no estaba seguro de que Nixon entendiera lo que él iba a decirle. Gromiko era mucho más confiado y, cuando la reunión cumbre llegaba a su fin, se hizo evidente el respeto que Nixon le inspiraba. Una vez finalizada y en un momento relajado, Gromiko bromeó diciendo que si alguna vez Nixon decidía afiliarse al Partido Comunista «se podría estudiar» el asunto.

No obstante, tanto Brezhnev como Gromiko creían que era más importante llegar a un acuerdo con Kissinger. Los soviéticos trabajaban tan a gusto con él que en la oficina privada de Gromiko, después de la reunión cumbre de Moscú, le llamaban Kisa, sobrenombre ruso que quiere decir «gatito». De ninguna manera significaba que creyeran que era fácil de tratar o que estaba de parte de ellos; simplemente era el hábito ruso de llamar a las personas que se quiere o se respeta por un sobrenombre cariñoso. Gromiko consideraba a Kissinger un adversario formidable que podía «leer el carácter como lee un libro». El hecho de que representara el poder de los Estados Unidos y de que estuviera dotado de una gran inteligencia y una capacidad negociadora excepcional hacía que su encanto resultara irresistible para los soviéticos.

Un resultado infortunado de la cumbre de Moscú fue la ilusión de que el Kremlin podía estar dispuesto a modificar su esquema ideológico marxista-leninista. Brezhnev logró la aprobación de su política destacando las ventajas a corto plazo y escamoteando los asuntos fundamentales. Cuando empezaron a perderse las grandes esperanzas de 1972 y se volvieron cada vez más evidentes las contradicciones y rivalidades que había entre la política soviética y la norteamericana, el consenso que Brezhnev había ganado empezó a debilitarse. El gobierno soviético no percibió el ánimo aislacionista que Vietnam generó en los Estados Unidos; por su parte, los norteamericanos tenían la expectativa infundada de que el Kremlin se conformaría con el papel de segunda superpotencia.

Mi último trabajo en el despacho de Gromiko fue colaborar en la preparación del borrador de la declaración soviética para la Conferencia de París sobre Vietnam, que iba a realizarse en febrero de 1973. Gromiko me pidió que reescribiera el borrador que el Departamento del Sudeste de Asia del ministerio había preparado para él. Estaba tan cargado de acusaciones estereotipadas contra el imperialismo norteamericano, que Gromiko se quejó de que no le servía como base de trabajo.

–Lo rechacé –dijo irritado–. Esos jóvenes no tienen idea de lo que hay que decir ni cómo decirlo. Aquí lo tiene, rehágalo.

Si bien Gromiko estaba dispuesto a seguir adelante con las negociaciones para acabar con la guerra de Vietnam, aceptando la división de ese país, otros jefes soviéticos mantenían puntos de vista distintos. Yuri Andropov estaba entre los que se oponían al acuerdo de poner fin a la guerra, porque creía que la presión de la opinión pública norteamericana y del Congreso de los Estados Unidos obligaría finalmente a que el presidente Nixon decidiera la retirada de las tropas de Vietnam. Triunfó la opinión de Brezhnev. Yo no podía olvidar lo que me había dicho un oficial de la KGB; según él, Andropov había manifestado: «Ganaremos la guerra de Vietnam no en París, sino en las calles de los Estados Unidos».

No pude seguir muy de cerca el debate final. Aunque tenía que formar parte de la delegación soviética en la Conferencia de París, antes de que ésta comenzara me nombraron subsecretario general de las Naciones Unidas.

20

En diciembre de 1972, Gromiko me pidió que fuera a su despacho, donde me recibió con inusitada cordialidad. Después de recorrer la habitación revestida de madera, en uno de cuyos lados se veía la inmensa mesa de conferencias, me invitó a tomar asiento en una pequeña mesa junto a su escritorio. Se pasó la lengua por los labios y con su acostumbrada formalidad dijo:

–Me han sugerido que proponga su nombre como candidato al cargo de subsecretario general de las Naciones Unidas. Kutakov[1] ya no puede continuar con sus obligaciones, y es necesario sustituirle. ¿Qué le parece, Shevchenko? Si lo desea, puede pensarlo y mañana me da una respuesta.

Gromiko me estaba ofreciendo uno de los cargos diplomáticos más importantes. Me hacía la clase de oferta que simplemente nadie rechaza en la Unión Soviética; su tono autoritario no dejaba lugar a dudas.

Pero yo sabía que no era sólo el fracaso de Kutakov en la Secretaría la causa de que Gromiko me ofreciera ese cargo. Necesitaba a alguien de confianza en Nueva York, así como en Washington tenía a Anatoli Dobrinin. Y evidentemente Lidia Dmitrievna Gromiko había recibido muy bien la idea. Lina y ella se habían hecho muy buenas amigas mientras yo trabajaba como asesor de Gromiko.

La oferta del ministro no me sorprendía del todo. En varias ocasiones, algunos colegas me habían dicho que me estaban considerando para un posible ascenso, en el ministerio o en el extranjero. Yo prefería viajar al exterior. No sé si esa preferencia ya reflejaba una tenden-

1. Leonid N. Kutakov, ex rector del MGIMO, fue mi antecesor en las Naciones Unidas.

cia latente hacia la ruptura con el sistema soviético; si el germen de esa idea yacía en mi inconsciente, un puesto en el extranjero ciertamente facilitaría las cosas. O quizás era el resultado de la frustración cada vez mayor con respecto a mi trabajo, al régimen y al gobierno. Tampoco carecía de importancia el deseo de Lina de que yo consiguiera otro cargo fuera de la Unión Soviética. Nos preocupaba nuestra hija Anna, que entonces tenía diez años. Si nos quedábamos en Moscú muchos años más, no podríamos llevarla con nosotros. En el extranjero no había escuelas secundarias soviéticas, y las normas prohibían que los jóvenes, a partir de los quince o dieciséis años, asistieran a escuelas extranjeras, donde podían «recibir la negativa influencia de la ideología burguesa».

Como a Lina, a mí me gustaba Nueva York; allí me sentía más libre que en Moscú. Sin embargo, para avanzar profesionalmente el lugar adecuado era el ministerio. En comparación, la Secretaría de las Naciones Unidas estaba en un nivel más bajo. Además, las Naciones Unidas se estaban convirtiendo cada vez más en el lugar ideal para las incipientes carreras de los jóvenes de la élite, y era también el punto de apoyo de las operaciones de la KGB. No obstante, el cargo de subsecretario general era una excepción. Anatoli Dobrinin y otros destacados diplomáticos lo habían ocupado y luego habían seguido escalando posiciones.

Verdaderamente no había nada que pensar; acepté de inmediato la oferta de Gromiko. Me miró atentamente, con una expresión rara. Comprendí que había sido una sonrisa.

–Muy bien –dijo–. Presentaremos la propuesta ante el Comité Central.

En la mañana del 23 de febrero de 1973, Vasili Makarov me telefoneó poco después de que yo llegara a mi trabajo.

–Arkadi –dijo–, venga a mi oficina y prepárese para bailar una danza. –En Rusia, eso significa que se puede esperar una noticia agradable.

Cuando entré en su oficina, Makarov tenía sobre el escritorio la decisión oficial del Comité Central, firmada por Leonid Brezhnev.

Yo no dudaba de que el Comité Central iba a aceptar. Era improbable que respondiera negativamente a una propuesta de Gromiko, pero además la respuesta no se hizo esperar. Entonces sólo faltaba que Kurt Waldheim, el secretario general de las Naciones Unidas, aceptara formalmente el nombramiento; pero yo no creía que hubiera dificultades, ya que tradicionalmente ese cargo era ocupado por soviéticos. Por un acuerdo tácito, el secretario general siempre acepta el candidato que presenta el gobierno soviético.

Después de que Waldheim aceptara mi nombramiento y poco antes de que viajara a Nueva York, Gromiko y yo hablamos largamente de mis nuevas obligaciones. Analizó la necesidad de que las Naciones Unidas funcionaran según su carta, lo que significaba que no se podían permitir desviaciones. Dijo que se debía evitar la discusión de temas desagradables para el gobierno soviético.

En un momento de la conversación sugerí que podía ser provechoso que yo desarrollara buenas relaciones de trabajo con el nuevo secretario general, Kurt Waldheim.

–Está bien –dijo Gromiko frunciendo el ceño–, pero no espere demasiadas ventajas. ¿De qué asuntos importantes puede hablar con Waldheim? Ni él ni las Naciones Unidas en general tienen demasiado poder. Nunca lo olvide, Shevchenko: usted es ante todo un embajador soviético y no un burócrata internacional. Por ejemplo, tenemos poca información sobre lo que ocurre en China. ¿Cuáles son las intenciones de los chinos? Establezca relaciones con ellos y con sus aliados y descubra todo lo que pueda. Trátese con todo el mundo, incluidos los representantes de aquellos países con los que no mantenemos relaciones diplomáticas y a los que atacamos públicamente. Le autorizo a ver a los embajadores de la República de Sudáfrica y de Corea del Sur, y a todo aquel de quien pueda conseguir información.

Agregué Israel a la lista y dije que años atrás había establecido buenas relaciones con los egipcios, en especial con Ismail Fahmi, entonces ministro de Asuntos Exteriores.

Al día siguiente, me llamaron de la oficina de Mijail Suslov, una de las últimas figuras importantes de la época de Stalin que conservaban la autoridad durante el gobierno de Brezhnev. Era un hombre frío, rígido y brusco; yo sabía que Gromiko y él mantenían una relación tensa y distante. No eran adversarios, pero sí unos colegas mal avenidos. Para Suslov, que murió en enero de 1982, a los setenta y nueve años, lo más importante era la pureza de la doctrina comunista. Gromiko, más flexible aunque no menos fuerte, se enfrentaba al mundo tal cual era, y no como decretaba el marxismo-leninismo.

Aunque durante los últimos años de su vida una enfermedad grave limitó la actividad diaria de Suslov en los asuntos burocráticos del Partido, disfrutaba de un gran prestigio. Y fue capaz de usarlo, si bien no para promover sus puntos de vista dogmáticos, al menos para retrasar o bloquear las desviaciones de lo que él consideraba el curso adecuado de la política soviética. Era delgado y medía más de un metro ochenta de estatura. Pasó a formar parte del Comité Central en 1941; en 1947, se convirtió en secretario del Partido; y en 1952 en miembro del Presidium (Stalin llamaba así al Politburó). Simplemente su experiencia habría bastado para que fuera poderoso: pero su estatura política se basaba también en los muchos años que dedicó a formar a hombres más jóvenes, que le estaban agradecidos y sentían por él un gran respeto.

Cuando destituyeron a Jruschov en 1964, Suslov pudo haberlo reemplazado en el cargo de secretario general: pero prefirió concentrarse en los asuntos ideológicos. A pesar de ello, ni Suslov ni sus colegas querían que nadie, aunque ocupara el cargo más importante del Partido, les dominara.

De todos modos, a Suslov sólo parecía satisfacerle el papel de patriarca del Partido y guardián de la pureza ideológica. Vestido con el manto de la infalibilidad doctrinaria, muchas veces pronunciaba dictámenes sobre la correcta política marxista-leninista. Además, controlaba el trabajo de las comisiones del Comité Central sobre temas ideológicos y asuntos extranjeros. Esas comisiones, formadas por eficientes secretarios y jefes de departamentos, tenían un papel importante como asesoras del Politburó. El rango de Suslov aseguraba la influencia de sus puntos de vista a través de sus subordinados.

El propio Suslov asumió personalmente algunas tareas en el extranjero, asistiendo a congresos del Partido Comunista en el exterior para exhortar y dar instrucciones a sus «camaradas fraternales» con su voz baja y monótona, que a menudo parecía no concordar con sus modales sosegados y cautos. Dirigía la Oficina de Información Comunista (Kominform) cuando se expulsó del Partido Comunista Yugoslavo al mariscal Tito en 1948, y se interesó especialmente por el movimiento comunista internacional durante toda su carrera: siempre mantuvo la rigidez de sus primeros años, aunque entre los partidos comunistas no soviéticos la diversidad se convirtió en una norma.

Algunos de mis colegas del ministerio le llamaban «el anacronismo» de Stalin; era un estalinista que había sobrevivido a su maestro y a la época de su maestro. Al hablar con él, comprendí que ese apodo sarcástico era perfecto.

Cuando entré en la oficina de Suslov, encontré a un hombre dominante, de ojos grisáceos escondidos tras un par de gruesas gafas, de pelo canoso y revuelto, de piel tirante y pómulos altos. Parecía un hombre cansado. Se apresuró a darme la mano y en seguida empezó a hablar de sus opiniones sobre las Naciones Unidas.

Golpeando lentamente sus dedos largos y huesudos en el escritorio, dijo que yo debía considerar a las Naciones Unidas de la misma forma que él: un entorno útil para propagar al máximo las ideas progresistas. Para asegurarse de que lo comprendía, lo repitió tres veces. Puesto que la mayoría de los miembros de las Naciones Unidas eran países jóvenes y en desarrollo, dijo, existía el peligro de que fueran víctimas del neocolonialismo y la ideología burguesa. La obligación de la Unión Soviética y la responsabilidad de todo verdadero comunista era evitarlo.

Agregó que sabía que Gromiko consideraba que las Naciones Unidas eran ante todo una organización internacional en la que, cuando se debatían temas ideológicos, convenía ser prudentes.

–Yo no estoy de acuerdo –dijo con firmeza.

La visión de Suslov de que la ideología debía ser el aspeto más importante del gobierno coincidía con el estilo de la educación stalinista. Su método era aprovechar cualquier oportunidad para lanzar una lluvia de eslóganes y difamaciones contra cualquier sospechoso de la más leve desviación de la ortodoxia. La meticulosidad de Suslov en los asuntos doctrinales concordaba con su personalidad austera. Sus hábitos eran tan precisos que en broma se decía que se podía poner el reloj en hora a las seis de la tarde, todos los días, cuando se veía aparecer el coche que llevaba de vuelta a casa a Suslov en la intersección de las calles Arbat y Smolenskoye Koltso, muy cerca del Ministerio de Asuntos Exteriores.

Escuché con atención las palabras de Suslov durante toda la entrevista; no manifesté ningún desacuerdo. Pero mis verdaderas órdenes eran las órdenes de Gromiko.

Mi familia y yo llegamos a Nueva York en abril de 1973. El trabajo en la Secretaría era agotador y, además de mi tarea en las Naciones Unidas, era el responsable de la comunidad soviética en Nueva York, que aunque no era un trabajo oficial, no por ello dejaba de ser un trabajo. Yo sabía que nuestro gobierno prestaba poca atención a la situación particular de los ciudadanos soviéticos que trabajaban en la Secretaría. Pero cuando me convertí en uno de ellos, empecé a comprender lo que eso significaba.

Según la carta de las Naciones Unidas y las normas del personal, las tareas y obligaciones de los miembros de la Secretaría de las Naciones Unidas «no son nacionales sino exclusivamente internacionales». Todos debían prestar el siguiente juramento:

> Juro solemnemente [...] desempeñar con toda lealtad, discreción y conciencia las funciones que me confían como funcionario civil internacional de las Naciones Unidas. Juro cumplir mis funciones y regular mi conducta según los intereses de las Naciones Unidas, y no buscar ni aceptar instrucciones con respecto al desempeño de mis obligaciones de ningún gobierno u otra autoridad externa a la Organización.

Yo sabía que había muchas personas que cumplían con integridad y diligencia sus obligaciones. Pero, por supuesto, en las Naciones Unidas había muchísimos intereses creados, privados y nacionales. La URSS y el bloque soviético no eran los únicos que desatendían sus objetivos internacionales. Pero en las Naciones Unidas, la Unión Soviética era la única nación de la Tierra que institucionalizaba la hipocresía y el cinismo. Todos los ciudadanos soviéticos que hacen este juramento cometen perjurio. Antes de que la Unión Soviética presente la candidatura de un funcionario ante la Oficina de Personal de la Secretaría, éste debe asumir la obligación de desempeñar con eficacia su trabajo según los intereses de la Unión Soviética.

Las normas y obligaciones de los ciudadanos soviéticos en la Secretaría se detallan en un documento especial llamado *Polozheniye o sovsotrudnikaj mezhdunarodnyj organizatsi* (Estatuto de los empleados soviéticos de las Organizaciones Internacionales). Incluso la palabra *sovsotrudnik* (combinación de *sovietsky* y *sotrudnik*, que significa «empleado soviético»), que los soviéticos usan a menudo internamente para referirse a los miembros de su país que forman parte del personal de la Secretaría de las Naciones Unidas, es sugestiva. Mediante una elaborada estructura organizativa, la Legación soviética controla totalmente el trabajo diario de los ciudadanos soviéticos en la Secretaría. Todos pertenecen a las *Obyedinenniye referenturi* (Secciones Unidas) de la Legación, donde reciben instrucciones directas sobre el trabajo que tienen que llevar a cabo en la Secretaría y la tarea específica que deben realizar en la propia Legación. En realidad, preparan los borradores de los discursos de los representantes soviéticos, así como las notas informativas sobre los asuntos de las Naciones Unidas fundamentales para la Legación. Al mismo tiempo, según las normas de la ONU, están obligados a no desarrollar actividades incompatibles con el correcto cumplimiento de sus obligaciones para con las Naciones Unidas, y a no revelar a ninguna persona la información que poseen gracias a su puesto oficial.

Los miembros del personal de la Secretaría no deben realizar ninguna actividad política que interfiera con la independencia y la imparcialidad. Pero casi todos los soviéticos de la Secretaría son miembros de la unidad del Partido Comunista local, que funciona activamente en Nueva York bajo la apariencia de una organización sindical. Y eso quiere decir que no sólo deben asistir regularmente a las reuniones del Partido junto con otros soviéticos, sino que tienen que obedecer las instrucciones que se deriven de las resoluciones y decisiones del Partido, estén o no relacionadas con su trabajo en la Secretaría.

Moscú se preocupa especialmente de evitar el desarrollo de cualquier clase de lealtad internacional por parte de los miembros soviéticos de la Secretaría. En ese sentido, y a diferencia de los otros países (excepto algunos del bloque soviético), la URSS no permite que sus ciudadanos ocupen un cargo de manera permanente en las Naciones Unidas. Habitualmente, sólo se les concede un contrato de poco tiempo. Sin embargo, después de muchos y largos debates, el Comité Central decidió que podía haber excepciones y, en la actualidad, acepta que algunos funcionarios permanezcan en sus puestos durante siete u ocho años. El trabajo de esos funcionarios, una vez finalizado, no se evalúa según el criterio de la Secretaría, sino según un informe que preparan los supervisores de la Legación soviética y la organización del Partido Comunista.

Por supuesto, no se quiere que los funcionarios civiles internacionales rompan relaciones con sus países o creencias. Pero tampoco pueden ni deben actuar exclusivamente como representantes nacionales, como exige la Unión Soviética. Por esta razón, ningún ciudadano soviético puede cumplir los requisitos primordiales de la administración internacional. Yo no era una excepción y lo sabía; el secretario general también lo sabía. Pero, que yo sepa, ni Waldheim ni ningún otro secretario general han protestado nunca por ello. En realidad, no había elección: cualquier funcionario soviético en mi lugar habría actuado de la misma manera.

Sin embargo, a causa de ese desdén hacia la Secretaría, la Unión Soviética y los países del bloque comunista han tenido grandes desventajas. Es frecuente que los funcionarios de la Secretaría y los subsecretarios generales de otros países eviten discutir delante de los soviéticos, o que hablen con ellos de manera muy formal y sumamente cuidadosa. En muchas ocasiones yo no recibía información sobre asuntos importantes, porque todos sabían que los soviéticos y sus aliados no guardaban los secretos y, lo que era peor, que usaban por adelantado la información para favorecer los intereses de la Unión Soviética, en detrimento de las Naciones Unidas o de otros países. Era humillante trabajar en esas condiciones, sabiendo que mis propios colegas desconfiaban de mí.

De todas formas, Kurt Waldheim me recibió cordialmente. Mi departamento era uno de los más importantes de la Secretaría y tenía diversas responsabilidades. Mi situación era complicada, ya que el gobierno de la URSS me hacía responsable del trabajo de todos los soviéticos de las Naciones Unidas. Además, mi «deber» era ser un ejemplo de obediencia, lo cual, a medida que pasaban los años, era cada vez más difícil de conseguir.

No obstante, me alegraba haber vuelto a Nueva York, desempeñar mi nuevo trabajo «en el otro lado del río», como decían los soviéticos. Sentía por las Naciones Unidas lo que se siente por el primer amor. Era y es el lugar donde los representantes del mundo pueden discutir informalmente una amplia gama de problemas serios e interesantes. A menudo, no son las discusiones públicas las que conducen a una mejor comprensión y tolerancia, sino las conversaciones extraoficiales. En ocasiones, facilitan acuerdos imposibles de alcanzar sólo con la diplomacia bilateral. Hasta los peores enemigos frecuentemente hablan con sensatez, fuera de escena, en las Naciones Unidas.

No quiero idealizar a esta organización. Desde su creación, muchos grupos diferentes la han utilizado con propósitos vanos o destructores. Sus ideales jamás se han cumpido y, por lo que demuestra continuamente la naturaleza humana, quizá nunca lleguen a cumplirse. A veces, las Naciones Unidas obstruyen, en vez de favorecer, la causa de la paz; avivan las polémicas en vez de buscar soluciones razonables. El Consejo de Seguridad a menudo se paraliza debido a los desacuerdos entre sus miembros permanentes. Y, a pesar de todo, se han producido circunstancias en las que las Naciones Unidas han sido irreemplazables para evitar conflictos y para contribuir a la consecución de acuerdos que establecieran el fin de las hostilidades. De los diversos tipos de poder y de influencia que existen en el planeta, el de las Naciones Unidas es uno de los más modestos, y quizás eso sea lo mejor. Su fuerza, si existe, es más moral que militar. Los hombres y las naciones siempre serán diversos; sus necesidades e inclinaciones, también. Y las Naciones Unidas siempre tendrán que luchar contra los intereses de los Estados, tratando de neutralizar continuamente el peligro; a veces tendrán éxito, y muchas otras fracasarán. Tal vez su papel sea simplemente el de extraer el veneno de la comunidad internacional y aceptar el oprobio del mundo sin dramatismo. Pero la civilización no avanza sólo por la fuerza. Los progresos más significativos se han conseguido gracias a la inteligencia y la buena voluntad de los hombres y las mujeres que intentan cooperar, lo cual constituye una actitud revolucionaria en cualquier momento histórico.

Mi trabajo en la Secretaría me proporcionó experiencias y desafíos nuevos. Ya era un hombre de mediana edad, y tenía mis propios métodos y conceptos. A veces, me resultaba difícil adaptarme a formas de conducta e intenciones tan diferentes de aquéllas a las que estaba acostumbrado.

En mi departamento establecí el orden y la disciplina del inflexible método soviético que había aprendido. Exigí que se me mostraran todos los documentos, incluidos los más insignificantes, lo cual lo hacía todo más complejo. Dispuse que yo debía aprobar todos los contactos de mi personal superior con otros departamentos de la Secretaría. Nada tenía poca importancia para mí. Hasta intenté usurpar las responsabilidades y funciones de otros departamentos.

Mediante un abuso de poder, ayudé a los coreanos del norte a lograr uno de sus intereses con la manipulación de ciertos procedimientos en el Primer Comité de la Asamblea General. Esto provocó que los representantes del Reino Unido, los Estados Unidos y Francia protestaran enérgicamente ante el secretario general.

Fui objeto de otra protesta ante el secretario general debido a mi reacción ante un funcionario francés que trabajaba en mi departamento. Le negué el ascenso porque la Legación Soviética alegó que había colaborado con las potencias occidentales obstaculizando la tarea del comité del Consejo de Seguridad encargado de las sanciones contra Rhodesia. Aunque personalmente me disgustaban esas acciones, era capaz de justificarlas con el argumento de que no tenía más remedio que ser un defensor y promotor activo de los intereses soviéticos.

Antes de empezar a trabajar en la Secretaría, solía pensar que sus funciones eran esencialmente administrativas: la circulación de documentos del Consejo de Seguridad, la Asamblea General y otros órganos principales y subsidiarios de las Naciones Unidas; el suministro de asistencia a las reuniones; o la ayuda en la planificación y organización de procedimientos. Pero mientras aplicaba las decisiones y resoluciones del Consejo de Seguridad y de la Asamblea General, preparaba informes y estudios, participaba en varias investigaciones, mantenía relaciones con organizaciones extranjeras de todo el mundo y asesoraba a quienes tomaban decisiones políticas en las Naciones Unidas, descubrí que mi departamento podía influir –a veces sustancialmente– en el curso de las deliberaciones y de su resultado final. Sydney D. Bailey lo explica perfectamente en su libro *La Secretaría de las Naciones Unidas.* Dice que sólo en los libros se puede hacer una clara distinción entre política y administración. Las tareas fundamentales de la Secretaría eran administrativas, pero había espacio, a todos los niveles, para actuar con iniciativa y ejercer cierta influencia.

La Secretaría no solamente padece los trastornos comunes a toda gran burocracia, sino que también tiene los suyos propios. Los problemas más importantes son: las lealtades en conflicto, los hábitos administrativos diferentes y la falta de un poder ejecutivo comparable al de las instituciones gubernamentales nacionales. Por ejemplo, el simple hecho de hacerse entender en el contexto de los procedimientos de las Naciones Unidas no siempre es fácil: en mi departamento había alrededor de ciento cincuenta funcionarios de, prácticamente, cincuenta nacionalidades distintas.

Las características individuales y las diferencias culturales, así como los distintos intereses y responsabilidades, afectaban nuestro trabajo conjunto, por lo cual no era nada fácil llevarlo a cabo.

Tampoco era fácil establecer relaciones personales y de trabajo normales con todos los miembros del departamento. Estaban resentidos por algunas de mis decisiones y, a menudo, no ocultaban sus sentimientos. Yo estaba acostumbrado a que los subordinados no manifestaran abiertamente su desaprobación. Al principio, eso me sorprendió y hasta me disgustó, pero llegué a respetar esa capacidad de defender las propias opiniones. A diferencia de la mayoría de mis compatriotas, que veían todos los problemas a través del prisma del interés soviético, muchos de mis subordinados de la Secretaría no eran nacionalistas de mente estrecha. Analizaban abiertamente los asuntos y no tenían miedo de contradecirme. Tampoco evitaban las críticas a las políticas de sus propios gobiernos. Nadie que no haya vivido bajo un sistema totalitario puede comprender cómo me impresionó esa conducta. Para un soviético, el abierto desacuerdo con un superior se acaba cuando llegan las instrucciones. Todo aquel que se atreve a defender sus propios argumentos corre alguna clase de peligro, personal o profesionalmente. En cambio, mis subordinados de la Secretaría cumplían las órdenes pero no dudaban en manifestar su desaprobación.

Los mejores ejemplos de lealtad al carácter internacional de las Naciones Unidas que he conocido fueron los de dos funcionarias políticas de mi División de Asuntos del Consejo de Seguridad: Elizabeth Jelstrup, una norteamericana, y Barbara Blenman, de Trinidad. Ambas mujeres trabajaron para las Naciones Unidas durante mucho tiempo con gran eficacia y competencia. Se podía confiar absolutamente en ellas, porque siempre informaban con absoluta objetividad de los trabajos que se llevaban a cabo en su área específica.

Yo envidiaba la independencia de mis subordinados: me parecía un derecho natural y esencial. En particular, envidiaba la libertad de otros subsecretarios generales. Al contrario que yo, no recibían órdenes de sus gobiernos. Además, podían ignorar, si lo creían conveniente, a los embajadores de sus países ante las Naciones Unidas sin miedo a que los destituyeran o los acusaran de traidores.

Como a los demás soviéticos de la Secretaría, me exigieron que hiciera lo imposible por evitar, en los informes o estudios, la inclusión de todo lo que pudiera ir en detrimento de los intereses soviéticos, aunque fuera verdad. Además, debía hacer que se incluyera cualquier conclusión favorable para la Unión Soviética, también independientemente de su veracidad. Los soviéticos consideraban que la Secretaría servía para recoger información política y técnica. Nos exigían además que «trabajáramos» con otros miembros del personal para adoctrinarlos según los deseos de Moscú.

Todo ciudadano soviético tenía, además, la obligación de colaborar en el reclutamiento de compatriotas para cubrir puestos en la Secretaría, sin que importaran demasiado sus aptitudes. La norma era: cuantos más, mejor. La Legación me urgía constantemente a hacer uso de mi posición y mi influencia para aumentar la presencia soviética. Una presión similar ejercían los representantes de los países del bloque soviético para conseguir más puestos en la Secretaría. Era casi imposible negarse a aceptar sus candidatos y, cuando me retrasaba, algunos embajadores insinuaban que se quejarían a Moscú si no satisfacía sus demandas. Obviamente, el desempeño de las funciones generales de la Secretaría se veía alterado por esa especie de asedio, pero poco se podía hacer para evitarlo.

Particularmente molestas eran las incesantes exigencias de Moscú para que colaborara con el Consejo de la Paz Mundial, controlado por los soviéticos. Esa organización, dirigida por un indio, Romesh Chandra, estaba atestada de oficiales de la KGB. Todos los años me pedían que ayudara a organizar los discursos de Chandra ante las Naciones Unidas, a preparar sus reuniones con los funcionarios de la organización, a distribuir la propaganda del Consejo y a persuadir a Waldheim de que enviara representantes de la Secretaría a las diversas conferencias auspiciadas por el Consejo. Moscú quería aumentar el prestigio de éste mediante el reconocimiento, a través de las Naciones Unidas, de su «gran papel en el movimiento mundial por la paz». Nunca pude dejar de sentirme avergonzado cuando iba a ver a los colaboradores de Waldheim con la recomendación de que las Naciones Unidas participaran en otra actividad del Consejo de la Paz Mundial. Nunca pude sentir indiferencia ante sus sonrisas pacientes y sagaces cuando yo proponía con insistencia que en la próxima declaración de la Secretaría General se elogiara la última iniciativa de paz impulsada por la Unión Soviética. Moscú me exigía incluso que tratara de que Waldheim elogiara las reuniones del Partido Comunista Soviético.

Aunque mi trabajo consistía primordialmente en usar la Secretaría para ampliar el alcance de la guerra ideológica y propagandística soviética, al mismo tiempo debía reducir, tanto como fuera posible, el flujo informativo de Occidente hacia la Unión Soviética. Utilizando la División del Espacio Exterior de mi departamento, impulsé la propuesta soviética de impedir las emisiones en directo de televisión

(DTB) destinadas a Estados extranjeros sin el expreso consentimiento de éstos. En el momento de mi nombramiento, se esperaba que para la década de 1980 el desarrollo de los satélites de comunicaciones permitiría la transmisión directa de emisiones a los televisores especialmente equipados. Eventualmente, esas emisiones se podrían transmitir a los aparatos comunes de televisión de todos los países, independientemente de las redes nacionales. No cuesta imaginarse la consternación de Moscú ante semejante proyecto. «Se puede ver con facilidad –vociferaban los propagandistas del Kremlin– que el imperialismo hará todo lo posible para explotar las DTB en su cruzada contra la ideología marxista-leninista, contra las ideas de paz y progreso social.»

Era lógico que el Kremlin sintiera miedo. El pueblo soviético ansiaba recibir noticias del resto del mundo. Si se permitía ese flujo de información, no se podían predecir las consecuencias, que indudablemente serían importantes.

Yo tenía que participar en numerosas reuniones formales y consultas no oficiales, y debía recibir a embajadores y representantes de diversas organizaciones públicas. También formaban parte de mi trabajo, y a menudo varias veces al día, las funciones protocolarias, las comidas, las cenas, las recepciones, etcétera, que son el verdadero tormento del trabajo en las Naciones Unidas. Pero no se pueden evitar, aunque organizarlas signifique una enorme pérdida de tiempo y un gran gasto para los Estados miembros.

En un almuerzo ofrecido por el representante de Alemania Occidental el barón Rudiger von Wechmar, éste nos recomendó que, en vez del brindis oficial, siguiéramos un código especial de conducta. Entre otras cosas, el código, llamado «los nueve (más un) mandamientos», instaba a los delegados a «llegar no antes de treinta minutos después de la hora establecida» a toda reunión, para evitar la soledad. Por supuesto, era una broma, pero en general los «mandamientos» de Von Wechmar eran sensatos y estaban cargados de verdades. Sin embargo, la cantidad de funciones protocolarias continuó aumentando.

Otra tortura rutinaria de las Naciones Unidas era el gran número de declaraciones y discursos en los que los representantes repetían casi textualmente lo mismo año tras año. Si se llevaba bastante tiempo en las Naciones Unidas se podía predecir, prácticamente con exactitud, lo que dirían algunos delegados. También en este sentido, los «mandamientos» de Von Wechmar contenían gran sabiduría: «El valor de un discurso en las Naciones Unidas se mide sobre todo por la extensión y no por la precisión».

El indiscutible campeón de los oradores ante las Naciones Unidas fue el último representante de Arabia Saudita, Jamil Baroody. Hombre de gran personalidad y talento, orador magnífico y, sin lugar a dudas, original, Baroody podía hablar con elocuencia de temas totalmente distintos ante comisiones diferentes en el mismo día y sin preparar el texto. Y su mera presencia ante el Consejo de Seguridad u otros departamentos de las Naciones Unidas consternaba a los representantes allí reunidos. Sabían muy bien que Baroody decía simplemente la verdad a cualquiera, sin hacer caso de las sutilezas diplomáticas. No hacía ningún tipo de distinción entre una nación pequeña y una superpotencia. Su poder se basaba en su gran inteligencia y en sus conocimientos académicos, y estaba apoyado en el hecho de que, prácticamente, tenía carta blanca para hablar en representación de Arabia Saudita sin instrucciones de ningún tipo. Y, en general, hablaba extensamente. ¡Pobre el que tratara de acortar su exposición! Baroody se le enfrentaría y lo analizaría, a él y las deficiencias del país que representaba, en los términos más duros. Los que llevábamos cierto tiempo en las Naciones Unidas sabíamos muy bien que jamás debíamos interrumpirle.

Mis desacuerdos con Yakov Malik solían deberse a cuestiones de forma. Él prefería la polémica a la discusión, y le encantaba criticar a norteamericanos, chinos e israelíes. Yo creía que, al menos, debíamos ser educados con nuestros adversarios; en particular, ante las Naciones Unidas, donde con frecuencia necesitábamos su cooperación en asuntos de rutina. Malik quemaba los puentes y parecía recrearse en su actitud ofensiva.

Estábamos en constante desacuerdo con respecto a las negociaciones con los Estados Unidos. En una ocasión, mientras paseábamos por el jardín amurallado de Glen Cove, arremetió contra las SALT:

–No se puede confiar en los norteamericanos –dijo irritado–. Nada bueno puede salir de este maldito asunto de la distensión.

Le recordé que él mismo se contradecía: por un lado, se oponía a la carrera armamentista y, por otro, ponía obstáculos en el camino de las SALT.

–No hay ninguna contradicción –dijo fríamente, dando por finalizada nuestra conversación.

Sin embargo, el origen de nuestras discusiones más agrias estaba en su insistencia en que yo consiguiera que la Secretaría de las Naciones Unidas tomara posiciones que se adecuaran completamente al punto de vista de Moscú.

–Debe conducirse como un embajador soviético –me dijo irritado–. Si no lo hace, me quejaré a Gromiko –amenazó–. Como subsecretario general debe convencer a Waldheim de que haga lo que nosotros queremos en vez de hacerle reverencias.

No había forma de poder satisfacer semejante exigencia; si eso ocurría, produciría un gran revuelo entre mi personal y los Estados no alineados me acusarían abiertamente de hacer proselitismo. Mi respuesta habitual era que Waldheim era mi superior y que, como funcionario de la Secretaría, debía obedecerle. Cuando se lo decía, Malik se mostraba incrédulo y exponía nuevamente sus puntos de vista, afirmando que nuestro único superior era el Partido.

En muchas ocasiones tuve que cumplir sus deseos; pero, con frecuencia, los ignoraba porque sabía que Gromiko me apoyaría. Además, mantenía mis propias comunicaciones directas con Moscú. Malik sabía que podía quejarme de él a Gromiko, pues no le era posible interceptar mis telegramas.

Sólo había dos soviéticos en Nueva York que estaban autorizados a enviar telegramas en código al Ministerio de Asuntos Exteriores: Malik y yo. En ausencia del embajador, quien lo reemplazaba también podía hacerlo. En el verano de 1974, Malik fue de vacaciones a Moscú. Su asistente, Vasili Stepanovich Safronchuk, un hombre de mediana edad, bondadoso y enérgico, se convirtió en embajador en funciones. Safronchuk tenía la capacidad de oír con serena tranquilidad los insultos más feroces de Malik, lo cual ponía al borde de la histeria al embajador. De algún modo, a Malik le preocupaba que Safronchuk se quedara a cargo de la embajada; en una ocasión se demostró que esa preocupación no carecía de fundamento.

Safronchuk mantenía una apasionada relación con una contable de la Legación. Una de sus citas, en una playa desierta de Long Island, fue la causa de que él no se enterara de una emergencia relacionada con la guerra de Chipre. Fue en julio de 1974. La Legación soviética recibió instrucciones de convocar una reunión urgente del Consejo de Seguridad con el fin de tratar esa tensa situación. El Ministerio de Asuntos Exteriores exigió, además, un informe inmediato que confirmara la ejecución de la orden. Pero Safronchuk había desaparecido, y nadie más podía firmar el telegrama que Moscú esperaba. Presa del pánico, Richard Ovinnikov, un antiguo diplomático a cargo de los asuntos del Consejo de Seguridad en la Legación, me llamó para decirme que no podían encontrar a Safronchuk y que Moscú estaba esperando. Me pidió que yo firmara el telegrama.

Le dije que a Moscú le parecería muy raro ver mi firma en ese telegrama, puesto que yo no era el embajador ante las Naciones Unidas. Le aconsejé que esperara un poco más a ver si aparecía Safronchuk; si éste tardaba en dar señales de vida, yo mandaría el telegrama.

Safronchuk apareció muy pronto y se resolvió ese ridículo episodio. Recibió una reprimenda y la contable fue enviada a Moscú. Finalmente, también él volvió a Moscú; quería divorciarse de su esposa y casarse con la contable. El castigo –habitual en esos casos– fue su degradación; además, se le destinó a Afganistán como asesor del ministro en la embajada soviética. Más adelante, fue rehabilitado y se le nombró jefe del Departamento de los Países de Oriente Medio del ministerio.

Las reglas que habían causado la angustia de Ovinnikov y otros funcionarios de la Legación eran opresivas e ineficaces; no obstante, toda regla tiene una excepción, incluso la regla del secreto. Las nuestras estaban hechas según la conveniencia de Andrei Gromiko. Cuando iba a Nueva York –por lo menos, una vez al año, para la sesión inicial de la Asamblea General de las Naciones Unidas–, desde Moscú se le enviaban los mensajes diplomáticos más delicados. Precisamente cuando la seguridad debía ser más estricta, era sistemáticamente violada. Gromiko recibía las comunicaciones no sólo en la oficina del embajador, que era el despacho que solía utilizar, sino también en el apartamento residencial especial de cuatro habitaciones de la Legación, reservado para él. Además, recibía los telegramas mecanografiados. Cuando los hombres de seguridad protestaban ante Vasili Makarov, éste les sugería que elevaran el asunto al propio Gromiko. Por supuesto, nadie se atrevía. Evidentemente, no se podía esperar que un ministro o un miembro del Politburó leyera un texto escrito a mano por algún empleado.

Con Malik se hacía otra excepción. Si bien ninguno de nosotros podía emplear el texto exacto de un telegrama que explicara la política que debíamos seguir, Malik lo hacía continuamente. Y, como su memoria podía fallar, copiaba, casi palabra por palabra, las instrucciones complicadas en un bloc de notas que siempre llevaba en el bolsillo del abrigo.

Aunque a menudo me irritaba la obsesión soviética por el secreto, la indiferencia de los occidentales –en particular de los norteamericanos– con respecto a las más elementales medidas de seguridad, me parecía una imprudencia peligrosa. Con frecuencia, los diplomáticos occidentales llevaban los telegramas importantes al Consejo de Seguridad y a otras reuniones de las Naciones Unidas y los leían mientras hablaban otros delegados. No sólo yo podía echar una mirada a esos documentos de mis vecinos, sino que, lo que era más importante, la KGB podía fotografiarlos desde las cabinas de los intérpretes de la parte superior de la cámara del Consejo. Cuando los oficiales de seguridad de la Legación soviética me aconsejaron que no llevara ningún documento secreto a las salas de conferencias de las Naciones Unidas porque podía ser visto con suma facilidad desde la parte superior, supe instintivamente que estaban hablando de una práctica habitual de la KGB y que suponían que Occidente también la usaba. Siempre que veía a un norteamericano, a un británico o a cualquier otro diplomático sacar una pila de papeles de la cartera durante una sesión del Consejo, no podía dejar de asombrarme por esa falta de precaución.

Otra consecuencia de la obsesión por el secreto era que producía diplomáticos pobremente informados. Generalmente, los embajadores soviéticos no estaban al tanto más que de los asuntos de su estricta responsabilidad. Que yo sepa, Dobrinin era la única excepción. Y Malik le tenía muchísima envidia.

Del mismo modo, no se les informaba oficialmente de cómo habían sido recibidos sus informes o propuestas en Moscú. No se les elogiaba ni se les alentaba; sólo, ocasionalmente, recibían alguna reprimenda. Tampoco les explicaban por qué se había rechazado alguna de sus sugerencias. El resultado era el silencio o un terminante: «No se acepta. Deberá...».

El rango de embajador significaba mucho para el sistema soviético. Yo fui subsecretario general de las Naciones Unidas, y también embajador de la URSS. La Legación me proporcionaba coche y chófer permanente, y asistenta. Además del apartamento de Nueva York, mi familia y yo teníamos otro apartamento en Glen Cove; el gobierno soviético lo pagaba todo. El chófer llevaba a Anna a la escuela y a Lina a hacer las compras.

A Anna le complacía y le disgustaba a la vez vivir en Nueva York. Era una ávida lectora y leyó rápidamente muchos libros rusos que encontró en la biblioteca de la Legación. En seguida empezó también a leer en inglés. Le gustaba ir a ver las películas que se proyectaban en el Metropolitan, y a los museos de Historia Natural. Le encantaba también jugar en la playa, en Bayville, cerca de Glen Cove; le gustaba mucho pescar, aunque no siempre tenía éxito. Sin embargo, el aislamiento de la colonia soviética en Nueva York hacía que a menudo se sintiera muy sola. Veía mucha más televisión en Nueva York que en Moscú. A nuestra curiosa, inteligente y vital hija no le bastaba la compañía de sus padres. Pero el círculo de amigos de Anna, como el de todos los niños soviéticos, era muy limitado.

En ese momento, Guennadi estaba en Moscú estudiando en el MGIMO. Nos visitó durante las vacaciones de verano; pero, a pesar de que Anna y él se llevaban muy bien, Guennadi tenía diez años más que ella y, por lo tanto, no compartían los mismos intereses. Antes de que mi hijo acabara sus estudios en el instituto, en 1975, conseguí que pudiera hacer prácticas como diplomático, durante unos meses, en la Secretaría. Le encantó trabajar en las Naciones Unidas y todos nos sentíamos muy felices de estar juntos en Nueva York.

Guennadi era un buen estudiante y muy inteligente. Le interesaba el desarme. Sus planes eran obtener un grado académico superior y luego convertirse en diplomático. Lina y yo nos sentíamos orgullosos de su sólida formación. Ya casi se había independizado de la familia, como correspondía a un joven de su edad. Mientras estuvo con nosotros en Nueva York, entabló nuevas relaciones y volvió a tomar contacto con las viejas; fue aceptado en la sociedad adulta de la comunidad soviética.

Pero Anna, que entraba en la adolescencia, necesitaba amigos de su edad. Necesitaba también libertad para explorar el mundo más allá de los límites de nuestro apartamento o de la escuela. Pero en Nueva York no tenía la posibilidad de hacerlo. Al menos, los adultos podíamos estar en grupo, para trabajar, salir de compras o simplemente caminar. Los niños de la comunidad soviética eran mucho menos libres. No se les permitía ni siquiera hacer un recado sin que les acompañara un adulto.

Por supuesto, a los niños soviéticos no se les dejaba establecer contactos con niños norteamericanos. Y ni siquiera se fomentaban las relaciones con los hijos de los diplomáticos de otros países socialistas. Además, como los amigos de Anna eran niñas y niños soviéticos, hijos de diplomáticos de rango más bajo, ella no podía invitarlos a la casa de Glen Cove a pasar el fin de semana. Allí sólo podían ir los *nachalstvo* (jefes) y sus familias; entre ellos había pocos niños de la edad de nuestra hija. Confinados como estábamos en nuestro apartamento de Nueva York, Anna esperaba el fin de semana para ir a Glen Cove, donde por lo menos tenía la playa. Los *nachalstvo* tampoco se mezclaban con las familias del personal de Glen Cove. El superintendente, las cocineras, los jardineros, las sirvientas, los chóferes, y sus familias, eran considerados *dvornyia* (personal doméstico) por la élite diplomática; y mantenían con ésta una relación bastante similar a la que tenían con los nobles de la Rusia zarista.

La desconfianza, habitual en la sociedad de la URSS, era mayor todavía entre la comunidad soviética de Nueva York. Ésta estaba formada por más de setecientas personas, que trabajaban en la Legación, la Secretaría de las Naciones Unidas, el Consulado General, la Corporación Comercial Amtorg, Intourist, la agencia TASS, etc. La razón de esa continua desconfianza era que prácticamente todos querían quedarse en Nueva York tanto tiempo como fuera posible; un paso en falso podía significar el regreso a la Unión Soviética. Se esforzaban a toda costa por evitar cualquier crítica. Todo ciudadano soviético –y no sólo los miembros de la KGB– era un *stukach* (informador) potencial. Además, el miedo a ser castigado (con un salario más bajo) por algo, aunque fuera un asunto trivial, estaba fundamentado. Una anécdota antisoviética, el «consumismo burgués», la falta de celo en el trabajo personal, la admiración demasiado abierta por el arte o las películas norteamericanas «decadentes», o el crimen de los crímenes, ver una película pornográfica, eran acusaciones posibles que obligaban a los soviéticos a ser prudentes. La mayoría de nosotros pasaba el tiempo libre con unos pocos amigos de confianza, si es que uno los tenía. A causa de esta desconfianza, aunque transcurría en una pecera de peces dorados, la vida de la colonia soviética era aburrida y monótona, se cocía en su propia salsa.

Aunque el temor al castigo estaba siempre presente, los soviéticos todavía eran seres humanos. A los empleados de la Legación se les advertía que no fueran a las tiendas de ropa y electrodomésticos baratos del East Side; pero, puesto que allí se conseguían cosas a buen precio, era precisamente el lugar adonde iban. A pesar de que estaba terminantemente prohibido, los diplomáticos iban a las librerías donde se vendía literatura rusa «sediciosa»; leían, furtiva pero diariamente, el periódico de los emigrados en Nueva York, *Novoie Russkoie Slovo* (Nueva Palabra Rusa), y frecuentaban las tiendas y las salas de cine pornográficas y los espectáculos de desnudo de Times Square. Sin embargo, sólo lo hacían los más atrevidos. La mayoría prefería llevar una vida monótona.

Al tedio se añadían las infinitas reuniones y toda clase de encuentros en la Legación. Regularmente, debíamos asistir a las reuniones del Partido (varias por mes), a las sesiones de adoctrinamiento del «sistema de estudios del Partido», a las celebraciones conjuntas de las fiestas soviéticas... Ver las últimas películas soviéticas en la atestada sala de cine de la Legación o en Glen Cove, con las caras familiares de siempre, era muy poco divertido. Jamás había pensado que pudiera importarle a alguien que yo fuera o no a ver esas películas hasta que un día el secretario del Partido hizo la observación de que no se me veía muy a menudo. Nuestra existencia claustrofóbica –que alimentaba los rumores, la sospecha, la frustración y el aburrimiento– nos impulsaba a hacer una montaña de un grano de arena y fomentaba la deslealtad entre personas que, en un clima más libre, no se habrían dedicado a semejante caza de brujas.

Alguien expuso la teoría de que no fue el descubrimiento del fuego lo que permitió al hombre superar el primitivismo, sino el invento de la chimenea. Ésta permitió que el individuo abandonara el fuego común y se retirara a una habitación separada que tenía su propia fuente de calor. Así nació la intimidad. La teoría afirmaba que la intimidad hacía una importante contribución al avance de la civilización al permitir la meditación serena y los resultados intelectuales de esa meditación, y al proporcionar también una atmósfera relajada de soledad que propiciara la expresión individual. No recuerdo la conclusión de esa idea; pero estoy de acuerdo con ella, puesto que he experimentado la promiscuidad institucionalizada de una sociedad que, en realidad, aborrece la intimidad porque la considera una causa detestable de la variedad.

A veces, había «noches de amistad» con el personal de las misiones de otros países socialistas. Pero, en realidad, jamás eran relaciones verdaderamente francas; la regla era mantenerse distantes. Además, se excluía de las reuniones de nuestro Partido a los diplomáticos de esos países. Ésta era la unidad de los partidos proletarios socialistas.

Sin embargo, los Estados Unidos eran una tienda de golosinas para nuestros diplomáticos. Durante sus cortos viajes de trabajo, acumulaban una cantidad increíble de artículos, inaccesibles o demasiado caros en la Unión Soviética. A finales de la década de 1970, el sueldo medio de un diplomático de nivel medio en Moscú era de 200 a 250 rublos (270 a 280 dólares mensuales). Pero con un salario mensual de 700 u 800 dólares en Nueva York se podían comprar muchas más cosas que con el dinero ganado en la URSS. Por ejemplo, se podía comprar un coche soviético por 2000 dólares, si se pagaba con dólares norteamericanos, y se recibía después de llegar a Moscú. En la Unión Soviética, un coche costaba más de 10 000 rublos (de 13 000 a 14 000 dólares), y había que guardar lista de espera durante tres y hasta diez años. Los ciudadanos soviéticos de Nueva York llevaban a la URSS lavadoras automáticas, pues por entonces allí sólo había lavadoras semiautomáticas, lavavajillas, cámaras fotográficas, equipos de música, magnetófonos, cassettes, cajas de alimentos para bebés y pañales desechables, planchas, porcelanas, pañuelos de papel y papel higiénico, ropa, zapatos, telas... Y también llevaban otros artículos que vendían después a muy buen precio en el mercado negro de Moscú. Todos, desde los embajadores hasta los empleados de más bajo nivel de la Legación, cuando volvían a la Unión Soviética llevaban miles de kilos de mercancías.

Por supuesto, los que tenían sueldos más bajos ahorraban prácticamente en todo, en las dietas y en el ocio. A menudo el ahorro se convertía en una preocupación obsesiva.

A los diplomáticos soviéticos el dinero les rendía más que a los norteamericanos, porque no pagaban impuestos y porque eran hábiles e incesantes buscadores de ofertas. La atención médica y el alojamiento eran muy baratos, o incluso gratuitos, aunque generalmente la primera era bastante lamentable. La Legación tenía un médico de medicina general. Había también personal médico –reclutado entre la comunidad soviética– para ayudarle, y también lo hacían las mujeres de los diplomáticos que tenían formación médica o de enfermería. Sin embargo, todo ello no hacía que la atención médica fuera eficaz. Además, en caso de verdadera necesidad, no era fácil conseguir una autorización para ver a un especialista norteamericano. Para ello, había que seguir todo un ritual burocrático y administrativo. Por supuesto, ante un caso de emergencia, se enviaba al ciudadano soviético a un especialista norteamericano; pero si alguien contraía una enfermedad seria y no existía peligro inmediato, los soviéticos preferían enviarle a Moscú, para ahorrarse el dinero que costaría un tratamiento médico en Nueva York.

El gobierno soviético pagaba también los gastos de alojamiento de los diplomáticos y de los miembros del personal de la Secretaría. Pero los límites fijados para el alquiler de apartamentos eran tan bajos (un promedio de 350 a 400 dólares) que resultaba difícil conseguir un piso decente. Entonces había que alquilar apartamentos en zonas de Nueva York mal comunicadas, o en barrios desagradables. Además, generalmente esos pisos no cubrían las necesidades de las familias. Muchas veces, una familia con niños tenía que alquilar un apartamento de dos habitaciones e incluso de una sola.

A principios de la década de 1970, los soviéticos construyeron una casa residencial de apartamentos en Riverdale. Pero durante la construcción hicieron tantos recortes al presupuesto que el edificio, al final, no resultó nada adecuado para el clima de Nueva York. En invierno, los apartamentos eran muy fríos; había que usar estufas eléctricas para calentarlos, pero éstas consumían tanta electricidad que normalmente la gente lo que hacía era ponerse varios jerséis o abrigos.

Las autoridades soviéticas trataron de concentrar en el edificio de Riverdale tantos diplomáticos y miembros de las Naciones Unidas como fuera posible. Era más fácil observarlos y controlarlos que si estaban desparramados por la ciudad. Pero había en Nueva York tantos soviéticos que ni el edificio de Riverdale ni la Legación podían alojarlos a todos.

Esas dificultades no afectaban mucho a los oficiales de la KGB. Les resultaba más sencillo ocultar su verdadera identidad si alquilaban apartamentos en otras zonas de la ciudad. Como recibían subsidios especiales, no tenían los problemas económicos de la mayoría de los soviéticos. Si un soviético invitaba a su apartamento a un no soviético, se podía suponer que el anfitrión (o anfitriona) era un oficial de inteligencia. Con pocas excepciones, eran los únicos a quienes se permitía semejante libertad, y los únicos que podían pagarla. En mi cargo de subsecretario general, conocí a muchos de estos oficiales y tuve la oportunidad de seguir las operaciones de la KGB en los Estados Unidos mucho más de cerca que en otras épocas anteriores de mi carrera.

21

Es normal que una nación tenga un servicio de inteligencia o una policía política. Pero la KGB soviética es diferente de las instituciones de otros países. Su campo de acción es enorme. Es una de las organizaciones con mayor experiencia y, ciertamente, una de las más despiadadas de la Tierra. Sus funciones se pueden comparar a las de la CIA, el FBI, el Servicio Secreto y las dependencias combinadas del Departamento de Justicia y el Departamento de Defensa.

La sigla «KGB» significa en ruso «Comisión de Seguridad del Estado», nombre que la policía política ha usado desde 1954. Excepto durante los primeros años posteriores a la muerte de Stalin y a la ejecución de Beria, cuando sufrió una pérdida de posición e influencia, la KGB ha sido siempre indispensable para el régimen. El fracaso de la política gubernamental después de Stalin hizo necesario el restablecimiento de la KGB; la lógica del gobierno comunista lo hacía inevitable. Para controlar a un pueblo al que ya no podía ofrecer ilusiones, el Kremlin confió en la policía de seguridad y en los informadores. Para obtener los secretos militares y la tecnología avanzada que no podía desarrollar eficazmente en el propio país, utilizó el espionaje en el extranjero. Para derrocar gobiernos a los que no podía convencer con palabras y conseguir sus objetivos internacionales, puso en acción una fuerza secreta –de mercenarios y soldados soviéticos–. El alcance global de las operaciones de la KGB es mayor que el de las actividades de inteligencia de todas las naciones occidentales juntas. Aparte de 100 000 profesionales, la KGB tiene un ejército de élite, especialmente entrenado, de aproximadamente 500 000 miembros. Están equipados con las armas, la artillería y los carros más modernos. Custodian fronteras, el Kremlin y oficinas e instalaciones gubernamentales importantes en todo el territorio de la URSS.

Para proteger y expandir su poder, el gobierno soviético renunció a una considerable porción de él. La policía de seguridad no gobierna el Estado, pero tiene una considerable autoridad sobre los gobernantes visibles. No es la macabra alianza de Stalin y Beria; los nuevos oficiales son más sofisticados y menos brutales. Pero su poder no es menor ni deja de ser amenazante. No han superado todavía el poder del Politburó, pero su ambición es muy grande. No fue una casualidad que, en la pugna por la sucesión de Leonid Brezhnev, Yuri Andropov se convirtiera en secretario general.

La clave del renacimiento de la KGB está en sus funciones de perro guardián. Gueorgui Vladimov, escritor soviético alguna vez aclamado oficialmente, escribió una apasionada novela, *El fiel Ruslan*, que, en fotocopias, circuló clandestinamente a mediados de la década de 1960, y que narraba alegóricamente la historia de la KGB. Vladimov creó el personaje de un perro guardián, el Ruslan del título, que había pasado años custodiando prisioneros en un campo de concentración de la era de Stalin sólo para encontrarse sin trabajo y sin *raison d'être* cuando Jruschov eliminó los campos. Sin embargo, Ruslan conoce solamente una relación con los seres humanos y la vuelve a asumir incluso sin el alambre de espino y las estacadas de los gulags. Se convierte en un perro guardián implacable y amenazante de hombres supuestamente libres.

Del mismo modo, la policía política practica la supervisión preventiva de la población y de su lealtad. La KGB no pudo detener la alienación cada vez mayor del pueblo soviético cuando las promesas de bienestar de Jruschov y Brezhnev fueron insatisfechas. La «Gebé», como se apoda a la organización, tampoco ha podido sofocar las quejas de los consumidores que hacen largas colas para obtener mercancías que no se producen en cantidad suficiente y que muchas veces no son de buena calidad, ni evitar la creciente pérdida de fe en los eslóganes y la doctrina del régimen.

Pero puede informar al gobierno de lo que ocurre, arrestar o intimidar a los pocos descontentos que se manifiestan abiertamente y frenar la expansión de la literatura *underground* que, a los ojos de los gobernantes, contiene la semilla de la desobediencia. Por supuesto, cuanta más inquietud provoca, más justifica la KGB su propia existencia y su insistencia en la demanda de mayores presupuestos y más efectivos. Desde que empezaron a aparecer ciertos problemas –un tumulto en 1962, por cuestión de alimentos, en Novocherkask, expresó violentamente la amargura del pueblo–, el gobierno normalmente ha aceptado las demandas de la KGB. Es fácil –y coherente con la tradición– destinar recursos a la policía en vez de elaborar y poner en funcionamiento reformas sociales y políticas fundamentales que podrían haber devuelto a la gente el entusiasmo y las esperanzas económicas.

La desconfianza invade también a los líderes soviéticos como consecuencia de la desconfianza general que existe en la sociedad soviética, desde los estratos más bajos hasta los más altos, desde la infancia hasta la vejez. Además, a medida que los líderes tienen mayor rango e importancia, aumentan sus sospechas y precauciones; cuanto más privilegiados son, más tienen que perder. Temen a cada paso que alguien, hasta sus mejores amigos, puedan traicionarles.

Como guardiana y defensora de la seguridad, la KGB puede negar a quien sea el acceso a un cargo importante. Sin un certificado de seguridad, ningún estudiante puede entrar en el MGIMO, ningún funcionario puede asumir responsabilidades ejecutivas en una industria relacionada con la defensa, ningún diplomático puede obtener un cargo en el extranjero, ningún ciudadano puede conseguir el pasaporte para viajar al extranjero. Una leve sospecha puede truncar la carrera más prometedora.

Hasta los hombres más importantes de Moscú se sienten limitados por el papel que la KGB desempeña en sus vidas diarias. La policía política instala, mantiene e, inevitablemente, controla el *Vertushka*, el sistema telefónico del Kremlin. Los agentes de la KGB trabajan como guardaespaldas, chóferes, cocineros, asistentes y sirvientes de los miembros del Politburó, garantizando no sólo la seguridad, sino también la vigilancia continua.

La élite y la dirección máxima de la Unión Soviética necesitan y al mismo tiempo temen a la KGB. La necesitan para mantener el sistema y para suprimir a la oposición. La temen porque la KGB es omnipotente. En sus archivos secretos guarda todos los datos, por insignificantes que sean, que obtiene de cada una de las personas más o menos importantes del Partido y del Estado. La KGB tiene el poder de exigir cualquier cosa a casi todos, recurriendo a los hechos comprometedores de la vida personal de cada uno o a los detalles de varios «asuntos sucios», en los que casi todos los jefes soviéticos –desde los locales hasta los del Kremlin– están implicados de una manera u otra.

Después de la muerte de Stalin, Alexandr M. Shelepin y más tarde Vladimir Y. Semichastni intentaron mejorar la imagen de la organización. Pero Yuri Andropov desempeñó el papel principal en el restablecimiento de las operaciones de inteligencia y de seguridad estatal de la KGB; después de Beria, fue el primer director de la policía política que alcanzó el cargo de miembro pleno del Politburó, en 1973.

Cuando Andropov se convirtió en jefe de la KGB en 1967, yo estaba trabajando en la Legación soviética de las Naciones Unidas de

Nueva York. Los oficiales de la KGB manifestaron abiertamente su alegría al enterarse del nombramiento de Andropov.

–Al fin tenemos de nuevo como jefe a un hombre duro –me dijo uno de ellos.

En un primer momento me sorprendió que tantos oficiales de la KGB hubieran aceptado inmediatamente a Andropov. No tenía antecedentes en esa organización ni en el ejército. Finalmente comprendí que su cargo anterior en el Comité Central como supervisor del imperio del bloque soviético estaba estrechamente relacionado con las funciones de la KGB. Conocían muy bien a su nuevo jefe.

Una de las primeras medidas de Andropov al hacerse cargo de la KGB fue restablecer la disciplina que, en cierto modo, se había perdido después de la caída de Beria. Prohibió la bebida durante las horas de trabajo, y los oficiales de la KGB dejaron de ir borrachos a la Legación.

Andropov tenía fama de ser uno de los miembros más intelectuales del Politburó. Las personas que trabajaban con él estaban de acuerdo en que era inteligente, imaginativo y bien educado. Al verle desempeñar diversas funciones, yo no podía hacer otra cosa que admirar su capacidad para dar la impresión de ser una persona evasiva y a la vez bondadosa. El estilo de Andropov era diferente del de los hombres que anteriormente habían dirigido la KGB. No «ordenaba»; «sugería», evitando el tono autoritario. Sin embargo, esa suavidad era engañosa. Según algunos de los colaboradores personales de Andropov que yo conocía muy bien, era un hombre de gran voluntad, seguro de sí mismo y decidido. Un edecán comparó una vez su carácter con un colchón aparentemente de plumas pero que en realidad está hecho de piedras.

Por lo visto, él, su esposa y su hijo (que acabó sus estudios en el MGIMO a finales de la década de 1960) eran personas tranquilas y discretas. Pero tras esa apariencia, había algo frío e implacable.

Jamás oí decir a nadie que Andropov favoreciera ninguna clase de liberalización política, ni siquiera al estilo tibio de Jruschov, ni que defendiera ninguna reforma económica sustancial. En realidad, su despiadada supresión de la disidencia y su enérgica oposición al pluralismo político en la URSS, desmentían su imagen de hombre intelectual, civilizado y amante del arte. Las acciones de la KGB –ninguna de las cuales se habría llevado a cabo sin la aprobación de Andropov– eran las crueldades bárbaras y retrógradas de siempre, y no disminuyeron durante el tiempo en que éste ocupó el cargo de jefe de la organización.

Además, en ciertos aspectos, Andropov fue más duro que Brezhnev. Uno de los asistentes de éste me dijo que su jefe no había comprendido del todo la amplia difusión que había alcanzado el encierro de los disidentes políticos en las instituciones mentales. Era un área controlada directamente por Andropov. Mientras yo trabajaba como asesor de Gromiko, participé en el trabajo de la comisión encargada de revisar la Constitución soviética. Andropov se opuso categóricamente a estudiar ni siquiera la posibilidad de un cambio en el sistema electoral soviético que permitiera, en algunos casos, la nominación de dos candidatos para un puesto en vez del tradicional procedimiento de candidato único. Brezhnev habría estado dispuesto a considerar ese asunto.

Andropov tuvo gran éxito en el restablecimiento del poder de la KGB. Además, dobló o incluso triplicó el número de agentes en el extranjero. Anteriormente, los *rezidenti* de la KGB en el exterior estaban satisfechos con el cargo de diplomáticos de nivel medio o inferior; pero Andropov los ascendió a puestos administrativos más importantes, con el consiguiente aumento de poder.

A mediados de la década de 1960, en la Legación de Nueva York, el *rezident* de la KGB Boris Ivanov figuró como «consejero». En 1967, su sustituto, Nikolai Kulebiakin, fue «vicerrepresentante permanente de la URSS ante las Naciones Unidas».

Recuerdo muchas expresiones de satisfacción con respecto a Andropov por parte de miembros de la KGB. Recuerdo también haberme sentido alarmado ante el número y la influencia crecientes de los agentes. Eran los guardianes más reaccionarios y conformistas del «orden socialista» de la Unión Soviética. A partir del momento en que entré a formar parte del servicio diplomático, conocí a todos los oficiales superiores de Nueva York y Washington y a la mayoría de los subalternos. Tanto en privado como en público, se mostraban cínicos y antiliberales, y estaban hambrientos de poder. Por supuesto, era Andropov quien los había elegido.

Bajo su dirección, la KGB empleó con mayor frecuencia el método de atrapar gente «con anzuelo», lo que significaba emplear el chantaje para obligarles a cooperar; para ello utilizaban documentos supuestamente comprometedores, la mayoría de los cuales se referían a pequeñas infracciones que se habían exagerado o, simplemente, a historias inventadas. Yo conocía esas actividades de la KGB, pero jamás creí que me vería implicado en una de ellas.

Sin embargo, en la primavera de 1973, aproximadamente un mes antes de que dejara Moscú para ocupar mi cargo en Nueva York, la KGB hizo un decidido e inquietante esfuerzo para ponerme bajo su control. Recibí órdenes de ir a ver al general Boris Semionovich Ivanov, el ex *rezident* de Nueva York. Él era entonces subdirector del Primer Directorio Principal de la KGB, la sección de operaciones en el exterior. Era la primera vez que entraba en los cuarteles de la Lubianka. El edificio, que tiene la apariencia de una fortaleza –fue una compañía de seguros antes de 1917–, parecía ser, de alguna manera, la base de la seguridad política.

Desde la época en que el Ministerio de Asuntos Exteriores estaba en la Lubianka, los diplomáticos llamaban a la KGB «los vecinos cercanos» y al GRU –la inteligencia militar– «los vecinos lejanos». En 1973, el ministerio se trasladó al centro de Moscú, quedando así más lejos de la KGB y más cerca del GRU. No obstante, el término «vecinos» sobrevivió, puesto que la policía política continuó siendo una parte muy importante de la política exterior soviética.

La mañana de mi encuentro con Ivanov, un sedán Volga negro del ministerio me llevó hasta la entrada principal del edificio de la KGB. Un educado joven, vestido de paisano, pero de evidente aspecto militar, subió conmigo una ancha escalera y, a través de pasillos laberínticos y mal iluminados, me condujo al despacho del general, en el segundo piso. La atmósfera era opresiva. Las paredes oscuras parecían una continuación del verde oliva de los sombríos pasillos. Una alfombra oriental, el sofá, los sillones y la mesa del té no alegraban demasiado la cavernosa habitación.

Sin embargo, Ivanov desbordaba hospitalidad cuando salió de su estudio interior para saludarme como si fuéramos viejos amigos. (En realidad, sólo nos habíamos visto una vez en Nueva York.) Después de que un camarero nos sirviera coñac, agua mineral y pasteles, alzó la copa para hacer un brindis.

–Felicidades por su nuevo cargo. –Sonrió–. Contamos con su ayuda.

Ivanov no ocultó el motivo de su interés por las Naciones Unidas y por mí.

–Arkadi Nikolaevich, no creo que sea necesario decirle que las Naciones Unidas son nuestro mejor puesto de vigilancia en Occidente –dijo–. La gente que enviamos allí recoge información valiosa sobre los Estados Unidos y otros países. Usted estará en una posición privilegiada para ello. Y puede ayudarnos a introducir a nuestros oficiales en la Secretaría y a protegerlos en el caso de que la CIA o el FBI los molesten.

Ya habían decidido cuál debía ser mi papel. Por supuesto, yo sabía que cooperar con la KGB tenía sus ventajas. La organización ayuda a sus «amigos» con buenas recomendaciones, ascensos y dinero extra. Pero yo no quería aceptar la propuesta de Ivanov. Desde que

Jruschov había hecho públicos los crímenes de Stalin y la participación en ellos en Beria, yo asociaba a la KGB con asesinatos dentro del país y terrorismo en el exterior. A partir de mis experiencias en el extranjero, había aprendido a aborrecer la falta de confianza y el desprecio que la KGB sentía por los ciudadanos soviéticos. Y sus informes políticos –los que había visto en Nueva York en la década de 1960 y los que había leído cuando era asesor de Gromiko– sólo merecían mi desdén.

Por supuesto, sabía perfectamente que no debía ser demasiado directo con Ivanov ni con su asistente, Vladimir Kazakov, que también estaba allí. Este último era un especialista en asuntos norteamericanos que había sido mi «teórico» subordinado en la Legación a mitad de la década de 1960, pero que trabajaba todo el tiempo para la KGB. (Regresó como *rezident* a la Legación en 1980.)

–Mi función principal en Nueva York –dije con cautela– debe ser el trabajo en la Secretaría. Mi departamento no está funcionando bien, y si quiero tener alguna influencia sobre Waldheim, es necesario que la eficacia aumente.

La cara redonda de Ivanov se arrugó en una mueca burlona.

–Es algo a lo que hay que aspirar –respondió–, pero no creo que valga la pena que se preocupe demasiado por ello. Después de todo, sólo desempeñará el trabajo de «un pariente extranjero». Occidente siempre va a dominar la Secretaría, y nosotros nunca lograremos alguna influencia sobre Waldheim. No es nuestro aliado, y jamás lo será.

Permanecí callado mientras servía otra ronda de coñac. Luego, metió la mano en el bolsillo y sacó dos cartas.

–Creo que esto le interesará –dijo, mientras me las daba–. Por supuesto, no las tomamos muy en serio pero creímos que usted debía leerlas.

Leí las cartas en silencio. Una de ellas, escrita en ruso y dirigida al Comité Central del Partido, denunciaba que mis ingresos oficiales no bastaban para mantener el nivel de vida que llevaba. Además, el anónimo decía que mi apartamento estaba lleno de viejos cuadros religiosos –«¿Cómo un comunista puede decorar su casa con iconos?»– y que habían oído de mi esposa y de mi hija expresiones anticomunistas, elogiando la vida en los Estados Unidos y criticando el sistema soviético. Junto a esas «señales de una atmósfera familiar nociva» aparecía mi propia conducta en Nueva York: se me acusaba de que mis contactos con los norteamericanos eran demasiado cordiales.

La segunda carta, escrita a máquina en inglés y dirigida a mí, era un complemento inteligente de la primera. Pretendía ser de un norteamericano que, sin firmarla, «me recordaba» la promesa que supuestamente yo le había hecho en la sesión previa de la Asamblea General de las Naciones Unidas de ayudar a una judía rusa, identificada sólo como «Tamara», a salir de la Unión Soviética. La carta decía que yo había recibido 1000 dólares por mis servicios, y que un funcionario del gobierno de los Estados Unidos había sido el intermediario.

Eran dos cartas comprometedoras, y la primera, fundamentalmente, decía la verdad. Gracias al buen gusto y a la habilidad de Lina, nuestro apartamento estaba decorado con iconos y evidentemente vivíamos bien. Probablemente, ella y Anna habían hecho comparaciones poco halagüeñas entre los Estados Unidos y la Unión Soviética; y yo tenía muchos conocidos entre los norteamericanos de las Naciones Unidas. Pero no había ninguna Tamara, ningún soborno de 1000 dólares y ninguna promesa de ayudar a nadie a salir de la Unión Soviética. Sin embargo, el funcionario norteamericano existía y, por lo tanto, la acusación implicaba que yo estaba enriqueciéndome, traicionando las leyes de mi país y colaborando con los representantes de una potencia enemiga.

En síntesis, las cartas estaban escritas por alguien que me conocía, que me había tratado en Nueva York y en Moscú y que quería arruinarme. El principal sospechoso era Leonid Kutakov, un hombre incompetente y enamorado del lujo que había tenido y quería volver a tener el cargo que me habían asignado en las Naciones Unidas. Su apartamento de Moscú estaba en el mismo edificio en que vivíamos nosotros. Su esposa, Aza, había visitado en una ocasión a Lina. Y él sabía que, enviando la carta en inglés al apartamento 32 de nuestro edificio, llegaría a manos de la policía política. Mi apartamento era el número 52. El 32 era el de un oficial de la KGB.

Al acabar de leer las cartas, mi primera reacción fue de furia.

–¿Qué es esta basura? –pregunté irritado–. ¿Y cómo es que tiene usted una carta dirigida a mí? ¿Están vigilando mi correspondencia?

Ivanov usó un tono conciliador.

–Bueno, bueno, Arkadi Nikolaevich –dijo–, no hay ningún problema. No se preocupe. Si no confiáramos plenamente en usted, no le habríamos enseñado las cartas. Pensamos simplemente que podría tener idea de quién las ha escrito. Fíjese, la que va dirigida a usted –dijo, señalando la dirección– tiene el número del apartamento equivocado. La persona que la recibió es un hombre cauteloso, y como la carta venía del extranjero, nos la entregó.

Aunque sospechaba de Kutakov, no dije nada. En la época de Stalin, las denuncias anónimas enviaron a la muerte a miles de personas.

–No sé quién demonio las ha escrito –dije a Ivanov–, pero es alguien que me conoce, y también a mi familia, a las Naciones Unidas y a los norteamericanos que trabajan en la organización.

–¿No podría ser un intento del FBI para comprometerle? –preguntó.

Moví negativamente la cabeza. Esa teoría tenía poco sentido.

–Está bien –dijo Ivanov–, haremos una investigación completa de este asunto. Daremos instrucciones a Nueva York para que controlen todas las máquinas de escribir que pueden usar los soviéticos en la Legación y en las Naciones Unidas. Si encontramos a quien ha escrito estas cartas, le castigaremos.

La conversación finalizó, pero cuando me disponía a salir, Ivanov dijo como al pasar:

–Arkadi Nikolaevich, no debería coleccionar tantos iconos. Y quizá sería también una buena idea que hablara con su mujer y con su hija. Es necesario que controlen lo que dicen. Usted va a desempeñar un cargo importante en Nueva York, y debe dar ejemplo.

Sus palabras encerraban una evidente amenaza. Iban a controlarme estrictamente. Yo debía seguir las normas de conducta soviéticas, y si no colaboraba con el general Ivanov y su organización, las falsas acusaciones guardadas en los archivos de la KGB saldrían nuevamente a la luz. Al enseñarme las cartas, me mostraban el anzuelo que me tenían preparado. Para que colaborara con ellos, exhibían el poder que podían ejercer sobre mí.

A la KGB no le interesaba descubrir al autor de las cartas. Pero, para escapar del anzuelo, yo debía encontrar y desacreditar a mi acusador. Al principio, Boris Solomatin, que era el *rezident* cuando llegué a Nueva York, colaboró conmigo. Conocía el asunto de las cartas y me prometió que intentaría descubrir a su autor. Sin embargo, como los meses pasaban y no me decía nada, empecé a preocuparme. Finalmente, le dije que, en mi opinión, su trabajo de detective era completamente ineficaz. Me confesó que hacía tiempo que sus agentes habían descubierto que la carta en inglés había sido escrita con la máquina de la secretaria de Kutakov en las Naciones Unidas. Incluso ella había admitido su participación.

Pero señalé que la secretaria seguía formando parte del personal de la Secretaría y Kutakov, hasta donde yo sabía, no había sido castigado, excepto por haber fracasado en su intento de volver a conseguir el cargo que yo ocupaba. Dije a Solomatin que quería justicia. Lo que verdaderamente deseaba era un informe escrito de la KGB sobre el asunto que me exculpara y neutralizara el poder sobre mí que esas cartas les daban.

Por supuesto, Solomatin no me concedió ese deseo. No sólo desistió de seguir con el asunto, sino que me aconsejó que olvidara el tema.

–La Central ya lo sabe todo –dijo–. Con eso basta.

Insistí:

–No basta para mí. Me han calumniado. Debo proteger mi nombre. La investigación debería acabar formalmente con la proclamación de mi inocencia.

–Todos sabemos que usted es inocente –respondió Solomatin–. No hay cargos contra usted y no es necesario aprobar una serie de documentos para suprimir algo que no existe. Siga mi consejo, Arkadi. –Su voz era firme–. Déjelo correr. Es cosa acabada, y a nadie le ha pasado nada.

Tuve que dejarlo correr. Solomatin me ofrecía una justificación burocrática para disimular un nudo de poca importancia que él no había hecho ni tampoco desatado. Si yo hubiera seguido adelante, el asunto sólo me habría proporcionado en Moscú la fama de persona molesta. Nadie quería preocuparse; nadie quería problemas. Sólo yo los tendría.

Había muchos agentes de espionaje soviéticos en Nueva York, en particular en la Secretaría de las Naciones Unidas. En una ocasión, Yakov Malik me dijo que había informado a Viacheslav Molotov, en 1946, de que el secretario general, Trygve Lie, había invitado a la Unión Soviética a que cubriera la cuota de ciudadanos soviéticos en la Secretaría, de reciente creación. Malik afirmó que Molotov respondió, en tono despectivo, que la URSS no desperdiciaría el talento de valiosos diplomáticos en la burocracia de la Secretaría. Esa decisión fue un error que pronto se rectificó. Moscú comprendió finalmente que las Naciones Unidas eran el sitio ideal para ubicar una red de inteligencia. A diferencia de Molotov, la KGB estaba ansiosa por enviar a la Secretaría una cantidad ilimitada de personal.

Un cargo en la Secretaría tenía ventajas especiales. Contrariamente a los funcionarios de la Legación, de la embajada en Washington o del consulado en San Francisco, los ciudadanos soviéticos que trabajaban en las Naciones Unidas podían moverse libremente dentro del territorio de los Estados Unidos sin notificar a las autoridades de las Naciones Unidas sus planes o itinerarios.

Resultaba fácil distinguir a los profesionales de la KGB de los diplomáticos u otros funcionarios. La primera evidencia era el dinero. Gastaban mucho más que los diplomáticos. Un empleado del Ministerio de Asuntos Exteriores necesitaba ahorrar parte de su salario durante un año o más para poder comprar un coche norteamericano usado. Los agentes de la KGB podían comprarlo al llegar a Nueva York. Además, disponían de mucho dinero para divertirse. Un funcionario de nivel medio de la Legación o de la Secretaría a quien se ve regularmente bebiendo en compañía de no soviéticos, es casi seguro que utiliza dinero de la KGB. Y si va muy bien vestido, entonces ya no queda ninguna duda. Sólo la KGB paga lo suficiente a su personal para que puedan comprarse la mejor ropa de Occidente.

Tanto la ropa como las bebidas son gastos legítimos, porque un operativo de inteligencia debe esforzarse por cultivar las relaciones con extranjeros. Se supone que los especialistas en reclutamiento y en la búsqueda de información deben conocer a tantas personas como sea posible fuera de las Naciones Unidas: académicos, hombres de negocios, periodistas, científicos, toda clase de expertos, militares, etc. Para hacer su trabajo, tienen que adaptarse a la sociedad norteamericana. Si su conocimiento del idioma es lo suficientemente bueno –y generalmente lo es–, intentarán hacerse pasar por occidentales. Es prácticamente seguro que los soviéticos que viajan mucho envían sus informes y cuentas de gastos a los cuarteles de la Lubianka o al Estado Mayor del Ministerio de Defensa.

Además, los hombres con dedicación completa a las tareas de inteligencia se reconocían fácilmente al hablar con ellos. Si un funcionario soviético no conocía los detalles ni el argot del área en la que supuestamente trabajaba, o si no estaba al corriente de los sucesos de interés general para las Naciones Unidas, se podía deducir sin miedo a equivocarse que su verdadero trabajo era el de espía. A menudo, me quedaba sorprendido por lo mal informados que estaban los agentes de la KGB. Como si no les importara guardar las apariencias.

Aunque parezca irónico, me quejaba de ellos a los más altos oficiales de la KGB y de la Legación. Me irritaba la indiferencia con la que realizaban sus supuestos trabajos en la calle Sesenta y Siete Este o en las dependencias de las Naciones Unidas. Su falta de información siempre los delataba, y ellos se excusaban diciendo que tenían muy poco tiempo para informarse sobre temas generales.

En la década de 1960, como jefe de la sección política de la Legación, fui el teórico supervisor de esos agentes; muchas veces tuve que protestar por el exceso de trabajo que recaía sobre mis empleados, pues debían hacer el que los agentes de la KGB no realizaban.

De los veintiocho hombres que había en la sección en 1968, veintiuno eran agentes de la KGB o del GRU. Vladimir Kazakov, el futuro asistente del general Ivanov, era uno de los más sinceros. Cuando le decía que me debía parte de su tiempo, él simplemente respondía:

–No me dé tareas específicas. No podré cumplirlas. Probablemente no iré a la mayoría de sus reuniones de personal. Lo siento, pero quizás alguno de los demás le pueda ayudar.

Cuando me convertí en subsecretario general, descubrí que la situación era la misma, excepto que entonces era yo el blanco de las quejas de los demás. Un funcionario soviético que no realizaba sus tareas de rutina para la Secretaría irritó a sus colegas extranjeros, que tenían que trabajar con él, los cuales, a diferencia del obediente personal soviético de la Legación, me transmitieron directamente su queja.

Había algunos departamentos de las Naciones Unidas en los que verdaderamente no importaba si los agentes hacían o no su trabajo. En realidad, éste salía mejor si se podía evitar que ellos lo controlaran. A veces, los agentes de la KGB avisaban que estaban enfermos y no iban a la oficina durante días, o simplemente en plena jornada de trabajo abandonaban sus escritorios y desaparecían.

Yo ya había planteado ese tema de diversas formas al *rezident* de la KGB y a los embajadores soviéticos. Ante Fedorenko y Malik, que no tenían poder para modificar la conducta de la policía política, había presentado mis quejas basándome en la profesionalidad.

–Es increíble –estallé una vez delante de Malik–, estos individuos actúan como si nada les importara. Ni siquiera tratan de ocultar su verdadera personalidad. Son tan descuidados que en las Naciones Unidas todos se ríen de ellos.

Por una vez, Malik no se enfureció, pero se encogió de hombros, incapaz de dar una solución.

Con Boris Solomatin, cuando él era *rezident,* probé una estrategia diferente que tampoco tuvo éxito. En lugar de hablar de cómo debían protegerse los hombres de la KGB, invoqué una regla formal.

–Usted sabe –le dije– que hay una regla aprobada por el Comité Central que determina que los oficiales de la KGB que trabajan en el Ministerio de Asuntos Exteriores deben destinar al menos una tercera parte de su tiempo a las tareas diplomáticas. Esa regla no se cumple, lo cual genera susceptibilidades. Se supone que todos debemos trabajar juntos, pero su gente no coopera y la mía tiene que hacerse cargo de todo el trabajo.

La respuesta de Solomatin fue la típica.

–Nuestro trabajo está primero, Arkadi Nikolaevich. Es el más importante de todos. Tratamos de ayudarle, pero debe ser realista. Las tareas de inteligencia son prioritarias, fundamentales, para todos los que estamos en Nueva York. Las Naciones Unidas no importan; sólo nos sirven para obtener información. Para eso estamos aquí.

Ese desdén iba siendo habitual entre los oficiales de la KGB a medida que, con el paso de los años, la organización ganaba autonomía y peso burocrático en Moscú. Sin embargo, en una ocasión llevó a un *rezident* de Nueva York a la ruina. Nikolai Kulebiakin, un hombre culto y apuesto que estaba en la mitad de los cincuenta cuando trabajaba en Nueva York, decidió hablar en representación de la Unión Soviética sobre los refugiados palestinos en la reunión de un comité especial de la Asamblea General de las Naciones Unidas, en otoño de 1968. La prensa soviética publicó su discurso y dijo que Kulebiakin era un portavoz soviético ante las Naciones Unidas.

Sin embargo, esa publicidad fue la causa de su caída. Un compañero suyo de escuela de su Odesa natal escribió a las autoridades de Moscú y les preguntó si el N. P. Kulebiakin que representaba a la Unión Soviética en Nueva York era el mismo que había obtenido un falso certificado médico de incapacidad para librarse de participar en la segunda guerra mundial y que había falsificado su diploma universitario. Una investigación confirmó que, en efecto, Kulebiakin era un desertor y un impostor académico. Fue enviado a Moscú; el Partido y la KGB le expulsaron de sus filas, le quitaron sus medallas y le negaron una pensión. Después de rogar que le perdonaran, recuperó sus condecoraciones, le devolvieron parte de la pensión y le dieron un trabajo *part-time* en los programas de entrenamiento de la KGB. Pero, que yo sepa, ningún oficial de la organización aprendió a ser humilde a causa de este episodio.

Por el contrario, la KGB no respetaba a nadie. Consideraban que yo y otros diplomáticos éramos herramientas que podían usar a su antojo. No podía probarlo, pero yo sospechaba que, en ocasiones, usaban mi coche para que sus movimientos pasaran desapercibidos. Si bien era cierto que mi chófer sólo en contadas ocasiones conducía otro coche que no fuera el oficial que me habían destinado, podía cambiar de vehículo sin que nadie se enterara con la excusa de que el mío lo estaban reparando. Yo sabía que, con regularidad, la KGB «pedía prestados» para sus agentes los coches de los diplomáticos. Una vez, en 1968, les acusé de tal manera de que me estaban comprometiendo demasiado, que creo que dejaron de usar mi coche. Pero jamás estaré seguro de ello.

Además, los espías soviéticos pedían habitualmente a los diplomáticos de las Naciones Unidas, incluidos los no soviéticos, que les llevaran desde el garaje de la organización a otras partes de la ciudad. Yendo en el coche de otra persona, podían evitar que les siguieran los norteamericanos y desaparecer sin ser vistos en las calles atestadas de Manhattan. Siempre me molestaba que un agente de la KGB me pidiera descaradamente que le llevara –«ya que va para la Legación, Arkadi

Nikolaevich»–, pero no podía protestar, ni negarme a dejarle antes de llegar a la calle Sesenta y Siete si me lo pedía.

Yo tenía una idea bastante clara del tema básico de los informes políticos de la KGB, pero mi información no era tan precisa con respecto a los intentos de reclutar o captar a no soviéticos como informantes o eventuales agentes. Aunque debía reservar puestos de mi propio departamento a una cierta cantidad de oficiales de la KGB y del GRU (nueve de los doce soviéticos –aparte de un checoslovaco, un húngaro, un alemán oriental y un búlgaro– que estaban a mis órdenes eran espías profesionales o habían sido reclutados por la KGB o el GRU), no sabía cuáles eran exactamente sus tareas de espionaje.

La búsqueda rutinaria de información política se organizaba en Moscú; desde allí, llegaban diariamente una serie de preguntas por telegrama, dirigidas al *rezident,* que éste transmitía a sus subordinados en la reunión de personal de la mañana. Poco después, se podía ver a los falsos diplomáticos hablando en los pasillos con cualquier persona de las Naciones Unidas para tratar de averiguar, una por una, las respuestas. Era demasiado obvio, y rara vez obtenían información –al menos de las fuentes de las Naciones Unidas– que no obtuviera también el personal regular de la Legación.

Finalmente comprendí que el sentido de todo ese esfuerzo era ganar puntos ante el gobierno transmitiéndole una gran cantidad de información, la mayor parte de la cual eran chismes. Eso permitía a la KGB superar el número relativamente pequeño de datos proporcionados por el Ministerio de Asuntos Exteriores y por las operaciones de inteligencia militares, con lo cual justificaba los gastos de mantenimiento de una gran red de espionaje en el extranjero. Esta maestría burocrática bien pudo haber impresionado a los hombres menos inteligentes del gobierno, pero no a Andrei Gromiko.

Poco después de empezar a trabajar como asesor de Gromiko, me dediqué a analizar los telegramas con los informes políticos de la KGB que llegaban desde Nueva York.[1] Con frecuencia, estaban llenos de errores. A veces, eran incorrectos los nombres y cargos de los diplomáticos y funcionarios de las Naciones Unidas. Por otro lado, era evidente la falta de comprensión de los problemas políticos. A menudo entre las fuentes de información se citaba al Partido Comunista de los Estados Unidos, como analista autorizado del desarrollo político norteamericano. El personal de la KGB en Washington, que tenía un contacto directo y continuo con el embajador Dobrinin, hacía mucho me-

1. A la oficina de Gromiko sólo llegaba una copia de cada uno de esos telegramas, y los únicos que podían leerla eran los asesores, los viceministros y los jefes de departamento.

jor su trabajo. En una ocasión, al remarcarle esto a otro asesor de Gromiko, comprendí que el rendimiento de la KGB no se tenía demasiado en cuenta en los círculos políticos de Moscú.

–No se preocupe, Arkadi –dijo mi colega–. Andrei Andreievich no presta demasiada atención a toda esa basura.

Solomatin mantenía estrechas relaciones con el *rezident* de Washington, el coronel Dmitri Yakushkin, ascendido posteriormente a general. Técnicamente, ninguno de ellos tenía gran experiencia y, hasta cierto punto, competían entre sí. Pero trataban siempre de coordinar sus operaciones. Sin embargo, a mí me parecía que el *rezident* de Nueva York era más independiente y, en cierta medida, más importante en la jerarquía de la KGB. Había mucho más personal en Nueva York que en Washington, y además el anonimato que proporcionaba por su tamaño Nueva York hacía de ella una base de operaciones de espionaje mucho mejor que Washington. Un factor adicional era el hecho de que Dobrinin, a diferencia del representante soviético ante las Naciones Unidas, era un político de carrera y miembro del Comité Central, no simplemente un embajador. En este sentido, ejercía cierto grado de control sobre la KGB de Washington que el embajador de Nueva York no podía ejercer.

De cualquier modo, los informes políticos no eran la misión principal de la KGB en Nueva York. Su tarea fundamental consistía en el espionaje o en ejercer cualquier otro método tradicional para conseguir secretos militares, y en la nueva y cada vez más importante tarea de recoger valiosa información científico-industrial. Varias veces al año, los especialistas soviéticos recibían una lista de los equipos que debían conseguir o de las áreas de la investigación científica que debían analizar. El documento, que a veces tenía cien folios o más, a menudo era demasiado técnico y complicado; las descripciones de perforadoras y compresoras petrolíferas, de piezas de ordenador y aparatos microelectrónicos, nos desconcertaban a mí y a la mayoría de los demás diplomáticos.

Los agentes de la KGB recibían también instrucciones más específicas. Un espía veterano de la Legación era Alexei Kulak, cuya cobertura diplomática el FBI había descubierto hacía ya mucho tiempo. Era una de las pocas personas de la KGB con las que me gustaba estar: era ingenioso, un verdadero experto en ciencia y tecnología –su especialidad dentro del espionaje–, y generalmente franco en las charlas sobre una amplia gama de asuntos.

Kulak logró obtener valiosa información sobre electrónica, bioquímica, física y otras ramas relacionadas con la industria y la defensa norteamericanas. Entre mi llegada a Moscú en 1970 y mi regreso a

Nueva York tres años más tarde, se produjo un amplio aumento de esa actividad. El espionaje tecnológico creció como las setas, y también el personal destinado a él.

Sólo en Glen Cove, la escalada fue impresionante. Cuando fui por primera vez a los Estados Unidos en 1958, había en Glen Cove tres o cuatro técnicos de comunicaciones de la KGB, que ocupaban algunas de las habitaciones destinadas al personal de servicio, en el ático. En 1973, los especialistas en intercepción de señales de radio llegaban por lo menos a la docena, y ocupaban el piso entero. Los equipos ocupaban tanto espacio que, finalmente, se hizo necesario utilizar un gran invernadero para guardarlos. El acceso a esas dependencias estaba prohibido para el resto del personal.

Los tejados de Glen Cove, el edificio de apartamentos de Riverdale y la Legación estaban llenos de antenas para escuchar conversaciones de los norteamericanos y para transmitir mensajes. Y la electrónica era sólo una parte del crecimiento de la KGB.

El GRU *(Glavnoie Razvedyvatelnoie Upravleniye)* también había extendido sus operaciones. Es el principal departamento de inteligencia del Ministerio de Defensa, y no una rama subsidiaria de la KGB. Como organización autónoma y poderosa que es, posee su propio equipo, formado por varios miles de miembros, para la obtención de información, el sabotaje y la actividad terrorista. Los oficiales del GRU hacían alarde de agentes legendarios como Richard Sorge, que advirtió a Stalin de la inminente invasión alemana en 1941, y de sus espías «atómicos» de después de la guerra en los Estados Unidos. Por supuesto, el principal interés de las actividades del GRU en este país y en Europa occidental son las armas y la industria militar. En este aspecto, a menudo la KGB y el GRU coinciden; son rivales y también compañeros.

Cuando regresé a Nueva York en 1973, el jefe del GRU era el coronel Viktor Osipov, que figuraba como primer consejero de la Legación. Ávido competidor de Solomatin, trataba de impresionar a los funcionarios de la Legación con su competencia en asuntos militares. Durante un tiempo, Osipov informó periódicamente en las reuniones del personal sobre los últimos sistemas de armas norteamericanos. Su pasión por esos temas irritaba a Solomatin. En cierta ocasión, al finalizar una de esas reuniones, éste me dijo:

–Dejemos que el coronel rebuzne como el burro que es. Nosotros sabemos mucho más de lo que saben sus hombres.

Osipov era un hombre soberbio y poco inteligente; Solomatin muy pronto logró que finalizaran esos informes periódicos.

El sucesor de Osipov, Vladimir Moltchanov, tenía mucho más talento pero, de una manera u otra, las relaciones entre los jefes de espionaje siempre eran tensas. En la fiesta de Fin de Año de 1974 que se celebró en la Legación, yo estaba sentado junto a Solomatin en la mesa del embajador cuando un joven oficial de la KGB, Vladimir Jrenov, se acercó y le dio la mano al *rezident*, deseándole buenos augurios para el año que empezaba. Cuando su colaborador se marchó, Solomatin, un poco ebrio y en tono confidencial, me dijo:

–Mire a ese muchacho. Estoy muy orgulloso de él. Ha recibido dos condecoraciones en un año. –No reveló, sin embargo, cuáles habían sido las proezas de Jrenov.

Poco después, mientras Moltchanov y yo brindábamos, éste me dijo que había oído que Jrenov había conseguido cierta información sobre los programas espaciales militares de los Estados Unidos.

–Hemos enviado esa información a Moscú antes que *ellos* –añadió orgulloso–. La KGB y el GRU no sólo competían; también se espiaban entre sí.

En general, yo mantenía mejores relaciones con el GRU; sus oficiales eran más francos y menos siniestros. Además teníamos más cosas en común, porque ellos, como los diplomáticos, eran vigilados por la KGB. El general Ivan Glazkov, *rezident* del GRU en Nueva York en la década de 1960 y vecino mío en el edificio de la Legación, se quejó de ello varias veces. Creo que Glazkov y otros oficiales del GRU también envidiaban a la KGB, porque su personal ocupaba posiciones más importantes en la Legación. En ese momento, Glazkov era sólo primer secretario.

Los norteamericanos descubrieron a un agente del GRU, Kirill Chekotillo, pero le permitieron seguir en la nómina de las Naciones Unidas como jefe de Asuntos Marítimos y Oceanográficos de mi departamento. Yo sospechaba que no era especialista en esos temas, pero no podía conocer su verdadera ocupación hasta que la Legación de los Estados Unidos presentara una protesta formal por su conducta.

Según los norteamericanos, Chekotillo se había presentado en un instituto de investigación marina de Nueva Jersey afirmando que era un ciudadano de Alemania Occidental. Mostró un documento de identidad de las Naciones Unidas que no revelaba su nacionalidad. Su propósito era tomar contacto con los científicos del instituto a fin de obtener información sobre el trabajo que estaban haciendo para la Marina de los Estados Unidos.

Cuando le enfrenté con esa acusación, simplemente la negó. Le advertí que estaba poniendo en peligro su posición y la mía, pero no me prestó demasiada atención. Uno de sus colegas me dijo:

–Al fin y al cabo no estamos haciendo nada ilegal. Los norteamericanos son demasiado confiados, dejan la información tirada por cualquier parte. Lo único que hay que hacer es recogerla.

Además de recoger información, la KGB trataba de reclutar a otros funcionarios de la Secretaría de las Naciones Unidas para que hicieran lo mismo. El reclutamiento se llevaba a cabo mediante el soborno y el chantaje. Éste podía empezar antes de que el funcionario fuera incluido en la nómina. Como tenía agentes en la oficina de personal del Departamento de Asuntos Administrativos, la KGB podía revisar los dossiers de los que buscaban trabajo o un ascenso en las Naciones Unidas. Intentaban aprovecharse de la debilidad del candidato. Los que consideraban viables eran enviados al despacho de un veterano especialista en reclutamiento de la KGB, Gueli Dnieprovski, que se convirtió en el cerebro de las operaciones en las Naciones Unidas, en Nueva York, desde 1965 hasta 1978, cuando, a pesar de las enérgicas protestas occidentales, fue enviado a ocupar un cargo igualmente estratégico en la oficina de personal de Ginebra, para supervisar contratos y ascensos en las oficinas centrales europeas de las Naciones Unidas.

Activo, delgado y cortés, Dnieprovski me visitaba con frecuencia. Por lo menos una vez al mes trataba, con sutileza y persistencia, de colocar a alguno de sus hombres entre el personal de mi departamento. Siempre sabía qué cargos iban a quedar vacantes y siempre tenía un buen candidato que ofrecer. Pero, se tratara o no de un soviético, yo pensaba que lo más probable era que trabajara para la KGB.

En muchos casos, no tenía argumentos demasiado sólidos para negarme. Por otra parte, algunas personas que él recomendó demostraron ser muy eficaces en el trabajo. Pero me opuse terminantemente a hacerle caso el día en que me aconsejó que no renovara el contrato de Helen Carlson, mi eficiente y experimentada asistente administrativa. Aunque las Naciones Unidas establecían la jubilación a los sesenta años, era bastante frecuente que los funcionarios de esa edad, si eran competentes, siguieran trabajando. Helen Carlson era más que competente. Manejaba, gracias a su capacidad y experiencia, una amplia gama de asuntos financieros y de personal.

Como era habitual en él, Dnieprovski se refirió al tema indirectamente.

–Tenemos un verdadero problema, Arkadi Nikolaevich –empezó–. La Secretaría General lo considera bastante serio. Debemos suprimir las renovaciones de contratos. Hay que dejar lugar a gente nueva. Hemos oído demasiadas quejas, y está en juego el prestigio de la Secretaría.

No dije nada. A Gueli Dnieprovski no le importaba en absoluto el prestigio de las Naciones Unidas. Yo sabía lo que quería, pero no interrumpí su exposición.

–Por ejemplo, la norteamericana que lleva sus asuntos administrativos. Verdaderamente, me parece mejor que ese puesto lo ocupe un soviético. Es un puesto muy importante. Debería tener en él a alguien de confianza.

–Yo confío en ella, Gueli –respondí–. Y sé que realiza su trabajo inmejorablemente. Está en este departamento desde que Dobrinin era subsecretario y nadie se ha quejado jamás de ella. Además, si viniera alguien de Moscú a reemplazarla y tuviera que aprender cómo funciona todo, este lugar sería un desastre en poco tiempo.

Hablamos un poco más, aunque ninguno de los dos mencionó lo que en realidad quería Dnieprovski: un colega de la KGB en ese cargo, alguien que trabajara para su organización y no para mí. Finalmente se marchó, no sin antes aconsejarme que lo pensara detenidamente. Me visitó de nuevo algunas semanas después. Había visto mi solicitud para la renovación del contrato de Helen Carlson. Me expuso otra vez sus pretensiones, yo volví a negarme a aceptarlas y, con su habitual cortesía, dejó correr el asunto. Fue un raro éxito por mi parte que, a su debido tiempo, tuve que pagar aceptando a otro aspirante que él recomendó.

La mayoría de las «adquisiciones» de Dnieprovski y de la KGB aceptaban la oferta de un trabajo o dinero extra a cambio de información. Algunos de los agentes eran increíblemente descuidados. Un soviético de la División de Asuntos Espaciales, Oleg Pershikov, dejó en una ocasión sobre el escritorio una gran cantidad de dinero en efectivo que debía dar a algunos miembros de su personal.

Por lo que yo sabía, en dos dependencias de las Naciones Unidas en Nueva York fracasaron los esfuerzos de la KGB para obtener información. Una de ellas era los archivos secretos de la organización. Los principales espías soviéticos desplegaron una intensa campaña para que sus agentes tuvieran acceso a las actas de las reuniones confidenciales y a las copias de los telegramas clasificados. Varias veces la KGB me pidió que les ayudara a lograrlo, pero jamás acepté.

El despacho del secretario general, al menos mientras estuvo en manos de Kurt Waldheim, también se resistió a los intentos de Moscú. Aunque el coronel de la KGB Viktor Lessiovski fue asistente especial del jefe de las Naciones Unidas desde 1961 hasta 1973, y volvió a serlo a partir de 1976, los colaboradores más próximos a Waldheim evitaban darle información sobre las actividades más delicadas de la Secretaría.

Waldheim sólo confió a Lessiovski responsabilidades formales: la supervisión del orden de oradores en la Asamblea General, el control de las actas de las conferencias del personal, o la sustitución del propio Waldheim en ciertas ceremonias. En un determinado momento, Moscú decidió que Lessiovski ya no era útil y le hizo regresar a la Unión Soviética; le reemplazó Valeri Krepkogorski, otro hombre de la KGB. Sin embargo, no tuvo más suerte que Lessiovski, quien mientras tanto pasaba la mayor parte del tiempo tratando de que le volvieran a enviar a Nueva York. Lo consiguió y siguió recibiendo el mismo tratamiento en el despacho de Waldheim. Cuando venía a verme para pedir información sobre las opiniones y los planes del secretario general, yo recordaba cuánto le había costado recuperar ese trabajo, que todavía no satisfacía a la KGB. Seguramente, sus superiores aceptaron que regresara a Nueva York porque tenía importantes contactos con norteamericanos política y socialmente destacados. Hombre de naturaleza gregaria, Lessiovski conocía a mucha gente en los Estados Unidos. Sólo su acceso a ellos –y no a los secretos de Waldheim– le convertía en un agente valioso.

Lessiovski se veía a sí mismo como una persona llena de atractivo. Si era maltratado –y continuamente se quejaba de serlo– por lo que él llamaba la «mafia austríaca» de Waldheim, perseguía a otras luminarias de las Naciones Unidas. Asiduo en la escena social del mediodía en la Sala de los Delegados, era frecuente verle invitando a beber a un embajador, contando historias divertidas, comprando entradas para el teatro o la ópera difíciles de conseguir, en suma, mostrándose amable.

Lessiovski y algunos otros tenían carta blanca para relacionarse con los norteamericanos. Sin embargo, el resto de la comunidad soviética no sólo estaba obligada a limitar esos contactos, sino que además debía informar sobre los que tenía. Durante años, la KGB tuvo un libro especial en la Legación en el que todos los miembros del personal de la Secretaría debían anotar y explicar brevemente sus encuentros con no soviéticos en Nueva York. Se suponía que eso debía hacerse casi diariamente. Aparte de ser absurdo, el libro era un instrumento de seguridad ridículo, puesto que revelaba claramente la identidad de los hombres de la KGB. Sus nombres aparecían en el libro junto con los nuestros, pero a ellos no se les exigía que registraran ninguna información. Por supuesto, sus contactos con norteamericanos y otras personas eran demasiado secretos para ser difundidos.

El intento de hacer que los diplomáticos soviéticos detallaran sus encuentros con extranjeros era típico de la mentalidad de la KGB y de su papel en el exterior. Se trataba de una simple prolongación en el extranjero de su obsesión por la seguridad dentro del territorio soviético. Pero, mientras que un ciudadano soviético podía permanecer al margen sin mucho riesgo de atraer la atención de la policía política, la conducta normal de un diplomático despertaba las sospechas de los perros guardianes.

Una vez que la KGB decidía que alguien era un riesgo para la seguridad, no había apelación posible. Valeri Skachkov, un joven y brillante especialista soviético en temas espaciales, fue una víctima de esa paranoia simplemente porque trabajaba con demasiados norteamericanos. Enviado por las Naciones Unidas a una conferencia en Viena, fue interceptado por la KGB y mandado directamente a Moscú; en Nueva York, su confundida esposa tuvo que preparar el equipaje precipitadamente.

Varios intérpretes soviéticos de las Naciones Unidas desaparecieron tan bruscamente como Skachkov. Sólo cuando estaban en el avión, camino de la Unión Soviética, la KGB informaba al comité del Partido en la Legación de sus supuestas desviaciones: a veces, el alcoholismo, pero más a menudo la tendencia natural, relacionada con el propio trabajo, a fraternizar con extranjeros. Obedientemente, sin discusión, el comité siempre aceptaba la decisión de la KGB: sentencia sin juicio.

Cuando me convertí en subsecretario general, Alexei Y. Skotnikov era el oficial de seguridad de la Legación. Representaba al Servicio Especial II y al contraespionaje de la KGB. Normalmente quien ocupa este cargo es el hombre más despreciado de cualquier legación soviética en el exterior. Su tarea específica es vigilar y controlar a todos, desde el embajador hasta los empleados, e informar de su conducta a la KGB. Sin embargo, Skotnikov era menos detestable que la mayoría de los que desempeñaban ese cargo. A veces incluso cerraba los ojos frente a pequeñas infracciones de las reglas, como por ejemplo cuando la gente ignoraba el libro especial. Todo cambió cuando, un año más tarde, le sustituyó Yuri Ivanovich Shcherbakov. Detrás de sus modales tranquilos, había un tirano de la escuela de Beria. En las reuniones, casi siempre nos reprendía severamente por nuestra negligencia con respecto al registro de los encuentros con extranjeros. Solía concluir las charlas de esta manera: «Deben informar especialmente de los contactos con los norteamericanos porque estamos rodeados de agentes del FBI y de la CIA. ¡Debemos estar alerta!». Varias veces, Shcherbakov me advirtió de la introducción de espías norteamericanos en mi departamento.

Por supuesto, yo sabía que las Naciones Unidas eran la reserva de espías de muchos países. En ocasiones, me encontraba con personas de otras nacionalidades que, simplemente, no parecían ser verdaderos diplomáticos. Con frecuencia, los operativos de la KGB señalaban a un determinado individuo como agente de un determinado país. Jamás supe si era verdad. Rara vez conocí a esas personas, excepto de vista; la KGB veía agentes enemigos, reales o imaginarios, en todos los rincones. Pero durante mis años en las Naciones Unidas, la Unión Soviética tuvo el contingente de espías más grande y más completo de la organización. Por otro lado, los Estados Unidos descubrían y expulsaban del país a los agentes de la KGB y del GRU (y a los de otros países del bloque soviético) con mucha más frecuencia que a los oficiales de inteligencia de otras naciones.

Me producía un placer especial burlarme de la obsesión por los espías de Yuri Shcherbakov. Solía animarle, sugiriéndole que debía ser más estricto al controlar a la gente invitada a las recepciones y fiestas de la Legación.

–Hay demasiados espías sueltos por aquí –le dije una vez–. ¿Por qué les invitamos a la Legación? –Asintió con entusiasmo y corrió a decirle al embajador Malik que la próxima vez debía reducir la lista de invitados extranjeros.

Mucho más siniestros que Shcherbakov y su pandilla eran los sombríos asesinos y terroristas de la KGB, cuya especialidad eran los *mokrie dela* (expresión rusa que significa literalmente «asuntos húmedos»), del llamado Departamento V, el Departamento de Acción Ejecutiva de la KGB. Mientras yo era estudiante, supuse ingenuamente que, después de la era Stalin-Beria, la Unión Soviética había dejado de cometer asesinatos, secuestros y sabotajes en sectores civiles occidentales. Estaba equivocado. Presencié algunos de esos operativos cuando fui por primera vez a Nueva York como diplomático de rango inferior.

Conocí a uno de esos hombres que, finalmente, fue expulsado de los Estados Unidos después de trabajar en dos ocasiones para la Legación. Macizo, musculoso y rubio, parecía la reencarnación de la Gestapo. Le encantaba hacer alarde de los pequeños asuntos que había «aclarado». No se esforzaba en absoluto en ocultar sus intereses. Un domingo, en el otoño de 1965, mientras comíamos en los acantilados de Nueva Jersey, no cesó de hablar del gran apagón de la ciudad de Nueva York.

–Todas esas torres brillantes –dijo, señalando el horizonte de Manhattan– parecen tan fuertes, tan altas, pero son sólo castillos de naipes. Unas pocas explosiones en los lugares adecuados y *do svidania* [adiós]. Estamos empezando a comprender qué vulnerable es en realidad este país. –Se relamió mientras tragaba un trozo de langosta y sonrió. Nadie hizo comentarios. Sabíamos que hasta la KGB le tenía miedo. Algunos oficiales de la policía política me habían advertido que me mantuviera lo más lejos posible de él.

Otro agente que llegó a Nueva York en la década de 1960 para trabajar en la Legación tenía un estilo muy distinto, pero su actividad era la misma. Hombre cordial, tranquilo y considerado, era un buen compañero. Más tarde supe por unos amigos que era del departamento de «asuntos húmedos» de la KGB, y descubrí que había supervisado el entrenamiento de varios asesinos y saboteadores, incluido Anton Sabotka,[2] en Canadá.

Durante varios años Sabotka había sido entrenado en Checoslovaquia y Moscú para realizar sabotajes en la industria vital de Canadá y, posiblemente, asesinatos cuando se lo ordenaran. En ese caso, el intento fracasó debido al propio desacuerdo de Sabotka con respecto a la filosofía y a los métodos de la KGB y al conocimiento de sus actividades por parte de Canadá.

Yo no comprendía por qué los agentes de la KGB se encontraban a menudo con «asesores médicos» en la Legación. En realidad, éstos no realizaban ninguna actividad médica. Su trabajo consistía en obtener tanta información como fuera posible de los servicios médicos y de los avances en medicina de los Estados Unidos. Algunos de ellos eran epidemiólogos. Un agente de la KGB habló en cierta ocasión de la posibilidad de destruir el sistema eléctrico de Nueva York. Quizás estaba desarrollando planes aún más siniestros con los especialistas en plagas y venenos.

Una política de violencia, intimidación y muerte ha sido el método histórico del Kremlin para acallar a la oposición, desde el asesinato de Trotski y del líder ucraniano Stefan Bandera hasta los atentados contra figuras políticas extranjeras, como Dag Hammarskjöld y Anwar el-Sadat. Las relaciones soviéticas con los grupos guerrilleros son tan conocidas que la metralleta Kalashnikov se ha convertido en el símbolo del terrorismo internacional. La Unión Soviética continúa entrenando terroristas dentro y fuera de sus fronteras para subvertir el orden de los países estables y, en particular, para aprovechar la inquietud, infortunadamente tan habitual, de los países del Tercer Mundo, en los cuales, como en las Naciones Unidas, la KGB coopera con los servicios de inteligencia de los países del bloque soviético. Los más cercanos a los soviéticos son los búlgaros, los cubanos y los alemanes orientales. Los servicios de inteligencia búlgaros han sido siempre los servidores más obedientes de los soviéticos en las operaciones terroristas, y han logrado una amplia penetración en el sur de Europa

2. No es su verdadero nombre.

y en el Oriente Medio. Comprobé que trabajaban con árabes y turcos cuando el reclutamiento de un diplomático de Turquía en Nueva York lo realizó la KGB con ayuda búlgara.

También oí decir a algunos oficiales de la KGB en Nueva York que se habían puesto furiosos cuando Ludmila, la hija del presidente y jefe del Partido Búlgaro Todor Zhivkov, educada en Oxford, intentó despertar la identidad cultural búlgara, a finales de la década de 1970. Consideraban que se tomaba una «libertad indebida». Ludmila se convirtió en una figura política, miembro del Politburó búlgaro. Murió repentinamente a los treinta y ocho años. Siempre me he preguntado si no habrá sido otro «asunto húmedo» llevado a cabo por los agentes búlgaros de la KGB.

El caso Sabotka es otro ejemplo ilustrativo de las continuas y amenazantes operaciones de la KGB en el exterior. La Unión Soviética suele enviar a diversos países agentes de inteligencia de forma clandestina. A veces las misiones se llevan a cabo con mucha rapidez, y otras tardan años en realizarse, como en el caso del coronel Rudolf Abel que, finalmente, fue intercambiado por Francis Gary Powers después del incidente del U-2.

Mi ex asistente Valdik Enger también actuó en alguna ocasión como agente clandestino. Jamás descubrí en qué país se hizo pasar por no soviético, pero sabía muy bien quién era y qué había sido cuando acepté darle un cargo y protección dentro de la Secretaría de las Naciones Unidas. Aunque me quejaba de su falta de interés por las tareas de la Secretaría, no esperaba verdaderamente que las hiciera, y sabía que no tenía ningún poder para modificar la situación.

El trabajo para la KGB ocupaba todo el tiempo de Enger. Trató descaradamente de convertir mi despacho en un nido de la KGB. Mantenía conferencias diarias con los agentes de inteligencia soviéticos; copiaba toda clase de documentos y controlaba constantemente cuanto ocurría en mi despacho. Al fin, logré situarle en un puesto menos visible, fuera de mi oficina, donde esperaba que su indiferencia por las responsabilidades de las Naciones Unidas acarrearía menos problemas.

Algunos meses antes, yo había hecho un informe quejándome de la poca eficacia de otro hombre de la KGB en la Secretaría, Yuri Titov; poco después descubrí que la KGB había eliminado o tergiversado completamente mis observaciones. Después de esgrimir sólidos argumentos, logré que reconocieran unas pocas notas negativas pero, como observador externo, mis quejas no servían para nada.

Finalmente, Enger recibió el castigo que merecía. En mayo de 1978, él y otro empleado soviético de las Naciones Unidas, Rudolf

Cherniaiev, fueron arrestados cuando intentaban robar secretos militares norteamericanos. Hubo un juicio, les condenaron y les enviaron a prisión en los Estados Unidos hasta que, en mayo del año siguiente, fueron canjeados por cinco disidentes soviéticos. En ese caso hubo además un tercer arresto, el de Vladimir Petrovich Ziniaki, un agregado de la Legación, que tuvo que ser liberado a causa de la inmunidad diplomática y fue enviado a la Unión Soviética.

No me cabe la menor duda de que ese incidente sólo sirvió para que la KGB hiciera una pausa en su actividad. La pérdida de dos agentes y la denuncia de un tercero poco significaban para la organización. Probablemente no se exagera si se afirma que la mitad de los más o menos setecientos soviéticos que hay en Nueva York son espías de dedicación completa o «captados» por orden de la KGB o el GRU. En la Unión Soviética, el poder de la KGB es inmenso. Aunque yo escapé de él una vez, jamás he subestimado su alcance ni su salvajismo.

22

La mañana del sábado 6 de octubre de 1973, el funcionario de guardia de mi departamento me llamó a Glen Gove. Me dijo muy excitado que Ensio Siilasvuo, general finlandés y jefe del Estado Mayor de la Organización para la Supervisión de la Tregua en el Oriente Medio,[1] había informado de enfrentamientos armados, por tierra y aire, entre las fuerzas egipcias y sirias e Israel. El ejército egipcio había cruzado el canal de Suez y estaba avanzando por el Sinaí. Le pregunté si había sido convocado el Consejo de Seguridad. Rara vez el funcionario de guardia me molestaba durante el fin de semana, a menos que algún miembro de las Naciones Unidas convocara una reunión del Consejo. Me dijo que no, pero yo esperaba que alguien lo hiciera muy pronto.

El informe de Siilasvuo evidenciaba la gravedad de la situación. Otra vez, pensé. Informé inmediatamente al embajador Malik, pero él ya se había enterado por la radio. La guerra, que empezó el día del Yom Kippur (el día judío del perdón), nos había tomado por sorpresa. Y quizá no debería haber sido así. Sabíamos que esa zona era un volcán que en cualquier momento podía entrar en erupción.

Por otra parte, Malik y yo habíamos oído hablar tantas veces de la amenaza de guerra a Sadat y a otros funcionarios egipcios –incluido el ministro de Asuntos Exteriores Mohammed el-Zayyat, que en ese momento asistía a la sesión de la Asamblea General– que ya no tomábamos en serio las advertencias. En realidad, Sadat nos había enga-

1. Establecida por las Naciones Unidas en 1949, estaba formada por observadores militares internacionales no armados que supervisaban los acuerdos del armisticio entre Israel y Egipto, Siria, Jordania y el Líbano.

ñado hábilmente a todos: a Moscú, a Washington, y hasta a los israelíes, famosos por su servicio de inteligencia.

Malik estaba ansioso por llevar a cabo su combate en el Consejo de Seguridad, e insistió para que fuéramos a Nueva York. Pero, contrariamente a lo que pasó el día del inicio de la guerra en 1967, no hubo ninguna convocatoria de reunión del Consejo de Seguridad. Asimismo, las instrucciones que llegaron por la tarde no eran alarmistas. Moscú ordenaba que esperáramos y viéramos, y que consultáramos con los representantes de Egipto y Siria. Nos informaron también que Dobrinin y Kissinger estaban analizando la situación en Washington. Malik vio que su oportunidad se desvanecía.

–Otra vez vamos a intentar una negociación con los norteamericanos –estalló–. ¡Esos bastardos están detrás de la agresión israelí!

A petición de los Estados Unidos, las deliberaciones en el Consejo de Seguridad empezaron el 8 de octubre. Pero todas las partes directamente implicadas, incluida la Unión Soviética, desdeñaron la participación de las Naciones Unidas. El-Zayyat siempre habló ambiguamente y jamás nos dijo nada que no supiéramos ya a través de otras fuentes. El embajador egipcio ante las Naciones Unidas, Ahmed Abdul Meguid, no fue tan cauto. Hombre bien informado y tranquilo, era muy respetado en las Naciones Unidas. Expresó el sentimiento de su país de que había que tratar de destruir la imagen de invencibilidad militar de Israel, independientemente de que finalmente Egipto ganara o perdiera. En ese momento, Egipto había decidido que no habría un alto el fuego mientras las tropas israelíes no se retiraran del suelo egipcio.

Malik estaba tan conmocionado por la situación que me parece que, en realidad, se puso contento al oír a Jamil Baroody, de Arabia Saudita; éste lanzó duras críticas contra los Estados Unidos y la Unión Soviética por haber convertido el Oriente Medio en «un tablero de ajedrez en el que las dos superpotencias hacen su juego político con el destino de los pueblos de esa zona». Quizá tenía razón.

Con respecto a las actividades de Moscú durante la guerra del Yom Kippur, han surgido algunos interrogantes. Los soviéticos, ¿animaron a Egipto y a Siria a que iniciaran la guerra? ¿Sabían por adelantado el momento exacto del ataque árabe? Si fue así, ¿no violaban las reglas de la distensión, el espíritu de los Principios Básicos de las Relaciones acordados en la cumbre de Moscú en 1972?

Ciertas evidencias sugerían que Moscú había dado su apoyo al ataque. Justo antes de que se iniciaran los enfrentamientos, los residentes soviéticos habían abandonado Egipto y Siria, y al poco tiempo de empezar las hostilidades, se envió a Egipto una gran cantidad de armas soviéticas. Pero amigos míos del ministerio afirmaron que los soviéticos se habían opuesto al plan de Sadat hasta el último minuto. La entrega de armas había sido acordada con anterioridad. Si la Unión Soviética no hubiera cumplido sus obligaciones en ese momento crítico, con toda probabilidad Moscú habría debilitado notablemente su posición en el mundo árabe. Sólo cuando se comprobó que los egipcios no podían expulsar a los israelíes de los territorios ocupados, se ordenó la evacuación de las mujeres y los niños. Sin embargo, Moscú demostró tanta ignorancia con respecto al momento exacto del ataque como ineficacia en su tentativa por evitarlo.

Al día siguiente del inicio de la guerra, recibimos noticias de Moscú sobre las conversaciones que tuvieron lugar la víspera de las hostilidades entre el embajador soviético en El Cairo, Vladimir Vinogradov, y Sadat, y entre nuestro embajador en Damasco, Nuridin Mujitdinov, y el presidente Hafez al-Assad. Tanto Sadat como Assad revelaron sus intenciones de ir en breve a la guerra; Assad incluso especificó que sería el 6 de octubre. Pero el gobierno soviético no confiaba demasiado en Assad, y dudaba de la credibilidad del embajador en Damasco. Mujitdinov, antiguo miembro del Presidium, que había caído en desgracia, era famoso por «inventar historias». También se le conocía por su mal genio y por lo poco dispuesto que se mostraba a oír el consejo de sus colaboradores.

Pero incluso si sus informes hubieran sido de confianza, los soviéticos jamás habrían transmitido esa información secreta a Washington, en particular porque Siria era el mejor aliado de la Unión Soviética en la zona. Y, además, los norteamericanos también se mostraban bastante reservados con respecto a su propia política en Oriente Medio.

En la primera fase de la guerra, las instrucciones que había recibido Malik sólo sirvieron para obstaculizar todas las acciones propuestas por el Consejo de Seguridad. Su lacónica afirmación de que «no se exige ninguna nueva decisión» era una demostración de que Moscú intentaba ganar tiempo para que Egipto y Siria aprovecharan completamente el ataque militar por sorpresa. Por su parte, los Estados Unidos, para ayudar a Israel a recuperarse del ataque y a movilizar sus fuerzas, también pretendían que las Naciones Unidas no intervinieran de ninguna manera en el conflicto. Por esa razón, el Consejo de Seguridad, el principal organismo de las Naciones Unidas, responsable del restablecimiento y mantenimiento del orden internacional, estuvo paralizado durante días. Naturalmente, Kurt Waldheim estaba preocupado por el prestigio de las Naciones Unidas y creo que, por una vez, se ganó la simpatía de todos sus subsecretarios generales.

El malestar de Waldheim se agravó debido a que los soviéticos le ignoraban casi por completo. Sólo conseguí irritar a Malik cuando le aconsejé que, por lo menos, le mantuviera informado de la posición soviética.

Cuando se comprobó que los árabes estaban perdiendo, se produjo un cambio drástico en la posición soviética. Con el objeto de salvarles de la derrota total, Brezhnev invitó a Kissinger a Moscú para negociar el alto el fuego. Se acordó una posición soviético-norteamericana conjunta. Después de recibir nuevas instrucciones, el embajador Malik pidió entonces al Consejo que adoptara medidas urgentes con el fin de acabar con los enfrentamientos. Para su aflicción, la orden de Moscú especificaba que no había que criticar a los Estados Unidos. No obstante, Malik encontró un pretexto para ventilar en público su irritación.

Cuando el representante chino, Huang Hua, se quejó de que no había demasiado tiempo para considerar el borrador de la resolución soviético-norteamericana, Malik acusó a China de manchar la imagen de las Naciones Unidas y de no hacer nada constructivo en la organización. No hay que suponer que la posición oficial de la URSS coincida siempre con exactitud con la de todas las declaraciones de los delegados soviéticos ante las Naciones Unidas. Si bien Moscú controla estrictamente el contenido de los discursos de los representantes ante las Naciones Unidas, los textos se escriben en Nueva York. Las instrucciones de Moscú generalmente son breves y contienen la esencia de la línea política soviética. En cuanto a las palabras y el estilo que se usen en los discursos, hay una gran libertad.

El 22 de octubre el Consejo de Seguridad adoptó la resolución del alto el fuego, auspiciada por los Estados Unidos y la Unión Soviética, pero inútilmente. Los combates no sólo continuaron, sino que fueron a más. Las informaciones que nos llegaban indicaban que en Moscú estaban dispuestos a hacer lo que fuera para detener la guerra. Pensábamos que esa vez iba a ocurrir algo inhabitual, y así fue. Brezhnev escribió al presidente Nixon con el fin de persuadirle de la urgencia de que los Estados Unidos y la Unión Soviética se unieran para enviar contingentes militares a Egipto que garantizaran el alto el fuego. La carta advertía que si los Estados Unidos consideraban que era imposible hacerlo de forma conjunta, la Unión Soviética tomaría una decisión unilateral.

Malik estaba como en éxtasis; a mí la situación me preocupaba. Los Estados Unidos jamás aceptarían la propuesta de Brezhnev ni permitirían la intervención de Moscú en la guerra. Una vez que las tropas soviéticas estuvieran en Egipto, sería casi imposible sacarlas de allí. La historia nos lo había demostrado.

Aprovechando la situación desesperada de Sadat –en aquel momento las fuerzas israelíes avanzaban hacia El Cairo por la parte oeste del canal de Suez y habían rodeado al Tercer Ejército egipcio en el Sinaí–, Moscú le obligó a aceptar el plan soviético. Pero, en realidad, la amenaza de Brezhnev sólo pretendía poner a prueba la voluntad norteamericana, aprovechándose de las dificultades internas de Nixon por el asunto Watergate. Cuando los Estados Unidos respondieron al farol de Moscú poniendo en alerta las fuerzas militares norteamericanas, no se tomaron medidas de emergencia en la Legación. Fue una advertencia suficientemente fuerte para suspender esos intentos de aprovechamiento de la situación. La Unión Soviética no quería en absoluto un enfrentamiento con los Estados Unidos.

Durante toda la guerra de octubre, Moscú estuvo exclusivamente preocupada por sus propios intereses y no por defender la causa árabe. Esto se puso de manifiesto cuando el Consejo de Seguridad analizó la posibilidad de enviar una fuerza de pacificación de las Naciones Unidas para asegurar el cumplimiento de las decisiones del Consejo.

La interpretación soviética de las resoluciones de la Carta de las Naciones Unidas con respecto al uso de personal militar internacional era limitada y rígida. Moscú sólo reconocía uno de los usos permitidos de las fuerzas militares de las Naciones Unidas: el rechazo de la agresión (conocido como medidas de coacción en el capítulo VI de la Carta de las Naciones Unidas). Según los soviéticos, esa resolución sólo podía tomarla el Consejo de Seguridad con la asistencia de la Comisión del Personal Militar (los Estados Unidos, el Reino Unido, China, la Unión Soviética y Francia). El secretario general no podía tener el mando de las tropas de las Naciones Unidas. El propio Consejo de Seguridad, a través de la Comisión del Personal Militar, debía ejercer día a día, según los soviéticos, la dirección y administración de todas las operaciones militares de las Naciones Unidas. Ese mecanismo sólo podía funcionar con la completa unanimidad de los miembros permanentes del Consejo de Seguridad. Evidentemente, no era un enfoque ni realista ni práctico.

La guerra fría había convertido en papel mojado muchas de las resoluciones de la Carta de las Naciones Unidas, y en gran parte la responsabilidad de ello correspondía a la Unión Soviética. Pero el mundo moderno exigía la participación militar de las Naciones Unidas en otras situaciones, y no sólo en las acciones de fuerza. Las objeciones soviéticas a las operaciones de pacificación de las Naciones Unidas iban contra la noción básica de que los conflictos bélicos no se reducen a una forma única, sino que van desde la guerra entre dos o más países hasta los conflictos internos.

Las actividades prácticas de las Naciones Unidas –se contara o no con el consentimiento de la Unión Soviética– consistían en diversas operaciones de pacificación que variaban según las necesidades específicas de cada caso. En sentido amplio, eran de dos categorías: las misiones de observación y las actividades militares llevadas a cabo con el consentimiento y la cooperación de las partes interesadas. Sus objetivos principales eran: poner fin a las tensiones, evitar el resurgimiento o la expansión del conflicto mediante la supervisión imparcial del alto el fuego, las treguas o lo acuerdos de armisticio, y controlar la retirada de las tropas. En Palestina, Cachemira, Chipre y otras partes del mundo, las misiones de observación y los operativos militares de las Naciones Unidas han llevado a cabo operaciones de pacificación con distintos resultados.

Ralph Bunche, el subsecretario general de las Naciones Unidas que ganó el premio Nobel de la Paz por su papel en la negociación de la tregua entre árabes e israelíes en Palestina en 1949, fue quizá quien contribuyó en mayor medida al trabajo de pacificación de las Naciones Unidas. Bunche fue un excelente funcionario internacional. A finales de la década de 1960, casi ciego y con una salud muy delicada, seguía trabajando largas horas en varias misiones de las Naciones Unidas.

La insistencia soviética para que el Consejo de Seguridad supervisara día a día las misiones de pacificación no era realista. El rechazo de ese concepto por parte del secretario general –aceptado por mayoría absoluta por los miembros de las Naciones Unidas, a pesar de las protestas soviéticas– sólo tenía una consecuencia: privaba a Moscú de la oportunidad de influir en el control de la pacificación, y por lo tanto excluía también de la participación directa en ese proceso al subsecretario general soviético. Mi gobierno, ignorando sus propios intereses, no quería que el ciudadano soviético que ocupaba ese cargo fuera asociado con una «práctica ilegal».

Mientras fui su asesor, hablé una vez con Gromiko del tema de los acuerdos de pacificación de las Naciones Unidas.

–¿De qué acuerdos de pacificación me está hablando?– preguntó–. La Carta de las Naciones Unidas no los menciona. Son peligrosos y pueden conducir a la interferencia en los asuntos internos de Estado. En el Congo –siempre usaba el Congo como ejemplo–, ya comprobamos cómo las tropas de las Naciones Unidas se pueden usar contra las fuerzas progresistas.

Por último, me aconsejó que jamás volviera a tocar ese tema, y jamás lo hice.

En este sentido, me enfrenté a un dilema cuando, de acuerdo con la decisión que el Consejo de Seguridad tomó el 25 de octubre de organizar una Fuerza de Emergencia de las Naciones Unidas para asegurar el cumplimiento de sus resoluciones, Waldheim me pidió que asistiera esa tarde a una reunión para elaborar el plan de acción de la nueva fuerza de las Naciones Unidas. Era difícil oponerse a Waldheim, e igualmente difícil apartarse de la posición soviética en ese asunto. Le pregunté a Malik qué opinaba de ello. Se sorprendió de la propuesta del secretario general y me aconsejó que no asistiera. Pero le dije que iba a participar en la reunión, aunque la recomendación final de Waldheim al Consejo no coincidiera con nuestra posición.

–Waldheim no puede adoptar la línea soviética –dije–. Además, debe informar al Consejo dentro de las veinticuatro horas. No tenemos mucho tiempo. Y no voy a pedir el consejo de Moscú.

Malik murmuró algo acerca de la importancia de defender nuestra posición, aunque sin demasiada vehemencia.

–Pues bien, entonces vaya –dijo finalmente–. De cualquier modo, pronto descubriremos qué están tramando.

Yo esperaba una de sus arengas, pero esa vez Malik demostró tener algo de sentido común. Aunque, si más tarde Moscú me reprendía, Malik no dudaría en lavarse las manos y condenarme por haber asistido a la reunión.

Esa noche, Waldheim parecía casi exhausto. Tenía la cara tan enrojecida que al principio creí que se encontraba mal. Pero estaba visiblemente satisfecho de que, finalmente, las Naciones Unidas intentaran poner fin a la guerra.

El británico Brian Urquhart, en ese momento secretario general adjunto para Asuntos Políticos Especiales, dominó la discusión. Su experiencia en operaciones de pacificación, que se remontaba a la mitad de la década de 1950, era incomparablemente mayor que la de los demás. Yo sentía una gran simpatía por él y a menudo le pedía información o su opinión sobre diversos asuntos. Detrás de su apariencia amable se ocultaba un hombre de gran fuerza y coraje. Enfocaba los problemas de un modo directo, lógico y práctico. Se le podía ver trabajando a cualquier hora del día o de la noche; muchas personas no podían imaginarle haciendo otra cosa. Cuando a veces me encontraba con él mientras paseaba su perro por el barrio donde ambos vivíamos, siempre me sentía un poco sorprendido de verle en un lugar distinto al piso treinta y ocho.

Todo el mundo creía que la fama de honestidad e integridad de Urquhart, era fundamentada, todo el mundo excepto los soviéticos. Sus prejuicios contra él se basaban en dos cosas: era inglés y, además, había sido el confidente de Dag Hammarskjöld.

En la reunión, Urquhart dijo a Waldheim que lo más lógico sería usar el modelo general de la Primera Fuerza de Emergencia de las Naciones Unidas (UNEF-1) que había intervenido en el sector Egipto-Israel desde 1956 hasta 1967.

–¿Cuál debe ser el volumen total de la fuerza? –preguntó Waldheim–. No sabemos exactamente qué extensión tendrán las operaciones.

Finalmente se decidió enviar un complemento de unos siete mil hombres, similar a la UNEF-1. Se enviarían más si era necesario. También se utilizaría el modelo anterior para otros aspectos de la operación.

Yo apoyaba la propuesta de Urquhart, pero evidentemente no intervine demasiado en la discusión; no podía anticipar la reacción de Moscú ante mi participación en la reunión. Como más tarde se comprobó, no criticaron mi asistencia; de todos modos no creo que Waldheim comprendiera lo que había hecho al invitarme. Posteriormente, me enteré de que mi presencia había provocado controversias. Muchos miembros de las Naciones Unidas se quedaron sorprendidos de que el secretario general hubiera roto la regla de la exclusión soviética. Estaban convencidos de que incluirme en las operaciones de pacificación comportaría serias desventajas para la acción de las Naciones Unidas. Yo pensaba que quizás estuvieran en lo cierto. En Moscú habían tolerado mi actitud inicial, pero ¿aceptarían mi nuevo papel? En el futuro, ¿me darían instrucciones de que me comportara según el estilo ortodoxo soviético? Si eso ocurriera, probablemente me obligarían a poner obstáculos que provocarían frustración y mala voluntad en todas las partes.

El 27 de octubre el Consejo de Seguridad aprobó el informe y las recomendaciones de Waldheim. Al día siguiente se acordaron, bajo el auspicio de las Naciones Unidas, las primeras conversaciones directas desde hacía un cuarto de siglo entre Egipto e Israel en el kilómetro 101 de la carretera El Cairo-Suez. Moscú me dio instrucciones de que enviara toda la información que obtuviera sobre esas conversaciones. Mis informes, basados en gran parte en los telegramas de Ensio Siilasvuo, contenían la mejor información posible. No era sorprendente que la KGB intentara interceptar los mensajes de Siilasvuo antes de que llegaran a mis manos. Evidentemente, los egipcios no les contaban todo a los soviéticos. De cualquier modo, aunque lo hubieran hecho, Moscú no habría confiado en ellos.

Las conversaciones del kilómetro 101 fueron posibles gracias a la mediación norteamericana. Fue un factor decisivo para lograr el alto el fuego entre egipcios e israelíes y otros avances. La influencia soviética en Egipto y en Oriente Medio en general, declinó; en gran parte fue un daño autoinfligido.

El respaldo político a las exigencias árabes y la falta de consistencia del apoyo militar a Egipto y a otros países de la zona habían puesto en peligro la capacidad soviética para desempeñar un papel mediador. Y, como la Unión Soviética se negó a negociar con Israel, con quien había roto relaciones después de la guerra de 1967, los Estados Unidos pudieron excluir a Moscú de varias iniciativas, todas sin éxito, para salvar el abismo entre árabes y judíos. Estados Unidos fue la única superpotencia que pudo hablar con ambas partes y que fue escuchada por ellas.

Varias veces, Gromiko y yo discutimos ese problema. En 1967 dijo que era prematuro considerar la posibilidad de un cambio en la posición soviética con respecto a Israel. Sin embargo, en 1970 y en 1971 logré, finalmente, que Gromiko reconociera que «probablemente» había sido un error romper las relaciones diplomáticas con Israel o, al menos, no haberlas restablecido cuando los ánimos se calmaron. El buen sentido de Gromiko seguramente le habría llevado –si hubiera tenido libertad de movimientos– a restablecer las relaciones con Israel. Diplomático bastante tradicional en muchos aspectos, pensó que poco se podía ganar boicoteando a una parte en una disputa. Y, aunque no sentía en absoluto simpatía por Israel, desconfiaba de los árabes.

Pero Gromiko no tenía libertad de movimientos. Me di cuenta de ello por sus evasivas cuando le propuse que adoptáramos otra actitud con respecto al Oriente Medio. Siempre se negaba a actuar cuando sabía que sus opiniones no coincidían con las de la mayoría del Politburó.

Lo que hizo fue nombrar a un subordinado para que mantuviera contactos informales con Israel. Yo fui el elegido y –ante el disgusto y la oposición de Malik– me convertí en uno de los pocos intermediarios entre soviéticos e israelíes. Los diplomáticos israelíes comprendieron muy pronto que yo les daría la oportunidad de ser oídos, así como los medios de transmitir sus opiniones a Moscú. Pero mi papel de mensajero no fue especialmente productivo. Se convirtió en una tarea ingrata, en ocasiones hasta incómoda, porque a Moscú no le interesaba cambiar su política hacia Israel.

Aproximadamente un año más tarde, Yosef Tekoah, entonces representante permanente de Israel, me pidió que presentara en el Ministerio de Asuntos Exteriores soviético una larga lista de judíos que solicitaban autorización para salir de la URSS. Traté de eludir el tema con la excusa de que la emigración no era asunto del ministerio. No le dije que, en gran parte, estaba controlada por la KGB y sujeta a la supervisión del Politburó. Tampoco mencioné la carta que me acusaba de haber aceptado dinero para ayudar a una judía de Moscú a conseguir un visado de salida.

Sin embargo, Tekoah insistió. Me dijo que las autoridades soviéticas debían revisar la lista para determinar si se habían cometido injusticias negando a personas inocentes su derecho a abandonar el país, y que una acción como ésa ayudaría a reducir las críticas a la política de emigración –y al respeto de los derechos humanos, en general– de la URSS. Finalmente, acepté transmitir la lista a Moscú, pero le advertí que no esperara una respuesta, ni a través mío ni por otros medios. En efecto, no hubo ninguna respuesta.

Aunque durante años analicé la política soviética sobre emigración judía con varios conocidos de Moscú bien informados, me resultó difícil anticipar su rumbo o ejercer influencia sobre él. No se pedían ni se recibían bien las opiniones del Ministerio de Asuntos Exteriores sobre el tema, aunque se convirtió en un asunto profundamente vinculado con las relaciones soviético-norteamericanas en general.

Dentro de la dirección soviética, las opiniones estaban divididas. Algunos sostenían que no se debía permitir en absoluto la emigración. Consideraban –acertadamente, como demostraron los hechos– que permitir la salida de judíos fomentaría la presión de otros grupos étnicos, como los armenios y los alemanes, que se habían establecido junto al Volga en el siglo XVIII y habían sido deportados al Kazajstán durante la segunda guerra mundial. Además, una política que favoreciera a los judíos molestaría a los demás soviéticos, que tenían muy limitada la libertad de viajar.

Otros afirmaban que la Unión Soviética sería más fuerte si limpiaba su casa. Reflejando el histórico antisemitismo soviético, este grupo pensaba que los judíos soviéticos eran hostiles al Estado. «¿Para qué retener a personas que no quieren vivir en la URSS?», decían. «Que se marchen.»

Al principio, las disposiciones sobre política exterior inclinaron la balanza a favor de la emigración. Durante los primeros años de la década de 1970, período de verdadero esfuerzo por mejorar las relaciones Este-Oeste, Moscú demostró cierta sensibilidad, ante la opinión pública y las presiones gubernamentales occidentales, con respecto a la emigración judía. Este período acabó en 1974, cuando el Congreso de los Estados Unidos aprobó las enmiendas de Jackson-Vanik y Stevenson a la legislación norteamericana de comercio, que condicionaban la concesión de ciertos beneficios a la Unión Soviética a la cantidad de judíos a los que permitieran emigrar. La URSS, resuelta a no dejar que su política fuera tan abiertamente dictada por la influencia exterior, decidió reducir el nivel de emigración. En 1977 volvió a aumentarlo como parte de un esfuerzo por demostrar que respetaba, en lo esencial, las exigencias en materia de derechos humanos de los Acuerdos de Helsinki; a partir de 1979, en medio de la crítica occidental por la intervención militar soviética en Afganistán, ese nivel se redujo notablemente.

La historia demuestra la ausencia de un firme compromiso político a favor o en contra de la emigración. En ese sentido, se trata de un ejemplo típico del estilo de la política soviética. Como ocurre con otras cuestiones difíciles, las relativas a los judíos soviéticos sólo se deciden si las presiones externas o internas obligan al Politburó a afrontar el problema. Y la decisión tomada en determinadas circunstancias puede modificarse cuando éstas cambian. Fue difícil iniciar el proceso de emigración. También fue difícil detenerlo por completo. Sin embargo, lo que revelan estas prácticas cambiantes es la típica preferencia de los gobernantes soviéticos por evitar tomar postura con respecto a un tema espinoso cuando las opiniones están divididas.

Los argumentos a favor y en contra de la emigración judía se mantienen más o menos iguales año tras año. En un momento dado, los que protestan por la pérdida de mano de obra técnica capacitada pueden conseguir cierta ventaja sobre los que creen que es posible obtener concesiones occidentales si se limpia el país de una minoría resentida. En otro momento, la opinión de la mayoría puede cambiar. Lo cierto es que se trata de un asunto difícil de manejar y que puede generar respuestas sumamente diferentes cada vez que se plantea.

Yo fui el diplomático que los enviados israelíes podían utilizar como papel tornasol para obtener una reacción soviética autorizada. Como mi cargo no era oficial, mis opiniones siempre podían ser rechazadas. Pero en las consultas informales que determinaban gran parte de lo que finalmente se decidía, cumplí un papel que quizá de otro modo habría quedado sin cumplir.

Después de la guerra del Yom Kippur, fui el canal por el que el embajador Tekoah trató de averiguar si Gromiko aceptaría ver al ministro de Asuntos Exteriores de Israel, Abba Eban, en la Conferencia de Paz sobre Oriente Medio de Ginebra, programada para diciembre de 1973. Gromiko aceptó. Fue el primer encuentro soviético-israelí de alto nivel desde la guerra de los Seis Días de 1967. Aunque Gromiko adoptó un tono más bien amistoso, en realidad fue duro. Dijo a Eban que, en principio, era posible reanudar relaciones diplomáticas normales si se hacían «importantes progresos» en la Conferencia de Ginebra. Por «importantes progresos» Gromiko entendía el consentimiento de Israel en retirar sus fuerzas de los territorios árabes ocupados. Expresó además que estaba dispuesto a continuar el diálogo con Eban dentro del marco de la Conferencia de Ginebra, pero no lo hizo.

En abril de 1975, Waldheim me nombró su representante en la Conferencia de Ginebra sobre la aplicación del Tratado de No Proliferación. En mayo, regresé a Nueva York.

Había llegado a la Legación soviética un telegrama bastante significativo. Se refería a Vietnam y lo enviaba Ilia Shcherbakov, el embajador soviético en Hanoi. Dos meses después de la caída de Saigón, decía el mensaje, los líderes vietnamitas habían decidido una nueva ofensiva, pero pacífica y diplomática. Creían que la unificación del país había avanzado bastante para justificar una política exterior más activa y enérgica. Como primera medida, querían que los admitieran en las Naciones Unidas. Puesto que esperaban la oposición de los Estados Unidos, querían la asistencia y el consejo soviéticos en la campaña para ganar votos en Nueva York.

Ni la decisión de Hanoi ni la orden que dio el ministerio a la Legación de que los ayudara eran demasiado sorprendentes. Muchos expertos soviéticos en asuntos asiáticos hacía tiempo que deseaban que Vietnam modificara su actitud negativa hacia las Naciones Unidas. Durante la guerra, esa posición había obligado lógicamente a Moscú a condenar la política norteamericana, aunque de ese modo impedía que el conflicto se tratara en las Naciones Unidas. Decididos a una victoria completa, los norvietnamitas temían que toda decisión que se tomara en las Naciones Unidas beneficiara a Saigón y a los norteamericanos.

No fue ese desacuerdo sobre tácticas diplomáticas la única fuente de fricción entre Vietnam y la URSS. La victoria de 1975, en vez de eliminar esas diferencias, despejó el camino para otras nuevas. En mi opinión, los Estados Unidos cometieron dos errores en Vietnam: empezar la guerra y perderla. La intervención norteamericana había obligado a la Unión Soviética y a China a trabajar juntas en algunos momentos, precisamente cuando las relaciones entre ambos países se estaban deteriorando con rapidez. Pero después de alinearse con el régimen corrupto de Saigón, Estados Unidos había dañado su prestigio abandonando a su aliado en 1975.

Cuando Saigón cayó, yo y muchos otros soviéticos nos quedamos profundamente sorprendidos de que los Estados Unidos aceptaran esa humillación final. Otros, especialmente los ideólogos del Partido, se sentían felices. Veían en Vietnam la prueba del deterioro que, como ellos habían sostenido siempre, estaba socavando la fuerza y la voluntad occidentales. Parecía un argumento claramente a favor de una línea mucho más dura hacia el mundo capitalista, en especial hacia los Estados Unidos.

El desacuerdo entre Moscú y Hanoi empezó con la expectativa de que los vietnamitas presionaran a los soviéticos para que invirtieran importantes recursos en la reconstrucción de Vietnam. La Unión Soviética no podía afrontar nuevas obligaciones económicas en el exterior; varios miembros de la dirección estaban preocupados por lo que pensaban que Hanoi esperaba de ellos. Moscú no podía encargarse de las cuentas de Castro y también de las de Vietnam, que no sólo era más grande que Cuba, sino que además la guerra había devastado completamente su economía. Y la certeza de que Hanoi exigiría una copiosa ayuda para la reconstrucción del país ensombreció el placer que sintieron los soviéticos ante la derrota norteamericana.

–El problema –dijo Vasili Makarov durante su encuentro con Gromiko en Nueva York, en septiembre de 1975– es que no veo cómo podemos decir que no. Esos bastardos se comportan como si todo lo hubieran hecho ellos y ahora nosotros les debiéramos la luna.

A finales de 1975, Le Duan, el sucesor de Hô Chi Minh, visitó Moscú para intentar conseguir lo que los vietnamitas consideraban un derecho. Por el mensaje enviado a las principales legaciones diplomáticas después de las conversaciones, deduje que ni él ni sus anfitriones habían quedado plenamente satisfechos. Es verdad que, finalmente, Le Duan apoyó varias posiciones políticas soviéticas sobre asuntos internacionales como la seguridad europea, el desarme, el Oriente Medio e incluso el esfuerzo por la distensión Este-Oeste, denunciado por China. Pero la delegación de Hanoi, según el telegrama, «no considera conveniente por ahora tomar una posición directa sobre las diferencias» entre la Unión Soviética y China.

En cuanto a los líderes soviéticos, sus exageradas muestras de solidaridad contrastaron con las pocas promesas de ayuda concreta que hicieron. Elogiaban el heroísmo del pueblo vietnamita pero se comprometían a colaborar en la reconstrucción sólo «en la medida de lo posible». En la práctica, Moscú envió equipos de estudio antes de comprometerse a facilitar una cantidad ilimitada de ayuda. Y los eventuales «regalos» probablemente consistirían en armas y créditos ventajosos para comprar equipos soviéticos y no en el tipo y volumen de los subsidios destinados a Cuba.

Una prueba de la tensión entre Moscú y Hanoi se puso de manifiesto en el informe de Brezhnev al XXV Congreso del Partido, en febrero de 1976. Por ejemplo, no hizo ninguna mención a la ayuda para la reconstrucción de Vietnam, aunque habló extensamente de la victoria vietnamita y de las contribuciones soviéticas a la guerra al principio del discurso. Sin embargo, Brezhnev sólo se refirió indirectamente al papel de los Estados Unidos en la guerra de Vietnam. Cuando habló de Cuba usó las palabras «imperialismo norteamericano», pero cuando se refirió a Vietnam sólo llamó a los norteamericanos «invasores imperialistas» o «intervencionistas». El cambio de términos era intencionado. Correspondía a la línea fijada en 1972, cuando Brezhnev recibió en Moscú al presidente Nixon a pesar de la guerra de Vietnam y del minado del puerto de Haiphong.

La cumbre había enfurecido a los vietnamitas por la forma en que los soviéticos habían dejado de lado sus denuncias contra los Estados Unidos. Brezhnev usaba todavía las palabras insidiosas de 1972, lo que indicaba que las relaciones entre Moscú y Hanoi seguían teniendo aristas afiladas. Aunque el Congreso del Partido en general no resultaba demasiado brillante, había aspectos interesantes con respecto a la oratoria; los largos discursos llenos de autocomplacencia implícitamente decían muchas más cosas.

La reunión de diez días de la élite del Partido en el moderno Palacio de Congresos del interior del Kremlin confirmó una tendencia que se manifestaba claramente: el liderazgo cada vez mayor de Leonid Brezhnev. Su control no era completo pero, al menos en la superficie, era muy notorio. Cuando hizo su aparición se le ovacionó largamente. De todos modos su informe expresaba cierta angustia, en especial por el estado de la economía soviética. Además, transmitía una considerable inquietud en lo que decía y en lo que omitía con respecto a varios acontecimientos de fuera de la Unión Soviética. Quizá la frase más negativa fue una expresión de tan sólo dos palabras: *osobiye vzglyadi*, los «puntos de vista particulares» que, según observó, «unos pocos partidos» de otros países socialistas tienen «en algunos asuntos». Aunque afirmaba que había una «tendencia general» hacia «la cohesión cada vez mayor» entre la URSS y sus aliados de la Europa del Este, en realidad Brezhnev admitía su preocupación por las actitudes independientes y heréticas que, en diversos grados, Rumanía, Polonia y Hungría tomaban hacia la economía y la política exterior soviéticas.

«Puntos de vista particulares» parece una expresión inocua. En realidad, es un eufemismo para designar la disidencia; admitir en 1976 que los miembros del Pacto de Varsovia se habían desviado de la línea soviética «en algunos asuntos», era obviamente un reconocimiento de inquietud. Para entonces, yo había oído hablar mucho del «problema» de Polonia. El embajador polaco ante las Naciones Unidas, Henry Jaroszek, me había invitado varias veces a visitar su país. Pero cuando fui a Moscú en el verano de 1976, Vasili Kuznetsov me aconsejó con firmeza que buscara una excusa para rechazar la invitación de Jaroszek.

Las manifestaciones más sorprendentes de la parte del discurso de Brezhnev que hablaba de los asuntos exteriores se referían a las relaciones Este-Oeste en Europa y a la admisión tácita de que una práctica diplomática soviética habitual, antaño elogiada como un triunfo personal de Brezhnev por la paz, se había convertido en una amenaza potencial. Se trataba de los Acuerdos de Helsinki, es decir, del Acta Final de la Conferencia sobre Seguridad y Cooperación en Europa.

Lo que más le interesaba a Moscú de las conversaciones sobre seguridad europea (la reafirmación de la inviolabilidad de las fronteras europeas existentes, reconocimiento formal del *statu quo* posterior a la guerra) lo había conseguido, sólo que a un precio relativamente alto. Para alcanzar su objetivo, la Unión Soviética se había visto obligada a aceptar cierta cantidad de demandas occidentales, incluida la de mayor libertad de intercambio de información y de personas en las fronteras Este-Oeste.

En varias reuniones de destacados funcionarios del Ministerio de Asuntos Exteriores, durante los años en que trabajé con Gromiko, diversos colegas, así como miembros de la KGB y del Comité Central, nos advirtieron contra la tendencia de llevar las negociaciones Este-Oeste más allá de los objetivos soviéticos. Esas advertencias no fueron escuchadas. En parte, el fallo estaba en el sistema de toma de decisiones soviético; suministraba pocos canales para que los escépticos pudieran cuestionar el sentido general de la elección de una política básica.

Pero aunque esas advertencias se hubieran expresado con mayor energía, probablemente tampoco se les habría prestado demasiada atención. El compromiso soviético ante las conversaciones de seguridad europeas se había convertido en un asunto de prestigio personal para Brezhnev.

Los que dudaban pensaban que la URSS ya había cumplido sus metas básicas de la posguerra en Europa mediante los tratados bilaterales, en especial el firmado con Alemania Occidental y el que firmaron Alemania Oriental, Alemania Occidental y Polonia. En realidad, Occidente había aceptado la división de Alemania. Los acuerdos entre Moscú y París, Moscú y Bonn y Moscú y Roma proporcionaban las bases necesarias para conseguir avances políticos, económicos y culturales para la normalización de las relaciones Este-Oeste. Y no era probable que el foro multilateral favoreciera mucho más el logro de la distensión, por lo menos no sin efectos colaterales desfavorables.

Contra tales consideraciones había un conjunto de argumentos. Debido a la tensión creciente con China, la Unión Soviética quería y necesitaba mucha calma y buenas relaciones con Europa. El valor de las negociaciones de seguridad con los europeos procedía de la inseguridad que caracterizaba las relaciones entre Moscú y Pekín.

Y aunque el tema central de la política soviética de la distensión era la mejora de las relaciones con los Estados Unidos, Moscú había buscado la normalización de las relaciones Este-Oeste en Europa. Los avances con Francia en 1966 y con Alemania Occidental cuatro años más tarde, tenían un valor incalculable. Cuando negociaba con los europeos, el Kremlin siempre mantenía la esperanza de apartarlos de sus aliados norteamericanos con respecto a los asuntos políticos.

No se abandonó esta táctica cuando las relaciones soviético-norteamericanas empezaron a mejorar. Hasta en la cima de la distensión entre las superpotencias, en 1972-1973, los soviéticos adoptaron una línea con los Estados Unidos y otra diferente con sus aliados de la OTAN. El ritmo lento de las SALT, los continuos esfuerzos de los norteamericanos por excluir a la Unión Soviética de la diplomacia de Oriente Medio y, posteriormente, la incertidumbre y los obstáculos que limitaron el comercio con los Estados Unidos, alentaron a Moscú a mantener en Europa tantas opciones abiertas como fuera posible.

Durante todos esos años –mientras la Conferencia sobre Seguridad y Cooperación en Europa mantenía prolongadas sesiones–, otros dos factores contribuyeron a aliviar la inquietud en el Ministerio de Asuntos Exteriores y en el Comité Central. En el XXIV Congreso del Partido, en 1971, un programa completo de paz hizo de la convocatoria formal de la conferencia de Europa una cuestión de fe comunista. Después de esa declaración, no se podía volver atrás.

Leonid Brezhnev llegó a considerarse a sí mismo el principal impulsor de la campaña de seguridad europea. Gran admirador de los gestos grandilocuentes, había relacionado cada vez más su prestigio de pacificador con el éxito de las negociaciones. Su compromiso personal logró evitar las críticas provenientes de niveles inferiores. Si se dudaba de la importancia de la conferencia, eso quería decir que también se ponía en duda la sabiduría del líder.

Sin embargo, irónicamente, en 1976, el principal negociador de los acuerdos de Helsinki iba a pagar cara la devoción que había demostrado por la política de Brezhnev. Anatoli Kovalev, un protegido de Gromiko, tenía la responsabilidad de las conversaciones europeas cuando las consultas que llevaron a la conferencia eran todavía informales. Oyó, pero no tuvo en cuenta, algunas advertencias de sus colegas. Trabajó fielmente para cumplir las instrucciones de Moscú en las largas sesiones de Ginebra, desde 1973 hasta 1975. Habiendo iniciado ya una carrera meteórica, esperaba obtener una significativa recompensa por sus esfuerzos en el XXV Congreso del Partido. Pero en vez de ser nombrado miembro del Comité Central, un ascenso del que había hecho alarde por anticipado, terminó en un hospital de Moscú, víctima de un ataque cardíaco y del cambio de la política que con tanta energía había apoyado.

A Kovalev le afectó mucho que no le adjudicaran ningún cargo en el Partido al acabar el Congreso. Parece que su candidatura se rechazó en el último momento en un consejo interno del Partido. El ataque cardíaco, afección tan común entre los funcionarios importantes de Rusia como las úlceras entre los hombres poderosos de los Estados Unidos, fue un síntoma de ese golpe. Mientras se recuperaba, la política de seguridad europea que había defendido sufrió importantes alteraciones.

Los soviéticos habían aceptado los Acuerdos de Helsinki porque esperaban determinados resultados, pero no pudieron evitar que los negociadores occidentales ampliaran los postulados de las conversaciones hasta llegar a una visión de la seguridad y la cooperación que Moscú no había previsto. Los diplomáticos de Francia, el Reino Unido y Alemania en Ginebra, obligaron progresivamente a los soviéticos a aceptar un lenguaje que, aplicado a fondo, podría reducir los obstáculos que sistemáticamente impedían el tránsito de personas del Este al Oeste y de información del Oeste al Este. Los negociadores de la OTAN y los neutrales obligaron incluso a la delegación soviética a aceptar el principio de que el respeto de un Estado por los derechos humanos y las libertades fundamentales era una prueba tan válida de sus intenciones de paz como el respeto por los derechos a la soberanía y a las fronteras inviolables de otro Estado.

Kovalev representó a la Unión Soviética en Ginebra durante dos años de negociaciones, y trató de evitar que la evolución de los acuerdos fuera más allá del limitado concepto político y militar que apoyaba Moscú. Sin embargo, Occidente se opuso varias veces a sus tácticas dilatorias. Si los soviéticos querían llegar a un acuerdo, afirmaban los europeos, debían poner límites a su expansión. Según las instrucciones de Moscú, después de cada dilación, Kovalev estaba obligado a hacer una pequeña concesión. Finalmente, su posición se debilitó.

Aunque pocos occidentales reconocieron el éxito de sus diplomáticos en esas conversaciones, que no tuvieron demasiada publicidad, el Acta Final constituyó un avance notable para las ideas de Occidente y un lamentable fracaso para la Unión Soviética.

Sin embargo, la difícil situación a la que llegó el gobierno soviético a causa de la ambición de su líder, no afectó al propio Brezhnev. Ante la opinión pública, seguía adjudicándose una parte de la victoria, aunque sus afirmaciones empezaban a sonar vacías. Fuera de escena, Anatoli Kovalev fue la cabeza de turco del fracaso de la política que había defendido con tanto entusiasmo. Cinco años más tarde, en el XXVI Congreso del Partido, le negaron nuevamente un cargo en el Comité Central, a pesar de que se había convertido en uno de los más importantes funcionarios del ministerio. En su lugar, fue nombrado miembro del consejo superior del Partido Yuli Vorontsov, por haber defendido la línea dura de Moscú, atacando las disposiciones sobre derechos humanos de los Acuerdos de Helsinki, en una conferencia posterior de los treinta y cinco firmantes, en Belgrado, en 1977. De todos modos, Kovalev se recuperó de su dolencia. En 1981 participó en Madrid, como jefe de la delegación soviética, en una tercera reunión.

El caso de Kovalev fue aleccionador. En el sistema soviético, simplemente ser acusado de algo es con frecuencia razón suficiente para el rechazo. Independientemente del trabajo que se haga y de la fe que se ponga en él, uno puede pasarse la vida pagando un error.

Un aspecto más execrable todavía de la conducta del Kremlin con respecto a los Acuerdos de Helsinki fue la declaración que hicieron nuestros líderes de que violarían los derechos humanos elementales independientemente de lo que firmaran porque el sistema soviético se oponía a tales derechos. Si no hay democracia, no puede haber un verdadero socialismo. La posibilidad de que nuestra sociedad volviera al estalinismo y la creciente represión de toda disidencia –más evidente que nunca después de los juicios de Andrei Siniavski y Yuli Daniel, en 1966– aumentaron mi frustración personal frente al sistema soviético. Cuanto más vivía en los Estados Unidos, más clara me resultaba la diferencia entre la represiva sociedad soviética y la libertad de la vida norteamericana.

23

Después de mi contacto inicial con Bert Johnson, había decidido no regresar a la Unión Soviética. Pero a medida que el plazo de permanencia en los Estados Unidos iba llegando a su fin, en 1976, empecé a dudar de mi decisión. En ningún momento había pensado que el período de prueba como espía duraría tanto. Y además había otra cosa.

Guennadi se había casado, aunque le habíamos aconsejado que lo pensara con detenimiento. Como la mayoría de los padres, creíamos que era muy joven y que antes le convenía progresar más en su trabajo y poner a prueba sus sentimientos. Pero, como la mayoría de los hijos, Guennadi prefirió no esperar. Muy pronto, Lina y yo fuimos abuelos. A medida que se acercaban las vacaciones, la ansiedad de Lina por ver a nuestro nieto, Aliosha, y al resto de la familia iba aumentando. Anhelaba las comodidades de nuestro casa en Moscú y las vacaciones que pasaríamos en la casa de campo que teníamos en Valentinovka, cerca de la capital. Su entusiasmo era contagioso. El deseo de ver a mi hijo y a mi nieto y de caminar otra vez por las calles de Moscú fue más fuerte que el miedo de regresar a la URSS.

¿Por qué apresurar la deserción?, pensé. Anna se podía quedar todavía un poco más con nosotros en Nueva York. Yo había estado colaborando con los norteamericanos, pero, aunque me costaba creerlo, había engañado a la KGB. Evidentemente, ésta no había detectado nada; de lo contrario, no habría vuelto a Nueva York desde La Habana.

Además, me estaba habituando a mi nueva situación. No me inquietaba como al principio; y finalmente había decidido postergar mi confrontación con Lina, con Guennadi, con mi madre, con toda mi vida anterior. Me resultaba más fácil ver a Johnson y hablarle sobre mi decisión de abandonar la URSS –incluso pedirle que la apresurara– que enfrentarme a todo aquello. Sabía que estaba siguiendo el camino del menor esfuerzo, pero algo inclinaba mis sentimientos contradictorios a favor de este juego a la larga inútil. Esperaba absurdamente que un *deus ex machina* resolviera mis problemas sin hacerme daño.

Cuando hablé con Johnson de mis inminentes vacaciones, él ya había pensado en el asunto. Valorando los riesgos –insignificantes, según Johnson– y las ventajas potenciales, él y sus superiores en Washington habían decidido que, sin correr peligro, yo podía llevar a cabo una operación de espionaje. En Moscú tenía que hacer vida normal y enterarme del actual estado de opinión soviética al más alto nivel y, además, recoger información sobre los líderes. Debía ver a Gromiko y a otros importantes funcionarios del Comité Central y del Ministerio de Asuntos Exteriores.

Todo eso era sensato. Y, además, yo ya había decidido hacer ese viaje. Johnson me recordó las medidas de precaución que me había expuesto antes de mi viaje a Cuba. Esta vez, guardé en la memoria las instrucciones en vez de llevar conmigo un objeto comprometedor.

Pocas semanas después de mi conversación con Johnson, Lina, Anna y yo llegábamos a Moscú. Era aún muy temprano, pero hacía horas que el sol de verano brillaba en lo alto cuando el avión de Aeroflot empezó a descender hacia el aeropuerto de Sheremetievo. No había señales en el liso y arbolado acceso a la terminal internacional, pero, de alguna manera, el brillo de los estanques entre los pinos y abetos era indicio de un paisaje familiar que nos daba la bienvenida. El campo del norte de Rusia no es demasiado atractivo: apenas una ocasional y suave elevación de tierra y, lo que es aún más raro, alguna cúpula de una iglesia rural antaño hermosa. Sin embargo, era mi tierra, mi casa. La emoción impidió que sintiera miedo. Me tranquilizó ver una *limousine* Mercedes del centro de información de las Naciones Unidas con una banderita azul flameando en la parte delantera. La KGB no me estaba esperando. Detrás del Mercedes había un sedán del Ministerio de Asuntos Exteriores conducido por un funcionario que se encargaría de los pasaportes y de llevar el equipaje a nuestro apartamento.

Allí, mi *teshcha* (suegra) presidió una reunión familiar. Guennadi y su esposa, Marina, llevaron al pequeño para que nos saludara, viera nuestros regalos y compartiera con nosotros los platos especiales que la madre de Lina había preparado. En la mesa había esturión ahumado, salmón frío y setas blancas que ella misma había recogido. Después de esos *zakuski* disfrutamos de una magnífica cena.

La conversación fue conmovedora, vivaz y cariñosa. Aliosha, un bebé sano y regordete, se quedó dormido muy pronto, ignorando a sus encantados abuelos. Guennadi estaba muy orgulloso del niño, de Marina y de su trabajo en el Ministerio de Asuntos Exteriores. Me complacía ver a mi hijo tan feliz. Él y su mujer tenían su propio apartamento y pasaban la mayor parte de su tiempo libre con los padres de Marina. Me resultaba extraño ver tan distinto a Guennadi, con familia propia. Se había convertido, como dicen los rusos, en una «rebanada» del pan de nuestra familia. Por supuesto, Lina y yo siempre supimos que era inevitable, pero de alguna manera lamentábamos que Guennadi ya no fuera un niño. Al mismo tiempo, sentí que se desvanecía toda esperanza de hablar con él sobre mi deseo de abandonar la Unión Soviética. Yo estaba lejos de esa fiesta familiar. Había una barrera invisible, un secreto que no sabía cómo compartir con mi familia.

La abundancia de alimentos de nuestra mesa no reflejaba la verdadera situación del país, que había empeorado desde nuestras anteriores vacaciones. Mi suegra se quejaba de la escasez y la mala calidad de los artículos de consumo y de la irregularidad en el suministro de los alimentos básicos (leche, mantequilla y huevos), incluso en Moscú. Afirmaba que jamás se había estado tan mal, ni siquiera en la época de Stalin o en la de Jruschov. Era verdad. Y la capital, por supuesto, siempre había sido mejor tratada que cualquier otro sitio. Un proverbio ruso dice que todo cae rodando cuesta abajo hacia Moscú.

–Arkadi, no lo vas a creer –dijo indignada–. Una amiga me dijo que la semana pasada tuvo que pagar doce rublos por un pollo en el Mercado Central [el mercado libre de los campesinos, cuyos precios no están controlados por el Estado]. ¡Es increíble! La cuarta parte de su pensión mensual. ¿Cómo puede vivir la gente? –Se encogió de hombros.

Verdaderamente, la situación era difícil para las personas con un sueldo corriente. El pollo, alimento al que había hecho referencia mi suegra, aunque era terriblemente caro, no se podía conseguir en las tiendas de comestibles controladas por el gobierno donde compraba la población. Nosotros sabíamos muy bien qué afortunados éramos por tener acceso a las tiendas especiales, para la clase privilegiada: había mucha más variedad y todo era más barato. Cada vez que regresaba a Moscú, ese tema me recordaba que llegar allí desde Nueva York era llegar a otro mundo.

Traté de hacer más agradable la conversación pidiendo que contaran los últimos chistes políticos que circulaban por Moscú. Mi suegra miró preocupada el teléfono de la pequeña mesa del recibidor. Empezó a levantarse para cerrar la puerta del comedor.

–Siéntese, no se preocupe –le dije, haciendo que volviera a sentarse–. No es necesario cerrar la puerta. La KGB no sólo controla el teléfono sino también cada rincón del apartamento.

Todos sabíamos que la KGB tenía por costumbre poner micrófonos en las casas de las «personas sospechosas» y que también controlaba la vida de todos los miembros de la élite, incluidos los más importantes, para «protegerles». Cerrar las puertas a sus oídos mecánicos era completamente inútil.

Desgraciadamente, los primeros chistes no nos hicieron olvidar el problema de los alimentos, ya que Brezhnev y el fracaso de la agricultura soviética eran el blanco habitual. Uno de ellos decía:

Brezhnev lanza un grito en la cama, despertando a su mujer.

–Lionia, ¿qué pasa? –pregunta ella.

–¡Soñé que habíamos convertido a todo el mundo al comunismo –responde Brezhnev presa del pánico.

–¿Y qué? ¡Es maravilloso!

–¿Tú crees? Y ahora, ¿de dónde vamos a sacar el pan?

Luego contaron otro: Un ciudadano soviético que caminaba por la Plaza Roja, cerca del Kremlin, gritó: «¡Brezhnev es un idiota!». Lo arrestaron en seguida y le condenaron a quince días por insultar a Brezhnev y a quince años de trabajos forzados por divulgar un secreto de Estado.

Todos reímos. Pero como Guennadi trabajaba en el Ministerio de Asuntos Exteriores, le aconsejé que tuviera cuidado con los chistes antisoviéticos. Aunque no se solía condenar a diez años de prisión a la gente por contar chistes políticos sobre los líderes, podía recibir una fuerte reprimenda. Además, en algunos casos, hasta se podía perder el empleo. Brezhnev a veces se divertía con esos chistes. Pero Gromiko no los toleraba.

En el Ministerio de Asuntos Exteriores, Gromiko no estaba y Vasili Kuznetsov se encargaba del servicio diplomático y, como pude comprobar, de mí. Yo quería descansar. Él quería ponerme a trabajar.

La discusión no duró mucho. Cuando me pidió que trabajara con un grupo para revisar la política soviética en África, apenas pude oponer resistencia. Pensé, divertido, que a la CIA no se le habría ocurrido nada mejor para analizar la política soviética. Kuznetsov me dijo que el Politburó daba especial importancia a la elaboración de una línea política «adecuada» para África. El continente estaba en «la fase final del colonialismo» y los Estados «progresistas» que surgían se habían convertido en «objetos de la intervención extranjera». No era nada extraño que hablara usando eslóganes propagandísticos. Entre los burócratas, al menos en el sistema soviético, ese estilo forma parte de un ritual tan fuerte como el de cualquier religión. Pero yo sospechaba que a Kuznetsov, hombre decente e inteligente, no le complacía la gran discrepancia entre nuestros verdaderos objetivos y el exagerado camuflaje verbal de nuestra política africana.

Durante más de dos décadas, Moscú consideró que África era la avanzada más turbulenta del mundo capitalista y, por lo tanto, la más débil. Aprovechando los conflictos locales, la zona de control de Moscú podía extenderse sin invertir demasiado. Un poco de dinero, algunos consejeros y el suministro de armas relativamente baratas podían influir mucho sobre los nuevos y activos gobiernos o sobre las fuerzas guerrilleras anticolonialistas.

Sin embargo, más allá de estos propósitos, Moscú perseguía objetivos ideológicos y políticos; pretendía demostrar que las doctrinas comunistas eran correctas y podían ser aplicadas en el contexto africano, y que el enfoque soviético era mejor que el de los chinos. Como afirmaban muchos embajadores africanos ante las Naciones Unidas, en realidad Moscú no apoyaba a los líderes y movimientos que luchaban por la liberación del continente, sino sólo a los que estaban dispuestos a oponerse a Pekín. Lo que había empezado como una disputa con Occidente había generado una nueva zona de rivalidades entre las dos potencias comunistas.

Angola era un ejemplo. En cierto sentido, marcó el cambio de la conducta de Moscú en África. Jamás la Unión Soviética y Cuba habían hecho antes una incursión militar tan masiva en un país del Tercer Mundo. No me sorprendió que durante la primavera y el verano de 1975 los soviéticos empezaran a enviar equipo militar a Angola para apoyar a la facción pro Moscú de Agostinho Neto; pero sí me sorprendió que, en otoño, enviaran tropas de combate cubanas y consejeros militares soviéticos. Y no podía comprender la aparente ausencia de oposición por parte de los norteamericanos.

A finales de ese año, a pesar del apoyo soviético-cubano, las fuerzas de Neto no habían logrado vencer a los movimientos de oposición, encabezados por Holden Roberto y Jonás Savimbi. A través de las informaciones recibidas en la Legación soviética de Nueva York, supe que Neto había pedido más ayuda a Moscú. Yakov Malik había recibido instrucciones de retrasar tanto como fuera posible la convocatoria del Consejo de Seguridad para evitar que se tratara la situación en Angola. La Unión Soviética temía una complicación política en las Naciones Unidas.

Cuando Malik informó que, aparentemente, el embajador norteamericano ante las Naciones Unidas, Daniel Patrick Moynihan, estaba presionando para que el tema se tratara en el Consejo de Seguridad, se vio que la preocupación de Moscú no carecía de fundamento. Moynihan demostró mayor visión política que muchos de sus colegas de Washington. Comprendió las consecuencias de la intervención soviético-cubana en Angola. Insistió en que tanto el Consejo de Seguridad como la Asamblea General debían analizar en seguida las acciones de Moscú y La Habana. Pero no se siguió su consejo. El 19 de diciembre, el Congreso interrumpió la ayuda militar a Angola.

Por lo tanto, no hubo ninguna protesta por parte de los Estados Unidos en las Naciones Unidas ni medidas militares eficaces para impedir la intervención de la URSS en Angola. Los líderes soviéticos se regocijaron ante la falta de respuesta norteamericana.

–¿Cómo convencimos a los cubanos para que enviaran sus tropas? –pregunté a Kuznetsov.

Rió. Después de decir que quizá Castro estaba jugando sus propias bazas al enviar 20 000 efectivos a Angola, aclaró que la idea de una operación militar a gran escala había tenido su origen en La Habana y no en Moscú. Era increíble. Como más tarde supe, era además un secreto virtual en la capital soviética. Ciertamente, los analistas occidentales habían creído que la Unión Soviética –que había transportado en sus propios aviones a los soldados cubanos a Angola para ayudar a Neto a derrotar las facciones de Savimbi y Roberto, apoyadas por occidentales y chinos– había pedido a sus aliados del Caribe lo que, como luego se comprobó, fue una ayuda crucial.

¿Por qué tomaron esa decisión los cubanos? En primer lugar, necesitaban elevar el fervor revolucionario en su propia casa. Muchísimos cubanos se habían desilusionado con el régimen de Castro y sus penurias económicas crónicas. En segundo lugar, a Castro todavía le seducía la idea de convertirse en una gran figura internacional. Sus primeras tentativas de extender la revolución en América Latina –la obsesión de su ardiente camarada Che Guevara– habían chocado contra el prudente consejo soviético de que se esforzara primero por establecer una saludable economía interna y por mejorar las relaciones con los países vecinos.

Sin embargo, en 1975, Moscú aceptó y alentó la aventura cubana. La creciente fuerza militar soviética impulsó al Kremlin a asumir un papel más decisivo que nunca en las luchas del continente africano.

Contrariamente al espíritu habitual de las relaciones soviético-norteamericanas, el Politburó decidió intervenir en África sin tener en cuenta la opinión norteamericana. Los éxitos cubanos convencieron a muchos en Moscú de que los Estados Unidos habían perdido poder en África. Después de la humillación en Vietnam, en 1975, los miembros del Partido cada vez estaban más convencidos de que los Estados Unidos eran un rival menor en el Tercer Mundo. Aunque algunos expertos seguían una línea más prudente, los líderes soviéticos estimaban que, además del «síndrome de Vietnam», los norteamericanos padecían el «síndrome de Angola».

Por otra parte, 1976 era el año de las elecciones presidenciales en los Estados Unidos, factor que ejerció cierta influencia en los planes soviéticos de acciones ofensivas. La opinión dominante dentro del Ministerio de Asuntos Exteriores era que los Estados Unidos estaban mucho más preocupados por la política interna que por África.

–Una vez más, los yanquis estarán atados de pies y manos durante la mayor parte del año: no pensarán en nosotros –dijo jubilosamente más de un funcionario soviético.

En ningún momento expresé mi opinión sobre la política soviética en África. Los funcionarios del ministerio encargados del tema eran los diplomáticos más conformistas y menos imaginativos que conocía. Sólo con Kuznetsov me atreví a ser un poco más sincero. Le dije que nuestros diplomáticos en Angola estaban muy mal abastecidos desde Moscú, y que sus familias tenían que enviarles leche en polvo, alimento esencial que no podían conseguir de otro modo. Los colegas del ministerio sabían que esas negligencias eran corrientes en las embajadas africanas. Por esta razón, muy pocos querían ir a trabajar allí. El departamento de personal tenía serias dificultades para encontrar hombres calificados que expandieran la presencia soviética en Angola; la cafetería del ministerio estaba llena de diplomáticos temerosos de recibir semejante destino.

La evaluación que hacía Kuznetsov de Agostinho Neto era de una franqueza brutal.

–Sólo le necesitamos durante algún tiempo. Sabemos que ha estado enfermo. Ha venido aquí un par de veces a recibir tratamiento médico. Y, psicológicamente, no es de mucha confianza. Pero le tenemos completamente controlado, y eso es lo que importa ahora. Con lo que pase más adelante, ya nos arreglaremos.

Mi curiosidad aumentó. Empecé a hablar con funcionarios del ministerio encargados de los asuntos de Angola. Moscú jamás había confiado en Neto, pero le había aclamado como héroe. Haciéndose eco de las ideas de Kuznetsov, un especialista en temas africanos me dijo con franqueza que necesitábamos el prestigio de Neto como líder histórico del MPLA. Había personas más capacitadas en el Movimiento Popular, como Iko Careira, pero sin Neto sería difícil lograr el apoyo de la Organización de la Unidad Africana para el MPLA.

–Antes de la independencia de Angola, Neto sufrió varios intentos de asesinato.

–¿De quién?

–De su propia gente, del MPLA –respondió.

–¿Podemos confiar en ellos? –pregunté.

–Creo que sí, pero ¿quién puede garantizarlo? Ya sabe –añadió un poco incómodo–, esos asuntos deben estar bien guardados y encerrados bajo llave.

Una vez más, me disgustaba encontrar la mano soviética detrás de una operación cruel y criminal. No hablé de ese asunto con Kuznetsov.

Con respecto a mis tareas, Kuznetsov se refirió a la preocupación soviética por algunos problemas específicos en África, en particular las disputas territoriales entre varios países. Potencialmente, podían complicar el logro de nuestros objetivos. Las mas problemáticas eran las que se producían entre Etiopía y Somalia por la región del Ogadén, y entre Marruecos y Argelia por el Sahara Occidental. La URSS tenía un interés especial en la región del Ogadén; estaba en buenas relaciones tanto con Etiopía como con Somalia, y no quería poner en peligro su influencia en el Cuerno de África teniendo que elegir entre ambos. En el otro lado del continente, la actitud de Moscú era de desconfianza hacia Argelia y de galanteo con Marruecos. Argelia demostraba simpatía por el Frente Polisario y por sus esfuerzos para apoderarse del ex Sahara Español, que Marruecos también codiciaba.

En ambos casos, las razones políticas eran más importantes que la ideología. El régimen revolucionario que había derribado al emperador de Etiopía, Haile Selasie, defendía un marxismo estridente, lo que teóricamente debería haberlo convertido en un favorito de los soviéticos. Se había utilizado material y asesores militares soviéticos, cubanos y alemanes orientales para ayudar a Etiopía a sofocar la persistente rebelión de Eritrea. Pero Somalia también profesaba una especie de socialismo y, lo que era más importante, había permitido que los soviéticos usaran el puerto de Berbera, un lugar estratégico del océano Índico. Con tanto que ganar en ambos países, Moscú podía perder mucho si ambos exigían el respaldo soviético.

También teóricamente, la cuestión del Sahara debería haber puesto a Moscú de parte de Argelia y de las guerrillas del Polisario. Eran socialistas, buscaban la liberación. Marruecos era una monarquía islámica. Ideológicamente, la situación era muy clara. Pero los soviéticos tenían otros intereses concretos que les impedían elegir. No querían impulsar más a Marruecos hacia Occidente; además, estaban resentidos por el «romance» entre Argelia y Pekín y el apoyo chino a las acciones militares del Frente Polisario. Como en la región del Ogadén, el conflicto ponía en peligro, más que favorecerlos, los objetivos soviéticos. Al principio, los problemas de la zona habían sido suelo fértil para la intervención soviética en los asuntos africanos; después, las rivalidades locales impidieron los propósitos de Moscú.

Mis colegas y yo empezamos a trabajar en los primeros días de julio; nuestra tarea era elaborar un plan para extender a África el principio de la inviolabilidad de las fronteras, que había sido esencial en el esfuerzo diplomático por un acuerdo de seguridad europea. Aunque las potencias coloniales habían establecido las fronteras africanas en el siglo XIX, al margen de la geografía y las tradiciones tribales, la URSS no quería cambios impuestos por la fuerza en las líneas, con frecuencia arbitrarias, trazadas por los cartógrafos europeos.

El centro de interés de Moscú era algo que tenía poco significado para África: la disputa no resuelta entre China y la Unión Soviética con respecto a los límites del territorio junto a los ríos Amur y Ussuri, adquirido por los zares casi al mismo tiempo que Inglaterra, Francia, Alemania, España y Portugal se repartían las tierras africanas. El Kremlin temía que cualquier precedente en cualquier parte del mundo ayudara a los chinos a reclamar la región antaño cedida a Rusia. La política soviética con respecto a África debía ajustarse a ese imperativo, aunque resultara poco práctica.

Por lo tanto, la revisión de esa política era una pantomima; los resultados ya se habían decidido de antemano. La tarea específica del Ministerio de Asuntos Exteriores era elaborar el borrador del mensaje que Leonid Brezhnev enviaría a todos los jefes de Estado africanos explicando ampliamente la política soviética y destacando el principio central de la inviolabilidad de las fronteras. Me sentí feliz cuando ese tedioso trabajo llegó a su fin; para entonces, ya era el momento de regresar a Nueva York.

24

Una hermosa tarde de finales de septiembre de 1976, un aislado rincón del aeropuerto Kennedy de Nueva York se llenó lentamente de personas que se miraban entre sí para ver quiénes eran los invitados y quiénes los intrusos. Mientras daban vueltas alrededor de sus coches, charlando de cosas intrascendentes o controlando nerviosamente su apariencia, no dejaban de mirar las pistas de aterrizaje, a lo lejos. Muy pronto, un Ilyushin 62, un jet de cuatro motores que llevaba a Nueva York al ministro de Asuntos Exteriores soviético, Andrei Gromiko, y a su delegación para asistir a la sesión de la Asamblea General de las Naciones Unidas de 1976, aterrizó en la pista.

Esperando saludar a Gromiko y a los cincuenta o sesenta miembros de su comitiva se encontraba la élite de la comunidad diplomática soviética residente en Nueva York, y otras personas que deseaban ser consideradas parte de esa élite. Por la Legación soviética estaban el embajador Malik y tres representantes permanentes, incluido el jefe de la KGB, Yuri Drozdov; se encontraban también allí el secretario de la rama de Nueva York del Partido Comunista Soviético, Alexandr Podshchekoldin, el embajador de Ucrania, el embajador de Bielorrusia y el principal oficial de seguridad de la Legación. Asimismo habían acudido los embajadores de los países del Pacto de Varsovia ante las Naciones Unidas y el enviado de Mongolia.

Todos ellos habían sido invitados. Pero casi la mitad de las personas que esperaban a Gromiko eran intrusos: por ejemplo, algunos funcionarios de las legaciones ucraniana y bielorrusa, como Boris Prokofiev, un subsecretario general adjunto de las Naciones Unidas para asuntos económicos y sociales, que siempre buscaba el favor de los soviéticos más poderosos. Lo más divertido de esas ceremonias anuales para recibir a Gromiko era ver cómo los funcionarios ambiciosos se esforzaban por ser los primeros en recibir un rápido y silencioso apretón de manos del ministro de Asuntos Exteriores. Sin embargo, como éste no perdía tiempo en esas cortesías, los soviéticos no invitados poco ganaban con su presencia en el aeropuerto. Pero acudían de todos modos en busca de un fugaz contacto con el poder y la celebridad.

El hombre más importante de todos los que se encontraban allí no pertenecía a la comunidad soviética de Nueva York, era Anatoli Dobrinin, el único funcionario a quien Gromiko quería ver en aquel momento.

Durante mis vacaciones en Moscú había observado en el Ministerio de Asuntos Exteriores los síntomas familiares de la fiebre correspondiente al año de elecciones norteamericanas. Sabía por experiencia que a finales de septiembre la fiebre ya sería abrasadora. Faltando sólo seis semanas para la elección presidencial, los expertos en política de Moscú arderían por saber la identidad del candidato ganador. Gromiko esperaba que Dobrinin se lo dijera.

–Es mejor que se prepare –dije medio en broma a Dobrinin cuando le saludé–. Gromiko le estrujará.

–No sólo a mí –dijo–. A todos nosotros. Moscú ha estado bombardeando a Washington durante meses. Ya casi nos han estrujado hasta dejarnos resecos. Ahora les toca a ustedes.

Dobrinin no había logrado la longevidad en la embajada de Washington ni tenía una excepcional influencia en Moscú por hacer predicciones a la ligera; pero le pregunté si podía anticipar el ganador entre el presidente Gerald Ford y Jimmy Carter. Rió y se encogió de hombros.

–Me gustaría saberlo. Nadie lo sabe.

Cansado por el largo viaje desde Moscú –aunque su compartimiento especial en el avión disponía de cama–, Gromiko cruzó rápidamente el vestíbulo del aeropuerto estrechando manos con indiferencia y apenas sin hablar. Durante la cena que unos pocos de nosotros compartimos con él en la Legación, escuchó a medias la conversación entre Malik y yo sobre la agenda de la Asamblea General y los temas que se tratarían en el curso de la sesión. La mente de Gromiko estaba en los Estados Unidos, pero quería descansar antes de meterse de lleno en el asunto.

En una reunión con el personal de rango superior en el despacho de Malik, que el ministro usaba mientras estaba en Nueva York, Gromiko nos dio instrucciones a los funcionarios de la Legación y a mí sobre nuestras responsabilidades. Si bien había llegado a Nueva York para asistir a la Asamblea General y para pronunciar su acostumbrado discurso sobre política exterior, Gromiko dejó bien claro que le parecían tareas de rutina. Lo que más le importaba eran las relaciones con los Estados Unidos y las conversaciones que mantendría con el secretario de Estado, Henry Kissinger.

–Por ahora –dijo–, quiero que todos ustedes se concentren en el punto de vista norteamericano. Todos. Nueva York no es sólo las Naciones Unidas. Es una ciudad *norteamericana* muy importante, con muchas personas bien informadas e influyentes. Deberán ponerse en contacto con todos los norteamericanos que sepan lo que ocurre en este país. Úsenlos. Necesitamos toda la información que se pueda conseguir.

Al tratar de que los especialistas de las Naciones Unidas se convirtieran en analistas políticos de temas norteamericanos, Gromiko estaba demostrando más inquietud que sentido común. Nuestra contribución, en el mejor de los casos, sería banal.

Sin embargo, no manifestó inquietud cuando terminó de darnos las instrucciones y se dirigió a Dobrinin para que le dijera quién sería el probable ganador de las elecciones. En contraste con la franqueza que empleó conmigo en el aeropuerto, Dobrinin le dio una respuesta cautelosa. La mayoría de sus contactos norteamericanos, dijo, declinaban hacer predicciones claras. La situación era todavía demasiado complicada; el resultado, demasiado incierto. En tanto que el presidente en funciones gozaba ciertamente de ventaja y parecía tener mayores probabilidades, siempre existía la posibilidad de que «circunstancias totalmente imprevistas» dieran el triunfo a Jimmy Carter.

Sabiendo lo que Gromiko quería oír –que Ford sería el probable vencedor–, Dobrinin modificó un poco su análisis para adaptarse a esa preferencia. Sin embargo, eludió dar una respuesta clara. Evaluando a los dos candidatos desde el punto de vista de las relaciones soviético-norteamericanas, se inclinó también hacia Ford –a quien Moscú consideraba el seguidor de la política exterior de Richard Nixon–, pero no descartó la posibilidad de un trabajo productivo con Carter.

Se refirió al presidente norteamericano como «jugador de rugby», y expresó la opinión que Gromiko compartía: Ford era un hombre conocido y un líder con el que Moscú podía continuar negociando. A juzgar por las declaraciones de la campaña de Jimmy Carter, en especial sobre los derechos humanos, era mucho menos probable que éste continuara la política que había favorecido el acercamiento entre los Estados Unidos y la Unión Soviética. Pero las apariencias podían engañar, previno Dobrinin. La retórica que envuelve las elecciones ofrece a menudo una pobre guía sobre la conducta del presidente una vez que éste se instala en su despacho.

Aunque razonables, las palabras de Dobrinin no podían satisfacer el deseo de Gromiko de saber quién sería el nuevo presidente. Él quería respuestas definitivas y no aceptaba el hecho de que nadie pudiera dárselas.

Detrás de su impaciencia se ocultaba la obsesión no por la política interna norteamericana, sino por los Estados Unidos como adversario y como posible asociado. A través de ese prisma –el de los intereses soviéticos–, el Kremlin ha examinado cuidadosamente a todos los presidentes norteamericanos desde la Revolución de Octubre. Al gobierno de la URSS no le interesa hacer una evaluación objetiva. No importa que un presidente norteamericano sea bueno o no para los norteamericanos. Lo que importa es cómo considera a la Unión Soviética y si es conveniente para los soviéticos. Haciendo uso de esa «infalible vara de medir», como Gromiko la llamaba, el Kremlin en realidad sólo ha manifestado respeto en uno u otro sentido por tres presidentes de los Estados Unidos desde el establecimiento de las relaciones diplomáticas soviético-norteamericanas en 1933: Franklin D. Roosevelt, por establecer esas relaciones y por los acuerdos de Yalta; John F. Kennedy, por el tratado de suspensión de pruebas atómicas de Moscú y su demostración de fuerza durante la crisis de los misiles cubanos; y Richard M. Nixon, por su visita a Moscú, las SALT y la distensión.

Pero esa forma de evaluación no está reservada sólo a los líderes norteamericanos. Es el método que normalmente aplica Moscú. Por eso, Winston Churchill jamás fue un destacado líder, sino más bien el principal enemigo del comunismo y del Estado soviético, y el arquitecto de la guerra fría. Del mismo modo, después de la segunda guerra mundial, en Alemania Occidental hubo un villano, Konrad Adenauer, y un bueno, Willy Brandt. El general De Gaulle fue las dos cosas: malo antes de la visita a Moscú en 1966 y bueno después.

Independientemente de que se simplificara demasiado al analizar a los presidentes norteamericanos, para Gromiko –que desde hacía tiempo consideraba las relaciones con los Estados Unidos el tema central de la política exterior soviética– y para Leonid Brezhnev –que había supeditado gran parte de sus programas internos al progreso de la distensión Este-Oeste–, las relaciones entre Moscú y Washington eran de crucial importancia, porque no eran simplemente lazos entre dos Estados poderosos, sino relaciones complejas entre los dos polos de poder del mundo, entre las fuerzas más poderosas de dos sistemas sociopolíticos opuestos y en competencia. Sin abandonar la rivalidad entre las superpotencias ni la intención de ejercer influencia en el Tercer Mundo, el gobierno soviético trataba de mejorar sus relaciones con los Estados Unidos.

Sin embargo, lo que se había alcanzado entre 1972 y 1976 dependía en gran parte de la frágil red de contactos personales y directos entre el Kremlin y la Casa Blanca. Gromiko temía que la derrota del presidente Ford interrumpiera el canal de comunicación establecido entre Dobrinin y Kissinger. Esa interrupción sería muy dañina, y todavía más grave era la posibilidad de que Jimmy Carter rompiera totalmente ese sistema de contacto.

El Kremlin, indudablemente, prefería una continuidad en la administración norteamericana. Conservadores en muchos aspectos, a los líderes soviéticos no les gustaban los cambios bruscos que desafiaban las prácticas aceptadas o que obligaban a replantear los modelos de conducta que les eran favorables en el exterior. En 1972, trabajando como asesor de Gromiko, comprobé la preocupación de éste a medida que la campaña para la reelección de Nixon llegaba a su fin. Cuatro años más tarde, aunque compartía la visión despreciativa de Dobrinin sobre las capacidades intelectuales de Ford, Gromiko sufría la misma clase de tensión. Se había enfrentado a siete administraciones de los Estados Unidos: no deseaba empezar otra vez con una octava administración, nueva e impredecible.

Como la mayoría de su pueblo, los líderes soviéticos están hechizados por los Estados Unidos; sienten a la vez envidia y desprecio, respeto y desdén. Los hombres del Kremlin están sumamente interesados por las cuestiones militares, políticas y económicas norteamericanas y fascinados por su capacidad tecnológica. Los soviéticos comunes sienten una enorme curiosidad por los Estados Unidos. Sin embargo, en la URSS existe el sentimiento de que los norteamericanos no conceden a los soviéticos el reconocimiento y la igualdad que se merecen.

La Unión Soviética y los Estados Unidos están entre los países multirraciales más poblados del planeta, aparte de ser vecinos geográficos, fenómeno que no tienen en cuenta muchos soviéticos y norteamericanos; vecinos que están apenas a cuatro kilómetros de distancia a través del estrecho de Bering, desde la isla Pequeña Diomede, en Alaska, hasta la isla Gran Diomede, en Siberia. Tanto los Estados Unidos como la Unión Soviética ocupan grandes y ricos territorios que, en muchos aspectos, se parecen. Cuando visitó el sur de Rusia, en 1867, Mark Twain escribió: «Para mí, esto es como lo que se ve en las sierras». En Odesa, escribió: «Me siento en casa, como hace mucho tiempo que no me sentía».

Existen además notables similitudes psicológicas y culturales entre ambos pueblos. Los rusos, como los norteamericanos, tienen un espíritu pionero; el orgullo y la cordialidad son cualidades que también han hecho famosos a los norteamericanos. En la generación que vivió aquellos momentos, hay cierto sentimiento de nostalgia por la alianza de la segunda guerra mundial y por las relaciones amistosas entre las tropas rusas y norteamericanas en el río Elba, en Alemania, en 1945. Pero lo que en Estados Unidos es público, sólo se deja ver en privado en la Unión Soviética. Entre amigos, liberados por el vodka y el sentimiento de seguridad, los rusos pueden ser sociables. Sin embargo, al tener que reprimir esa actitud la mayor parte del tiempo, admiran y envidian la sociabilidad norteamericana, y les desagrada el esnobismo o la arrogancia intelectual de otros extranjeros.

El interés ruso por Norteamérica existía antes de la formación de los Estados Unidos, en el curso de los descubrimientos geográficos y del asentamiento de exploradores rusos en la zona llamada más tarde Alaska e incluso en la costa del Pacífico, en la California española. Los rusos conquistaron Siberia más o menos de la misma manera que los norteamericanos conquistaron el Oeste. Siberia era una inmensa tierra virgen, dura y salvaje, pero también hermosa y rica.

En el período colonial norteamericano, Mijail Lomonosov y otros estudiosos rusos se familiarizaron con las obras de Benjamin Franklin, por quien la sociedad intelectual rusa sentía gran aprecio. Un destacado representante de la tradición revolucionaria rusa, Alexandr Radishchev, defendió la Revolución norteamericana y a su líder, George Washington. Un siglo más tarde, V. I. Lenin elogió también la Revolución norteamericana. Y aunque llamó al presidente Woodrow Wilson «un sirviente de los tiburones capitalistas» y denunció el «sangriento imperialismo norteamericano» porque había participado en la intervención extranjera en la Rusia de los soviets, afirmó que «estamos decididos a un entendimiento económico con los Estados Unidos; con todos los países, pero especialmente con los Estados Unidos». Lenin se puso en contacto con Frank Vanderlip, Armand Hammer y otros hombres de negocios norteamericanos para favorecer el desarrollo del comercio soviético-norteamericano. Según afirmó en una ocasión, «los intereses económicos y la posición económica de las clases que gobiernan nuestro Estado están en la raíz de nuestra política interior y exterior».

La causa de esta valoración de Lenin y del gran respeto de sus sucesores era el poder económico, la capacidad de innovación tecnológica y la fuerza productiva de los Estados Unidos que los soviéticos deseaban alcanzar. Aunque se suprime gran parte de la historia en las publicaciones contemporáneas, siempre se recuerda la colaboración con los Estados Unidos en la industria, antes de la guerra, que representó una transfusión de experiencia y energía para muchas empresas soviéticas. Ese recuerdo –y la esperanza de restablecer las relaciones económicas– estuvo muy presente en Brezhnev cuando propició un acercamiento durante el mandato de Nixon.

Por supuesto, la distensión tuvo sus limitaciones. Diversas capas de la sociedad soviética, y en particular el gobierno, sienten gran hostilidad hacia los Estados Unidos. Lenin definió el imperialismo norteamericano como «el más nuevo y el más fuerte que se ha sumado a la matanza mundial de las naciones para el reparto de las ganancias capitalistas». Muchos todavía lo creen; eso explica por qué el poder militar norteamericano genera una gran preocupación. (Sin embargo, no tiene nada que ver con el simple miedo norteamericano a un ataque nuclear por sorpresa.) Aborrecen el poder armado de los Estados Unidos por su capacidad, si es adecuadamente dirigido, de frustrar el expansionismo de la URSS. Además, los soviéticos comprenden que es la barrera principal, si no la única, con que chocan sus planes para dominar el mundo.

Un día, mientras comíamos en su dacha de Vnukovo, pregunté a Gromiko cuál era, según él, la principal debilidad de la política exterior norteamericana hacia la Unión Soviética.

–No entienden nuestros objetivos finales –respondió con rapidez–. Y se equivocan en sus medidas estratégicas. Además, han proclamado demasiados conceptos y doctrinas en distintos momentos, pero la ausencia de una política sólida, coherente y consistente es su principal defecto. En diplomacia, somos superiores a los norteamericanos –añadió. Se refería a los frecuentes cambios de cargos diplomáticos importantes y de delegados en las principales negociaciones. Generalmente, los diplomáticos del Ministerio de Asuntos Exteriores se burlaban de la nueva ronda de políticos, a veces con muy poca experiencia, que ingresaban en el servicio diplomático norteamericano después de un cambio de administración.

La opinión de Gromiko era compartida por otros líderes soviéticos, que en general consideran zigzagueante la política exterior norteamericana, incluso durante un mismo mandato. Sin embargo, saben que los norteamericanos no pueden ignorar por mucho tiempo las relaciones con la Unión Soviética sobre la base negociadora habitual. «¿Por qué no esperamos hasta la próxima elección presidencial?»: el comentario típico de los funcionarios del Ministerio de Asuntos Exteriores encargados de los asuntos norteamericanos cuando se enfrentan a una situación difícil con los Estados Unidos.

Como se sienten intrigados por las libertades, el pluralismo político y la diversidad cultural de los Estados Unidos, los gobernantes soviéticos no pueden comprender totalmente el mecanismo del sistema político norteamericano. Aunque últimamente han conseguido entender un poco las relaciones entre el Congreso y el presidente, no logran comprender bien las relaciones entre los congresistas norteamericanos y sus votantes, el verdadero papel de la opinión pública y su peor fantasma, la libertad de información, que ven como una amenaza a la seguridad. El idealismo de la Revolución norteamericana, que se plasmó en la política interior y exterior más de doscientos años después, es visto por los gobernantes soviéticos como una increíble ingenuidad. A veces, sus manifestaciones les hacen dudar de la seriedad de los norteamericanos. En una palabra, simplemente se sienten perplejos ante el sistema político de los Estados Unidos.

Les asombra cómo una sociedad tan compleja y poco controlada puede mantener un alto nivel de producción, eficiencia e innovación tecnológica. Muchos se inclinan por la teoría fantástica de que, en alguna parte de los Estados Unidos, debe de haber un centro de control secreto. Después de todo, ellos mismos forman parte de un sistema gobernado por un pequeño grupo que trabaja en secreto en un determinado sitio. Además, los gobernantes soviéticos siguen pensando en el dogma de Lenin de que los gobiernos burgueses son meros «sirvientes» del capital monopolista. ¿Será ése el centro de control secreto?, se preguntan.

En ocasiones, la enorme falta de comprensión de las políticas y acciones norteamericanas por parte de los soviéticos se manifiesta en hechos como que incluso asesores experimentados como Dobrinin transmiten informaciones imprecisas. Los norteamericanos se quedarían sorprendidos si supieran qué poco conoce Gromiko, que ha vivido en los Estados Unidos y visita regularmente este país, diversos aspectos de la vida cotidiana norteamericana. Una de las funciones de Dobrinin ha sido la de tratar de corregir la visión limitada y distorsionada que los gobernantes soviéticos tienen de los Estados Unidos. En una visita a Nueva York, Gromiko habló con Dobrinin y conmigo sobre la economía norteamericana; la conversación empezó cuando el ministro, echando miel a su té, observó que las abejas norteamericanas producían una miel de poca calidad.

Yo le expliqué que, en realidad, la miel que nos suministraba la Legación era la más barata. Quiso saber inmediatamente su precio, que le pareció alto, y luego el precio de otros artículos: la miel de mejor calidad, las camisas, los apartamentos de Manhattan. Ante nuestras respuestas, Gromiko se quedó sorprendido. Jamás había ido a una tienda y prácticamente no tenía idea de los precios ni del nivel de vida real de los Estados Unidos.

Dobrinin decidió aprovechar esa charla para informarle mejor.

Con el fin de complacer a Gromiko convino en que los precios eran altos (aunque sabía que no lo eran si se los comparaba con la parte proporcional del salario que un soviético debía destinar para alimentos y artículos de consumo). Pero añadió que la variedad de productos en los mercados norteamericanos era muy amplia.

Gromiko arrugó la nariz, su gesto característico cuando una verdad le disgustaba.

–Quizá tenga razón –admitió–, pero tienen muchos problemas. La pobreza, el alto índice de desempleo, los conflictos raciales...

–Por supuesto que tienen esos problemas. Nadie lo niega. –Dobrinin le doraba la píldora a Gromiko–. Pero me parece que los corresponsales soviéticos tienden a acentuar ese aspecto de las cosas. Si destacan sólo o demasiado los problemas, crean una impresión errónea de lo que pasa en este país. Cuando voy a Moscú, la gente me hace preguntas sobre los Estados Unidos como si estuvieran a punto de desmoronarse. –Rió, y luego continuó, serio–. Nuestro pueblo debería pensar de un modo más realista. Debería tener información más precisa, y no sólo las exageraciones de los periodistas mediocres.

Gromiko reflexionó un poco antes de reconocer que la propaganda soviética sería mejor si se acercara más a la realidad y que, probablemente, los periodistas soviéticos sólo informaban sobre lo que creían que Moscú quería oír. Sin embargo, en la práctica no se siguió el consejo de Dobrinin. Gromiko decidió no interferir en la política soviética que no pertenecía a su propia área. Aún hoy, la prensa soviética da una imagen de la sociedad norteamericana tan irreal y contradictoria que no sólo confunde a los ciudadanos normales, sino también a los líderes y a la élite. En los medios de comunicación soviéticos se ha descrito a los Estados Unidos como la nación más rica de la Tierra y como un país de capitalismo agonizante; como un ladrón internacional y como un benefactor; como un país en decadencia y, al mismo tiempo, eficiente. La información que se da, sectaria y sacada de contexto, los controles estrictos en los viajes al exterior, las grandes limitaciones en los contactos con extranjeros (incluidos los de países socialistas), el bombardeo constante de las opiniones oficiales soviéticas a través de los medios de comunicación y el sistema educativo, dejan al pueblo a merced de los propagandistas del Partido.

Como en Occidente, la información gráfica es especialmente eficaz. La población examina minuciosamente las numerosas fotografías del Ejército de Salvación distribuyendo platos de sopa, de largas colas de desempleados, de hombres y mujeres durmiendo en las alcantarillas cubiertas de nieve, de cuerpos desfigurados de niños envenenados por los norteamericanos en Vietnam, de planos para el ataque nuclear a la Unión Soviética, sacados de la prensa norteamericana, con flechas que apuntan a diferentes ciudades soviéticas... Evidentemente, planteadas las cosas de esa forma, la balanza se inclina a favor de la URSS. De todos modos, muchos soviéticos siguen fascinados por los productos materiales de la sociedad norteamericana.

Los jóvenes que frecuentan las tiendas de Moscú especializadas en radios y equipos de música pueden apreciar la gran calidad de los magnetófonos o de los equipos de alta fidelidad norteamericanos con tanta pericia como yo puedo analizar libros políticos. En la década de 1970, un coche norteamericano último modelo aparcado en una calle de Moscú atraía a una gran cantidad de curiosos que pretendían ser expertos en el tema. En una ciudad de provincia, ese fenómeno casi podría interrumpir el tráfico.

Aparte de la tecnología, existe una especial avidez por la literatura norteamericana, principalmente entre los intelectuales. Conocen y aprecian a Twain, Hemingway, London y Faulkner; las traducciones de muchos de sus libros sólo se publicaron en la época de Jruschov. Autores contemporáneos como John Updike, John Cheever y William Styron atraen también a muchos lectores. Las entradas para una sesión semiprivada de una película norteamericana en el cine del sindicato cinematográfico de Moscú, Dom Kino, son algo muy valioso. Las emisiones de la Voz de América, registradas y distribuidas en cassettes, han hecho del jazz y del rock norteamericanos una parte importante del vasto *underground* musical de la Unión Soviética.

Sin embargo, al admirar esas y otras cosas provenientes de los Estados Unidos, los soviéticos sienten que sus logros no son justamente reconocidos por los norteamericanos. Conviene recordar que la mayoría de los soviéticos se sienten especialmente orgullosos de su cultura y la consideran superior a la norteamericana. Después de todo, ninguna otra nación produjo, en el siglo XIX, escritores de la talla de Tolstoi, Dostoievski, Chejov, Turgueniev y Pushkin.

La política de distensión de Leonid Brezhnev pronto se volvió para el pueblo soviético tan confusa como la mayoría de los otros aspectos de las relaciones entre ambos países. La «distensión internacional», una idea promovida por la Unión Soviética como manifestación de la coexistencia pacífica, tuvo en los Estados Unidos un significado distinto al que tuvo en la URSS. ¿Por qué? Es difícil saberlo. George F. Kennan escribió que jamás había «comprendido totalmente por qué cundió la impresión de que estaba empezando –en nuestras relaciones con la Unión Soviética– un nuevo período de normalización y disminución de las tensiones que debía distinguirse de todos los intentos anteriores».[1] La correcta definición de Henry Kissinger de la distensión como «la mitigación de conflictos entre adversarios, y no el cultivo de relaciones amistosas»,[2] hecha años después de la cumbre de Moscú, no corresponde exactamente a la interpretación que hizo de ella Richard Nixon en 1972. Nixon dijo que «se han puesto las nuevas bases para una nueva relación entre las dos naciones más poderosas del mundo».[3] Su declaración contenía reservas con respecto a la hostilidad ideológica existente y comparaba los principios acordados en Moscú por los Estados Unidos y la Unión Soviética con el mapa de una carretera que cada uno de ellos debía seguir. Pero, al hablar de «nuevas bases», Nixon creó una visión demasiado optimista de las verdaderas relaciones entre las superpotencias. Por su parte Brezhnev, a pesar de ser más prudente, mencionó a finales de 1972 el «nuevo desarrollo sustancial» en las relaciones soviético-norteamericanas.[4]

Es difícil explicar que la verdadera naturaleza de la distensión en la década de 1970 fue la consecuencia de varios factores objetivos y subjetivos específicos, algunos de corta vida y otros más duraderos. No hay duda de que a principios de la década de 1970 el mundo era sustancialmente diferente de lo que había sido al inicio de la guerra fría. China y numerosas naciones del Tercer Mundo, así como otras potencias, no estaban dispuestas a subordinar sus políticas a Moscú o a Washington. La aproximada paridad estratégica entre la Unión Soviética y los Estados Unidos volvió obsoleta la política norteamericana de «posición de fuerza» y obligó a ambas partes a buscar un ajuste en el control de armamento. Los cambios en las relaciones entre los Estados Unidos y la URSS fueron inevitables y se concretaron en los acuerdos de los primeros años de la década de 1970.

Desafortunadamente, sin embargo, muchos, en los Estados Unidos y en Europa occidental, sacaron conclusiones erróneas de esas medidas. El resultado fue una mezcla de realidad, ilusión, esperanza, malas interpretaciones y deseos que condujo a una noción exagerada de la distensión, que era como un espejismo en el desierto: la imagen existe, pero no es real.

Aparentemente, la política de la distensión era atractiva y positiva. En los discursos de los funcionarios del Kremlin y en las negociacio-

1. George F. Kennan, *The Nuclear Delusion* (Pantheon, 1982), p. 48.

2. Henry Kissinger, *Years of Upheaval* (Little, Brown, 1982), p. 753.

3. *Public Papers of the Presidents of the United States: Richard M. Nixon, 1972* (U. S. Government Printing Office, 1974), p. 661.

4. L. I. Brezhnev, *Our Course: Peace and Socialism* (Novosti Press Agency Publishing House, 1975), p. 309.

nes, los soviéticos destacaban que su intención era evitar el estallido de la guerra nuclear, limitar la carrera armamentista, desarrollar relaciones normales y mutuamente ventajosas a largo plazo, buscar el entendimiento, promover la cooperación económica, científica y tecnológica, y aumentar el comercio. Ante esa amplia lista, se podría muy bien pensar que la Unión Soviética estaba abandonando sus ambiciones de lograr la victoria final del comunismo. En realidad, los líderes soviéticos decían a Occidente lo que éste quería oír, y muchos lo creyeron.

Numerosos norteamericanos pensaron que la distensión aumentaría la cooperación y debilitaría la competencia incontrolada. El Kremlin aceptó colaborar en ciertos temas y según sus condiciones, pero jamás pensó en ceder en asuntos militares e ideológicos. Una de las grandes falacias de la distensión fue la idea de que si la Unión Soviética se comprometía en cuestiones económicas, comerciales, culturales o de otro tipo, Occidente podría moderar el voraz apetito de expansión de los soviéticos y provocar un cambio en los objetivos globales de la URSS. Nada más alejado de la realidad. La Unión Soviética jamás ha establecido acuerdos que de algún modo hubieran podido impedirle la consecución de sus objetivos.

En 1970, en una reunión de diplomáticos en el Ministerio de Asuntos Exteriores de Moscú, Andrei Gromiko hizo una declaración en la que expresaba intenciones que no habían cambiado con el paso de los años. «Las bases de nuestra política exterior establecidas por Lenin siguen siendo hoy totalmente válidas, y la distensión no ha cambiado en absoluto nuestros objetivos finales. Pero Lenin también nos ha enseñado a ser inteligentes en las negociaciones con los líderes de los países capitalistas.»

Gromiko destacó que era necesario acentuar la importancia de unas relaciones normales y correctas para no asustar a otras naciones revelando los verdaderos objetivos comunistas. Andrei Gromiko jamás diría: «Los enterraremos». Al hacer referencia a la línea adoptada por Lenin en los preparativos para la Conferencia de Génova de 1922, el primer encuentro internacional en el que participó el Estado soviético, Gromiko nos recordó la enseñanza de Lenin de que era aconsejable evitar toda referencia directa a las «inevitables revoluciones socialistas sangrientas» en el mundo capitalista. Nos dijo que no debían usarse semejantes expresiones porque «sólo servirían a los planes del enemigo. El camarada Brezhnev ha seguido el consejo de Lenin». En las conversaciones privadas en su dacha de Vnukovo, Gromiko era aún más sincero; nos aconsejaba que cuando habláramos con norteamericanos simuláramos no tomar en serio algunos dogmas marxistas.

En Occidente, la definición que Brezhnev hizo de la distensión se consideró ingenua. Pero el Brezhnev que leía sus discursos en las reuniones del Partido Comunista Soviético y el que hablaba ante los seguidores del movimiento comunista internacional eran distintos, y usaban un lenguaje diferente. En el XXV Congreso del Partido, en 1976, Brezhnev explicó su visión de la distensión: «La distensión no puede abolir ni alterar en lo más mínimo las leyes de la lucha de clases. Nadie debe esperar que, a través de la distensión, los comunistas nos reconciliemos con la explotación capitalista o que los monopolios se conviertan en seguidores de la revolución».[5] En sus informes a las sesiones plenarias del Comité Central, destacaba ese punto de manera todavía más enérgica.

Los líderes e ideólogos soviéticos jamás han tratado de ocultar el hecho de que su política apoya, ahora como antes, las conclusiones que Lenin articuló después de la Revolución rusa de 1917. El eslogan de Lenin «¿Quién ganará?», un decidido llamamiento a una «lucha de vida o muerte entre el capitalismo y el comunismo»,[6] sigue siendo incuestionable. En el XXVI Congreso del Partido, en 1981, Brezhnev confirmó claramente esa posición acentuando su teoría básica de que, inevitablemente, todas las naciones se convertirán al socialismo.

En abril de 1982, Yuri Andropov repitió en Moscú esas palabras destacando que «el futuro pertenece al socialismo».[7] En 1983, Boris Ponomarev, con motivo de la conmemoración del centenario de la muerte de Marx, fue más rotundo. Habló de la «inevitable destrucción del capitalismo por la revolución del pueblo trabajador» y declaró que a pesar de que «el capitalismo ha logrado ganar tiempo y prolongar su existencia, será liquidado».

En 1981, Konstantin Chernenko afirmó que «el capitalismo se ha desacreditado» y que los pueblos «más tarde o más temprano» se convertirán «al socialismo».[8]

Este viejo mensaje ha sido reafirmado en cada Congreso del Partido, pero, quizá por tan oído, no parece tan alarmante como en los primeros años del siglo. De todos modos, su significado es el mismo hoy que en 1917. Han cambiado algunos métodos y estilos de aplicación, pero sigue existiendo el deseo latente de dominar el mundo por parte de los líderes soviéticos.

5. L. I. Brezhnev, «Report of the CPSU Central Committee and the Inmediate Tasks of the Party in Home and Foreign Policy», Twenty-fifth Congress of the CPSU, 1976, p. 39.

6. V. I. Lenin, *Selected Works*, vol. 3 (1975), p. 627.

7. Y. V. Andropov, *Speeches and Writings* (Pergamon Press, 1983), p. 224.

8. K. U. Chernenko, *Utverzhdat Leninski Stil v partinoi rabote* (Moscú, 1983), p. 23.

Para la URSS la distensión no era sólo una medida temporal, sino también una política selectiva. El Politburó la consideró una maniobra táctica que de ningún modo reemplazaría la idea marxista-leninista sobre la victoria final del proceso revolucionario en todo el mundo. Era un medio útil para ganar tiempo. Moscú sabe que no puede dominar el mundo de inmediato y gobernar directamente a los pueblos de la Tierra. Aunque el Kremlin no abandona su meta de un mundo sometido a su dominio, los líderes son lo suficientemente realistas para comprender que, actualmente, eso es imposible. Saben que no habrá revolución comunista en los Estados Unidos en un futuro cercano. Pero tienen paciencia y contemplan el panorama desde lejos. Esperan y trabajan con un objetivo claro. La noción, que sostienen algunos occidentales, de que los jefes soviéticos tienen un plan maestro secreto para conquistar uno a uno los países del mundo, es pura ficción; pero, si bien semejantes planes no figuran en ningún papel, la idea de la expansión del poder soviético hasta la dominación del mundo es una aspiración fundamental a largo plazo. La URSS cree que, mediante la ideología, la diplomacia, la fuerza o la economía, finalmente será la ganadora –no necesariamente en este siglo, pero sin duda en el próximo– de la pugna entre el sistema socialista y el sistema capitalista, y que esa lucha se intensificará progresivamente porque es históricamente inevitable. En otras palabras, los objetivos soviéticos no se pueden interpretar como la mera continuación de los históricos planes imperialistas rusos o como simple política de poder. Son mucho más amplios y profundamente ideológicos.

Es absolutamente necesario comprender la naturaleza de esta lucha internacional, fenómeno esencial de nuestro tiempo. Para ampliar su zona de control e influencia, los líderes soviéticos apoyan a varios movimientos de liberación nacional de Asia, África y América Latina, mientras continúan sus actividades subversivas en Occidente a través de los partidos comunistas y otras organizaciones. Les proporcionan material y ayuda militar, formación y adoctrinamiento ideológico. Aunque se da prioridad a quienes siguen el modelo soviético, el apoyo se extiende también a los movimientos que no tienen una base marxista-leninista, pero cuyo éxito puede debilitar a Occidente. Esa ayuda no siempre produce buenos resultados, como se puede comprobar en los casos de Egipto e Indonesia. Sin embargo, Moscú confía en que, a su debido tiempo, el péndulo se incline finalmente hacia el lado soviético.

Por el momento, la Unión Soviética necesita a Occidente. Utilizó con éxito la distensión para conseguir lo que quería: relaciones amistosas con los Estados Unidos y Europa, créditos y sustancial ayuda económica. La URSS comprende que sólo puede obtener esa ayuda de Occidente. ¿De dónde sacaría el pan para sus ciudadanos si no comprara cereales a los Estados Unidos y otros países? ¿En qué otra parte conseguirían los soviéticos la tecnología avanzada que son incapaces de producir en cantidad o calidad suficientes? En este sentido, parece indudable que Lenin tenía razón: los capitalistas luchan por el privilegio de vender a los comunistas la cuerda para que se ahorquen.

Los líderes soviéticos saben muy bien cómo perseguir sus objetivos. Van despacio, pero a paso seguro.

A menudo me han preguntado si la Unión Soviética iniciaría un ataque nuclear contra los Estados Unidos. Sé, por muchos líderes soviéticos, tanto militares como civiles, incluidos los miembros del Politburó, que la respuesta a esa pregunta es un inequívoco no. La URSS no intentará alcanzar sus objetivos mediante la guerra mundial nuclear contra los Estados Unidos y sus aliados. La vieja idea de la inevitabilidad de semejante confrontación se abandonó incluso antes de la muerte de Stalin. Los gobernantes soviéticos están convencidos de que la victoria llegará en el curso del desarrollo de la sociedad humana. Y si pueden acelerar el proceso con unas pocas y pequeñas guerras convencionales, tanto mejor. Sólo conozco un caso en el que se discutió la posibilidad de un ataque nuclear; en 1969, durante los incidentes fronterizos chino-soviéticos, cuando la capacidad nuclear china no era una verdadera amenaza. Mientras la de los Estados Unidos sea lo suficientemente fuerte, la guerra nuclear es algo que los líderes soviéticos sólo podrían considerar en las circunstancias más extremas, es decir, si estuvieran absolutamente convencidos de que el país corre verdadero peligro y no vieran otra alternativa. Para ellos es impensable la posibilidad de una guerra nuclear mundial, que debe ser evitada a toda costa, incluso a expensas del prestigio soviético. Todos, desde los más viejos hasta la nueva generación, saben perfectamente que una guerra mundial nuclear puede enterrar al comunismo y al capitalismo en la misma tumba.

Los jefes políticos y militares de Moscú saben también que si la Unión Soviética lanzara un ataque nuclear, la capacidad de respuesta norteamericana sería tan eficaz que destruiría en su mayor parte el corazón y el cerebro de la URSS. No pueden aceptar, por supuesto, semejante riesgo. Aunque son depredadores, no están locos. Como otros seres humanos, temen por su propia supervivencia, y saben que ellos mismos podrían morir junto con millones de compatriotas.

No sé si hay un refugio antinuclear en el edificio del Ministerio de Asuntos Exteriores. En el caso de que se desencadenara una guerra nuclear, no sé si Gromiko podría llegar rápidamente a ese refugio, si es que existe. Lo más probable es que fuera conducido hacia el bunker u otras dependencias del ministerio, fuera de Moscú, por personas especializadas en este tipo de misiones. Pudiendo contar con unas cuantas horas antes del ataque, es posible que muchos líderes soviéticos salvaran la vida. Pero si habrá o no tiempo para buscar protección en caso de que la situación se produzca algún día, eso ya es otra cuestión. Sin embargo, bajo control militar, la Unión Soviética continúa mejorando sus sistemas de defensa activa y pasiva en toda la nación, invirtiendo en ello más de dos billones de dólares anuales. Más de cien mil personas trabajan de una forma u otra en el programa. La defensa civil soviética podría reducir el daño en la estructura política y militar básica, proteger el comando estratégico y asegurar la continuidad de las operaciones gubernamentales vitales. Pero esas medidas no contemplan la supervivencia de toda la población.

Sería lógico pensar que los sistemas de defensa civil, lamentablemente inadecuados, podrían haber influido para que los soviéticos aprovecharan la oportunidad de la distensión y se dedicaran a mejorarlos en lugar de seguir aumentando su poder militar. Además, el hecho de que los Estados Unidos hubieran congelado muchos programas de armamento estratégico y de fuerzas convencionales debería haber alentado al Kremlin a hacer lo mismo. Sin embargo, el gobierno soviético sigue su propia lógica. En vez de reducir la producción de armamento después de la cumbre de Moscú de 1972, la URSS continuó modernizando todo su arsenal –estratégico y convencional– con una gran cantidad de misiles, aviones, carros de combate, barcos y artillería. A expensas de otros sectores de la economía y mucho más allá de las necesidades reales de defensa, la Unión Soviética aumentó en un tercio su producción militar. Su industria armamentística se ha convertido en la mayor del mundo, y el coste en dólares de su inversión militar supera en mucho a la norteamericana.

Ciertamente, el interés de los soviéticos por la defensa de su país es legítimo; la segunda guerra mundial les costó muy cara en todos los sentidos. Naturalmente, la URSS quiere fuerzas armadas capaces de defender el país. Pero el Kremlin tiene, además, otro objetivo: utilizar el poder militar nuclear como instrumento político de presión, intimidación y, si es necesario, soborno para conseguir lo que quiere de Alemania Occidental, Japón u otros países. Los gobernantes soviéticos todavía recuerdan la humillación de la crisis de los misiles cubanos, y harán cualquier cosa para evitar que se repita.

Por otra parte, el fantasma de China obliga al mantenimiento de considerables fuerzas estratégicas y convencionales preparadas para cualquier eventualidad en la frontera chino-soviética.

Además, la negativa a dejar de apoyar a los movimientos de liberación nacional como arma contra las potencias occidentales y los esfuerzos persistentes del Kremlin para penetrar en las naciones del Tercer Mundo con el fin de atraerlas hacia su propia órbita, implican la voluntad de proyectar el poder militar soviético en el mundo y, si es necesario, de intervenir en guerras convencionales. También aquí los postulados de Lenin guían a los gobernantes soviéticos que afirman que «los socialistas no pueden oponerse a todas las guerras», en particular a «las guerras revolucionarias» o a las guerras nacionales o «guerras civiles de los pueblos colonizados por su liberación». Por esta razón, la Unión Soviética favorece e instiga algunas guerras convencionales locales. Al explicar la doctrina militar soviética en 1981, el ministro de Defensa, Dmitri Ustinov, calificó como infundados los intentos de atribuir a las URSS la voluntad de lanzar el «primer ataque nuclear», pero nada dijo con respecto a guerras convencionales.

Finalmente, los gobernantes soviéticos mantienen todavía la tesis de Lenin de que las potencias imperialistas, mientras sufren derrotas inevitables ante las fuerzas progresistas, o a causa de conflictos provocados por las presiones soviéticas en Occidente, pueden recurrir a la guerra contra la Unión Soviética. Del mismo modo, piensan también que es posible que las «fuerzas más aventureras y reaccionarias del imperialismo» puedan atacar con la bomba atómica a la Unión Soviética en un intento desesperado de salvar al capitalismo.

La ambigüedad con respecto a la distensión aumentó a mediados de la década de 1970, cuando las relaciones soviético-norteamericanas empeoraron después de la conmoción provocada por el caso Watergate y la enmienda Jackson-Vanik a la Ley de Reforma del Comercio, que vinculaba la situación de la Unión Soviética como nación más favorecida con una mayor permisividad en la política de emigración de Moscú. Esa vinculación obstaculizó el logro de los objetivos del gobierno soviético en las relaciones económicas con los Estados Unidos. Además, el avance de las SALT se detuvo después de la cumbre Ford-Brezhnev en Vladivostok, en 1974.

Los líderes soviéticos no comprendieron las importantes consecuencias de un hecho tan «trivial» como el caso Watergate. Los «Watergates» son hechos rutinarios en todos los niveles de la vida en la Unión Soviética. Los micrófonos, las intervenciones de teléfonos, la intimidación, el soborno, la mentira y el encubrimiento son medidas habituales que, donde sea y sin restricciones, toma la KGB con el beneplácito del gobierno soviético. Del mismo modo, tampoco se comprendió que el Congreso de los Estados Unidos bloqueara la aplicación de las promesas presidenciales a la URSS sobre el ansiado estado de nación más favorecida. En realidad, Brezhnev, Gromiko y otros sospechaban que los norteamericanos les habían engañado.

De todos modos, aunque el gobierno soviético fue incapaz de entender todo lo que significó el caso Watergate, sí comprendió que la autoridad presidencial en los Estados Unidos se había debilitado; y el Kremlin empezó rápidamente a explotar esa situación. Violando la distensión, en un intento de alterar el equilibrio militar en Europa, el Politburó decidió desplegar los nuevos misiles SS-20 de alcance medio en la parte occidental de la URSS. El despliegue de los SS-20 se hizo silenciosamente, con la excusa de «reemplazar» a los viejos misiles. Los movimientos mundiales por la paz parecieron no darse cuenta de esa acción, y sólo más adelante los miembros de la OTAN comprendieron perfectamente la dimensión de la amenaza soviética y tomaron medidas adecuadas.

Bajo la presión de los acontecimientos, la obstrucción deliberada y las promesas no cumplidas, los jefes soviéticos hallaron que los resultados de su política de distensión no cumplían las expectativas que habían suscitado. Si Richard Nixon exageró las posibles ventajas de la distensión, también lo hizo el Kremlin. Los escépticos de Moscú, acallados en 1972, volvían a hacerse oír en 1976. En ese momento, Occidente no comprendió la importancia de un factor que contribuyó a la desintegración de la distensión: Leonid Brezhnev delegó prácticamente todo su poder en el XXV Congreso del Partido, en 1976, debido a que su enfermedad cada vez le incapacitaba más. Este hecho favoreció la posición de los miembros del gobierno (Suslov, Andropov y Ponomarev, entre otros) que apoyaban una actitud más dura contra los norteamericanos y la intervención militar en África y en otras partes del mundo donde se podía explotar la debilidad de los Estados Unidos. La distensión empezó a evaporarse.

El Kremlin había hecho unas pocas concesiones a Occidente. Autorizó cierto nivel de emigración, permitió un aumento en los intercambios culturales y humanos, moderó de alguna manera el tono antiimperialista de su propaganda, e incluso dejó de interferir algunas transmisiones de radio extranjeras. Pero a partir de mediados de la década de 1970, la emigración, nunca regular ni constante, se redujo; el intercambio de información, nunca libre de una estricta censura, se recortó aún más. Y Moscú volvió a sus viejos hábitos y siguió definiendo todas las acciones de Occidente en África, Asia, el Oriente Medio y América Latina como neocolonialistas o imperialistas.

Fue esa corriente fría en las relaciones soviético-norteamericanas, así como la incertidumbre sobre el resultado de las elecciones presidenciales norteamericanas, lo que provocó el estado de tensión de Gromiko, cuando llegó a Nueva York, en 1976. Los líderes soviéticos necesitaban y, al mismo tiempo, temían a los Estados Unidos. La fuerza norteamericana era un obstáculo para los planes soviéticos en el exterior, pero también un apoyo útil para la economía interna de la URSS. Gromiko sabía que muchos de sus colegas no comprendían a los Estados Unidos. No podían hallar seguridad en la incontrolada competencia con ellos ni tampoco encontrar –para su desasosiego– la base de una buena coexistencia.

25

El 9 de septiembre de 1976 murió Mao Zedong. La reacción oficial soviética fue serena, breve y correcta; pero el tono de las instrucciones que recibimos en Nueva York desde Moscú evidenciaba que la muerte de Mao había levantado una ola de expectativas. A Yakov Malik y a mí nos ordenaron inmediatamente que fuéramos a la Legación china ante las Naciones Unidas y firmáramos en el libro de condolencias. Además, nos dieron instrucciones de que, en nuestras conversaciones casuales con otros funcionarios de las Naciones Unidas, dijéramos que los amigos de China recordábamos los buenos y viejos días de alianza, y que ya era tiempo de poner fin a la tensión de las relaciones chino-soviéticas.

Poco después, en una cena informal en la Legación, Gromiko dijo que el gobierno quería sobre todo que no hiciéramos nada que pudiera suponer un impedimento para la mejora de las relaciones con Pekín.

–Debemos evitar todo lo que pueda provocar una respuesta antisoviética por parte de los chinos –afirmó.

Cuando daba instrucciones, Gromiko jamás miraba directamente a Malik; pero todos sabíamos que se dirigía especialmente a él. Sentado a la derecha del ministro, Malik mantuvo los ojos fijos en el plato, en silencio.

Gromiko me preguntó qué pensaba de Huang Hua, el embajador chino ante las Naciones Unidas. Quería saber en particular si había notado algo raro en su conducta después de la muerte de Mao. Le dije que no. Gromiko observó luego que, después de tantos años de agitación en China, era demasiado pronto para esperar un cambio significativo en la política de ese país.

–Sin embargo –continuó–, en mi declaración ante las Naciones

Unidas he decidido subrayar la importancia que la Unión Soviética ha dado y sigue dando a la normalización de las relaciones con China, sin ningún atisbo de crítica. Ninguno.

La falta de información fiable sobre China por parte de Moscú, no era nada nuevo. Después de la victoria de los comunistas chinos en 1949, se desmanteló la parte más importante de la red de espionaje soviética en China: las operaciones encubiertas. Stalin creyó que eran más que suficientes los funcionarios prosoviéticos del Partido Comunista Chino, que estarían dispuestos a informar a Moscú de todo lo que quisiera conocer. Esto, como pudo comprobarse después, era pura fantasía.

La KGB no consiguió volver a organizar un aparato de inteligencia eficaz en China. Aunque había una embajada soviética en Pekín, sus actividades estaban muy restringidas. Los diplomáticos acreditados en la capital china tenían instrucciones de no confiarse a los chinos, y además sus solicitudes para visitar la mayor parte del país eran sistemáticamente rechazadas. Por lo tanto, los soviéticos se vieron obligados a observar lo que ocurría en China –como antaño lo hicieron los norteamericanos– a través de Hong Kong y Tokio. Los especialistas en asuntos chinos del Comité Central, la KGB y el Ministerio de Asuntos Exteriores estaban destinados a las embajadas soviéticas de los países considerados más fiables para esa clase de tareas de inteligencia: Japón, Tanzania, los Estados Unidos y algunos más; pero los datos que obtenían solían ser de segunda mano.

Cuando vi a Bert Johnson, le hablé de las declaraciones de Gromiko. A Johnson le interesaba saber qué pensaba el ministro de las relaciones soviético-norteamericanas en ese momento, cuando faltaba poco para las elecciones presidenciales. Pero no había nada nuevo; el gobierno soviético seguía manteniendo la actitud de aguardar y ver. Gromiko no esperaba mucho de su próximo encuentro con el presidente Ford. Aunque continuaban prefiriéndoles, los soviéticos habían empezado a considerar seriamente a Carter. Gromiko pensaba que era una buena señal que Cyrus Vance tuviera influencia sobre Carter, pero no le gustaba nada la posibilidad de que Zbigniew Brzezinski pudiera tener un papel importante en la administración demócrata.

Mientras revisaba los compromisos de Gromiko, la mañana siguiente a su llegada a Nueva York, descubrí una grave omisión. La agenda no incluía la tradicional cena ofrecida por el secretario general de las Naciones Unidas a los ministros de Asuntos Exteriores de los cinco miembros permanentes del Consejo de Seguridad. Me sorprendió. Waldheim hacía tiempo que había enviado la invitación a Gromiko y, como no había sido rechazada, suponía que iría, como siempre. En la agenda tampoco constaba la reunión personal con el secretario general, algo que Waldheim esperaba. Para él lo mismo que para el presidente de los Estados Unidos, aquel también era un año de elecciones, y quería ser reelegido.

Pregunté el porqué de esas omisiones al asistente de Gromiko, Yuri Fokin.

–Arkadi Nikolaevich –dijo–, ¿no sabe lo que Andrei Andreievich piensa de Waldheim?

Lo sabía, pero manifestarlo tan abiertamente no nos favorecía. Decidí hablar del tema con Gromiko en Glen Cove, lugar en el que generalmente se le encontraba de buen humor.

El médico le había recomendado al ministro que, cuando estuviera en Glen Cove, caminara siete u ocho kilómetros por el jardín. La finca le permitía el aislamiento que deseaba. Un alto muro y una densa arboleda le separaban de los curiosos del exterior. Sin embargo, también allí le acompañaba constantemente un cortejo de asesores y guardaespaldas. Daba vueltas y más vueltas, hasta cubrir la distancia estipulada por su médico, seguido de todo su séquito.

Después de la caminata, generalmente se servía una comida para veinte o veinticinco personas. Ser invitado se consideraba un honor especial. Los bebedores miraban ansiosos la pequeña mesa que servía de bar en un rincón del comedor. Gromiko rara vez tomaba bebidas alcohólicas y no le gustaba que otros lo hicieran en su presencia. Sin su autorización, jamás se servían. No obstante, Dobrinin, que siempre se trasladaba a Nueva York durante la visita anual de Gromiko, generalmente tomaba lo que todos consideraban una valiente iniciativa, diciendo algo como:

–Andrei Andreievich, quizá necesitemos algo que nos levante el ánimo.

Lidia Gromiko casi siempre le secundaba. El ministro, ante esa sugerencia, normalmente no decía nada: se mantenía silencioso e inmutable. En ese caso, no había bebidas. Otras veces, alzaba la mano y con su estilo aplomado decía:

–Quien quiera beber, puede hacerlo; yo no tomaré nada.

El camarero servía entonces vino y vodka.

Ese día, me senté al lado de Vasili Makarov, que estaba resplandeciente ante la posibilidad de beber un vaso de vodka. Le dije que deseaba hablar a solas con Gromiko después de la comida.

–¿De qué quiere hablar con Andrei Andreievich?– se inquietó.

–Gromiko debería aceptar la invitación de Waldheim a la cena con los Cinco Grandes. Y también debería verle a solas.

–No pierda el tiempo –dijo Makarov–. Ya lo discutimos en Moscú. Gromiko no quiere ir. Si le habla de ello, provocará su cólera.

A pesar de esa advertencia, hablé con el ministro.

–Shevchenko, ¿qué intereses defiende usted? ¿Los de Waldheim o los nuestros? –preguntó Gromiko–. Él no es una gran potencia.

Traté de explicarle que la mayoría de los miembros de las Naciones Unidas nunca comprendería por qué el ministro de Asuntos Exteriores de la Unión Soviética había desairado al secretario general. En realidad era un desaire a todas las Naciones Unidas. No le convencí.

–¿Qué ocurrirá en esa cena? Sólo habrá conversaciones intrascendentes y charlas vacías con un montón de aburridos funcionarios y sus esposas. ¿Cómo se puede esperar una conversación seria en ese ambiente? Puras apariencias. –En su cara apareció una expresión de disgusto mientras agregaba–: Además, irán los chinos. En este momento, no quiero hablar con ellos; si fuera, no sería correcto dejar de hacerlo. Además, Waldheim tratará de encarrilar la conversación hacia la política con estilo estúpido y balbuceante... Bueno, lo pensaré –dijo bruscamente. Cuando mencioné la reunión personal con Waldheim, se enfureció–. ¡Basta! Veré a Waldheim solamente en la cena.

Le dije que los ministros de las principales potencias siempre se entrevistaban a solas con Waldheim, y que esas reuniones se consideraban importantes sólo por cuestiones de protocolo, aunque no hubiera nada serio que analizar, en particular cuando se acercaban las elecciones para elegir al secretario general. Gromiko no respondió, y eso significaba que nuestra conversación había llegado a su fin.

Molesto y de mala gana, Gromiko fue a la cena de Waldheim. Su irritación aumentó cuando llegó Henry Kissinger con más de una hora de retraso. Sin embargo, en cuanto a la reunión privada con Waldheim, se mantuvo inflexible. Cada día el secretario general me preguntaba cuándo tendría lugar el encuentro. Y cada día yo evitaba la respuesta, incómodo al tener que dar la excusa de que aún se estaba revisando la agenda de Gromiko.

Con la ayuda de Dobrinin, finalmente convencí a Gromiko de que hablara a solas con Waldheim durante unos pocos minutos. Pero Gromiko no quería ir al despacho del secretario general, y desconsideradamente sugirió un lugar de encuentro humillante. Vería a Waldheim en un pequeño despacho situado detrás del estrado de la Sala de la Asamblea General, después del discurso de un representante de un país del bloque soviético.

En muchos aspectos, la Unión Soviética despreciaba a las Naciones Unidas, aunque usaba a la Organización para ocultar a los espías de la KGB y para hacer propaganda. Por otra parte, estaba el hecho de que los Estados Unidos y otras naciones occidentales importantes habían perdido su confianza en las Naciones Unidas. En casi todas las cuestiones, encontraban la oposición de la mayoría de los Estados, tanto los grandes como los pequeños, del Tercer Mundo. Finalmente, China mantenía hacia la ONU, excepto en raras ocasiones, una actitud de indiferencia.

Pero las Naciones Unidas habían logrado éxitos, y Kurt Waldheim desempeñó un papel decisivo en algunos de ellos. Después de trabajar con él durante más de cuatro años, llegó a inspirarme un gran respeto. Con frecuencia, parecía duro y seco, pero debajo de su apariencia formal y hermética Waldheim era un hombre de sentimientos y decisiones firmes.

La fuerza que le impulsaba era una mezcla de ambición personal y verdadera dedicación a los ideales de las Naciones Unidas. Veía a la organización como algo más que el último recurso para las naciones en conflicto. Intentó aflojar las tensiones Este-Oeste y Norte-Sur para que no estallaran violentamente. Concebía su propio mandato de una forma bastante amplia: como negociador entre bastidores y portavoz visible de un orden mundial fundado en el respeto por la ley y la justicia.

Waldheim aprendió la dura lección de que el cargo de secretario general era «el trabajo más imposible del mundo», como dijo una vez Trygve Lie, el primero que lo ocupó. Sin la cooperación, o al menos el consentimiento de los cinco miembros permanentes del Consejo de Seguridad más un grupo grande y poderoso de naciones no alineadas, las Naciones Unidas y el secretario general no pueden tomar ninguna decisión. Hallar el denominador común de la enorme complejidad de intereses opuestos es una labor digna de Sísifo. Waldheim trató de ganarse el favor de todas las partes: esa fue su principal debilidad. El sentido común y la lógica exigen que el secretario general mantenga relaciones amistosas, de confianza y eficaces con las principales potencias; pero es muy tenue el límite entre no querer ofender a nadie y convertirse en prisionero de la cordialidad.

No se puede comparar a Waldheim con el atrevido y brillante Dag Hammarskjöld. Ni tampoco con su predecesor inmediato, U Thant, que pasó la mayor parte del tiempo titubeando. El dinamismo de Waldheim fue siempre obvio, pero si revisamos los resultados de sus acciones, no encontraremos ninguno que pueda ser considerado un triunfo. De todos modos, algunas de sus iniciativas merecen elogio. En 1972 propuso que la Asamblea General considerara la cuestión del terrorismo internacional. No era nada nuevo, pero Waldheim alertó a la opinión pública presentando el tema ante el consejo mundial. Y en 1976, su acción en el Consejo de Seguridad logró finalmente el cese momentáneo de las hostilidades en el Líbano.

El fervor de Waldheim se expresaba también en su apretada agenda de trabajo: pasaba con frecuencia dieciséis horas al día en su despacho o asistiendo a las sesiones del Consejo de Seguridad y de la Asamblea General. Era normal esperar fuera de su despacho treinta o cuarenta y cinco minutos más de la hora convenida para verle, hasta que despedía cortésmente al visitante que había introducido a última hora en su agenda. Waldheim era demasiado paciente con quienes le importunaban y demasiado reacio a delegar su autoridad o sus responsabilidades. Yo comprendía los esfuerzos de su encantadora e inteligente esposa, Cissy, cuando intentaba calmar la obsesión de Waldheim por el trabajo. A menudo, mis colegas y yo le aconsejábamos que trabajara un poco menos. Decía que lo haría, pero continuaba trabajando como siempre.

El sucesor de Waldheim, Pérez de Cuéllar, un peruano que durante un tiempo fue colega mío en la Secretaría, no es tan autocrático como su antecesor. Inteligentemente, ha traspasado responsabilidades a sus subsecretarios, en especial a Brian Urquhart, encargado de los problemas de Oriente Medio, y a Diego Cordovez, mediador en la resolución sobre los problemas provocados por la invasión de Afganistán.

En algunos casos, Waldheim trató de imitar la «diplomacia de lanzadera» de Kissinger, olvidando sus propias palabras de que «el jefe de esta oficina tiene grandes responsabilidades públicas pero poco o ningún poder verdadero». Sin embargo, era perseverante a pesar de las frustraciones y los fracasos. Su inquebrantable voluntad de seguir adelante constituía su mayor fuerza.

Curiosamente, su timidez para desafiar a las fuerzas principales de las Naciones Unidas coexistía con sus delirios de grandeza. Le encantaba ser el centro de atención y era indulgente consigo mismo en algunos asuntos menores. A los subsecretarios y secretarios adjuntos solía hacernos esperar media hora o más antes de iniciar las reuniones matutinas semanales. Entraba en la sala de conferencias con paso rápido y firme y ocupaba su asiento con expresión autosuficiente y una media sonrisa. Siempre decía lo mismo:

–Lo siento. Recibí una llamada telefónica muy importante.

Los miembros de su «gabinete» (así se llamaban oficiosamente esas reuniones) estaban seguros de que, con frecuencia, la razón de la demora no era «una llamada telefónica muy importante»; no había razón alguna, simplemente había llegado tarde.

No recuerdo que ninguna de esas reuniones tuviera particular interés o importancia. Nadie se las tomaba en serio porque Waldheim prefería tomar personalmente las decisiones esenciales, con el consejo de sus pocos colaboradores más cercanos, su «mafia austríaca». No obstante, se quejaba de ser un hombre solitario que lo decidía casi todo solo. Creo que él favoreció esa soledad y que podía haber confiado más en sus subsecretarios.

Yo comprendía las dificultades de ese cargo ingrato, en particular las generadas o acentuadas por la Unión Soviética. Ni el gobierno soviético ni el embajador Malik informaban a Waldheim de sus verdaderas intenciones ni de su política básica con respecto a los problemas internacionales más importantes. Se acercaban a él cuando necesitaban su influencia para favorecer intereses soviéticos. En cambio, los norteamericanos informaban al secretario general de una amplia gama de problemas. Con frecuencia, oí a Waldheim hablar por teléfono con Kissinger o con el embajador de los Estados Unidos ante las Naciones Unidas.

Violando las reglas de secreto soviéticas, traté de ayudar a Waldheim siempre que pude. De vez en cuando, le confiaba las intenciones soviéticas o las instrucciones del gobierno de la URSS a la Legación con respecto a cuestiones que iban a presentarse ante las Naciones Unidas. Sé que apreciaba mi ayuda; quizá por esa razón me defendió de ataques a veces muy merecidos. Aunque no creo que lo hiciera sólo por la información que yo le daba, sino también porque yo era soviético y él deseaba evitar el empeoramiento de las relaciones con Moscú. La voluntad de Waldheim de ayudar a la URSS se puso de manifiesto en la gran cantidad de ciudadanos soviéticos que trabajaban en la Secretaría. Aceptó rápidamente el plan que tanto el embajador Malik como él llamaban «plan de cinco años» para cubrir la cuota soviética de cargos profesionales en la Secretaría. Me sorprendió la ingenuidad de Waldheim cuando, en el curso de una de nuestras charlas, me preguntó si era cierto que su colaborador especial, Viktor Lessiovski, era un agente de la KGB.

Sin embargo, la cooperación de Waldheim no mereció la consideración de Moscú. Durante la campaña para su reelección como secretario general, el Ministerio de Asuntos Exteriores preparó un informe para el Politburó que decía que «la actuación de Waldheim es más bien desigual; hay manifestaciones de sus convicciones prooccidentales. Coquetea con los norteamericanos, con los países no alineados y hasta con los chinos». Aunque el análisis admitía que Waldheim había permitido a la Unión Soviética que cubriera su cuota de más de doscientos cincuenta cargos en la Secretaría, afirmaba que los más importantes pertenecían a «funcionarios con ideas occidentales o proocidentales que ejercen significativa influencia sobre él».

Además de desacreditar a Waldheim por su tendencia a adular a los líderes occidentales, el informe también lo criticaba por impulsar «iniciativas sobre cuestiones importantes contrarias a los intereses de la URSS». Sus intentos de participar en la Conferencia de Paz de Vietnam, la Conferencia de Ginebra sobre Oriente Medio y la Conferencia Europea sobre Seguridad y Cooperación, eran vistos como una intrusión de las Naciones Unidas. Su idea de realizar una reunión de las partes interesadas, auspiciada por la ONU, para reiniciar las negociaciones de paz de Oriente Medio, chocaba con la política soviética. Con respecto a Chipre y Sudáfrica, la URSS consideraba a Waldheim demasiado dispuesto a oponerse a las preferencias soviéticas; pero «en las llamadas cuestiones de derechos humanos», el documento le elogiaba por «ser prudente y tratar de evitar complicaciones con nosotros».

La URSS creía que Waldheim era el mejor secretario general que podía esperar, pero le tenía poca confianza. En especial, los soviéticos estaban resentidos por la actividad que había desplegado para mantener las operaciones de paz en el Oriente Medio: los líderes soviéticos temían a esa fuerza internacional que no podían controlar.

Al mismo tiempo, sin embargo, el informe afirmaba: «En algunos temas, especialmente los que tienen gran significación política, Waldheim atiende nuestras exigencias y nuestro consejo».

Ante las elecciones para el cargo de secretario general de las Naciones Unidas de 1976, China y los países no alineados consideraron que los europeos lo habían monopolizado durante demasiado tiempo, pero no consiguieron ponerse de acuerdo para presentar un candidato que les representara. Los Estados Unidos, el Reino Unido y Francia apoyaron a Waldheim; la Unión Soviética no se definió a favor ni en contra. Las instrucciones de la delegación soviética eran de «no poner objeciones a la candidatura de Waldheim si ningún otro candidato aceptable para nosotros cuenta con el apoyo de la abrumadora mayoría». Pero no hubo más candidatos. Desgraciadamente, la reelección se convirtió en una obsesión para Waldheim, que estaba dispuesto a pagar un precio demasiado alto por ella. El resultado de ese exagerado interés electoral fue el descuido de la actividad de la Secretaría. Con todos los problemas y limitaciones inherentes al cargo, si el secretario general se deja llevar por la ambición personal, el funcionamiento de la Secretaría indudablemente se ve afectado. En teoría, el secretario general es libre de actuar según la Carta de las Naciones Unidas. Pero, en la práctica, el cargo está sujeto al capricho de las principales potencias, que pueden vetar la reelección. Quizá la mejor forma de garantiza la libertad del secretario general sería alargar a seis o siete años su permanencia en el cargo, sin posibilidad de reelección.

Las elecciones en las Naciones Unidas eran un asunto secundario para Moscú comparado con lo que ocurría en los Estados Unidos. El 2 de noviembre de 1976, Jimmy Carter fue elegido presidente. Carter nombró a Zbigniew Brzezinski asesor de Seguridad Nacional, y así llegó a la Casa Blanca un hombre que los soviéticos consideraban un cruel enemigo. Las declaraciones sobre derechos humanos de la campaña del nuevo presidente, junto con el telegrama de apoyo a un importante activista judío de Moscú a quien se había negado la autorización para emigrar, convencieron a la Unión Soviética de que Carter buscaba favorecer la subversión en la URSS. Finalmente, el discurso inaugural, que expresaba la esperanza de que «este año daremos un paso hacia nuestro objetivo final: la eliminación de todas las armas nucleares de la Tierra», se consideró una señal de que el nuevo líder norteamericano quería romper el marco existente de las SALT.

La imprevisibilidad de Carter, así como los cambios sustanciales de su actitud con respecto a las relaciones entre las superpotencias, confundían a la URSS. En general, los norteamericanos se adaptan a los cambios. La precipitación de los acontecimientos quizá les confunde al principio, pero luego se amoldan rápidamente a las nuevas circunstancias. Los soviéticos no tienen esa facilidad. Les llevó tiempo aceptar la administración Carter. Antes de lograr relaciones constructivas, hubo un largo período en que disminuyó la cooperación y se acumularon los malos entendidos.

En primer lugar, la administración Carter promovió cambios generales en la política norteamericana de control de armamentos. Al discurso inaugural siguieron, en marzo, las propuestas del secretario de Estado, Cyrus Vance, de dejar sin efecto los acuerdos de Vladivostok de 1974 –los últimos que se habían tomado en las negociaciones– y acordar mayores reducciones de las fuerzas nucleares estratégicas. Esta nueva posición confundió y preocupó a los gobernantes soviéticos; pero las declaraciones de Carter de simpatía y apoyo a los disidentes soviéticos y su correspondencia con Andrei Sajarov, premio Nobel de la Paz 1975, les enfurecieron. Al provenir del Departamento de Estado y de la Casa Blanca, esas declaraciones eran todavía más provocadoras que las de la campaña presidencial. Parte de la respuesta soviética fue arrestar a destacados activistas; un portavoz judío, Anatoli Shcharanski, fue acusado de espiar para la CIA.

La situación se hizo más tensa aún cuando en marzo de 1977 Vance presentó en Moscú dos alternativas para el control estratégico de armas; Brezhnev rechazó las dos. Andrei Gromiko llegó a denunciar en una conferencia de prensa las propuestas norteamericanas y a revelar algunos datos, lo cual significaba la ruptura del secreto habitual que ambas partes habían mantenido en los acuerdos de las SALT.

Sin participar directamente en ellos, observé esos acontecimientos desde las Naciones Unidas. Hasta que no viajé a la Unión Soviética para pasar mis vacaciones, en 1977, no comprendí la verdadera actitud de Moscú. En todas partes, los que siempre habían tenido dudas sobre la posibilidad de la distensión entre las dos superpotencias estaban empezando a exigir otras iniciativas políticas. Yo iba a estar muy pocos días en Moscú; cuando llamé por teléfono al principal experto en temas norteamericanos del ministerio, Gueorgui Kornienko, para proponerle una entrevista, éste me dijo que sólo podía verme a partir de las siete de la tarde.

–El ministerio parece un zoológico –bromeó.

Cuando llegué a su despacho del octavo piso, comprendí lo que había querido decir. Seis meses de experiencia con la administración Carter le habían dado motivo de preocupación.

–Siempre es difícil negociar con los norteamericanos –dijo–, pero con esta administración hemos tenido un mal comienzo. Sabíamos lo que Carter había dicho en su campaña sobre los derechos humanos. Pensábamos que su actitud hacia el desarme perjudicaría lo conseguido en las SALT. Pero esperábamos que cambiaría cuando llegara a la Casa Blanca, cuando se enfrentara con la realidad. Le concedimos un margen de dos meses, pero todavía no ha pasado nada. En cambio, la confusión es total. Aún no sabemos adónde quiere ir.

La situación que tanto deprimía a Kornienko proporcionaba una amarga satisfacción a otros funcionarios de Moscú. Como jamás se habían atrevido a oponerse abiertamente a la actitud de Brezhnev hacia los Estados Unidos, no podían decir «que ya lo habían advertido». Sin embargo, en privado, se regocijaban. Y dentro del Comité Central se podía detectar una nueva actitud militante, que anunciaba otra aventura en el Tercer Mundo.

Vadim Zagladin, el influyente propagandista del Comité Central, se excitaba cada vez más a medida que evaluaba la situación de estancamiento con Washington.

–Mire adónde nos han llevado Gromiko y sus encantadores norteamericanos –dijo con sarcasmo cuando fuimos a cenar al mejor restaurante georgiano de Moscú–. No se podía confiar en ellos. Fue un error hacerlo. ¿Vamos a tener estos sobresaltos con cada nuevo presidente norteamericano? Prefiero a los franceses. Son más duros, pero al menos son coherentes. Sus norteamericanos se mueven en zigzag: no vamos a ninguna parte con ellos.

–No son *mis* norteamericanos –protesté.

–Vamos –respondió–. Ha vivido demasiado tiempo allí: usted es un norteamericano más.

Aunque lo que decía no tenía sentido, sus palabras me produjeron escalofríos. No creía que sospechara de mí, pero quizás había oído algo. En el ministerio habían aumentado las medidas de seguridad. Evidentemente, yo no era la causa, pero no me sentía demasiado tranquilo. Desvié la charla hacia terreno seguro e intenté emplear un tono distendido.

No pude saber nada más a través de él. Cuando regresé a Nueva York, sólo pude comunicar a Bob Ellenberg, que había sustituido a Bert Johnson como contacto de la CIA, mi impresión de que a los defensores de la distensión en Moscú se les estaba acabando el tiempo. Sin embargo, Kornienko me había confirmado el plan de Gromiko de ver al presidente Carter durante la sesión de la Asamblea General de las Naciones Unidas de 1977.

–Hasta cierto punto, la reunión con Vance [en marzo] fue útil –había dicho Kornienko–, pero no resolvió un montón de cuestiones difíciles. Las cosas sólo se aclararán cuando Andrei Andreievich tenga una reunión con el presidente Carter.

Una vez más, los soviéticos tratarían de restablecer la comunicación mediante la «forma directa», la preferida por Gromiko. En realidad, quizá no había otro modo de tratar los problemas del diálogo entre las dos superpotencias que el análisis cara a cara de las cuestiones entre los hombres con mayor responsabilidad política. Pero los acuerdos a los que llegaban los líderes no eran siempre aceptados por quienes les apoyaban. Brezhnev todavía podía eliminar a sus oponentes potenciales en Moscú, pero la fuerza de éstos aumentaba. Y los presidentes norteamericanos ni siquiera podían asegurar su propia reelección, y aún menos la continuidad de la política después de un cambio de administración.

De cualquier modo, a finales de 1977, soviéticos y norteamericanos no pensaban en el problema de sus relaciones a largo plazo. El objetivo principal era restablecer algún tipo de entendimiento que permitiera reanimar las moribundas negociaciones de las SALT. A finales de septiembre, Gromiko llegó a los Estados Unidos visiblemente ansioso por hallar una solución para salir del *impasse* con la administración Carter. Contrariamente a lo que siempre hacía, primero fue a Washington para hablar con Vance y Carter.

En la Legación de Nueva York, antes que nada se ocupó de transmitir a Moscú el informe detallado de las reuniones en la Casa Blanca. Gromiko no escribió los telegramas; confió esa tarea a su intérprete, Viktor Sujodrev, a quien dictó el mensaje, que extrajo de sus propias notas. Tenía cuarenta o cincuenta folios, que cubrían una amplia gama de problemas internacionales. A medida que el tiempo pasaba y no llegaba a sus manos el manuscrito para su aprobación, su impaciencia crecía.

–¿Dónde está Sujodrev? –gruñó–. ¿Tomando el té?

Finalmente el intérprete apareció.

–¿Cómo puedo escribir en una hora una conversación que duró tres horas? –respondió ante las quejas de Gromiko. Por una vez, éste se contuvo. En vez de estallar violentamente como era habitual en él, se quedó en silencio y leyó atentamente el texto de Sujodrev.

Cuando le pedí su evaluación de las negociaciones con Carter, fue rotundo.

–Está en el telegrama. Léala –dijo, mientras se dirigía a su habitación en el apartamento de la Legación. Pero al llegar a la puerta, se volvió. Sus labios esbozaban una leve sonrisa–. No van mal. No tan mal como esperábamos –dijo.

Gromiko se había enfurecido cuando Carter aludió al trato que los soviéticos daban a Anatoli Shcharanski.

–Carter es tan ignorante que no puede hacer otra cosa que mencionar un asunto microscópico relacionado con un solo hombre, algo que no debería tener la menor influencia en las relaciones entre nuestros países –dijo. Sin embargo, la conclusión final de Gromiko fue–: Podemos negociar con Carter. Carece de astucia, y probablemente conseguiremos que acepte un montón de cosas.

Gromiko percibía que, si bien Carter se mantenía firme en el tema de los derechos humanos, era muy ingenuo con respecto a la Unión Soviética. Según Gromiko, aparentemente Carter creía que se podía trabajar con el régimen soviético como un socio honesto, como ocurre normalmente con una democracia occidental. Finalmente, se llegó al controvertido acuerdo de las SALT II; por un instante, pareció que la distensión volvía a ser posible. Pero muy pronto la invasión soviética de Afganistán abrió los ojos de Carter, y el presidente supo qué significaban los abrazos del oso.

26

Participé activamente en los preparativos del viaje de Kurt Waldheim a Moscú como parte de una ronda de visitas oficiales que hizo a los miembros clave de las Naciones Unidas después de su reelección de 1976. En los telegramas que envié a Moscú remarqué que, para nuestra posición en las Naciones Unidas, era importante tratar a Waldheim con la misma cortesía y seriedad que recibía en Pekín, Londres, Washington o París.

En la primavera de 1977, cuando la invitación formal del Kremlin llegó finalmente a Nueva York, Waldheim nos comunicó, a mí y al resto de la delegación soviética, que estaría complacido de hacer esa visita, siempre que incluyera una conversación con Brezhnev. Ni Malik ni yo podíamos darle semejante garantía. Informamos de la cuestión a Moscú, pero no obtuvimos respuesta. Como el asunto se alargaba, Waldheim empezó a impacientarse y se vio obligado a posponer el viaje. Varias veces me preguntó si tenía alguna novedad. Yo no podía darle ninguna respuesta honesta, de modo que le decía que Brezhnev estaba enfermo y no podía asumir ningún compromiso.

Finalmente, llegó la respuesta de Moscú. Sugería que la visita se realizara en septiembre o en noviembre e incluía la instrucción un tanto ambigua de informar a Waldheim de que «no se excluye una reunión con Brezhnev». Esta respuesta evasiva –tan característica de la diplomacia y la burocracia soviéticas– era lo más parecido a una promesa que yo podía esperar. Después de las oportunas negociaciones, fijamos la visita para los primeros días de septiembre, de modo que Waldheim pudiera regresar a Nueva York para la sesión de la Asamblea General. Por la carta de un amigo de Moscú, supe que el Politburó había decidido que Brezhnev recibiría a Waldheim. Éste se sintió muy complacido.

Yo tenía pocas ilusiones sobre el valor de esa reunión, aparte de su significado simbólico. Los gobernantes soviéticos desconfiaban de cualquiera que intentara usar el cargo de secretario general de las Naciones Unidas para intervenir activamente en los problemas internacionales, aunque despreciaban a quien se contentaba con el papel de un estadista de opereta.

Sin embargo, no esperaba las noticias que me dieron cuando Waldheim, el argentino Roberto Guer, subsecretario para Asuntos Políticos Especiales, y yo llegamos a Moscú. El recibimiento en el aeropuerto Sheremetievo fue correctamente ceremonioso, pero sólo el primer viceprimer ministro de Asuntos Exteriores, Vasili Kuznetsov, escoltó a Waldheim a través de una ancha alfombra roja hasta la limusina que le esperaba. Era Gromiko quien debía haber hecho esos honores. Después de atravesar la ciudad hasta la casa de las colinas Lenin, donde se hospedaban los invitados importantes, la fachada de hospitalidad se desvaneció.

Apartándome a un lado, Kuznetsov susurró:

–Arkadi, es probable que Leonid Ilich no reciba a Waldheim. Usted le conoce muy bien. Sería conveniente que se encargara de comunicárselo.

Después de todas las vicisitudes que precedieron a la visita, las palabras de Kuznetsov me parecieron increíbles. Si Brezhnev, a última hora, no cumplía su compromiso, no había forma de predecir la reacción de Waldheim.

Aunque el secretario general era paciente y considerado con la Unión Soviética, también era un hombre altanero. Podía estallar y convertir el insulto de Brezhnev en un grave escándalo. Podía abandonar inmediatamente la Unión Soviética.

Kuznetsov se encogió de hombros, con resignación.

–La decisión no es mía –dijo–. No puedo hacer nada. –Él creía que el cambio de planes de Brezhnev se debía a su salud; me repitió que debía informar a Waldheim.

Estallé.

–Basta. Ya me han puesto en ridículo varias veces con este asunto. Bien podría ser el fin de la confianza que Waldheim tiene depositada en mí y de mi utilidad en las Naciones Unidas. –Sugerí que mientras no se supiera definitivamente si Brezhnev iba a recibirle, era mejor no decirle nada y evitar un incidente que convertiría la visita en un verdadero desastre desde el principio.

Kuznetsov estuvo de acuerdo y prometió volver a hablar del tema con Gromiko. Al día siguiente, cuando éste ofreció una comida oficial a Waldheim en una mansión construida antes de la Revolución, en el centro de Moscú, no se había tomado todavía una decisión. Varios ministros del gabinete y otros altos funcionarios saborearon caviar, salmón ahumado, carne de ternera y champán de Moldavia en una sala de techo alto, con brillantes tapices antiguos y muebles macizos con incrustaciones de bronce. Sin embargo, la pompa pretendía cubrir cosas más importantes.

Gromiko, después de una breve conversación con Waldheim sobre la situación de las Naciones Unidas, se preparó para regresar al ministerio. Mientras salíamos me dijo que esa comida y la charla mantenida con Waldheim cumplían los requisitos de la cortesía oficial y que, por lo tanto, no habría otra reunión entre él y Waldheim al día siguiente. Protesté: no habían mantenido una conversación seria ni durante la comida ni después. Waldheim esperaba una sesión de trabajo con Gromiko; negársela sería un insulto para él. Le dije a Gromiko que dada la posible cancelación de la cita con Brezhnev, era importante que viera a Waldheim.

Con su mal talante característico, aceptó. Sin embargo, durante la reunión, en su sala de recepción privada, Gromiko realizó una exposición dura y poco informativa del punto de vista de la URSS sobre los asuntos internacionales. Si puso algún matiz en el recitado de la tan conocida posición oficial de Moscú, era suficientemente ambiguo para carecer de significado. Waldheim escuchó con educado interés el discurso y hasta contuvo su irritación cuando Gromiko evitó dar una respuesta al preguntarle el secretario general cuándo podría reunirse con Brezhnev. «Se está estudiando el momento oportuno», dijo el ministro, aconsejando a Waldheim que mientras tanto realizara su planeada visita a Siberia y a Mongolia. Posiblemente, cuando regresara a Moscú ya se habría tomado una decisión.

Finalmente, el 13 de septiembre, Brezhnev recibió a Waldheim en el despacho del Kremlin que utilizaba para recibir a los dignatarios extranjeros. La sala estaba revestida de madera natural, sin la elaborada *boiserie* característica de la mayor parte de la dorada y opulenta arquitectura del resto del palacio. Una larga mesa de conferencias, cubierta de paño verde oscuro, se extendía ante el escritorio de Brezhnev. Las sillas para los visitantes se alineaban a ambos lados de la mesa. Estábamos presentes en la reunión Gromiko, Andrei Alexandrov-Agentov –el asesor de política exterior de Leonid Brezhnev–, Guer y yo.

Evidentemente, el hombre que, algo tambaleante, se puso de pie detrás de un enorme, brillante y ordenado escritorio para saludarnos, estaba enfermo. Rígido y tembloroso hasta para estrechar la mano, la figura política más poderosa del mundo comunista tenía en sus ojos una mirada vidriosa que sugería que estaba bajo los efectos de una fuerte medicación, presumiblemente para aliviar el dolor provocado, según decían, por una afección de la mandíbula. Cerca de los setenta y un años, Leonid Brezhnev llevaba un marcapasos y un audífono y tenía la apariencia de un hombre a quien los años le pesaban cada vez más cruelmente.

Sentado frente a nosotros, Brezhnev fue incapaz de poner algo de brillo o energía en su intervención. Leyendo con titubeos el discurso escrito, mirando más al papel que a sus visitantes, expuso la visión soviética del mundo con frases bastante parecidas a las que Gromiko había usado ante el secretario general pocos días antes. El lenguaje era estereotipado. No había expresión en su voz: parecía un robot.

Expuso los viejos fines de la política soviética oficial: proseguir la distensión, avanzar en el desarme, poner fin al conflicto en el Oriente Medio y liquidar los remanentes del colonialismo. En consideración a su huésped, Brezhnev destacó el papel de las Naciones Unidas en la resolución de esas cuestiones. Incluso elogió el papel de Waldheim como secretario general. Pareció escuchar con atención cuando éste coincidió con él en la importancia de los asuntos enunciados y en la necesidad de avanzar en el tema de la no proliferación nuclear; el secretario general acentuó además el valor de las Naciones Unidas para resolver conflictos y reducir tensiones.

Sin embargo, a medida que Brezhnev escuchaba la traducción de las observaciones de Waldheim, se iba poniendo de manifiesto que no dominaba los temas que se estaban analizando. Flanqueado por Gromiko y Alexandrov-Agentov, en cierto momento Brezhnev se volvió hacia ellos y en voz baja les preguntó si continuaba vigente el Tratado de No Proliferación. Me sorprendió semejante pérdida de memoria y agradecí que Waldheim no supiera ruso. El tratado, como le respondió tranquilamente Gromiko, estaba vigente desde 1970.

Otra pregunta de Brezhnev me sorprendió aún más. Cuando Waldheim le sugirió que su visita a las Naciones Unidas sería muy bien acogida, el líder soviético se volvió a sus asesores.

–¿Puedo visitar las Naciones Unidas? –preguntó.

–Por supuesto –respondieron a coro–, pero no este año, por razones obvias.

Se referían a la adopción, programada para octubre, de una nueva Constitución para la URSS, actividad que exigía la presencia de Brezhnev.

Éste asintió y masculló:

–Este año no, pero quizá vaya a las Naciones Unidas el próximo año.

La charla sobre esa posible visita puso fin a la conversación formal. Luego, Waldheim se puso en pie y dijo que deseaba entregar a su anfitrión la medalla de oro de la paz de las Naciones Unidas. Por primera vez en los quince minutos de la reunión, Brezhnev pareció animarse. Sonrió feliz como un niño cuando Waldheim le entregó el brillante objeto, mostrando su vieja pasión por las medallas, los premios, los títulos y la parafernalia del poder. La cantidad de condecoraciones que poseía era tan grande que los bromistas de Moscú afirmaban que los cirujanos del Kremlin le habían puesto una costilla extra para que pudiera colgarlas todas.

Mientras Brezhnev expresaba el placer que sentía al recibir esa medalla, no pude dejar de reír para mis adentros. En realidad, no era más que una baratija, una especie de *souvenir* que, de vez en cuando, el secretario general regalaba a los jefes de Estado u otras figuras notables a las que quería adular. Yo le había hablado a Alexandrov-Agentov de la relativa insignificancia de esa medalla, pero, obviamente, él se la había descrito a Brezhnev con términos mucho más elogiosos.

Al abandonar el Kremlin, reflexioné sobre lo que había visto en el despacho de Brezhnev. Era un recinto antiséptico y sin vida, alejado del sentido trágico de la historia de mi país y de todo contacto con los problemas acuciantes de una nación moderna. Se parecía más a la antesala de una habitación de hospital, donde «se muestra» a un paciente importante antes de llevarlo nuevamente a la cama y al aislamiento.

En cuanto al hombre que ocupaba ese sitio, Leonid Ilich Brezhnev, después de trece años de poder, conservaba las limitaciones de sus orígenes y la astucia que le había permitido superarlas. *Aparatchik* prototípico del Partido, personificación de la política burocrática que tan bien sabía manipular, Brezhnev no fue un líder eminente. Amante de la intriga, y de mente lo suficientemente abierta para realizar avances significativos en las relaciones Este-Oeste, Brezhnev debió su longevidad en el cargo, en primer lugar, a la estabilidad que prometió y proporcionó a la élite, la cual se había visto amenazada por el estilo errático de Nikita Jruschov; los funcionarios soviéticos más importantes recibieron con alivio a Brezhnev. Éste cimentó su autoridad en el fortalecimiento del sistema que Jruschov había tratado de debilitar; en especial, Brezhnev logró restablecer la seguridad en su trabajo de los miembros del Partido y de otros funcionarios y aumentar los presupuestos militares. Su talento para la manipulación y su capacidad como intermediario para mantener el equilibrio del Politburó, se expresaron en recompensas más que en amenazas o castigos. Favoreciendo a los que estaban más cerca de él, creó una red de personas que apoyaban al Partido en círculos cada vez más grandes. La corrupción alcanzó proporciones increíbles.

Brezhnev escuchaba a quienes defendían la expansión del poder militar y la influencia soviética en el Tercer Mundo. Bajo su gobierno, un desarrollo armamentístico sin precedentes hizo de la Unión Soviética una verdadera superpotencia. Pero el alto precio que se pagó por ello fue el estancamiento económico de la URSS.

Sin embargo, a pesar del escaso éxito de su régimen dentro del país, Brezhnev retuvo y hasta amplió su autoridad personal. Fomentó también el culto a la personalidad y cometió muchos excesos. Llevó el nepotismo a nuevas alturas; por ejemplo, cuando nombró a su hijo Yuri viceministro de Comercio Exterior. Al joven Brezhnev, un ingeniero nada destacado –cuyas borracheras, mientras trabajaba en la delegación de Comercio Exterior en Suecia, años atrás, habían sido muy comentadas en Moscú–, le concedieron, en 1981, el rango de candidato al Comité Central, sin que hubiera antecedentes de semejante distinción en el Partido.

La falta de modestia de Brezhnev alcanzó proporciones ofensivas cuando dispuso que se le otorgara el Premio Lenin de Literatura por sus memorias (que no había escrito él). Además, se concedió a sí mismo el título de Mariscal de la Unión Soviética, y se condecoró con la Orden de la Victoria. La gran medalla de platino con incrustaciones de rubíes y diamantes está reservada para los comandantes que se destacaran en tiempos de guerra. Brezhnev, un comisario político que acabó la guerra con el grado de mayor general, no merecía ese honor. Cuando sumó esa venerada condecoración a los centenares de medallas que ya poseía, ofendió profundamente a los militares de carrera. Oí a varios generales quejarse de que Brezhnev no era digno de la Orden de la Victoria y que la había desprestigiado al pasar por encima de las normas para conseguirla.

Por supuesto, viejo y enfermo, perdió gran parte de su fuerza y de su capacidad como administrador y negociador. Durante los últimos años de su poder, fue una persona débil, casi inválida, incapaz de trabajar más que unas pocas horas por semana, que seguía con vida gracias a las drogas y a las modernas técnicas médicas.

¿Cómo podía seguir siendo el líder? En realidad, durante su lenta declinación física y política, Brezhnev no gobernó día a día el país. El verdadero poder lo ejercía un pequeño grupo del Politburó. Años atrás, algunos amigos del Comité Central me habían dicho que los dos aspirantes principales a la corona de Brezhnev, Chernenko y Andropov, estaban interesados –aunque por diferentes razones– en ganar tiempo para fortalecer sus posiciones y construir sus alianzas.

Durante aquel viaje, no salí de Moscú; en los momentos de soledad, me resultaba muy difícil aceptar la idea de que quizá era la última vez que estaba en la Unión Soviética. Hacía un nostálgico inventario de mi apartamento, mirando durante largo rato por la ventana, de un noveno piso, desde donde veía el parque Gorki y los barcos que navegaban por el río Moscova. Volvía a mirar mis libros y mis iconos, inanimados pero tan queridos.

Ese mismo sentimiento ensombrecía mis caminatas por la ciudad. Moscú siempre ocupará un lugar importante en mis recuerdos. Allí pasé mi juventud; allí tuve mi primer amor; allí nacieron mis hijos. Aunque es una ciudad enorme, la conocía tan bien que casi podía oír su respiración.

La ruta familiar, junto al río, hasta el puente Krimski y las paredes ennegrecidas del MGIMO, era para mí casi un camino privado. Para que la imagen perdurara en mi memoria, traté de fijar bien la vista en la otra margen del río, frente al Kremlin; observé las fachadas barrocas de las iglesias y mansiones que antaño habían sido los rincones más hermosos de Moscú. Visité nuevamente la galería de arte Tretiakov y vi mis cuadros favoritos. En las salas de los sótanos, los grandes iconos del siglo XV de Andrei Rublev y sus seguidores brillaban como una visión mística, con la pasión de la vieja fe rusa.

En una ocasión, a última hora de la tarde, fui a otro de mis refugios favoritos: el cementerio del convento Novodievichi, situado en un recodo del río Moscova. Es uno de los edificios más antiguos de la ciudad, un monumento histórico y arquitectónico sumamente interesante. En el siglo XVII, la hermana mayor de Pedro el Grande, la princesa Sofía, fue confinada allí por apoyar la revuelta contra el zar. Casi dos siglos más tarde, el edificio se salvó a última hora a pesar de la orden de Napoleón de destruirlo durante los últimos días de la ocupación de Moscú en 1812. La distancia entre el cementerio –en la actualidad, un sitio generalmente reservado a los principales burócratas del gobierno y del Partido y a otras personas importantes– y mi apartamento era corta, y el camino muy agradable.

En la parte más antigua del cementerio estaban enterrados algunos de mis amigos junto a famosos escritores, académicos, científicos, aviadores y a la segunda esposa de Stalin, Nadezhda Alliluieva, la madre de Svetlana. Abundantes arbustos y altos árboles daban al lugar la serena atmósfera de un parque, excepto en la parte nueva del cementerio donde, no muy lejos de las vías del tren, la familia de Nikita Jruschov logró finalmente la autorización para erigir un monumento en su memoria, un monumento impresionante, de mármol puro negro y blanco con un busto de Jruschov en bronce; lo había construido el famoso escultor Ernst Neizvestni. En mi opinión, el artista reflejó lo más importante: la contradicción del régimen de Jruschov, los aspectos claros y oscuros del líder y de su carrera.

Al salir del cementerio, pasé junto a un grupo de visitantes extranjeros. Oí que algunos de ellos expresaban admiración por el antiguo convento –que acababa de ser restaurado– y su maravilloso parque. Me sentí orgulloso de las contribuciones positivas de mi país a la civilización y emocionado por el sufrimiento y el dolor padecidos en la larga batalla mantenida para llegar a ser una nación. En varias guerras de independencia, a través de los siglos, el pueblo ruso había demostrado valentía ante la adversidad, perseverancia y el mismo espíritu pionero que hizo famosos a los norteamericanos. Pero a diferencia de los Estados Unidos –que jamás han sufrido la entropía de su cuerpo político, experimentada universalmente bajo los regímenes comunistas de todo el mundo–, mi país ha perdido el dinamismo y el espíritu creativo. Su larga caída en la miseria económica, cultural e intelectual no ha acabado todavía. Ni el esplendor del mármol o el bronce que embellecen las puertas de los edificios burocráticos podían ocultar la realidad de que nuestro gobierno rendía un homenaje funerario a una filosofía muerta, así como el cementerio honraba la muerte física. Sentí pena por los millones de personas que aún profesaban esa filosofía y que, quizá, seguirían haciéndolo en el futuro.

Mientras recorría las tumbas que otros habían llenado de flores, asaltó mi memoria el recuerdo sardónico de una vieja reunión de la comisión sindical del Ministerio de Asuntos Exteriores. En ella un funcionario, seguro de sí mismo, se puso de pie para hacer, según él, un feliz anuncio. Después de grandes esfuerzos, afirmó, el sindicato había conseguido un gran beneficio para los diplomáticos de alto rango: cien plazas en el prestigioso recinto del cementerio Novodievichi. Al evocar el aplauso que provocó esa noticia, sentí que, a pesar del dolor que yo sabía que iba a sentir por la tierra de mis padres y las personas queridas que allí quedaban, podría abandonar esa sociedad sin una pena abrumadora. De todos modos, cuando me fui de Moscú varias semanas más tarde, me invadieron sentimientos ambiguos; a pesar de todo lo que odiaba, había muchas cosas que amaba.

Acababa de regresar a Nueva York cuando también llegó Gromiko, para asistir a la sesión anual de la Asamblea General. En esos días, volvió a surgir otra oportunidad de restablecer las relaciones entre soviéticos e israelíes.

A finales de septiembre, después de que Gromiko mantuviera conversaciones en Washington con el presidente Carter, los israelíes tomaron la iniciativa. Al día siguiente de su llegada a Nueva York, por la noche, Chaim Herzog, el embajador israelí ante las Naciones Unidas, me llamó para pedirme una cita. Me encontré con él en la sala de delegados del Consejo de Seguridad.

Herzog, con quien había mantenido relaciones cordiales durante años, manifestó la inquietud del ministro de Asuntos Exteriores israelí, Moshe Dayan, que se encontraba en aquel momento en Washington. Dayan regresaría a las Naciones Unidas muy pronto y tenía interés en ver a Gromiko. Sin hacer de ello un asunto oficial, Herzog me preguntó si yo podía prever cómo reaccionaría Gromiko ante una petición formal para ese encuentro.

En la Legación soviética, hallé a Gromiko tan dispuesto a mantener esa reunión como yo deseaba.

–Sólo una cosa debe quedar clara –dijo–. Le recibiré en mi carácter de copresidente de la Conferencia de Ginebra.

Aquella misma noche transmití a Herzog la respuesta de Gromiko. Como no puso objeciones a la condición impuesta por éste, me acosté con la esperanza de que finalmente llegara a su fin la década de silencio entre Moscú y Jerusalén.

A la mañana siguiente, temprano, salí del edificio de apartamentos por la puerta trasera, caminé por un estrecho pasaje y entré en una pequeña casa de la calle Sesenta y Cuatro. En un apartamento de una sola habitación, en el segundo piso, me esperaba Bob Ellenberg. Finalmente, la CIA había encontrado el lugar de reunión perfecto. Podía llegar a él simplemente tomando el ascensor hasta el garaje y caminando unos pocos pasos desde la salida del edificio hasta la entrada de la casa. Sentí una seguridad que jamás había experimentado en los anteriores encuentros en el Waldorf Astoria. Bob me dijo que había alquilado ese apartamento para que pudiéramos charlar durante más tiempo; pero mientras Gromiko estuviera en Nueva York, convinimos en que nos encontraríamos brevemente cada mañana para que yo pudiera informarle sobre las actividades del día anterior.

Le hablé de mi encuentro con Herzog y de la respuesta de Gromiko; subrayé la importancia potencial de esa reunión entre Dayan y el ministro soviético. Durante el resto del día esperé que los israelíes hicieran la petición formal de esa reunión. Finalmente, por la noche, Herzog vino a verme.

Cuando entró en mi despacho, parecía un poco triste. Dayan, me dijo, había decidido no reunirse con Gromiko. Supuestamente, su agenda en las Naciones Unidas se hallaba completa, y se había adelantado la fecha de su regreso a Israel. Herzog se disculpó por las molestias que pudo habernos ocasionado a Gromiko y a mí, y se fue.

Hasta el día de hoy no sé cuál fue la causa de la decisión de Dayan. La excusa de Herzog no era consistente.

Gromiko no hizo ningún comentario cuando recibió la noticia; pero me pareció que también lamentaba la oportunidad que se había perdido. Una reunión entre él y Moshe Dayan no habría cambiado el curso de los acontecimientos en el Oriente Medio, pero podría haber abierto las puertas tanto tiempo cerradas que, desgraciadamente, todavía hoy lo están. La Unión Soviética continúa siendo una fuerza dañina en la región: apoya a las naciones y los grupos extremistas árabes. Quizá nunca acabarán los conflictos entre Israel y sus vecinos.

Yo no limité a los israelíes mi actividad diplomática privada en el Oriente Medio. Cuando Esmat Meguid, el representante egipcio ante las Naciones Unidas, sugirió, en 1976, que mi visita a su país podía ser útil, pensé que quizá serviría para acercarnos a un tipo de diplomacia más convencional. Gromiko aceptó que yo hiciera esa visita, aunque sin demasiado entusiasmo. Algunos días después, cuando comuniqué a Meguid que aceptaba su invitación, éste me dijo que Ismail Fahmi, el ministro de Asuntos Exteriores egipcio, estaba en Nueva York y quería verme.

En su *suite* del Waldorf Astoria, Fahmi se sinceró brutalmente. Ambos habíamos trabajado como asesores de nuestros respectivos países en las Naciones Unidas diez años antes, y podíamos hablar como amigos. Expresó una serie de quejas y una propuesta notable, pero de difícil realización.

Sus críticas a la Unión Soviética eran amplias. No sólo estaba la famosa historia del envío largamente aplazado de equipo militar e industrial, sino que Fahmi también acusaba a Moscú de retrasar deliberadamente la entrega de piezas vitales para aviones. Egipto había pagado al contado y por adelantado ese material, que todavía seguía en los contenedores de los muelles de Odesa; era una vulneración del contrato y una gran ofensa. Y lo peor de todo, añadió, era el nombramiento de Vladimir Poliakov, un diplomático poco experimentado, como embajador soviético en Egipto. Poliakov, dijo Fahmi, no era «más que un buzón». El enviado de Moscú iba al Ministerio de Asunto Exteriores sólo para leer los mensajes que le ordenaban entregar. Casi nunca respondía a sus preguntas y raramente hacía alguna.

–No se me ocurre qué informes puede enviar a Moscú –dijo Fahmi–, porque no se preocupa por saber nada de nosotros.

Afirmó que pensaba que mi visita podría ser útil y añadió que era probable que Leonid Brezhnev fuera bien recibido en El Cairo, si quería ir.

–Aún no he hablado de este asunto con el presidente Sadat –confesó Fahmi–, pero estoy seguro de que su reacción será positiva.

Yo estaba convencido de que la primera parte de su última frase no era verdad, pero la segunda sí. Se sabía que Fahmi, viceprimer ministro y ministro de Asuntos Exteriores, era el asesor privado de Sadat. Era improbable que hubiera sugerido la visita de Brezhnev sin consultar primero con su jefe; de todos modos, incluso si hubiese sido una idea propia, tenía bastante influencia para lograr que Sadat la aceptara. Le dije que informaría a Moscú de nuestra conversación, y que quizá tendría la respuesta cuando fuera a El Cairo.

Después de enviar un largo telegrama a Gromiko, convine con el embajador Meguid que realizaría mi viaje a Egipto en los primeros días de enero de 1977. No recibí ninguna respuesta sobre la posibilidad de la visita de Brezhnev a Egipto; pero no me sorprendió ese silencio. Ningún asunto importante se decidía rápidamente en Moscú. Y aunque así fuera, podían elegir otro mensajero para tratar con los egipcios. Sin embargo, me sorprendió y disgustó que, unos pocos días antes de mi viaje a El Cairo, mi telegrama de rutina notificando al ministerio mis planes de viaje recibiera una rápida respuesta.

El telegrama estaba firmado por Gromiko, lo cual era bastante raro y el mensaje era terminante. El ministro prefería que yo aplazara indefinidamente mi viaje, pero si ya no podía hacerlo, tenía órdenes de visitar Egipto estrictamente como subsecretario general de las Naciones Unidas. En ninguna circunstancia podía hablar con mis anfitriones de los temas más importantes de la política soviética.

No había forma de ignorar esas claras instrucciones ni tiempo para intentar modificarlas o pedir explicaciones. Fui a Egipto, pero todo se desarrolló como una mera ceremonia. Aunque hablé con Fahmi y con varios colegas de su gabinete, incluido el ministro de Defensa, no pude responder a sus incisivos comentarios y preguntas sobre la política soviética. Para mi incomodidad y la de mis anfitriones, fui tan hermético como la Esfinge y tan inútil como el embajador Poliakov, a quien también conocí en El Cairo. Como me había dicho Fahmi, mostraba indiferencia ante los puntos de vista egipcios y, debido a sus limitaciones intelectuales, no se preocupaba en absoluto por su incompetencia. La decisión de Egipto de ordenar que abandonara el país, en 1981, reflejó su propio fracaso, así como el gran abismo que se había abierto entre Moscú y El Cairo.

Hasta un año después de mi visita a la capital egipcia no pude informar de nada importante sobre los asuntos del Oriente Medio ni a Moscú ni a Bob Ellenberg. Sadat hizo, en aquel momento, un dramático esfuerzo por lograr la paz con Israel, iniciativa que mereció el elogio de la mayoría de los líderes occidentales. Sin embargo, Ismail Fahmi, en protesta por esa actitud, abandonó el cargo; los militantes árabes criticaron a Sadat, y la Unión Soviética se unió al coro hostil.

27

Aunque 1977 iba a ser para mí un año de ansiedad creciente, empezó con buenos auspicios. Una decisión de Moscú nos produjo cierto alivio a mí y a muchos soviéticos residentes en Nueva York. Yakov Malik regresó al Ministerio de Asuntos Exteriores a finales de 1976 y, coincidiendo con el Año Nuevo, Oleg Troianovski llegó para sustituirle.

Gromiko me había hablado de este cambio como algo inminente antes de irse de Nueva York, en octubre. Fue el día que Lina y yo fuimos a cenar al apartamento de los Gromiko en la Legación. Yo quería hablar en privado con el ministro de un problema. Después de quitar la mesa, Lina y Lidia se fueron a otra habitación a comentar sus últimas compras.

–Andrei Andreievich, me gustaría tratar un asunto personal con usted. –Me miró amablemente e hizo un gesto para que continuara hablando. Le dije que mi trabajo en Nueva York se desarrollaba en circunstancias muy opresivas–. Malik siempre trata de presionarme. El secretario del Partido me distrae constantemente de los asuntos oficiales urgentes, y la KGB intenta comprometerme en sus operaciones. Francamente, no sé cómo actuar. Necesito su consejo.

–Sé que Malik tiene un carácter desagradable. Créame, usted no es el único que se queja de él. –Movió la cabeza, con aire tranquilizador–. Vamos a sustituirle pronto. Troianovski será nuestro nuevo embajador.

No me sorprendió la elección, pero era una forma inesperada y agradable de conocerla.

–En cuanto a esos insignificantes funcionarios del Partido, olvídelos. –Gromiko frunció el ceño. Se quedó pensativo unos instantes y luego continuó–: ¿Qué me diría si le nombrara embajador en algún país occidental? No en cualquiera, naturalmente, sino en uno importante.

Evité dar una respuesta directa, diciéndole que necesitaría algún tiempo para completar mi trabajo en Nueva York.

–No es urgente –respondió tranquilamente–. Ya hablaremos más adelante de ello.

Gromiko no había hecho ninguna referencia a la KGB. Y mi intuición me decía que también él le tenía miedo. Más de una vez Lina me había comentado las advertencias de Lidia Gromiko.

–Manténgase lo más lejos que pueda de los tipos de la KGB –le dijo en una ocasión.

Cuando mi esposa empezaba a hablar de algún tema personal, Lidia la detenía. Señalando el techo, susurraba al oído de Lina:

–Hablaremos de eso en otra parte.

Oleg Troianovski, que entonces tenía cincuenta y siete años, era afable, un *bon vivant,* y un diplomático inteligente. Casi fue un placer trabajar con él. El contraste con Malik era notable.

Hijo del primer embajador soviético en los Estados Unidos, Troianovski se crió en Washington, asistió a escuelas norteamericanas y hablaba un inglés tan perfecto que, durante muchos años, fue el intérprete personal de Nikita Jruschov. Además, de 1962 a 1967, trabajó como asesor de asuntos extranjeros de dos primeros ministros, Jruschov y Kosiguin. Era un cargo potencialmente poderoso, pero Troianovski perdió prestigio cuando expulsaron a Jruschov, y más aún cuando Brezhnev apartó a Kosiguin del importante papel que tenía en la formulación de la política exterior soviética. Troianovski fue destinado como embajador al Japón, un cargo que antes había tenido su padre. En 1975, fue sustituido por un miembro expulsado del Politburó, el ex ministro de Agricultura Dmitri Polianski; estuvo un año en el Ministerio de Asuntos Exteriores antes de ser nombrado representante permanente ante las Naciones Unidas.

No era ése el cargo que Troianovski esperaba. Su corazón estaba en Washington, una ciudad cuya tranquila belleza muchas veces recordaba conmigo. Como embajador en los Estados Unidos, hubiera podido seguir hasta el fin los pasos de su padre. Si algún día realiza esa ambición, no será debido a su fuerza de carácter o a la independencia de sus puntos de vista. Troianovski ha aprendido las virtudes del conformismo en el sistema soviético. Actúa de tal forma que llama muy poco la atención, se mantiene tan cerca como puede de la corriente principal de Moscú, sigue la dirección del viento y olfatea todo posible cambio en las altas esferas.

En la Legación se ha ganado más el agradecimiento que el respeto de sus subordinados. Hasta después del serio accidente automovilístico que sufrió en marzo de 1976, Malik siguió siendo un jefe exigente, mal hablado y colérico. Troianovski, un hombre bajo, de mejillas rosadas y una nariz de patata en una cara redonda como una manzana, exigía pocas cosas a sus subordinados. Para todos tenía una sonrisa; era sumamente cortés y prefería tener la agenda lo suficientemente vacía para poder dedicarse al tenis, que para él era casi una pasión en lugar de una diversión.

Sin embargo, aparte de su simpatía, Troianovski mostraba un grado de indecisión que se acercaba a la debilidad. Se ponía de manifiesto en la relación que tenía con su esposa, Tatiana. Más joven que él, mostraba una determinación que trascendía las relaciones domésticas. En Moscú había sorprendido a otros diplomáticos apareciendo regularmente en el ministerio y convirtiéndose en una verdadera perseguidora de su marido, que era el blanco de cantidad de bromas. En Nueva York seguía siendo el miembro dominante de la pareja, y él el clásico marido dominado.

Debido a su inseguridad en muchas áreas de la política y la actividad de las Naciones Unidas, Troianovski tendía a vacilar en temas complicados o delicados. Era muy aburrido pasarse largas horas analizando una y otra vez con él aspectos de problemas que un hombre más decidido habría resuelto rápidamente. Sin embargo, mi nuevo colega no ejercía ninguna clase de presión sobre mí, y yo no deseaba abandonar mi trabajo –excepto por la libertad de los Estados Unidos– ni creía que se plantearan verdaderas dificultades.

Pero a finales de la primavera de 1977 se tomaron unas inesperadas medidas de seguridad, de motivación misteriosa y potencialmente amenazadoras para mi propia seguridad, que disiparon mi sentimiento de bienestar. La orden procedía de Moscú y afectaba gravemente mi vida en Nueva York. La primera noticia la tuve en la habitual reunión de personal de los principales funcionarios de la Legación y la Secretaría, cuando Troianovski nos dijo que el director de la KGB tenía que leernos un mensaje.

«Los servicios especiales de los Estados imperialistas están intensificando sus campañas de provocación contra los ciudadanos soviéticos y las instituciones soviéticas en el exterior. Es fundamental dar una respuesta adecuada a las maquinaciones del enemigo, para lo cual debemos vigilar a los soviéticos que viajan a países capitalistas o viven en ellos; países donde, además de las actividades subversivas de las fuerzas de inteligencia occidentales, las organizaciones hostiles de emigrados se están movilizando para...»

Yuri Drozdov continuó leyendo con voz firme y monótona los

folios que tenía delante de él sobre la mesa. Por la cantidad de hojas que quedaban, deduje que el *rezident* de la KGB iba por la mitad del discurso. Me pregunté si podría mantenerme despierto hasta el final.

La mayor parte de sus palabras se podía haber extraído de un editorial del *Pravda* sobre seguridad. Eran las advertencias habituales que todos los allí reunidos habíamos oído antes centenares de veces: cuidarse de los extranjeros; sospechar de todos; suponer que los occidentales que uno conoce, aunque sea superficialmente, están trabajando para socavar la seguridad soviética. Lo único que me preocupaba era por qué Drozdov leía el mensaje de Moscú precisamente en aquel momento. Finalmente, fue al grano: todos los contactos con extranjeros, incluidos los de los ciudadanos soviéticos que trabajaban en la Secretaría de las Naciones Unidas, debían ser autorizados con anterioridad. Además, las esposas del personal soviético de la Legación y de las Naciones Unidas no podían pasear por la ciudad de Nueva York sin compañía. Y había que cumplir a rajatabla la norma ya existente –que prácticamente nadie seguía– de detallar todas las conversaciones con extranjeros en un informe por escrito.

La KGB trataba de fortalecer viejas reglas a menudo descuidadas y, además, imponer otras nuevas. Aparentemente, ese endurecimiento de las medidas de seguridad no apuntaba hacia mí. Sin embargo, era evidente que la nueva política impondría restricciones que harían impracticables las actividades normales de los diplomáticos. Yo sería el responsable de que los soviéticos de la Secretaría cumplieran una serie de normas que tendrían que desobedecer casi todos los días.

Cuando me llegó el turno de hacer un comentario traté de que Drozdov comprendiera que debía haber algunas excepciones. Me parecía bien, señalé, que los miembros de la Legación pidieran autorización a sus superiores antes de citarse con diplomáticos extranjeros en Nueva York. Pero los soviéticos de las Naciones Unidas veían diariamente a extranjeros, como parte de sus obligaciones normales. ¿Se suponía que un empleado de la Secretaría debía pedir autorización antes de cada reunión con su superior? En ese caso, ¿autorización de quién? Si yo me dedicaba a aprobar y desaprobar las peticiones de autorización de mis subordinados en toda la Secretaría, no me quedaría tiempo para mis tareas normales.

Además, continué, el personal de la Legación podía cumplir la exigencia de informar por escrito de todas las conversaciones con extranjeros, pero el personal de las Naciones Unidas no. Los informes debían hacerse en la Legación, y no había lugar suficiente para todo el personal de la Secretaría. Muchos perderían una buena parte de su tiempo de trabajo simplemente para conseguir un escritorio prestado.

Si todos los días debían redactar ese informe y no podían hacerlo en sus oficinas de las Naciones Unidas, perderían muchísimo tiempo.

Drozdov no respondió a mis argumentos. Simplemente insistió en que las medidas debían aplicarse a todos los soviéticos. Los que trabajaban en las Naciones Unidas tendrían que encontrar la forma de llevarlas a cabo. Tanto él como Troianovski aseguraron que se dispondría más espacio en la Legación para el personal de la Secretaría. Cumplieron lo prometido pero era bastante habitual que los funcionarios soviéticos de las Naciones Unidas tuvieran que esperar para utilizar un escritorio.

Después de la reunión, empecé a reflexionar sobre las razones de la imposición de esas inoportunas medidas de seguridad. Sin duda se debían a algo más que a la habitual suspicacia soviética.

Me había enterado de un incidente importante que había tenido lugar en Nueva York, provocado por la indiscreción de Guerodot Chernushenko, el embajador bielorruso ante las Naciones Unidas. Olvidando a su chófer, que le esperaba fuera, pasó toda la noche con una latinoamericana, a cuyas fiestas asistía con frecuencia. En las primeras horas de la madrugada, al no aparecer Chernushenko, el chófer se alarmó e informó a la Legación. Los oficiales de seguridad avisaron a su esposa; cuando el embajador apareció en su casa a la hora del desayuno, la KGB le estaba esperando. Abatido y bajo la atenta vigilancia de su esposa y de la KGB, el representante bielorruso estaba, al día siguiente, en el aeropuerto Kennedy, listo para regresar a la Unión Soviética. Le vi en el aeropuerto mientras despedía a un amigo que iba a tomar el mismo vuelo, pero no nos permitieron hablar. Hasta tiempo después no descubrí la causa de su brusco regreso. Me apenó la estupidez de Chernushenko y me irritó la crueldad de la KGB.

Sin embargo, me costaba creer que el descuido de Chernushenko fuera la causa de la respuesta draconiana de Drozdov. Pero si lo era, entonces era indudable que otras medidas no anunciadas seguirían a las expuestas abiertamente por el jefe de la KGB; y esas nuevas medidas se harían extensivas a mí. Para la policía política, el error de un embajador hacía sospechosos a todos los embajadores.

En los días siguientes, mi suposición pareció confirmarse. Se desplegaron nuevas actividades de vigilancia, incluido un registro llevado por los oficiales de la Legación, a la entrada del edificio, en el que se apuntaban las entradas y salidas de los principales funcionarios. Dentro de la Legación también tuve la sensación de que me controlaban más de lo que era habitual. En las Naciones Unidas, era frecuente que los agentes de la KGB se cruzaran en mi camino; pero también en la

Legación empecé a ver que estaban cerca de mí, que subían conmigo a los ascensores, que anotaban con quién hablaba, adónde iba.

Si la policía política me hubiera dedicado esa atención especial durante los primeros meses de mi colaboración con la CIA, seguramente me habría resultado insoportable. Sin embargo, en ese momento, sentía más curiosidad por la causa de los nuevos controles que preocupación ante el peligro.

Las intensas medidas de seguridad no me afectaron tanto como pensaba y seguí teniendo acceso ilimitado a todos los documentos secretos y viendo a las personas que quería ver. Ellenberg y yo convinimos en que, independientemente de la causa que hubiera llevado a actuar así a la KGB, yo no corría más peligro que antes.

En el verano de 1977 pude incluso volver nuevamente a la Unión Soviética. Como no detecté ninguna amenaza particular, no tenía los mismos presentimientos que en mi visita del año anterior o que durante mi estancia en Cuba. La KGB no confiaba completamente en mí, pero no parecía que desconfiara más de lo normal.

Sin embargo, cuando fui a visitar a mi madre a Crimea, y luego pasar unos días en el centro turístico de montaña de Kislovodsk, advertí que era estrechamente vigilado por la policía política. Me controlaban más que antes. Al principio apenas me irrité, pero a medida que se acercaba el momento de regresar a Nueva York, mi inquietud crecía sin cesar. Volví a sentir angustia y las viejas frustraciones aumentaron mi impaciencia.

Mi primer contacto directo con la atmósfera de cambio se produjo cuando, al día siguiente de mi llegada a Moscú, me dirigía al Ministerio de Asuntos Exteriores. Siguiendo viejos hábitos, fui a la oficina del jefe del Departamento de Organizaciones Internacionales; allí había empezado mi carrera diplomática. Tanto las secretarias como los funcionarios principales me saludaron llamándome por mi nombre y tratándome como si fuera uno más de ellos. Pero la bienvenida se enfrió cuando le pedí a la encargada que me trajera los últimos archivos de telegramas en código para leerlos, como hacía cada vez que iba a Moscú.

–No puedo, lo siento –dijo–. Hay normas nuevas. Se requiere una autorización especial, si no se figura en la *razmetka* (lista de acceso). Y usted no está en ella.

Me sorprendió la severidad de las nuevas normas. Eran más estrictas que antes, casi un retroceso a los secretos de la era de Stalin. Lo más interesante era que esas normas habían entrado en vigor al mismo tiempo que Drozdov había aumentado las medidas de seguridad en Nueva York. Evidentemente, el endurecimiento era general.

Yo no sabía cómo afectaría mi propia situación, ni tampoco cuál era la causa de esa nueva obsesión por la seguridad.

Mi primera pregunta obtuvo una rápida respuesta: mi situación no había cambiado. Viktor Israelian, el jefe del departamento, se apresuró a abrir su caja de seguridad y me entregó algunos telegramas guardados allí. Obtuve otra señal de normalidad con respecto a mí cuando hablé con otro funcionario importante. No tenía tiempo para recibirme en su despacho, pero me invitó a ir a su casa. La noche siguiente fui a cenar con él; hablamos larga e informalmente de todos nuestros colegas: sus últimos errores, sus nuevos ascensos. Habíamos trabajado juntos en Nueva York, en la década de 1960, y nos habíamos hecho amigos, aunque su carrera apenas estaba relacionada con la diplomacia. Me dio la información que nadie me había dado: la fuente del endurecimiento de las medidas de seguridad.

–Tuvimos un *chepé* en el ministerio –dijo. Eran las iniciales de la expresión rusa *chrezvichainnoye proisshestvie,* que literalmente significa «incidente extraordinario». Sin embargo, usar esa sigla se consideraba un acto de subversión.

Según él, la KGB había empezado a sospechar de la lealtad del secretario de una embajada soviética en América Latina. Como vigilaban sus contactos con la CIA, los oficiales de seguridad no se precipitaron; luego, prepararon lo que parecía un rutinario regreso a Moscú. Allí, el juego continuó. Al joven diplomático le dieron un cargo en el Departamento de Planeamiento Político del ministerio, donde tenía acceso a telegramas en código. Fue estrechamente vigilado durante algunos meses, hasta que descubrieron que entregaba documentos a un agente norteamericano. Arrestado, se suicidó con una cápsula de cianuro antes de que pudieran interrogarlo.

Si otro funcionario del Ministerio de Asuntos Exteriores me hubiera contado esa misma historia, quizás habría dudado de su veracidad. Pero proviniendo de alguien cuyas responsabilidades a través de los años le habían hecho establecer excelentes relaciones de trabajo con la KGB, no había ninguna duda de que era cierto.

Hice una mueca de preocupación, por mí y no por el ministerio.

–Estamos todos bajo sospecha sólo porque un hombre se convirtió en traidor.

–No ha sido el único –continuó–. Ha habido incidentes en otros países: los intentos de reclutar a nuestra gente son muy frecuentes. Y a ésos hay que añadir a los borrachos y a los que se quedan a dormir en cualquier parte. –Empezó a hablar del caso del embajador Chernushenko, que yo ya conocía.

–Jamás habría pensado que Chernushenko acabaría teniendo problemas. Parecía el hombre más ortodoxo y puritano de Nueva York –dije.

–Oh, pero bebía mucho –observó.

No traté de corregir esa impresión, aunque nunca había visto a Chernushenko ebrio. Acudía puntualmente a las reuniones del Consejo de Seguridad y era escrupuloso con respecto a las tareas relativamente sencillas que le encomendaban. Boris Solomatin, el ex *rezident* de la KGB, era exactamente lo contrario. Después de una juerga de fin de semana en Glen Cove, solía estar demasiado borracho para cumplir sus obligaciones oficiales. Pero nadie hacía ninguna observación sobre él; la KGB protegía a los suyos.

La historia del joven diplomático me preocupó. Podía comprender lo que le había pasado, y me sentí profundamente apenado. Al mismo tiempo, me sentí aliviado al saber la razón de las intensas medidas de seguridad de la Legación y el ministerio. Se debían a un suceso real ocurrido lejos de Nueva York. Pero era fácil imaginar que la KGB podía hacerme caer en la misma trampa que al joven diplomático, enviado tranquilamente a la Unión Soviética desde Sudamérica, vigilado y, finalmente, acorralado. Debió de sentirse muy desesperado para decidir suicidarse, para elegir la muerte. Yo no deseaba ese final. Debía reavivar en mí la susceptibilidad que había logrado moderar. Debía ser más consciente del peligro. No quería vivir con miedo; pero rechazar el temor significaba perder la mejor protección para evitar que me descubrieran.

Afortunadamente, la KGB me ayudó a reconstruir mis defensas. Incidentes inhabituales empezaron a molestarme; incidentes que, por separado, parecían no tener importancia, pero que me pusieron sobre aviso. Empezaron casi inmediatamente después de la charla con mi amigo del ministerio. La noche siguiente, tomé en la estación de Kursk un tren expreso nocturno en dirección a Crimea para ver a mi madre. Antes de la partida, cerca de medianoche, descubrí que iba a viajar en el mismo compartimiento que una mujer, hecho nada extraño en los trenes soviéticos, pues se asignan las literas sin tener en cuenta el sexo de los pasajeros. (En ese tren no había un vagón reservado para la élite.) Ambos habíamos tenido la buena fortuna de conseguir sitio en un tren que iba hacia el sur en plenas vacaciones de verano.

Para dejar que se pusiera su ropa de dormir, salí a fumar un cigarrillo al pasillo; mientras miraba ociosamente la oscuridad, vi que otro hombre, a quien ya había visto en la sala de espera de la estación, también estaba en el pasillo. No fumaba; estaba simplemente de pie, como si vigilara a alguien. Volví a verle en el mismo lugar a la mañana siguiente, cuando salí al pasillo para dejar que mi compañera de viaje se vistiera; le encontré también en el vagón restaurante, cuando fui a desayunar.

No le di demasiada importancia. Pensé que su presencia era una coincidencia, un poco extraña, pero no alarmante. No había nada amenazador en su mirada ni en su conducta; sólo el interés perceptible de una curiosidad normal. Sin embargo, cuando bajé del tren en Yevpatoria, con el sol brillante y el aire suave de la costa de Crimea, me olvidé por completo de ese hombre. Mi madre, con sus alegres setenta y seis años, me estaba esperando. Se había vuelto a casar después de la muerte de mi padre, y se había quedado a vivir en Crimea. Lamentablemente, Lina y ella nunca se habían llevado demasiado bien, y durante algún tiempo estuvieron sin hablarse. Por esa razón, hacía solo mi viaje. De todos modos, era mi madre y tenía ganas de verla; era mi último vínculo con la infancia. En cierto modo, necesitaba volver a mis primeros años, despedirme de ella sin palabras. Esperaba que perdonara mi decisión de abandonar el país sin decirle nada.

Unos pocos días más tarde, al dejar Yevpatoria para regresar a Moscú, tuve una demostración de la omnipresencia de la KGB. Cuando le entregué el billete al revisor, me pidió que esperara un momento antes de subir al tren; otro funcionario se apresuró a explicarme que mi reserva había sido cambiada. Me dieron una litera en otro coche cama que, como pude comprobar luego, iba relativamente vacío. Era extraño. En esos días de vacaciones no era frecuente hacer cambios de última hora en los trenes que salían de Crimea. Un coche cama con literas vacías era raro, casi un misterio.

Empecé a sospechar que la KGB podía haber hecho ese cambio de reserva a última hora. Como en el viaje anterior, me estaban vigilando. De nuevo, un hombre silencioso aparecía en el pasillo cada vez que yo salía del compartimiento. Y también le encontré en el restaurante, durante la cena y el desayuno. Y aunque no era el mismo hombre que había visto la vez anterior, tenía el mismo frío profesionalismo que el primero.

Para mantenerme vigilado, concluí, la KGB me había trasladado a un coche cama que tenía numerosos compartimientos para su propio uso. Cuando viajan en tren, a los periodistas y diplomáticos extranjeros generalmente se les instala en esos coches cama de la KGB. Al enterarse a última hora de mi viaje a Moscú, los agentes de Yevpatoria habían actuado rápidamente para hacer el cambio y colocarme en un sitio donde pudieran controlarme mejor.

No estaba demasiado sorprendido por esa demostración de autoridad de la KGB; pero me inquietaba ser la causa de ella. Andrei Gromiko y todos los que estaban por debajo de él en el Ministerio de Asuntos Exteriores me habían tratado con absoluta normalidad. Pero, aparentemente, la policía política tenía otra actitud.

Mientras permanecí en la Unión Soviética tuve que ajustar mis actividades a las dudas que la KGB podía tener de mí. Yo no quería ni debía crear más desconfianza. Al día siguiente de regresar de Yevpatoria, fui nuevamente a la estación de Kursk, en esta ocasión con Lina, para tomar otro tren hacia el sur. Íbamos al centro turístico de montaña de Kislovodsk, al norte del Cáucaso; era un sitio que amaba, no por sus aguas minerales malolientes, supuestamente curativas, sino por la posibilidad de un completo descanso y por el cambio de ambiente.

Krasnie Kamni, el sanatorio donde pasaríamos veinticuatro días, era la cumbre del privilegio soviético. Bajo el disfraz de una clínica controlada por el Cuarto Departamento del Ministerio de Sanidad, que sólo se ocupaba de los enfermos de la élite, era uno de los hoteles más lujosos de la Unión Soviética. Simplemente el hecho de ser admitidos confirmaba nuestra posición. Las majestuosas *suites* del edificio principal y las diversas dachas que había en sus proximidades, eran incluso codiciadas por los miembros del Politburó. Uno de los empleados nos dijo que el precioso apartamento que nos habían asignado solía usarlo el *premier* Alexei Kosiguin. Eso explicaba los teléfonos de seguridad especiales del vestíbulo y de las habitaciones, y la comunicación directa con el *Vertuschka* de Moscú. La vista desde nuestro balcón sobre la ciudad de Kislovodsk, rodeada por las montañas, era increíblemente hermosa. Lina y yo mirábamos las brumas de la mañana en las laderas y, al final del lánguido día, veíamos cómo la sombra de algún pico eclipsaba los densos bosques de pinos y abetos en los montes vecinos.

A Lina y a mí, lo que nos hacía regresar cada verano a Krasnie Kamni no era la confirmación de nuestra posición social, sino la rejuvenecedora tranquilidad del entorno. Era una isla separada del mundo exterior por paredes de ladrillo, portales de hierro, guardias armados y perros. Ningún mortal común podía reservar una habitación allí; nadie podía entrar si no tenía una autorización o una invitación. Se suponía que nadie podía invadir el reducto de sus *nachalstvo* (amos), ni ver cómo pasaban su tiempo libre.

Aparte de los baños, cada vez más prolongados, día sí día no, en la piscina de agua sulfurosa del Narzán que había en el sótano, prácticamente limitábamos nuestra cura de descanso a largas caminatas por la frondosa montaña, y a excursiones a pie a la pequeña ciudad de Kislovodsk y al campo que la rodeaba. En esa ciudad limpia y encantadora tuve una extraña sensación al ver escaparates en los que aparecía una imagen familiar y sonriente: la de Iosif Stalin. En Kislovodsk, esa imagen se veía por todas partes mucho antes de que empezara a aparecer en las calles de Moscú, pegada a las ventanillas de los taxis. Cuando vi el rostro de Stalin en un escaparate, no pude evitar sentir miedo, y también fatiga, al pensar en la posible resurrección de una forma nueva de estalinismo. Después de lo que mi país había sufrido a manos de uno de los asesinos más grandes de la historia moderna, y al ver cómo aceptaba ver su imagen en los escaparates de Kislovodsk, recordé el viejo dicho: El hombre es el único animal que tropieza dos veces con la misma piedra. Mis recuerdos de la guerra y de los amigos y familiares que habían sufrido o desaparecido bajo el régimen de Stalin, fortalecieron mi decisión de abandonar la Unión Soviética.

Teóricamente, íbamos al sanatorio de descanso por prescripción facultativa; pero la mayoría de nosotros gozaba de una salud perfecta. Lina y yo pagamos sólo la tercera parte de la ya de por sí baja tarifa de doscientos veinte rublos por veinticuatro días, y preparamos nuestro propio programa. Pedimos a los médicos que no nos despertaran para el primer turno de la mañana que comenzaba a las ocho, y que nos dejaran dormir por lo menos hasta las nueve. Además, avisamos que a veces desayunaríamos en nuestra habitación y otras no, que tomaríamos un baño y un masaje o iríamos a nadar a la piscina cubierta y que daríamos un largo paseo antes de la comida. No íbamos al gimnasio, totalmente equipado, ni a las pistas de tenis o balón volea; preferíamos caminar cuatrocientos metros subiendo por la montaña hasta la meseta, desde donde se apreciaba una hermosa vista de la cordillera del Cáucaso, hacia el sur.

La mayoría de los demás clientes prestaban tan poca atención como nosotros al personal médico y a sus normas para mantener en forma a la clase dirigente del país. Casi nadie asistía a las lecturas políticas de la tarde, organizadas por los propios médicos. En cambio, las películas y los conciertos tenían mucho público, y los bailes nocturnos generalmente estaban muy concurridos, al igual que el bar, que abría antes de la comida y de la cena y estaba bien provisto de vodka y de marcas occidentales de whisky y vino que no se servían en el comedor. Sin embargo, después de beber el vaso de agua mineral del Narzán permitido, podíamos llenarlo de vodka y llevarlo a la mesa del comedor con sana hipocresía. Tanto los camareros como los perros guardianes médicos miraban hacia otro lado.

A Lina y a mí la estancia en Kislovodsk nos procuraba siempre un respiro, un alivio de las tensiones. No sentíamos muy unidos, hacíamos el amor, dormíamos bien. Nos gustaba estar juntos, aunque no completamente aislados. Podíamos comer en nuestra *suite,* pero preferíamos hacerlo en el comedor. Nuestra mesa favorita, frente a un balcón, nos ofrecía intimidad y una excelente vista sobre los jardines y las montañas. La vista era la misma; pero nuestra intimidad se deshizo cuando el primer día nos sentamos para comer y descubrimos a dos hombres que ocupaban una mesa a unos pocos metros de la nuestra.

Uno de ellos, que se presentó como Nikolai Petrov, funcionario de uno de los institutos de investigación del Ministerio de Sanidad, era de baja estatura, inquieto y charlatán. Su compañero, Alexei Prokudin, era alto y taciturno. No se separaban nunca. Era evidente, además, que estaban dispuestos a no separarse tampoco de nosotros. Después de encontrarles varias veces, muy cerca, en el cine o dando un paseo, me vi obligado a aceptar la sospecha de Lina. Petrov era de la KGB, Prokudin –según Lina, por su figura erguida y sus pocas palabras– del GRU.

Para que no se alarmara ante el interés que demostraban por nosotros los agentes, yo le había hablado a Lina de la campaña de seguridad en el Ministerio de Asuntos Exteriores y de su causa. Pusimos en práctica varias estratagemas para sacarnos de encima a nuestros protectores: variamos nuestros horarios de comida, llegando incluso a veces al comedor cuando ya estaba a punto de cerrar; hicimos largas excursiones en las que empleábamos todo el día; caminamos por lugares más apartados. Sin embargo, casi siempre Petrov y Prokudin nos encontraban. Yo había notado que otros miembros del personal del sanatorio vigilaban a algunos veraneantes, pero no me parecían tan descarados ni tan diligentes como Petrov y Prokudin.

Cuando estaba con ellos, me comportaba tan normalmente como lo hacía con mis colegas soviéticos de Nueva York; hablaba de temas de conversación seguros y mis observaciones era ortodoxas o divertidas. Sin embargo, con otros «pacientes» del sanatorio no tenía tanto cuidado. Generalmente, sin que yo les incitara, esos altos funcionarios, después de una o dos copas, expresaban opiniones quizá tan sediciosas como las que yo ocultaba. A los rusos les encanta hablar. El centro turístico era hermoso; pero el aburrimiento era inevitable. Caminando por el bosque o bebiendo unas copas antes y después de las diversiones nocturnas, llegábamos a conocernos muy rápidamente.

Lo que oí en Kislovodsk, en el verano de 1977, a los burócratas y ministros del Partido era la familiar letanía de los defectos en la planificación y la dirección de la economía y la agricultura; y, además, que estaban haciendo lo imposible para mejorar la situación y que, por supuesto, lo conseguirían en su momento. Pero hablaban de paliativos, no de verdaderas reformas o cambios sustanciales. Nadie criticaba el sistema. Sólo algunos se sentían verdaderamente amargados.

–Podemos hacer arreglos y lograr que una parte de la cadena funcione mejor durante cierto tiempo –dijo uno de ellos–, pero nada cambiará verdaderamente. Una parte de la maquinaria no funciona y los recambios con que contábamos para que nuestro sector tuviera una producción adecuada, no llegan nunca. Cuando me jubile y me olvide de todo esto, seré feliz.

Era uno de los más lúcidos. Además, era sincero, algo bastante raro en esos círculos. Casi todos los demás, aferrados a sus privilegios, se mostraban indiferentes. Si sabían lo mal que vivía el soviético medio bajo ese régimen, de todos modos estaban seguros de que ninguna insatisfacción popular les obligaría a cambiar o perder sus posiciones. Sus esposas iban a comprar a tiendas a las que sólo tenía acceso la élite. Sus hijos iban a escuelas en las cuales el criterio de admisión y promoción no era las aptitudes de los niños, sino el trabajo de los padres. Viajaban cómodamente, y sabían que siempre encontrarían sitio en trenes o aviones. Coches con chófer les llevaban y traían del trabajo, de los centros turísticos o de las instalaciones que iban a inspeccionar. Durante sus viajes a Occidente, podían adquirir artículos de lujo para sus casas. Médicos expertos, que disponían de los mejores medicamentos y de instrumentos importados, cuidaban de su salud. Y subordinados aduladores les recordaban su competencia, su valor para el Estado y su posición.

El privilegiado reducto que habitábamos era cálido, cómodo y destructivo. La mayoría de los que estaban dentro jamás miraban hacia fuera. No podían imaginar nada peor que caer de su posición; y lo único que podía provocar esa caída era alguna imprudencia –una protesta, un exceso de celo por hacer reformas, un leve indicio de corrupción– demasiado evidente para que las autoridades pudieran ignorarla. Y muy pocos tenían semejante impulso suicida.

Un suceso casi diario en la ladera donde se hallaba el edificio principal del sanatorio ilustra el alto grado de insensibilidad alcanzado por los hombres que ocupaban los cargos más altos en el gobierno. Generalmente, Lina y yo dábamos nuestros paseos por la montaña siguiendo un camino reservado para peatones; con frecuencia, oíamos un sonido de bocinas a nuestras espaldas y, luego, una caravana de coches escoltada por un vehículo policial local pasaba velozmente obligándonos, a nosotros y a otros caminantes, a echarnos a un lado cubiertos por una nube de polvo.

–Y ése, ¿quién es? –oí en una ocasión a un caminante irritado preguntar a su acompañante.

–¿No lo sabes? Es Yuri Andropov. Está en una de las dachas de Krasnie Kamni.

El jefe de la KGB, miembro del Politburó y uno de los hombres más poderosos de la Unión Soviética, tenía problemas cardíacos y le convenía respirar el aire fresco de la montaña. Pero en vez de usar la carretera, más larga, su chófer tomaba un atajo, convirtiendo el camino peatonal en una autopista. Si eso molestaba a mortales inferiores, no tenía ninguna importancia.

La conducta de Andropov en el coto privado de la élite contrastaba notablemente con la que habíamos podido observar en el camino. A diferencia de otros destacados funcionarios que frecuentaban el centro de vacaciones, él y su esposa se recluían, estrechamente vigilados, en una dacha. Andropov no se mezclaba ni siquiera con los de su propia clase, no comía en el comedor y evitaba encontrarse con nadie a quien no hubiera invitado especialmente.

Al ver irrumpir la caravana de coches que escoltaba a Andropov entre los arbustos de rosas salvajes de la montaña de Kislovodosk, comprendí una vez más qué irrelevantes eran las variantes individuales de la conducta colectiva de los gobernantes soviéticos. Lo buscara o no, Andropov había logrado un aislamiento aplastante. Él y sus colegas del Politburó habían perdido el contacto con la realidad de la sociedad que dirigían. No dispuestos a comprenderla, eran incapaces de ser sus inspiradores. Todavía podían generar miedo, pero no simpatía; obediencia, pero no entusiasmo. Y, protegidos como estaban, no se aventurarían a cambiar las cosas.

Yo había ido a Krasnie Kamni a respirar aire fresco; me fui de allí deprimido y tenso. La persistente presencia de Petrov y Prokudin me produjo más irritación que miedo; pero sus molestas preguntas acerca de Occidente y de mis opiniones sobre el sistema soviético sugerían que no sólo estaban tratando de ponerme a prueba sino, quizá, de hacerme caer en una trampa.

Me quedé en Moscú algunos días antes de regresar a Nueva York, y tuve la oportunidad de confirmar la suposición que Lina y yo teníamos sobre nuestros inquisitivos compañeros del sanatorio. Cenando con un viejo amigo, un alto funcionario del Ministerio de Sanidad, mencioné casualmente a Nikolai Petrov y el centro médico de Moscú donde, según él, ocupaba un alto cargo. Mi amigo dijo que jamás había oído ese nombre. Cambié rápidamente de conversación: mi sospecha se había confirmado.

El único interrogante que aún subsistía era el grado de desconfianza de la KGB. Probablemente, todos los funcionarios de mi nivel estuvieran bajo un gran control policial; pero también era posible que sólo lo estuviera yo. Lo único que podía hacer era asumir la posibilidad de que ocurriera lo peor y comportarme tan normalmente como pudiera hasta que el peligro fuera inminente o me obligara a actuar.

A medida que pasaba el tiempo, todo era más difícil. Anna debía quedarse en Moscú para asistir a la escuela superior. Siempre podía hacer que viniera a los Estados Unidos durante las vacaciones de verano o de invierno; pero el hecho de que se quedara en Moscú, junto a la negativa de Lina a vivir lejos de la élite soviética, fue un poderoso freno que me obligó a dilaciones e indecisiones, e incluso limitó mi capacidad para elegir el momento exacto de mi ruptura con el régimen soviético.

Yo había tenido una serie de desacuerdos, con Alexandr Podshchekoldin, el jefe local del Partido en Nueva York, sobre distintos asuntos y en distintas ocasiones. Después de uno de ellos, a principios de 1978, un ciudadano soviético que trabajaba en la Secretaría me paró en un pasillo de las Naciones Unidas y me hizo una advertencia.

–Me sorprende lo furioso que está Alexandr Nikolaevich [Podshchekoldin] –dijo mi amigo–. Sé que está haciendo un buen trabajo, pero quizá tenga problemas con él.

Podshchekoldin le había dicho:

–Shevchenko está aquí desde hace mucho tiempo. Debe regresar a Moscú.

Lina había oído comentarios similares mientras charlaba con las esposas de otros funcionarios de la Legación. Según ella, Podshchekoldin había dicho más de una vez que «Arkadi es una gran figura aquí. Debería ser más activo dentro de la comunidad soviética, y participar más en la vida de la colectividad y del Partido».

Presté poca atención la primera vez que oí hablar del tema, pero el consejo de mi colega de las Naciones Unidas me puso sobre aviso. No quería enfrentarme con Podshchekoldin. Lo mejor sería evitar sus críticas manteniéndome alejado de él. En la reunión regular del Comité del Partido, a mediados de febrero, avisé que estaba enfermo y no asistí. Más tarde, comprobé que fue un error.

Un sábado, a principios de 1978, me desperté tarde, agotado por la tensión de mi doble vida y preocupado por mi hija. Lina había ido a Moscú porque su madre la había llamado. Anna tenía problemas en la escuela, los profesores se habían quejado. Su abuela no podía hacer frente a la situación, de modo que Lina fue a resolver el problema.

La noche anterior, había tenido dificultades para dormir. Cubrí el teléfono con una almohada para no oírlo si sonaba y tomé uno de los tranquilizantes de Lina. A la mañana siguiente, aún bajo los efectos del calmante, oí vagamente un ruido en la puerta del apartamento. Medio dormido, escuché los insistente golpes, pero no quise levantarme. Me cubrí la cabeza con la manta y seguí durmiendo.

Cuando más tarde salí a dar un paseo, le pregunté al portero del edificio si alguien había subido a mi apartamento aquella mañana. Me dijo que mi chófer había estado en el edificio con otros dos hombres, pero no sabía adónde habían ido; se habían quedado apenas unos pocos minutos. Subí para hablar por teléfono con Nikitin.

–El embajador Troianovski estaba preocupado por usted –dijo–. Me pidió que averiguara dónde estaba y qué estaba haciendo.

–¿Quién ha venido con usted?

–El médico y Yuri Scherbakov. –Shcherbakov era de la KGB, un oficial de seguridad de la Legación.

–¿Por qué estaba preocupado el embajador? –pregunté–. ¿Y por qué vino el oficial de seguridad?

–No sé –respondió Nikitin–. No fue idea mía. Simplemente me acompañaron.

El incidente me tuvo preocupado durante el resto del fin de semana. Era extraño; una advertencia que no podía ignorar. El lunes por la mañana fui a la Legación a hablar con Troianovski.

–¿Por qué diablos envió a la KGB a mi casa?

–Estábamos preocupados por usted, Arkadi Nikolaevich –respondió–. No hay razón para ponerse así. –Sonrió, como si todo fuera una pequeña broma.

Yo no podía tomarme a la KGB en broma. La policía política en la puerta de mi apartamento reavivaba angustias demasiado familiares. Cuando llamé a Ellenberg para pedirle que nos viéramos esa misma noche, imagino que pensó que disponía de nuevas informaciones. Tenerle casi al lado de mi casa me permitía estar más tiempo con él y analizar con mayor profundidad todos los temas. Ellenberg se alegró del informe detallado que le di sobre los preparativos soviéticos para la sesión especial de las Naciones Unidas sobre desarme prevista para mayo. Y también de la evaluación que Dobrinin había hecho de la administración Carter en el primer año de su mandato.

El informe de Dobrinin sobre el trabajo de la embajada en Washington durante ese año era un documento de más de doscientos folios, con asuntos triviales y asuntos importantes. Figuraban las listas completas del personal contratado y de las reuniones del Partido realizadas en 1977, los temas analizados en los discursos del Partido y los principales recursos propagandísticos usados en el material destinado a la opinión pública norteamericana y a los funcionarios del gobierno de los Estados Unidos.

Sin embargo, a Ellenberg lo que más le interesaba eran los comentarios del embajador sobre la situación política y económica de los Estados Unidos, su juicio de los programas militares norteamericanos y cómo preveía las relaciones soviético-norteamericanas. Según Dobrinin, el presidente Carter era fundamentalmente impredecible. Avanzaba y retrocedía en las cuestiones importantes para Moscú, y hasta el momento no se podía decir que apoyara con firmeza ningún enfoque. Su posición con respecto a los derechos humanos –que los soviéticos habían creído, en gran parte, retórica de campaña electoral– se perfilaba como el elemento central de la política exterior de los Estados Unidos. Eso significaba que Moscú no podía esperar que diera ningún paso para anular las restricciones que vinculaban las concesiones comerciales con la emigración de los judíos soviéticos.

Yo había leído cuidadosamente el informe de Dobrinin y tomado notas. Muchos cables de Dobrinin desde Washington no llegaban a la Legación de las Naciones Unidas, y el informe me permitió evaluar sus ideas. Eran interesantes sus comentarios sobre el Partido Comunista de los Estados Unidos. El líder de ese partido, Gus Hall, estaba considerando un cambio de táctica. Hasta ese momento, la actitud de Hall lo único que había hecho era reducir la influencia comunista en los Estados Unidos. Dobrinin apoyaba la propuesta de Hall de hacer un nuevo intento para romper el aislamiento político y ampliar los contactos del Partido con las «fuerzas democráticas y progresistas» de los Estados Unidos, con vistas a construir una especie de frente popular.

Me resultaba difícil tomar seriamente la propuesta. Aunque no tenía contacto directo con los comunistas norteamericanos, sabía que sus actividades tenían tan poco éxito que Moscú debía subvencionarlos mediante diversas estratagemas. La Legación soviética hizo una gran cantidad de suscripciones al periódico del Partido, el *Daily World*. Sin embargo, tan pronto como llegaban a la Legación, los ejemplares se tiraban al cubo de la basura. Ni siquiera los diplomáticos soviéticos consideraban que valía la pena leerlo.[1]

1. Como, según decían, el FBI también había hecho un gran número de suscripciones, me pregunto cuántos norteamericanos comunes leían en realidad ese periódico.

Después de mi primera revisión del informe de Dobrinin, le conté a Ellenberg lo fundamental y prometí darle posteriormente más detalles. Pero cuando me encontré con él después del incidente del sábado, no tenía nada que añadir. No sólo estaba preocupado por la conducta de Drozdov y Podshchekoldin, sino también por Lina. Quería contarle mi intención de romper con el gobierno soviético y tratar de que se quedara conmigo, pero no sabía cuál iba a ser su reacción. Pensaba que cuando Anna fuera a pasar las vacaciones de verano con nosotros podría tratar de convencerla de mi decisión y de que me ayudara a persuadir a su madre.

El problema más grande era convencer a Lina de que yo podía tener éxito en una nueva vida en Occidente. Por supuesto, no sabía si iba a tenerlo o no. Quizá jamás podría ofrecer a mi mujer las cosas que amaba y que ya tenía. Lo que había logrado en la Unión Soviética se acabaría para siempre. Si llegaba a tener éxito en los Estados Unidos, sería un éxito distinto. Tenía miedo de que Lina no estuviera dispuesta a apostar por un nuevo futuro.

Cuando comuniqué a Ellenberg y a Carl McMillan, el agente del FBI que se sumó al equipo de trabajo a mediados de 1977, lo que había sucedido aquel sábado, comprendieron mi preocupación.

–No es un procedimiento habitual –dije–. Junto con la conducta de Podshchekoldin hacia mí, esta acción de la KGB parece formar parte de algo más grave. Estoy preocupado, y ustedes también deberían estarlo.

Aunque no habían observado nada extraño en su propia vigilancia de la KGB, eso no era ninguna garantía. Convinieron en que la situación era anormal, posiblemente peligrosa, pero creían que quizá no era necesario actuar urgentemente. Ellenberg comprendió que yo estaba muy alterado. Empezó a hacer concesiones, pero pocas. Tenía la esperanza de que permaneciera en mi trabajo algún tiempo más. Unos dos meses después, Gromiko llegaría a Nueva York para asistir a la sesión especial de mayo sobre desarme. ¿No podía quedarme hasta entonces?

Finalmente, aseguró que podría dar por terminado mi trabajo a principios del verano de 1978.

–Cuando su hija acabe el curso –dijo–, podrá traerla a Nueva York; lo tendremos todo preparado. Si abandona ahora, cuando ella todavía está en Moscú, será muy difícil sacarla de la URSS.

Por supuesto, era exactamente lo que yo quería. Había decidido que lo mejor sería contarles a las dos juntas –a mi hija y a mi esposa– mis planes para nuestro futuro. Pero, de pronto, una inesperada decisión de mis superiores de que regresara a Moscú lo cambió todo.

En los primeros meses de 1978, yo estaba muy ocupado con las actividades relacionadas con la sesión especial de la Asamblea General dedicada al desarme, programada para mayo y junio de 1978. La comisión que hacía los preparativos para la sesión estaba elaborando varios documentos, y mi departamento tenía la misión de ayudarla. Waldheim me había otorgado autoridad casi exclusiva para organizar la ayuda de la Secretaría a la comisión. Los países occidentales y los no alineados se quejaban de que yo promovía las ideas soviéticas en detrimento de sus propias posiciones.

En medio de estos acontecimientos, mis actividades secretas llegaron a su fin. El último día de marzo de 1978, un viernes, recibí a última hora de la tarde una llamada de Oleg Troianovski. Su tono era normal y, como siempre, algo críptico, porque éramos prudentes al hablar por teléfono: las líneas podían estar intervenidas.

Me preguntó si podía ir a la Legación. Como no esperaba nada fuera de lo normal, le prometí que estaría allí en una o dos horas; luego regresaría a la pila de papeles de mi escritorio.

Cuando llegué a la Legación, el embajador tenía prisa por irse.

–Arriba hay un telegrama de Moscú para usted –dijo, pero antes de que pudiera responder sonó el teléfono. Era su esposa, enfadada.

–¿Qué estás haciendo todavía ahí? –Pude oír la voz alta e impaciente–. El coche está esperando. Cierra ese sórdido despacho –lo dijo en otros términos que prefiero no repetir– y vámonos.

Troianovski prometió hacerlo en seguida. De pie, me dio la mano con una sonrisa de disculpa.

–Lo siento. Tengo que irme. Lea el mensaje y mañana hablaremos de él. ¿Vendrá a Glen Cove?

Le dije que le vería en Long Island y subí a la sala de códigos del séptimo piso. El telegrama era un duro golpe.

Me pedían que fuera a Moscú. El pretexto era débil («para varios días de consultas en relación con la próxima sesión especial de la Asamblea General de las Naciones Unidas sobre desarme») y bastante vago para ser amenazador («y para analizar también otras cuestiones»). Estaba seguro de que no se había programado ningún tipo de consultas sobre la sesión especial. Por los delegados que habían llegado de Moscú para integrarse a la comisión encargada de los preparativos, yo sabía que se había fijado la posición soviética básica, de cuyos detalles ya había informado a la CIA. ¿Por qué hacer consultas sobre un asunto que ya estaba decidido? ¿Y por qué en ese momento, si en la comisión no habían surgido cuestiones imprevistas que Moscú tuviera que estudiar?

Además, ¿cuáles eran esas «otras cuestiones» que se quería analizar? En febrero había renovado mi contrato con las Naciones Unidas. Gromiko y yo habíamos analizado mis planes de trabajo durante la sesión de la Asamblea General, en septiembre de 1976; él había quedado conforme con mi promesa de quedarme en Nueva York para ayudar a Troianovski durante sus primeros meses de trabajo. Conociendo a Gromiko, estaba casi seguro de que no había encontrado de pronto un nuevo cargo para mí. Si ésa era una de las «otras cuestiones», no iba a analizarla precisamente durante la sesión de desarme de mayo. ¿Por qué me pedían que fuera a Moscú? Cuando llamaban a un embajador, cosa que ocurría raramente, las razones eran claras y precisas. En ese telegrama no había ni claridad ni precisión.

Quizá Moscú pensaba que referirse sólo a las consultas sobre desarme no era demasiado convincente –en realidad, probablemente lo hubiera sido–, de modo que alguien decidió agregar esa frase extraña: «otras cuestiones». Era un error; me ponían sobre aviso. No comprendo cómo pudo ocurrir, pero me siento feliz de que ocurriera.

Además, el momento era el menos oportuno. Waldheim estaba en Europa, y en su ausencia todos los subsecretarios ejercíamos el control en nuestras áreas de responsabilidad. Lógicamente, mi presencia en Nueva York, supervisando el trabajo de la comisión encargada de los preparativos para la sesión de la Asamblea General, era mucho más importante para la URSS que ir a Moscú para unas consultas no especificadas.

Pero si había sido descubierto, el telegrama podía ser mi sentencia de muerte. Me ordenaban «comunicar cuándo sería conveniente» mi viaje a la Unión Soviética. Comprendí que jamás sería «conveniente». No estaba dispuesto a enfrentarme con lo que me esperaba allí. No podía correr ese riesgo. Por lo tanto, debía ganar tiempo, mantener mis contactos con los norteamericanos y estar completamente seguro de que no me equivocaba: no me habían pedido que fuera a Moscú simplemente para evacuar consultas.

Afortunadamente, tenía algunos días por delante. Troianovski había dicho que quería analizar conmigo el mensaje; pero conseguí postergar esa charla. Cuando el sábado llegué a Glen Cove, él estaba en la pista de tenis. Me aseguré de que durante el resto del día nuestros caminos no se cruzaran. El domingo me levanté tarde y, después de decirle a Lina que tenía mucho trabajo en la Secretaría, emprendí el regreso a las Naciones Unidas; mi colega estaba de nuevo jugando al tenis.

El domingo por la tarde, las Naciones Unidas estaban desiertas. Fui a una oficina que estaba abierta, en el mismo pasillo que la mía, cogí el teléfono y marqué el número familiar.

–Soy Andy. Es urgente. Necesito verle lo antes posible. –Colgué el teléfono con la sensación de que la tormenta era inminente.

TERCERA PARTE

El fin del juego

28

Mientras esperaba en mi despacho de las Naciones Unidas, aquel domingo por la tarde, traté de leer algunos papeles de mi escritorio, pero no me podía concentrar. Los norteamericanos me habían asegurado varias veces que no se habían producido filtraciones, pero, ¿podían estar totalmente seguros de ello? Washington estaba llena de gente que a menudo hablaba antes de pensar. ¿Me habrían delatado accidentalmente?

¿O quizá habría hecho algo incorrecto? ¿No habría estado demasiado arrogante con los miembros del Partido y de la KGB en Nueva York? En nuestra breve charla, el viernes por la noche, Troianovski no mostró señales de alarma ni de desconfianza, pero quizá no estaba enterado de nada; no era habitual que la KGB contara al embajador lo que sabía o sospechaba.

Si verdaderamente todo había acabado, si ya no quedaba tiempo, ¿qué podría hacer para recuperar a mi familia? Seguía buscando la forma de convencer a Lina para que se quedara conmigo, de sacar a Anna de Moscú. Tenía una buena baza: mi cargo de subsecretario general y mi contrato de dos años que obligaba formalmente a las Naciones Unidas a retenerme, independientemente de lo que dijera la URSS. ¿Podría cambiar mi trabajo por mi hija con una renuncia discreta a cambio de su libertad?

Mirando el East River, viendo cómo la sombra del edificio de las Naciones Unidas se arrastraba por el agua hacia Queens, comprendí que el momento que tanto había esperado y temido había llegado y que me había cogido por sorpresa.

Desesperado, fui hasta mi apartamento; casi me olvidé de llamar a Nikitin y decirle que recogiera a Lina en Glen Cove. Luego, salí de prisa hacia los ascensores, bajé al garaje y me dirigí al habitual lugar de encuentro.

Bob y Carl me estaban esperando. Parecían preocupados, pero también un poco irritados. Después de todo, eran dos padres de familia cuyo descanso dominical yo había interrumpido. Lo que les conté disipó su irritación y aumentó su preocupación.

Les repetí lo que decía el telegrama y lo que yo había interpretado.

–Creo que ha llegado el momento; no puedo esperar más –dije–. Les diré que no me es posible ir inmediatamente, que con la ausencia de Waldheim y los preparativos de la sesión especial hay demasiado trabajo. Podré retrasar el viaje. Pero, incluso si Moscú está dispuesta a esperar, sólo conseguiremos, como mucho, algunas semanas. Necesito saber si su gobierno me acepta.

No hubo oposición. En marzo, Bob me había pedido que continuara trabajando hasta la sesión especial. En aquel momento no intentó repetirlo ni recordarme lo útil que era. Él y Carl convinieron en que había que actuar con rapidez. Fijamos nuestro próximo encuentro para el lunes por la noche; dije que intentaría llamarles para confirmarlo. No había nada más que decir.

Cuando Lina llegó de Glen Cove, cargada con sus habituales compras de fin de semana, mencioné como por casualidad que debería ir a Moscú para hacer algunas consultas. Se puso contenta; intenté compartir su alegría. Planeamos juntos los regalos que llevaríamos a la familia y a los amigos. A ella le complacía la posibilidad de comprar artículos baratos en Nueva York y revenderlos a mejor precio en la Unión Soviética. Acepté todos sus planes sabiendo que era posible que jamás volviera a ver Moscú, quizá tampoco a Lina..., ni a Anna..., ni a Guennadi. Una ola de incertidumbre, de amor y de dudas me inundó.

Luché contra ella con dificultad. Sabía que ya no podía volverme atrás y, sin embargo, quería una segunda oportunidad, algún milagro que me permitiera recuperar las esperanzas juveniles en mí mismo, en Lina, en mi país, en los ideales en los que una vez había creído. No me sentía un traidor a mi país ni a mi pueblo. El régimen soviético los había traicionado; me había traicionado a mí. Pero si iba a Moscú, como me habían ordenado, no tendría una segunda oportunidad.

Dormí mal, pero a la mañana siguiente estaba sereno cuando fui a la Legación. Avisé a Oleg Troianovski que, a causa del exceso de trabajo en las Naciones Unidas, iba a tener que pedir al Ministerio de Asuntos Exteriores retrasar mi viaje por lo menos algunas semanas. Dije que los preparativos de la comisión necesitaban mi completa atención.

–Creo que me quedaré hasta que la comisión termine su trabajo.

Además, ¿cómo explicaría a Waldheim la razón de mi brusca partida?

–No le aconsejo que haga eso –respondió Troianovski–. No es asunto mío, pero cuando Moscú pide una cosa así, es mejor obedecer rápidamente.

Parecía haber algo más que cordialidad en su tono de voz. ¿No sería un consejo honesto o una advertencia? Fuera lo que fuera, decidí no ignorarlo.

–Bueno, no me puedo ir ni hoy ni mañana –dije–. Tengo toneladas de trabajo; pero les diré a los asistentes de Waldheim que mi suegra está muy enferma y que debo ir a verla. Enviaré un telegrama a Moscú avisando que cogeré el vuelo del domingo.

Troianovski no parecía complacido. Evidentemente, quería que cogiera el del jueves. Pero probablemente no podría insistir sin provocar preguntas que no quería contestar. Se encogió de hombros.

–Es asunto suyo. No se olvide de avisar a Moscú.

Envié el telegrama e hice los preparativos para mi partida. Luego fui a la reunión de la mañana de la comisión y me coloqué en el podio, al lado de Carlos de Rozas, que presidía la reunión. De Rozas, diplomático argentino de alto rango, a quien yo estimaba y respetaba, me saludó con una broma sobre la última sesión de la comisión, pero en seguida se dio cuenta de que yo estaba preocupado.

–¿Qué pasa? –preguntó.

–No estoy seguro –respondí–. Me han dicho que mi suegra está enferma. Quizá tenga que ir a Moscú. –De Rozas compartió mi preocupación. Mi engaño final había comenzado.

Cuando acabó la sesión, fui a la sección reservada a la delegación soviética e invité a un viejo amigo a comer al Dragón Dorado, un restaurante chino de la Segunda Avenida.

Empezamos a hablar de trabajo: la actividad de la comisión, las continuas intrigas de personal en el Ministerio de Asuntos Exteriores... Finalmente, saqué el tema del que yo sabía que él estaba muy bien informado: las «consultas» de Moscú. No le dije que me habían pedido que regresara a la Unión Soviética.

–¿Hay algo nuevo en Moscú con respecto a la comisión? –pregunté–. ¿Están preparando algo?

–Nada nuevo –dijo en seguida–. Todo lo contrario. La semana pasada recibí una carta que decía que no enviara ningún informe hasta que la comisión acabe su trabajo. Los peces gordos no quieren ser molestados. Ya han tomado sus decisiones.

–¿De modo que no crees que sea necesario que vaya por allí, para atar algunos cabos sueltos?

–Por supuesto que no. Ni siquiera lo sugieras. Creerán que quieres una oportunidad para husmear por Moscú.

Confirmado: pretendían engañarme. Después de comer, llamé a Bob y Carl desde el restaurante y confirmé la cita para la noche.

En la reunión les pedí que estableciéramos el jueves como «la fecha». Faltaban apenas tres días, pero los soviéticos tendrían menos tiempo para tratar de detenerme.

–Lo tendremos todo preparado para el jueves –dijo Bob. Entendí sus palabras como una forma indirecta de comunicarme la aceptación oficial que había pedido. Además, analizamos el plan de fuga, ya que no queríamos correr el riesgo de establecer otro contacto antes del jueves.

El jueves trabajaría hasta muy tarde en las Naciones Unidas, regresaría a mi apartamento, y luego me encontraría con ellos en un coche tan pronto como Lina se durmiera. El coche sería un sedán blanco de cuatro puertas, aparcado en la esquina de la calle Sesenta y Cuatro y la Tercera Avenida. Varios hombres rodearían el edificio de apartamentos donde yo vivía, por si la KGB me vigilaba. En el caso de que observaran algo anormal, encenderían los faros del coche para advertirme de que no me acercara. La excusa sería entonces un paseo nocturno. Debía caminar hasta la Tercera Avenida y entrar en un bar del vecindario. Desde allí llamaría para que otro equipo me recogiera.

El plan era sencillo y no parecía presentar problemas. Pero sólo cubría la fuga misma, y no las cuestiones a las que yo debería hacer frente después: los arreglos con las Naciones Unidas y con la URSS sobre mi familia y mi futuro. Bob y Carl resolvieron los detalles básicos; su calma y su competencia me inspiraron un poco de confianza.

Traté de ocultar mi nerviosismo, pero no lo logré. Era difícil concentrarse en los detalles que analizábamos. No podía pensar en otra cosa que en mi esposa y mi hija. ¿Qué diablos podía decirle a Lina? Tenía mal genio y a menudo estallaba antes de oír explicaciones. Sería un error pedirle directamente que desertara conmigo. En primer lugar, jamás aceptaría hacerlo sin Anna; en segundo lugar, ella no sabía que yo estaba trabajando para el gobierno de los Estados Unidos. Temía decírselo –hacía ya tiempo que lo postergaba, seguro de que su objeción sería tan violenta que anularía nuestras esperanzas de libertad–, aunque fuera involuntariamente, por la escena que, estaba convencido de ello, haría. En su furia o confusión podía muy bien llamar a la Legación para que la KGB fuera a buscarnos a los dos. Entonces, todo acabaría. Si yo moría, no sería mejor la vida en Moscú para Lina y mis hijos. Tenía la esperanza de lograr que lo entendiera. Nuevamente, como al principio de esta aventura, me vi atrapado. Como siempre, la única forma era enfrentar a Lina con un hecho consumado antes de hablarle de ello. Pensar una y otra vez en lo mismo fue una pesadilla.

Puse los cinco sentidos en escribir una carta que me proponía dejar a Lina en nuestro apartamento la noche en que debía reunirme con los norteamericanos. Decidí también dejarle gran cantidad de dinero en efectivo, por cualquier emergencia que se presentara antes de que pudiera llamarla por teléfono. En el banco tenía bastante dinero acumulado, que no había entregado a los soviéticos, de mi sueldo de las Naciones Unidas.

Mirando hacia atrás, recordando qué trastornado estaba, no sé cómo pude ocultar mi tensión a Lina y a los demás. Cada vez que entraba en la Legación, medía las probabilidades de no poder salir de allí. En cada conversación con Lina, temía que se me escapara una palabra de más. Cada vez que subía al coche, esperaba encontrar agentes de la KGB que me aguardaban para cerrarme el paso a la libertad.

Necesitaba descansar y tomé tranquilizantes. Desde el incidente con Podshchekoldin, los tomaba con cierta asiduidad. Bajo sus efectos, llegaba medio dormido al trabajo. El martes por la mañana tuve que entregar al secretario general un informe de una reunión sobre el *apartheid*. Mis colaboradores hicieron el borrador; después de someterlo al examen superficial del secretario de Waldheim, leí el texto de cuatro páginas, y olvidé inmediatamente cada palabra.

Las horas se desvanecían mientras llevaba a cabo mi trabajo y los falsos preparativos para el viaje a Moscú. Mientras tanto, Lina seguía ocupada comprando regalos para la familia y los amigos. Ella también quería ir a Moscú. Le dije que me encantaría que fuéramos juntos, pero era un viaje muy corto; además, si ella iba, tendríamos que pagar nosotros el billete. Le recordé que faltaba muy poco para el verano, y que entonces nos tomaríamos unas largas vacaciones en la Unión Soviética. Retiré del banco el dinero que había decidido dejar a Lina y lo guardé en la caja de seguridad de mi despacho, junto con algunos papeles personales. Finalmente, llegó el jueves.

A última hora de la tarde llamé a Lina y le dije que cenara sola, porque me quedaría trabajando hasta muy tarde. Luego, cuando la oficina quedó vacía, llevé a cabo los actos finales de la vida que iba a abandonar. Recogí algunos documentos personales y los guardé en mi cartera. Coloqué encima las pocas fotografías que tenía en mi escritorio y en los cajones: de Anna, de Lina y Lidia Gromiko en la Legación soviética, foto que había hecho con la cámara que me habían regalado en el Ministerio de Asuntos Exteriores, de Kurt Waldheim y yo en su oficina, de Waldheim y yo frente a Brezhnev y Gromiko en el Kremlin...

Me detuve. Estaba llenando demasiado mi cartera y las sienes me palpitaban. ¿Y si, después de todo, me había vuelto paranoico? ¿No sería la tensión de mi doble vida la que finalmente me había hecho caer en mi propia trampa? Quizá no sospechaban de mí. Tal vez simplemente estaban preocupados por mi salud. ¿No sería ésa la explicación de que me llamaran a Moscú? Su preocupación podía deberse a mi nerviosismo, y no a mi lealtad.

La indecisión duró poco. Ya había contestado esas preguntas anteriormente. Las había contestado en la carta a Lina... La carta a Lina... tenía que releerla y probablemente rehacerla.

Saqué el sobre de la caja de seguridad, lo abrí, y leí de nuevo aquellas palabras familiares. No me dejaron satisfecho. Me senté y empecé de nuevo.

«Estoy desesperado –escribí–. No puedo vivir ni trabajar con personas que odio, en Nueva York o en Moscú.» Le describí las intensas presiones de los últimos meses, la tensión cada vez mayor entre Podshchekoldin y yo por cuestiones del Partido, la constante vigilancia de Drozdov y de la KGB.

Le dije que intentaba pedir asilo político en los Estados Unidos. No mencioné que había trabajado para los norteamericanos; pero le aseguré que la llamada desde Moscú era una trampa. Le dije también que, si volvíamos, no nos dejarían salir nunca más del país, y que era muy probable que me expulsaran del ministerio. «Por favor, quédate conmigo –le rogué–. Viviremos mucho mejor aquí, y moveré cielo y tierra para que Annushka pueda salir de la Unión Soviética. Empezaremos una vida nueva y libre en un país en el que no se persigue a la gente y se vive sin miedo.» Le rogué que confiara en mí, y le recordé que jamás la había defraudado. Le dije que regresar a la Unión Soviética sería peligroso, quizá fatal, para los dos. Le prometí que se lo explicaría todo cuando nos volviéramos a ver, y le rogué que no se enfadara, aunque sabía que esa carta la irritaría muchísimo. Le pedí especialmente que no llamara ni fuera a la Legación. La telefonearía muy temprano por la mañana para saber su decisión.

Dejé el bolígrafo sobre la mesa; no tenía ninguna esperanza. Aunque esa carta parecía más elocuente, dudaba de que mis argumentos convencieran a Lina. Cuando éramos pobres y luchábamos, cuando vivíamos en ese horrible apartamento comunitario, y Guennadi estaba enfermo y lloraba, entonces sí éramos verdaderamente felices. Pero a medida que pasaron los años, yo me había ido dedicando por entero a mi trabajo. No crecimos juntos. También Lina había estado obsesionada porque yo llegara a la cima. ¿Mi éxito lo había arruinado todo? ¿O la preocupación de Lina por la seguridad? Quizá sólo había sido el peso de los años.

Fuera lo que fuera, sabía que estaba destruyendo el mundo de Lina. Ella jamás me olvidaría. No creía que aceptara el riesgo de una nueva aventura: empezar otra vida juntos en los Estados Unidos. Le había dicho la verdad, pero no había sido capaz de contárselo todo. Si ella decidía abandonarme, la carta probaría al menos que no era mi cómplice. Posiblemente, la URSS dejaría en paz a Lina y a mis hijos.

Doblé las hojas y las metí en un sobre, junto con el dinero. Lo puse en la cartera. Miré el reloj. Era casi medianoche. Hora de irse.

Llamé a la Legación y pedí que mi chófer fuera a recogerme. Traté de descubrir en la voz del funcionario de guardia alguna señal de sospecha. Pero su tono era seco, normal, aburrido. Enviarían el coche inmediatamente. Diez minutos más tarde, Nikitin me llamó desde la entrada de la Secretaría. ¿Tenía que subir? No, yo bajaría en seguida.

Nikitin abrió la puerta trasera del Oldsmobile negro y se puso al volante con un lacónico «Buenas noches». Normalmente, hablábamos de la Legación o de Nueva York. Pero desde hacía unas semanas parecía extrañamente reservado. Yo sabía que me tenía afecto, y que estaba agradecido porque le había ayudado a hacer un tercer viaje a los Estados Unidos. Pero, en ese momento, empecé a preguntarme si no sospecharía algo.

No creía que fuera un agente de la KGB. Pero, como todos los soviéticos en el exterior, estaba obligado a cooperar con ella. Seguramente estaba obligado a informar de mis idas y venidas. Era probable que últimamente hubieran ejercido más presión sobre él. O tal vez había percibido la tensión, u otros chóferes le habían dicho algo sobre mí. En cualquier caso, permanecía silencioso.

Nikitin avanzó por la Primera Avenida, prácticamente vacía, y se dirigió hacia el norte. Al principio me hundí en el asiento; pero luego empecé a mirar a mi alrededor, a controlar los vehículos que iban detrás. En la avenida había muy pocos coches, y la mayoría de ellos estaban a más de una manzana de distancia. Sin embargo, me pareció que dos faros nos seguían desde que habíamos dejado el edificio de las Naciones Unidas.

Seguían detrás de nosotros cuando atravesamos las calles Cuarenta y también cuando pasamos las Cincuenta. Empecé a ponerme nervioso. ¿Lograría reunirme alguna vez con Bob y Carl? Quizá los soviéticos me estaban esperando en mi apartamento. ¿Sería conveniente que fuera a casa?

Sin embargo, cuando Nikitin dobló a la izquierda a la altura de las calles Sesenta, el otro coche siguió por la Primera Avenida. Me sentí aliviado. Frente al edificio de apartamentos, Nikitin me ayudó a bajar.

–Por favor, venga mañana a la misma hora de siempre –dije, como era habitual–. Que duerma bien –añadí–. Buenas noches.

–Buenas noches, Arkadi Nikolaevich –dijo–. *Do svidania.*

–*Do svidania*, Anatoli –respondí. Nunca más íbamos a vernos.

Como había esperado, Lina estaba durmiendo. De cualquier modo, debía apresurarme. Cogí una maleta del armario de la sala y metí dentro unas pocas camisas, algunos calcetines y ropa interior. No quería hacer ningún ruido. Si Lina se despertaba, tardaría horas en volver a dormirse.

¿Qué más necesitaba? Mi mente estaba en blanco. Traté de pensar, pero no pude. Nada era real, excepto la amenaza de que me descubrieran y la posibilidad de escapar. Estaba viviendo al minuto; atravesaba una especie de trance en el que podía actuar pero no reflexionar. La energía nerviosa, y no el pensamiento racional, me mantenía en movimiento.

Fui de puntillas hasta la puerta del dormitorio. Miré por última vez a mi esposa dormida. Dejé el sobre junto a la puerta y salí del apartamento. Empecé a caminar hacia el ascensor de servicio y, de pronto, me detuve.

Después de medianoche el ascensor no funcionaba. Y no podía usar tampoco uno de los ascensores comunes. Podría encontrarme con alguno de los funcionarios soviéticos que vivían en el edificio. ¿Qué explicación iba a dar por la maleta que llevaba? ¿Y si me preguntaban qué estaba haciendo, adónde iba a esas horas de la noche?

No había pensado en eso cuando preparé el plan con Bob y Carl. Durante un instante, no supe qué hacer. Luego recordé la escalera de incendios, al final del pasillo. Aunque eran veinte pisos, podía bajar por allí. La escalera llegaba hasta la planta baja, en la parte trasera del edificio. Podría salir sin que me viera el empleado nocturno de la entrada.

Llevaba la maleta y la cartera en una mano; con la otra abrí la puerta. La escalera estaba apenas iluminada; los escalones de cemento eran de color gris oscuro; la baranda de metal, fría y resbaladiza bajo mis manos sudadas. Después de los primeros seis pisos, me detuve; cambié de mano la maleta y la cartera. Empezaban a dolerme los dedos. A veces, la cartera, que me golpeaba la rodilla o la pantorrilla, me hacía tropezar. Cinco pisos más abajo, me detuve nuevamente y descansé. Bajaba silenciosamente, casi de puntillas; los músculos de las piernas temblaban debido a esa tensión inhabitual. Mi corazón palpitaba con fuerza.

Descansé dos veces más antes de llegar a la planta baja. Abrí con cuidado la pesada puerta y miré a mi alrededor. No había nadie a la vista. Caminé los pocos pasos que me separaban de la entrada de servicio y salí al estrecho pasaje que llevaba a la calle Sesenta y Cuatro. Una llovizna fría me obligó a subir las solapas de mi impermeable azul oscuro. En la acera, miré con ansiedad hacia la izquierda. Pude ver el coche blanco aparcado al otro lado de la calle Sesenta y Cuatro. Sus faros no estaban encendidos. Todo iba bien.

El coche se encontraba apenas a unos cincuenta metros, pero la distancia parecía enorme, peligrosa. Podía haber un agente de la KGB aguardando en un portal, que ni los norteamericanos ni yo veíamos, con la orden de detenerme, y con un cuchillo o un revólver para cumplirla. ¿Y si los norteamericanos habían descubierto el peligro y estaban esperando a que yo apareciera para encender los faros del coche? ¿Cómo podía pretender dar la excusa de un paseo nocturno llevando una maleta y una cartera?

De pronto, el plan de fuga dejó de importarme: corrí por la calle Sesenta y Cuatro y sólo me detuve un segundo para mirar la extensión vacía de la Tercera Avenida antes de lanzarme, a través de ella, hacia el coche y la seguridad. Cuando llegué, Bob estaba en la acera sosteniendo la puerta trasera del coche abierta. Cogió mi equipaje y lo arrojó al asiento delantero, se deslizó a mi lado, y dijo entre dientes:

–Vamos.

Carl se encontraba a mi otro lado. No dijimos nada. El coche se separó del bordillo e inició un viaje laberíntico por Manhattan hasta el Túnel de Lincoln. Las calles de la ciudad estaban prácticamente vacías, pero la tensión que había sentido una hora antes, al dejar el edificio de las Naciones Unidas, resurgía cada vez que los faros de otro coche iluminaban el interior del nuestro. Evidentemente, Bob y Carl también estaban tensos. Cuando cruzamos Nueva Jersey, rompí el silencio con una pregunta.

–¿Adónde vamos?

–A Pennsylvania. Tenemos una casa segura en los Poconos, a dos horas de la ciudad.

No hablamos más. Mis amigos estaban nerviosos. Yo estaba agotado. Mientras avanzábamos en la oscuridad, me dormí. Tenía la mente entumecida y vacía; estaba demasiado cansado para sentirme feliz y demasiado tenso para sentirme seguro.

29

Hacia las tres de la madrugada salimos de la carretera y entramos en un sinuoso camino secundario; por fin, nos detuvimos ante un portal de madera que se abrió de inmediato. La grava crujía bajo las ruedas a medida que nos íbamos acercando a una gran casa de ladrillos rojos; las luces de las ventanas de la planta baja estaban encendidas. Dentro, Bob y Carl me presentaron a cuatro o cinco hombres, obviamente guardaespaldas.

–Arriba hay un dormitorio dispuesto para usted –dijo uno de ellos.

Subí al segundo piso, fui al baño, y bajé de nuevo. Había una bandeja llena de bocadillos en la sala.

–Hay mucho que hacer por la mañana –dijo Carl–. Es mejor que ahora descanse.

Cogí un bocadillo y me fui a mi habitación. En el pasillo, un robusto oriental estaba desplegando un catre de campaña.

–Yo dormiré aquí –sonrió–. Por si acaso.

Su presencia no me tranquilizaba. Después de todo, la casa segura, ¿era realmente tan segura? Pero estaba demasiado cansado para hacer preguntas. Y demasiado nervioso para dormir. Habituado a los ruidos familiares de Nueva York, el campo parecía amenazadoramente sereno. Cada sonido se destacaba en el silencio y despertaba de inmediato mi atención. Tomé un par de tranquilizantes, pero no me hicieron efecto.

¿Alguna vez me sentiría seguro en algún sitio? ¿La KGB habría empezado ya a buscarme? Una vez que empezaran, ¿acabarían alguna vez? Una voz interior me dijo: «No pierdas el control. Eres libre, libre».

Verdaderamente era libre; pero ¿y ahora qué? Yo admiraba a los

Estados Unidos. Me gustaban los norteamericanos. Pero comprendía que no iba a ser fácil adaptarse a la vida de este país. Sabía que me llevaría tiempo, mucho tiempo, establecerme, tener amigos.

¿Dónde los buscaría? No podía regresar a mi barrio de Nueva York, frente a las narices de la KGB. Pero Nueva York era mi única casa en los Estados Unidos. ¿Adónde iba a ir si tenía que alejarme de esa ciudad? ¿A quién tendría si Lina se negaba a quedarse, si retenían a Anna en Moscú?

Antes del alba, abandoné mis intentos de dormir. Me lavé, me vestí y bajé. Bert Johnson había llegado durante la noche. Su mera presencia me animó. De pronto, comprendí cuánto había confiado en su serenidad, y cuánto le había echado de menos en los agitados últimos días.

Aunque el sol estaba empezando a salir, en la casa todos se habían levantado. Probablemente estaban también demasiado tensos para dormir. Mientras tomábamos el café, empezamos a analizar nuestros próximos movimientos.

Había que hacer algo inmediatamente. Para evitar toda acusación soviética de que yo había recibido presiones, los norteamericanos querían que demostrara mi libertad de acción registrándome con mi verdadero nombre en un hotel cercano y alquilando además un coche. No estaban sugiriendo que me quedara en el hotel, sino simplemente que mostrara que podía moverme por mis propios medios y que era independiente.

Como todavía era demasiado temprano para ir a la ciudad, propuse que diéramos un paseo. La luz de la mañana sobre las verdes hojas me levantó el ánimo. Mientras caminábamos por los jardines que rodeaban la casa, sentí como si me quitara un enorme peso de encima. La mañana me dio la primera sensación real de que era libre; la ansiada libertad me reanimaba.

Johnson rompió mi silencio.

–¿Está seguro de que no quiere simplemente desaparecer? –preguntó–. Sería más fácil. Se podría evitar un montón de complicaciones.

Yo sabía que Bert y los otros estaban acostumbrados a disidentes que preferían ocultarse, que querían dinero, protección, una nueva identidad, la seguridad del anonimato. Pero ya lo habíamos hablado antes. Yo quería independencia y la oportunidad de expresarme.

–Mire, lo he dejado bien claro desde el principio, y no he cambiado de idea –dije ásperamente, y medio en broma, para quitarle hierro al asunto, añadí–: Y ustedes, muchachos, deben respetar mis deseos. Después de todo, sigo siendo subsecretario general de las Naciones Unidas.

Sonreí, pero lo decía en serio. Sentía que ésa era mi mejor baza ante los norteamericanos y ante los soviéticos, y también ante mí mismo. Además, tenía la esperanza de que sería el medio de reunirme con mi familia o, al menos, la garantía de su seguridad.

En ese momento llegamos al portal principal, en mitad del alto muro de madera que rodeaba la propiedad.

–Salgamos –sugerí–. Me gustaría caminar un poco más.

Mis guardaespaldas intercambiaron una rápida mirada; luego se encogieron de hombros y abrieron el portal. Frente a nosotros había un estrecho camino. A lo lejos, campos sin arar se extendían hasta las ondulantes colinas boscosas. El panorama era sereno y claro. Sentí otra vez tal sensación de libertad que habría echado a correr como un niño. Pero había observado que los norteamericanos estaban nerviosos. Bob, que iba algo más adelante, se detuvo y se volvió.

–Es mejor que regresemos –dijo.

–¿Por qué? –pregunté, mientras le alcanzaba–. ¿Algo les preocupa?

–Estamos bastante seguros de que todo va bien, pero siempre es mejor ser prudentes. Nunca se sabe. –Vaciló–. Andy, estamos en un momento crítico. Si ya saben que usted ha desaparecido, los de la KGB deben estar volviéndose locos. Drozdov ya habrá comprendido que jamás le perdonarán que haya sucedido esto. Sabe Dios de qué serán capaces para lograr que usted vuelva. O simplemente para encontrarle. Ellos no conocen su relación con nosotros. Pensarán que hace sólo unas horas que nos conoce y que no ha tenido demasiado tiempo para contarnos muchas cosas. Y tratarán de detenerle antes de que sea demasiado tarde.

Nos estábamos acercando a la casa. Carl intervino bruscamente.

–¿Usted qué piensa? –preguntó–. Les conoce mejor que nosotros. ¿No le parece que tratarán de encontrarle? ¿Durante cuánto tiempo persistirán? Por el amor de Dios, ¿cree de verdad que puede vivir sin esconderse?

Otra vez. Me irrité.

–Sí, les conozco. Sé lo que han hecho y lo que pueden hacer. –Estaba pensando en Trotski, supuestamente a salvo en México; en los secuestros y asesinatos cometidos en Europa, antes de la guerra, por el casi legendario agente de la NKVD Lev Manevich; en el asesinato de Walter Krivitski; en otros muertos y desaparecidos desde entonces.

–Yo les dije al principio que iba a necesitar protección –insistí–. Pero no quiero que me protejan toda la vida. A largo plazo mi mejor seguridad es convertirme en una figura pública. Sí, por supuesto, tengo miedo; pero si me dejo ver y después de algún tiempo me ocurre algo, todo el mundo pensará que ha sido la URSS la responsable. Es posible que traten de vengarse, pero quiero que les cueste caro conseguirlo. Quiero vivir mi propia vida. No estoy dispuesto a hacerme la cirugía estética, ni pienso esconderme: eso no resolvería absolutamente nada. Si después de diez años de andarme ocultando me descubren y me matan, nadie se enterará.

De pronto me sentí profundamente deprimido. Proseguí:

–Además, vivir escondido es cambiar una prisión por otra. Antes que vivir de esa manera, hubiera preferido regresar a Moscú, abandonar mi carrera política y pasar el resto de mis días leyendo en el jardín de mi casa.

Pero, en realidad, yo sabía que esa opción no era posible. En mi país, nadie comprendería semejante decisión. Creerían que estaba loco por abandonar mi posición y mis privilegios; y es muy probable que me pusieran bajo control psiquiátrico indefinido.

–Miren, yo les estoy muy agradecido, de verdad. Conozco el peligro, y sé que durará mucho tiempo. Necesito protección, y haré todo lo que ustedes crean necesario para mi seguridad.

Había aclarado las cosas, pero estaba nuevamente agotado. Johnson miró el reloj y decidió que ya era hora de representar la pantomima de la ciudad. Fui a buscar la maleta a mi dormitorio; luego, subimos al coche y recorrimos ocho o nueve kilómetros por caminos secundarios estrechos hasta el centro turístico de White Haven. Entré en el Howard Johnson, crucé el vestíbulo vacío del hotel, llené un formulario de registro ante un empleado indiferente, cogí la llave de una habitación del segundo piso, y dejé mi «equipaje». Otra rápida parada para alquilar un coche, y ya había afirmado mi presencia como hombre libre. Conduje el vehículo a través de algunas calles y luego entregué las llaves a uno de mis guardaespaldas; finalmente, Bob nos llevó a Carl, a Bert y a mí de vuelta a la casa.

Durante el trayecto, Johnson dijo que había una complicación. Mientras yo fuera subsecretario general, explicó, Washington no podía aceptar una petición formal de asilo político. Mi cargo de funcionario internacional significaba que, oficialmente, no podía refugiarme en los Estados Unidos.

–¿De verdad va a tratar de quedarse en las Naciones Unidas?

–No voy a escapar como un criminal –dije–. Mi posición es la única arma que tengo para ayudar a mi familia. Además, para vivir con independencia, necesito el dinero de las Naciones Unidas. Y, sobre todo, quiero acorralar a la Unión Soviética, hacer que acepte la realidad de la Carta de las Naciones Unidas y las normas de éstas con respecto a su personal. Las respetan cuando les conviene. Pues bien, me gustaría ver que también lo hacen cuando les molesta.

–Lo comprendemos –respondió Johnson–. Pero ellos harán que Waldheim ceda y le despida. Él jamás arruinará sus relaciones con una superpotencia por un hombre, aunque le tenga mucho aprecio.

Tenía razón. Pero yo quería estirar de la cuerda tanto como diera de sí.

–Bueno, estamos en los Estados Unidos –dijo Carl– y, en una situación como la suya, un norteamericano vería a un abogado. Sin duda, usted necesitará uno para tratar con las Naciones Unidas; pero probablemente, también lo necesite para un montón de cosas más. No podemos servirle de intermediarios ante la Unión Soviética y ni siquiera ante el gobierno de los Estados Unidos. Naturalmente, usted conoce a mucha gente en Nueva York, pero si quiere algunos nombres, yo tengo la dirección de tres o cuatro abogados.

Cuando llegamos, repasé las cosas que debía hacer esa mañana. Llamar a Lina. Llamar a las Naciones Unidas para que cerraran mi despacho y comunicar a los asesores de Waldheim que estaría ausente por poco tiempo. Escribir a Moscú para explicar las razones de mi ruptura con la Unión Soviética, y plantear mis exigencias con respecto a mi familia. Llamar al abogado.

Eran más o menos las ocho y media de la mañana cuando llamé al oficial de seguridad de las Naciones Unidas y le dije que no iría durante algunos días por enfermedad. Estuvo de acuerdo en cerrar mi despacho hasta que yo regresara, una medida de rutina en las Naciones Unidas. Hablé también con el asesor personal del secretario general, Ferdinand Mayrhofer, diplomático austríaco con el que mantenía buenas relaciones.

–No me siento bien y el médico me ha dicho que descanse. Necesitaré algunos días para reponerme. Sé que es un mal momento para ponerse enfermo, pero no puedo hacer nada.

–¿Es algo serio? –preguntó.

–No. No lo creo. Pero debo tomarme algunos días de descanso. Le enviaré una notificación para que usted pueda informar a Waldheim.

–Muy bien –dijo Mayrhofer–. Todavía no ha llamado desde Europa, pero hoy hablaré con él, y probablemente más de una vez.

–Entonces, le volveré a llamar más tarde, cuando pueda contarle más.

–¿Más? ¿Hay algo más?

–Bueno, ahora no hay mucho. Le volveré a llamar pronto.

Pocos minutos después de las nueve en punto, llamé a Lina. Aunque necesitaba oír su voz, tenía miedo de nuestra conversación. Por una parte, deseaba que ya se hubiera levantado y aguardara la llamada que le prometía en la carta; pero, por otra parte, esperaba que todavía siguiera durmiendo con el teléfono del dormitorio desconectado. Podría entonces postergar la confrontación, la mejor forma de estar sereno, persuasivo, convincente.

No estaba preparado para lo que verdaderamente sucedió. El teléfono sonó una sola vez. Lo descolgaron.

–¿*Da*? –Era la voz de un hombre. Ruso.

–¿Lina? –Al principio, me sorprendió.

–*Yeeyo niet doma* (no está en casa). –Era una voz desconocida. Ni siquiera la de Nikitin, nuestro chófer.

Colgué el teléfono como si ardiera. Apenas podía imaginar lo que había pasado. De pronto me asustaron las posibilidades.

Sin duda, Lina se levantó temprano, leyó la carta y sintió pánico. Llamó a alguien a la Legación. Fueron a buscarla y dejaron a un hombre de la KGB en el apartamento. Había actuado como la oveja que pide ayuda a los lobos. Por lo tanto, yo ya no podía ayudarla.

Me puse furioso con ella y conmigo mismo. Si hubiera confiado en ella, habría corrido peligro. Pero ¿por qué no preparé mejor las cosas? ¿Por qué no pedí a la CIA que la vigilara? ¿Por qué Lina no esperó?

Como un hombre que emerge de un sueño provocado por la fiebre, me vi obligado a enfrentarme con la realidad. Mi furia no iba a cambiar nada. No podía pretender que Lina diera marcha atrás y, probablemente, jamás podría hablar otra vez con ella. Quizá tampoco volvería a ver nunca a Anna, ya que Lina no podía, y probablemente no querría, ayudarme.

Los norteamericanos tenían razón en cuanto a mi situación en las Naciones Unidas. Muy pronto me despedirían del trabajo que había sido mi vida. Ya estaba separado de mi familia; la desaparición de Lina había cortado los últimos vínculos que me unían a ella. Era libre, pero, en ese momento, no me parecía que valiera la pena. Me quedé perplejo, mirando el teléfono.

Johnson vio mi desesperación. Cuando le dije que seguramente habían llevado a Lina a la Legación, no se sorprendió mucho. Por lo que habíamos hablado, Johnson sabía que mi carta había sido un disparo al azar, que era mucho más probable que Lina se quedara con la URSS que conmigo. Su reacción me ayudó a calmarme, a admitir que, en realidad, mis expectativas no habían estado tan lejos de las de Johnson. De todos modos, todavía era responsable de mi familia.

Me puse a escribir una carta: quería negociar la seguridad de mi familia. La única forma era hacerlo con energía y dirigiéndome a la autoridad más alta de la Unión Soviética: Leonid Brezhnev. Yo renunciaría al Partido Comunista, pero conservaría la ciudadanía soviética mientras conservara mi cargo en las Naciones Unidas. Me negaría a cumplir todas las órdenes de Moscú, pero insistiría –con propósitos negociadores– en conservar el cargo de subsecretario general. Troianovski iba a ser el mediador.

En la casa había máquinas de escribir con caracteres romanos y cirílicos, pero decidí escribir las cartas a mano. La primera estaba dirigida a Brezhnev. En idioma ruso, con estilo oficial y duro, escribí:

> La traición de los ideales de la Revolución de Octubre que está teniendo lugar actualmente en la Unión Soviética y los abusos monstruosos cometidos por la KGB, me obligan a tomar la decisión de renunciar a mi cargo de miembro del PCUS [Partido Comunista Soviético], lo cual notifico a usted oficialmente mediante esta carta.
>
> Le informo también que no es mi intención renunciar al cargo de subsecretario general hasta que se resuelvan ciertas cuestiones relacionadas con mi familia. Adjunto las mismas en una nota separada. Espero una respuesta oficial de la Legación soviética ante las Naciones Unidas sobre este asunto.

En la nota adjunta propuse una renuncia discreta –con el consentimiento de Waldheim– a condición de recibir una garantía escrita y firmada de que mi familia no sufriría «medidas represivas de ninguna clase» y de que mi esposa gozaría del derecho de propiedad de nuestro apartamento y nuestra dacha, y podría recibir de mi parte cantidades regulares de dinero en divisas para su propio mantenimiento y el de mis hijos. Señalé que las normas del personal de las Naciones Unidas prohibían a todo gobierno que diera instrucciones sobre cualquier asunto a un empleado de la Secretaría, pero yo ofrecía «no montar una escena dramática al respecto» si la URSS me proporcionaba garantías por escrito del bienestar de mi familia.

Después escribí a Troianovski; le pedí que transmitiera mi carta a Brezhnev junto con mi negativa oficial a regresar a Moscú, como me habían ordenado. Expresé mi «negativa categórica a aceptar todo tipo de instrucciones de la Legación soviética». También le dije que tenía la intención de pedir al secretario general que me diera una excedencia «por algún tiempo», durante el cual permanecería en «contacto necesario y constante» con el personal de Waldheim.

Finalmente, escribí una carta en inglés a Waldheim pidiéndole que me ayudara a conseguir las garantías que exigía de la Unión Soviética, para así poder renunciar a mi cargo en la Secretaría. «Por ahora, solicito una excedencia para descansar y pensar», concluí.

Mientras hacía esos borradores en una mesa que se encontraba en un rincón de la sala, casi esperaba que los norteamericanos miraran por encima de mi hombro y me sugirieran qué palabras utilizar. Pero me dejaron solo hasta que terminé. Cuando lo hice, les pedí que me ayudaran a corregir la carta que le había escrito a Kurt Waldheim y a traducir al inglés las dos que estaban en ruso, porque quería adjuntarlas a la primera. Aunque más tarde la URSS me acusó de haber suscrito con mi firma los tópicos de la CIA, la terminología de esas cartas era mía. Cerca del mediodía terminé. Le pregunté a Johnson si podía entregar las cartas en mi nombre.

Movió negativamente la cabeza.

–No. No podemos actuar como intermediarios ante la Unión Soviética ni ante las Naciones Unidas. Es una de las cosas por las que usted necesita un abogado: para preservar su independencia.

Carl me mostró una lista.

–Nos hemos puesto en contacto con todos ellos –dijo–. Saben quién es usted y están dispuestos a ayudarle. –Sólo había cuatro nombres en la lista; reconocí uno inmediatamente: Ernest Gross, un ex representante de los Estados Unidos ante las Naciones Unidas.

–Conozco a Gross –exclamé–. Bueno, nunca le he visto, pero hace algunos años leí sus libros sobre derecho internacional. ¿Qué hace ahora?

Carl dijo que era abogado de un famoso bufete de Nueva York.

–Trabaja en Wall Street –añadió.

–Estupendo –bromeé–. Eso significa que es de confianza. La URSS quedará impresionada. Le llamaré ahora.

Bert sugirió una alternativa. Era casi la hora de la comida y creían que era seguro –y eficaz– que yo comiera en la ciudad, en el restaurante del hotel. Podía llamar a Gross desde mi habitación y volver a hablar con Mayrhofer. Con el coche que había alquilado fuimos a la ciudad. Bob se dirigió al comedor a buscar una mesa para todos; Bert, Carl y yo subimos a mi habitación.

Llamé a Ernest Gross. Me apoyó con entusiasmo. Aprobó mi idea de mantener mi cargo en las Naciones Unidas y dijo que utilizaría sus conocimientos sobre la organización y la experiencia que adquirió en pasadas negociaciones con la Unión Soviética. Aceptó entregar mis cartas en la Legación soviética; Johnson prometió que las llevaría a Wall Street por la tarde. Al final de nuestra charla, ya nos llamábamos por nuestro nombre. Gross estaba dispuesto a empezar a estudiar las disposiciones de las Naciones Unidas que aplicaría en mi caso. Su calidez y su combatividad me levantaron el ánimo.

Con Ferdinand Mayrhofer fue más difícil. Le leí las cartas; cuando terminé, se quedó en silencio.

–Pero ¿cómo se encuentra, Arkadi? –Finalmente, estalló–. ¿Dónde está? No tiene problemas, ¿verdad?

–Ferdinand –respondí–, me encuentro bien; no estoy en peligro. Le llamaré regularmente.

Le dije también que Ernest Gross era mi abogado. Cuando terminamos de hablar, oí que Mayrhofer exclamaba, casi para sí mismo:
–¡Oh, Señor! Esto va a ser muy serio, muy, muy serio.

Yo sabía que estaba pensando en la presión soviética sobre Waldheim.

Durante la comida, en una mesa que se hallaba en un rincón del restaurante, charlamos alegremente. Bert brindó por mi fuga, por mi libertad, por mi futuro. Yo bebí a la salud de mis protectores. Les conté que Mayrhofer no esperaba que Waldheim regresara a Nueva York hasta al cabo de unos diez días. Y yo no iba a abandonar las Naciones Unidas sin verle y hablar con él.

–Parece que vamos a estar juntos bastante tiempo –dije.

Regresamos a la casa. Ante la posibilidad de una convivencia forzosa, por algún tiempo, habían llevado un juego de ajedrez electrónico «Boris». No me sorprendió perder las dos primeras partidas, aunque logré ganar la tercera.

Bob me preguntó si tenía ganas de trabajar un poco. Le dije que sí, contento de dejar de luchar contra aquel objeto. Bob quería completar nuestro análisis del informe anual de Dobrinin al Ministerio de Asuntos Exteriores. Habíamos analizado los puntos principales: la estimación de Dobrinin sobre el estado de las relaciones soviético-norteamericanas, la situación política de los Estados Unidos, la posición militar, y otros asuntos. No habían tenido tiempo de hacer un informe completo, y yo había prometido revisar el borrador y ayudarles a terminarlo. Faltaban muchos detalles. Cuando ya tenía tres folios, llamó Ernest Gross.

Los soviéticos habían exigido que el gobierno de los Estados Unidos me presentara en una reunión durante el fin de semana. A su vez, los norteamericanos negaban todo control sobre mí y les habían remitido a mi abogado. Y yo, ¿qué quería hacer?

Mi mayor deseo –no ver a ningún funcionario soviético– no podía cumplirse. Mientras fuera ciudadano soviético, subrayó Gross, los representantes de mi gobierno tenían derecho a asegurarse de que yo estaba bien y de que nadie ejercía coerción sobre mí. Si me negaba a ir a esa reunión, colocaba al gobierno de los Estados Unidos en una situación diplomática difícil. Además, la reunión me daría la oportunidad de saber cómo estaba Lina y de discutir las garantías que quería para ella y para mis hijos.

Acepté.

–Pero quiero que les haga entender que sigo siendo subsecretario general –dije a Gross–. Esto no es un asunto consular entre la Unión Soviética y los Estados Unidos. Es un asunto entre la Unión Soviética y yo, y si tengo que mantener una reunión con ellos, sólo veré a Troianovski. A nadie más. Ningún cónsul. Ningún oficial de la KGB. Nadie.

–Se pondrán furiosos –anticipó Gross.

–Pero es definitivo –respondí–. O el embajador o no hay reunión.

Johnson aprobó mi condición y estuvo de acuerdo con Gross en que convenía que aceptara esa reunión cara a cara.

–Pero necesitaremos un poco de tiempo para arreglar algunas cosas –añadió, pensando en los problemas de seguridad determinados por el hecho de que me pusiera al alcance de la KGB.

Llamé a Gross para transmitirle la preocupación de Johnson. Decidimos que nos veríamos antes de reunirnos con los funcionarios soviéticos; iría a verle el día siguiente, sábado, a su casa de Nueva York.

La posibilidad de ver a los representantes soviéticos me preocupaba. Ya no pude concentrarme en el trabajo que estaba haciendo para Bob. Sin embargo, con el fin de mantenerme ocupado, me ofrecí para preparar la cena. Dije que haría *borscht*, una sopa en cuya preparación se tarda horas. Concentrarme en el *borscht* me ayudó a relajarme. Cuando el agua de la olla empezó a hervir, propuse que jugáramos a las cartas; les enseñaría mi juego favorito, «preferencia», una variante complicada del *whist*. Mientras tomábamos un piscolabis nos pusimos a jugar hasta que la sopa estuvo lista.

Algunos de los hombres que había alrededor de la mesa sólo sabían vagamente quién era yo. Me acosaban a preguntas sobre la Unión Soviética, mis razones, mis planes... Finalmente, uno de ellos sacó la cuestión que yo ya había oído dos veces ese mismo día: mi insistencia en vivir sin esconderme. Respondí lo mismo que en las otras ocasiones.

–Pero ¿no tiene miedo? –insistió–. Una cosa es un artista disidente que puede seguir con su carrera, pero los políticos no hacen eso. Nunca lo han hecho.

–Claro que tengo miedo. Estaría loco si no lo tuviera –dije–. Pero ustedes son los expertos. ¿Hay alguna prueba de que el escuadrón de la muerte de la KGB esté actuando en los Estados Unidos? ¿Hay algún disidente soviético a quien hayan matado últimamente?

–No, ninguno. Pero están todos escondidos.

–Así es. Pero yo no quiero vivir como un conejo en una cueva del desierto de Arizona durante el resto de mi vida.

–De acuerdo, Andy –intervino Bob–. Sabemos cómo se siente. Nosotros le apoyaremos mientras podamos. Pero cuando esté solo, la KGB podría aparecer en cualquier momento. ¿Qué haría si Drozdov entrara ahora por esa puerta apuntándole con un revólver?

Respondí con un coraje que no sentía.

–Trataría de matarle primero.

Bob soltó una carcajada. Con un gesto, pidió a un guardaespaldas que le diera su pistola; me la acercó por encima de la mesa.

–Es suya. Nosotros le cubriremos, si no nos morimos de hambre primero. A propósito, ¿cuándo va a estar lista su sopa?

La tensión se rompió. Serví el *borscht*, que resultó un éxito. Mientras los demás quitaban la mesa, yo me fui a la cama. De nuevo, el catre de campaña estaba en el pasillo frente a mi dormitorio.

Traté de leer uno de los libros rusos que me habían prestado: *22 de junio de 1941*, de Alexandr Nekrich, una denuncia del fracaso de Stalin en la preparación del Ejército Rojo contra la invasión de Hitler. El libro se había publicado oficialmente en la Unión Soviética en 1965, pero rápidamente lo retiraron de la circulación. Me interesaba leerlo y, sin embargo, no me podía concentrar. No podía dejar de pensar en el encuentro con Troianovski. Di muchas vueltas en la cama antes de quedarme finalmente dormido.

El miedo que había pretendido no sentir apareció en forma de pesadillas. Yo estaba solo en una habitación. Drozdov entraba y me apuntaba con una pistola. Quería coger mi revólver, pero no estaba allí.

Me desperté sudando, y durante el resto de la noche seguí dando vueltas. Me levanté y me vestí antes de que saliera el sol. La casa estaba silenciosa. Acerqué una silla a la ventana y miré el brillante amanecer de primavera.

30

El sábado por la mañana llamé a Ferdinand Mayrhofer a su casa. Él había hablado con Waldheim quien, al principio, se había escandalizado por mi deserción y luego, cauteloso como siempre, se había negado a hablar del asunto por teléfono. Mayrhofer me dijo también que las Naciones Unidas tendrían que hacer alguna clase de anuncio a principios de la semana, y que aún no se había preparado el borrador.

–No puedo dictar las palabras de ese anuncio, Ferdinand –dije–, pero me gustaría que se recalcara que sólo he pedido una excedencia y que continúo siendo el subsecretario general. –Mayrhofer prometió que informaría a Waldheim de mis deseos.

Durante nuestro viaje de vuelta a Nueva York, yo tenía más conciencia de los alrededores mientras veía el campo de Pennsylvania y la autopista de Nueva Jersey, aunque sólo a través del parabrisas. Johnson me había pedido que me sentara en el asiento posterior del coche, que tenía las ventanillas cubiertas por cortinillas. Poco antes de mediodía llegamos a la residencia de Ernest Gross, un cómodo piso en el East Side, donde él y su esposa me recibieron con cálida hospitalidad. Gross trajo una botella de vodka ruso frío para brindar por nuestra colaboración. Después de pronunciar unas cuantas frases agradables, fuimos al grano. Me dijo que la presión soviética era intensa. Querían una reunión tan pronto como fuera posible, y no les gustaba la idea de que Troainovski acudiera solo.

–Ni siquiera confían en su propio embajador –dije, regocijado por el dilema de mis compatriotas–. Pero ya se les ocurrirá algo.

Eliminamos una cantidad de posibles sitios de reunión. La Legación soviética, imposible. Utilizar la Legación norteamericana proporcionaría fundamento a la teoría soviética de que yo estaba bajo el control gubernamental de los Estados Unidos. Sería difícil preparar una reunión en las Naciones Unidas, tanto por razones políticas como por razones de seguridad; mis guardias de la CIA y el FBI no podrían acompañarme allí. El apartamento de Gross resultaba demasiado informal. Resolvimos que fuera su despacho en Wall Street. Johnson aprobó la idea y sugirió que la reunión se celebrara el domingo por la noche, porque a esa hora el edificio y las calles vecinas estarían vacíos. Pidió además a Gross que proporcionara a los soviéticos la menor información posible sobre nuestros planes.

–Una vez que acepten las condiciones, sólo debemos decirles que será el domingo a las ocho de la noche. Les daremos la dirección más tarde.

Luego, Gross y yo hablamos de mi situación en las Naciones Unidas. Había descubierto una norma que daba al secretario general autoridad para expulsar a una persona como yo en «circunstancias extraordinarias». Pero, de todos modos, Waldheim habría de tener en cuenta las obligaciones que constaban en mi contrato.

–Lo siento por Kurt –dije–. Seguramente los soviéticos no le harán las cosas nada fáciles. Pero para mí es un asunto de principios, y tendrá que respetar las normas o enfrentarse con una rebelión del personal por permitir que un país le dicte órdenes.

La Carta de las Naciones Unidas establece que el personal de la organización «no buscará ni recibirá instrucciones de ningún gobierno» y exige que cada miembro de las Naciones Unidas respete el carácter exclusivamente internacional de la Secretaría General. Me dio cierta satisfacción la idea de que, al tratar de alejarme de mi cargo, la Unión Soviética demostraría claramente ante el mundo el desdén que sentía por la Carta de las Naciones Unidas.

Pero no era mi intención ni mi deseo que la situación de Waldheim se alargara y se convirtiera en algo intolerable. Dije a Gross que estaba preparado para dimitir en términos honorables, pero que, por el momento, no debíamos hacer tal ofrecimiento. Primero teníamos que agotar todos los caminos que permitieran obtener las máximas garantías para mi familia.

Como paso inicial, él hablaría con el jefe administrativo de las Naciones Unidas para averiguar qué indemnización debía percibir yo según mi contrato. Me gustó saber que ya conocía a George Davidson, el hombre con quien debería entenderse. Davidson, diplomático canadiense y subsecretario general, como yo, ciertamente no aceptaría ningún tipo de presiones.

Finalmente, Gross y yo discutimos lo que él debía decir cuando la prensa conociera mi deserción. Le dije que era importante destacar el punto del que ya había hablado a Mayrhofer: que seguía siendo subsecretario general. Aparte de eso, si había habido una reunión con los soviéticos, él podía confirmarla, pero sin decir nada sobre mis motivaciones y mis planes.

Cuando terminamos nuestra conversación nos habíamos convertido en buenos amigos. Yo sentí que era una suerte que él me representara. Era muy competente y tenía un gran interés por el caso. Su entusiasmo era contagioso. Me dio una gran dosis de confianza.

Me sentí aún más seguro cuando un médico que me había recomendado la CIA, me hizo un breve chequeo y me declaró perfectamente sano. Tenía la tensión sanguínea un poco alta, pero no era peligroso.

El domingo, Gross me informó de que los soviéticos seguían insistiendo en que varias personas acudieran a la reunión. Por lo que me dijo, supuse que habían aceptado finalmente mis condiciones, pero sólo si Anatoli Dobrinin estaba presente para respaldar a Troianovski. Yo no tenía nada que objetar a la presencia de Dobrinin o a que un funcionario del Departamento de Estado fuera a la reunión como observador.

En contraste con Gross, a quien parecía encantarle el inminente encuentro, yo sentía temor. Sabía que Troianovski y Dobrinin tratarían de aprovechar nuestros años de relación y mis temores más íntimos.

Yo podía conducir negociaciones diplomáticas normales; era lo que había hecho durante toda mi vida. Pero esto era diferente; se trataba de asuntos personales y no políticos. Y no sería fácil afrontar el desafío emocional.

El domingo por la tarde había frente a la casa una verdadera flota de vehículos, entre ellos un largo coche oficial hacia el que me guió Johnson. Hasta ese momento habíamos utilizado automóviles sedán ordinarios, pero éste tenía un equipo de radiocomunicación y sería precedido y seguido por patrulleros llenos de agentes.

Las precauciones aumentaron cuando nos acercamos a Nueva York. En la entrada del túnel de Holland, por Nueva Jersey, un coche policial se puso al frente de nuestra caravana, en tanto que otro detenía temporalmente el tráfico detrás de nosotros. Así nadie que siguiera el convoy podría saber qué camino iba a seguir después de entrar en Nueva York.

Del túnel pasamos al extremo sur de Manhattan y nos dirigimos hacia el norte por el East Side, antes de girar en Wall Street, por donde seguimos hasta el número 100. Johnson explicó que esa ruta estaba destinada a sugerir a posibles observadores que habíamos llegado a Nueva York desde Long Island o desde Connecticut y no desde el oeste. Yo sólo podía escucharle a medias. Me fascinaba lo que veía por la ventanilla.

En mi primer viaje a los Estados Unidos, en 1958, Wall Street fue lo primero que vi de Nueva York. Llegué a la hora de comer, y tuve que abrirme paso a través de la masa de gente que se acumulaba en la estrecha acera. Me asombró –y en realidad me indignó– el frenético espectáculo de los corredores de bolsa que contemplaba desde la galería de visitantes de la Bolsa. Más tarde, cuando ya era casi un neoyorquino, llevé a otros soviéticos a contemplar esa misma escena. No imaginaba la calle de otro modo.

Pero aquel domingo, mientras oscurecía, el corazón financiero de Nueva York estaba, extrañamente, detenido. Las medidas que se habían tomado para ahorrar energía habían reducido la iluminación y las calles estaban sombrías y llenas de ecos, como en una ciudad fantasma. Era como si una gran catástrofe hubiera eliminado toda la vida humana, dejando sólo grandes monumentos arquitectónicos huecos. Esta sensación de entrar en otro mundo para acudir a una reunión que no deseaba aumentó mi inquietud.

Pero ante el número 100 de Wall Street había gran actividad. Cuando el coche se detuvo, vi unos veinte hombres de aspecto sombrío que formaban rápidamente un doble cordón desde el borde de la acera hasta el vestíbulo. Johnson salió del coche pero me ordenó que permaneciera en el interior. Examinó la situación, volvió, abrió la puerta posterior y dijo en tono imperativo:

–Ahora.

Precedido por Johnson, pasé por el corredor humano hasta el edificio vacío, donde había un ascensor abierto, esperándome. Entré y sentí que subía hasta que la puerta se abrió ante el rostro de Ernest Gross, que me esperaba.

–He ganado. –Estaba resplandeciente–. Han aceptado. Sólo Troianovski y Dobrinin, pero se retrasarán unos minutos.

–Espléndido. –Traté de compartir su placer, pero sólo sentía un poco de satisfacción–. Al menos, han hecho una pequeña concesión.

No esperaba que hicieran más. Antes de que llegaran los embajadores, Gross y yo recordamos los puntos que deseábamos discutir y el orden en que los presentaríamos. Lo principal era mi negativa absoluta a regresar a Moscú o a aceptar cualquier instrucción del gobierno soviético. Empezaría por hacer esa declaración, la misma que había comunicado por escrito dos días antes. Repetiría también mi petición de seguridad para Lina, Guennadi y Anna. Luego escucharíamos la respuesta soviética. La sala de conferencias estaba preparada para negociaciones formales. Nos sentaríamos en los lados opuestos de una larga mesa en cuyo centro había un magnetófono.

Eran las ocho y cuarto cuando un agente llamó desde el vestíbulo para decir que los embajadores habían llegado y subían. Ernest Gross, Mark Garrison (el especialista del Departamento de Estado en Asuntos Soviéticos, que actuaba como observador) y yo nos sentamos, Gross en el medio. A nuestra espalda había una puerta que llevaba a su despacho privado. Dobrinin y Troianovski entraron por la otra puerta. Les conocía bien y vi la tensión que había detrás de su fingida afabilidad. Me dieron la mano, pero su mirada era dura.

Mientras Gross hablaba, busqué señales de sus verdaderos sentimientos. Troianovski y yo nunca habíamos sido amigos; a Dobrinin, en cambio, yo le quería y le respetaba. Siempre me había demostrado amistad; no intimidad, pero aun así algo más que una mera relación profesional. Aunque en aquel momento éramos adversarios, sentí simpatía hacia él. Probablemente podía comprender mi decisión mejor que cualquier otro soviético. Nunca lo diría, por supuesto, pero es demasiado honesto para no haber sentido alguna vez la terrible desilusión que era el principal motivo de mi deserción.

Los dos embajadores eran buenos profesionales, y asumieron con facilidad su misión oficial. Eran negociadores expertos, y una demostración de sentimientos humanos habría minado su posición. Cuando Ernest Gross presentó el «problema» de las garantías para la seguridad de mis familiares, mencionadas en mis cartas a Brezhnev y a Troianovski, simularon sorpresa. Dijeron que no habían recibido las cartas.

Furioso, susurré a Gross:

–Las cartas fueron enviadas, ¿no es así?

Me aseguró que habían sido enviadas. Me dijo que los embajadores mentían, y que su actitud lo demostraba. Para disminuir la tensión, hizo una broma sobre el mal funcionamiento del servicio postal en Nueva York. Luego les ofreció copias de la traducción inglesa de las cartas.

Al principio se negaron a leerlas.

–Sólo queremos una conversación sincera para averiguar qué es lo que ha ocurrido –dijo Troianovski. No era eso lo que yo quería, pero con Mark Garrison actuando como intérprete para Gross, iniciamos una conversación en ruso.

Prácticamente repetí las mismas palabras que había empleado en mi carta a Troianovski, pero cuando mencioné las garantías que deseaba para Lina y para mi familia, Dobrinin me interrumpió.

–A propósito, acabamos de despedirla en el aeropuerto.

–Sí –agregó Troianovski–. Le envía sus saludos.

Eso me desequilibró. Balbuceé algo ridículo:

–No puede ser... No estoy de acuerdo... No es serio... Dos embajadores para despedir a mi esposa...

Una imagen aterradora centelleó en mi mente: Lina, quizá drogada, sostenida por dos hombres, rodeada por guardias de la KGB, empujada al avión de Aeroflot que yo debía coger. La escena que había imaginado tantas veces se había convertido en realidad, pero Lina había ocupado mi lugar.

Traté de recobrarme, de volver al tema de las garantías escritas para el bienestar de mi familia. Pero Dobrinin siguió otro camino.

–Los dos conocemos a Shevchenko desde hace quince o veinte años –le dijo en inglés a Gross–. Gozaba de la confianza absoluta del gobierno soviético y de la dirección del Ministerio de Asuntos Exteriores de la Unión Soviética, y de nuestra confianza como colega en nuestra tarea común.

Luego se volvió hacia mí. Empleando la forma íntima del «tú» que los amigos rusos suelen usar entre sí, expresó su preocupación por mí y su asombro ante mi acción.

–Arkadi, hace muchos años que nos conocemos. No puedo creer que durante todo este tiempo hayas obrado en contra de tus convicciones... ¿Cómo puede explicarse esto?

–Fui un idiota –dije.

La hipocresía que encerraba la pregunta de Dobrinin era familiar para nosotros tres. Sabíamos que millones de ciudadanos soviéticos ocultaban sus verdaderos sentimientos con respecto a la política y la línea del Partido. Yo sabía que muchos funcionarios del Partido, del gobierno e incluso de la KGB tenían opiniones diferentes, escondidas durante años o durante toda la vida. Cualquiera que estuviese lo bastante loco para expresar esos pensamientos corría el peligro de perder no sólo su posición y sus privilegios, sino también su vida. Un paso en falso podía significar el desastre personal o profesional, o ambos. Todo el mundo en la Unión Soviética debe estar permanentemente alerta: eso constituye una segunda naturaleza para la mayoría, y yo no era una excepción. Dobrinin y Troianovski lo sabían aún mejor, porque eran mayores que yo y habían vivido más tiempo bajo el régimen soviético. Sin embargo, no me sorprendía que siguieran utilizando los mismos inconsistentes argumentos.

En el curso de la conversación Dobrinin exigió detalles sobre la causa inmediata de mi decisión. Mencioné la tentativa de intrusión en mi apartamento. Troianovski respondió en seguida:

–Estaba enfermo. Nos sentíamos preocupados por usted.

–No ha sido el único incidente –dije–, sólo uno de los últimos.

La KGB me había vigilado intensamente, en los pasillos y los ascensores del edificio de las Naciones Unidas, en la Legación, en las calles de Nueva York. Dobrinin y Troianovski lo negaron; sin duda era un mal entendido. Pero yo no aceptaría ninguna nueva orden de Moscú, dije, y no volvería a la Unión Soviética, «por ningún motivo».

Ernest Gross, al observar mi agitación, puso su mano en mi brazo para tratar de que recuperara el aplomo, pero era demasiado tarde.

–Esta conversación no tiene sentido –estallé–. Mi desacuerdo con el régimen soviético es total, pero eso es asunto mío... Las cartas hablan de lo que pienso. No veo por qué tenemos que hablar de nada antes de que ustedes las lean. –Dos veces más pedí que concluyéramos con esa «conversación infructuosa» antes de que Dobrinin cogiera las cartas con un gesto teatral y empezara a leerlas con Troianovski.

Durante los minutos de silencio que siguieron, traté nuevamente de controlarme. Fracasé. Estaba seguro de que conocían el contenido de las cartas y probablemente también el de la que dejé a Lina. Y ahora fingían incredulidad y distorsionaban los hechos para presentarme como un títere norteamericano y para mostrar el asunto como un juego sinuoso y provocativo.

Además, yo hervía de frustración por el viaje de Lina. O por su secuestro. Y cuando Dobrinin dejó las cartas sobre la mesa y observó que mostraban «huellas de frases tópicas norteamericanas», me puse en pie de un salto.

–Señor Gross –dije en inglés–, no deseo continuar con esta conversación insultante. –Dije lo mismo en ruso a Dobrinin y a Troianovski.

–No se exalte. No es necesario –respondió Dobrinin en tono sosegado–. Hablemos.

Pero yo estaba harto de hablar. Salí de la habitación y entré en el despacho privado de Gross. A solas, traté de tranquilizarme, pero todo fue inútil. Me derrumbé; con la cabeza entre las manos, lloré de humillación y amargura; me inundó una profunda sensación de pérdida.

En la sala de conferencias la conversación duró otra media hora, pero no condujo a ninguna parte. Dobrinin y Troianovski repitieron su preocupación por mi bienestar y su incapacidad de comprender mi decisión. Gross les obligó a hablar de negocios: el asunto de las garantías. Dobrinin y Troianovski sólo estaban dispuestos a hablar del pasado. Se negaban a aceptar que mi acción fuera definitiva y a tratar el tema del futuro de mi familia. La conversación terminó con el ofrecimiento de Gross de continuar las negociaciones en otro momento.

Gross fue a buscarme a su despacho y empezó a resumir la situación. Comprendió en seguida que yo no estaba en condiciones de pensar con claridad. Decidimos que hablaríamos de ello al día siguiente. Antes de irme, me dio dos sobres que los soviéticos le habían entregado.

En uno había una carta de Lina: me decía que yo había cometido un error y me rogaba que regresara a Moscú. Era su letra, pero no su lenguaje. La otra era, según parecía, de Guennadi; estaba mecanografiada, no iba firmada y era evidente que había sido falsificada. Estaba llena de frases tópicas, como la carta de su madre. De todos modos, sabía que había perdido a Guennadi mucho antes. Por su propia seguridad, nunca le había alentado a criticar el sistema soviético, y no había compartido con él ni con Anna mis verdaderos sentimientos. Tampoco los había compartido plenamente con Lina. Los años me habían enseñado que toda la familia correría peligro si hablábamos francamente, aunque fuera entre nosotros, de los defectos y los fallos del sistema soviético. Era muy fácil delatarse en otros entornos. Además, Guennadi era joven e inexperto, y anhelaba también hacer carrera en el Ministerio de Asuntos Exteriores, donde la más mínima crítica a nuestro sistema podía arruinar sus posibilidades para siempre. Pero yo, que le había protegido de mis propias opiniones disidentes, debía pagar por ello un alto precio: separarme de él por el resto de mi vida. Guardé las cartas en el bolsillo.

Sabía que ambas las había escrito la KGB. Lina había aceptado su falso informe sobre mi conducta, había creído lo que le dijeron, que yo era un cautivo de la CIA y que la Unión Soviética me liberaría para que pudiera regresar al hogar. No hizo caso de lo que yo le había escrito y aceptó la historia inventada por la KGB. Probablemente había tomado muchos tranquilizantes porque, como me informaron posteriormente los norteamericanos, en el aeropuerto parecía atontada. Dijo a los funcionarios de los Estados Unidos que partía voluntariamente a Moscú, pero, además de Dobrinin y Troianovski, la acompañaba permanentemente un grupo de agentes de la KGB. Exactamente como yo había imaginado, la policía política la acompañó hasta el interior del avión. Así como no había podido escribir libremente la carta, tampoco pudo hablar con libertad en la sala de espera del aeropuerto.

Después de leer las dos cartas, ya no me quedaban emociones. La confrontación con Dobrinin y Troianovski me había agotado. Durante los últimos tres días había vivido de mis reservas de energía nerviosa. De pronto, se habían agotado. Salimos del edificio por el garaje del sótano. (Más tarde me dijeron que en la calle había agentes de la KGB tratando de observar las idas y venidas del personal de seguridad norteamericano, aunque a cierta distancia.) Volvimos a la casa; yo no tenía conciencia del camino que seguíamos, ni de mis compañeros, ni siquiera de mis propios pensamientos. Me hundí en un entorpecimiento emocional del cual sólo emergí cuando los acontecimientos exigieron una respuesta.

Y los acontecimientos no se hicieron esperar. El lunes, un portavoz de las Naciones Unidas anunció en la rueda de prensa de mediodía que yo me había ausentado súbitamente. Exhausto por los sucesos del domingo por la noche, había vuelto a la cama después del desayuno. Johnson me despertó para darme las noticias e informarme del texto preciso de la declaración: «El señor Shevchenko ha informado al secretario general que se ausentaba de su despacho y ha mencionado ciertas diferencias con su gobierno. Se hacen actualmente esfuerzos para aclarar el asunto y, por el momento, se considera que el señor Shevchenko goza de excedencia».

Yo no esperaba que el asunto trascendiera tan pronto, pero la declaración afirmaba, aunque fuera de modo indirecto, que yo seguía siendo subsecretario general. Además, daba suficiente información para que se pudiera deducir que había roto con la Unión Soviética.

Era la noticia del día; primero apareció en la televisión y luego, el martes, en los periódicos. De acuerdo con la tradición de la prensa norteamericana, la información adquirió rápidamente un carácter sensacionalista.

«Secretario soviético de Waldheim en las Naciones Unidas se pasa a Occidente», decía el titular del *New York Times* el 11 de abril. La prensa proclamaba que era uno de los mayores golpes de los servicios de inteligencia norteamericanos de todos los tiempos, y especulaba sobre mis posibles motivos.

Casi toda la información destacaba el asombro de mis colegas. Se me consideraba un funcionario soviético ortodoxo, obediente, leal, un comunista de la línea dura. Citaban el hecho de que fuera uno de los embajadores más jóvenes de la URSS, así como mis servicios como asesor de Gromiko, como una prueba no sólo de mi «brillante carrera», sino también de la confianza política de que gozaba. Algunos periodistas decían que se me había propuesto para el cargo de viceministro de Asuntos Exteriores. En su búsqueda de las causas de mi acción, me atribuían cargos cada vez más elevados.

El martes, la Unión Soviética presentó una protesta formal ante el Departamento de Estado, y expuso en la Legación su versión de los hechos. «No había duda», decía la declaración oficial, de que yo había sido «víctima de una provocación premeditada y de que los servicios de inteligencia de los Estados Unidos estaban directamente implicados en esta detestable conspiración.» Pedían que se me devolviera a la Unión Soviética.

Ernest Gross respondió a la acusación soviética con una negativa y el rechazo de su petición. Asimismo confirmó que me había reunido con funcionarios soviéticos, de los que no dio el nombre, para demostrarles que yo actuaba libremente. Pero *Pravda* (*pravda* significa en ruso «verdad», una palabra singularmente poco apropiada para designar el periódico oficial del Partido Comunista) publicó el jueves su propia versión del asunto, unas pocas líneas en una de las últimas páginas. Se me describía como un «ciudadano soviético que trabajaba en la Secretaría de las Naciones Unidas». Se decía que «la campaña de propaganda orquestada por la prensa norteamericana con respecto al caso Shevchenko tiene la clara finalidad de encubrir las actividades clandestinas de los servicios especiales [de los Estados Unidos]».

En realidad, la única campaña de propaganda era la soviética, que aplicaba la clásica técnica de desinformación de la KGB. Cada vez que un disidente crea problemas a Moscú, se hacen todos los esfuerzos para manchar el nombre del villano. Normalmente se cita uno de estos cinco motivos: codicia económica, problemas de faldas, alcoholismo, coacción o acción criminal. Mi caso parecía exigir medidas extremas. Los soviéticos de las Naciones Unidas iniciaron una campaña de rumores en la que se utilizaban cuatro de esos motivos.

Algunos periodistas recogieron inadvertidamente la propaganda de la KGB. Un artículo mencionaba un romance con una norteamericana. Según el *New York Times,* «los diplomáticos soviéticos y de otras naciones del bloque oriental parecen ansiosos... por explicar la causa de la fuga del señor Shevchenko como un supuesto problema de alcoholismo».

Tad Szulc, que escribía en *The Washington Post,* fue uno de los pocos que comprendieron lo que ocurría. «La acusación soviética inicial de que Shevchenko ha sido "coaccionado" por los servicios de inteligencia norteamericanos», escribió, «es un disparate. La "explicación" en la que coinciden las fuentes comunistas de Nueva York de que Shevchenko padece un "problema de alcoholismo" parece simplemente un resentido ataque personal. Es obvio que los disidentes constituyen un grave problema político y de propaganda para el Kremlin.» Durante toda esta andanada periodística, yo guardé silencio. Como funcionario de las Naciones Unidas, no podía hablar con la prensa sin un permiso especial y, evidentemente, como refugiado, no podía invitar a los periodistas a visitarme. Sin embargo, la prensa estuvo a punto de dar conmigo. El martes por la tarde Johnson irrumpió en la casa. No le había visto nunca tan agitado.

–¡Debemos marcharnos de aquí! El maldito recepcionista del hotel vio su foto en el periódico local y comunicó a la prensa que usted está en esta zona. Hay periodistas por todas partes. Y si ellos lo saben, la KGB también lo sabe.

Aunque la casa estaba a varios kilómetros de White Haven, Johnson creía que ya no era segura. Mientras yo reunía mis escasas pertenencias, hizo que sus agentes devolvieran el coche alquilado, pagaran la cuenta del hotel y se llevaran mi equipaje. Pocas horas después, él, los guardias y yo estábamos instalados en el hotel Marriott de Nueva Jersey, cerca de Nueva York. Ocupamos varias habitaciones adyacentes, y dimos el nombre de uno de los agentes; eran unas habitaciones claustrofóbicas en las que no sólo trabajábamos sino que también comíamos. La situación era muy deprimente, y temí pasar así el resto de mi vida.

Mi habitación daba al aparcamiento del hotel, y el escándalo intermitente de los proveedores, los basureros y los coches de los huéspedes no me dejaba dormir. Dormitaba y despertaba, dormitaba y despertaba, incapaz de poner en orden mis pensamientos y recuperar mi energía. No podía concentrarme para terminar el resumen del informe de Dobrinin, tampoco para leer o jugar al ajedrez. Logré jugar un poco a las cartas y vi la televisión durante horas. Era como un animal en hibernación y protegido por una guardia armada, mientras esperaba que Kurt Waldheim regresara a Nueva York para llevar a cabo los arreglos finales, que sólo podía hacer con él.

Mis protectores y compañeros trataban de animarme, pero sólo conseguí librarme de la depresión, al menos por un momento, cuando llamó Ernest Gross para proponer una reunión. Quería informarme de sus conversaciones con los funcionarios de las Naciones Unidas, pero, además, él y Johnson consideraban que yo debía hacer una rápida e inesperada aparición en público para contradecir definitivamente la imagen de cautivo de la CIA que daba de mí la Unión Soviética. Acepté y me encontré con Gross en su apartamento el jueves.

Me dijo que, en el aspecto financiero, la actitud de los funcionarios de las Naciones Unidas era de cooperación. No se habían establecido términos precisos, pero era probable que interpretaran bastante generosamente las normas para darme una indemnización sustancial si yo decidía renunciar. Johnson quería moverse rápidamente y cerrar pronto el asunto.

–Va a serle cada vez más difícil mantener su posición como subsecretario general cuando esté bajo nuestra completa protección –dijo Johnson–. No es normal que un funcionario de las Naciones Unidas actúe así.

Yo no podía negar que tenía razón, pero tampoco quería rendirme.

–No depende de mí –respondí–. No puedo hacer nada hasta que regrese Waldheim. Es un asunto que debemos resolver él y yo, cara a cara.

Aceptaron mi punto de vista. Gross sugirió que fuéramos a la Century Association, un lugar agradable donde podíamos beber y hacer una exhibición de conducta cotidiana que los demás miembros de la asociación comunicarían a los periodistas. La idea tuvo éxito.

Fuimos al club y nos sentamos en una mesa que estaba al lado de la que ocupaba Francis Plimpton, un distinguido abogado y diplomático norteamericano a quien yo había conocido cuando era el representante de los Estados Unidos en las Naciones Unidas, en la década de 1960. Plimpton me reconoció, se reunió con nosotros y dijo que mi deserción le había sorprendido.

–Recuerdo –dijo– su dureza en el Consejo de Seguridad. Siempre creí que usted obligaba a Fedorenko a seguir la línea dura en el preciso momento en que él parecía dispuesto a negociar.

–Se equivocaba con respecto a lo que realmente sucedía –expliqué, riendo–. El problema era que Fedorenko solía olvidar sus instrucciones. Mi tarea consistía en recordárselas. Y si no lo hubiera hecho, me habría visto en dificultades, especialmente con él.

Recordamos algunas cosas más. Gross me presentó a otros de sus amigos, y nos marchamos después de una agradable conversación.

En los días siguientes, supe por Ferdinand Mayrhofer y por otras personas que la Unión Soviética presionaba a Waldheim para que me expulsara. En Londres, los diplomáticos soviéticos habían planteado la cuestión al secretario general, y Dublín había adoptado una posición muy firme. Gross me dijo también que Troianovski había solicitado otra reunión conmigo.

El primer encuentro había sido bastante difícil, y la perspectiva de tener otro no me gustaba. Pero Johnson insistió en que aceptara.

–Comprendo sus sentimientos –dijo–, pero no le conviene ser demasiado estricto. Es necesario que les demuestre de una vez por todas que actúa libremente y que su decisión es definitiva.

Yo respetaba a Bert. Era un buen amigo, y me había acostumbrado a confiar en su consejo, que normalmente coincidía con mi propio interés. Creo que en esta ocasión actuaba también, comprensiblemente, como defensor del pensamiento oficial de los Estados Unidos. Estaba prevista para mayo una nueva serie de conversaciones SALT entre los Estados Unidos y la Unión Soviética; quizás el Departamento de Estado pensaba que mi deserción podía dañar el clima de las conversaciones si la Unión Soviética no comprendía que había sido un acto personal, absolutamente libre. Acepté ver por última vez a Troianovski, primordialmente para tratar de conseguir a través de él lo que más deseaba: garantías para el futuro de mi familia.

La reunión se realizó, igual que la anterior, el domingo por la noche en el despacho de Ernest Gross. Por segunda vez, la caravana atravesó las calles vacías del distrito comercial de Manhattan hasta el desierto rascacielos y la sala de conferencias del abogado. Esta vez sólo asistió, por parte soviética, Oleg Troianovski.

Tenía el rostro enrojecido y se notaba que estaba muy tenso, aunque mantenía la compostura. Gracias a Gross, que constantemente me recomendaba serenidad, yo también logré mantener una apariencia serena. Pero me irrité cuando Troianovski se refirió a mi «infortunada... decisión accidental». Me dejó entender que aún no era demasiado tarde para que «reconsiderara el asunto» y regresara a la Unión Soviética. Respondí que jamás volvería.

Formuló una amenaza velada:

–Cada día que pase, las posibilidades de que pueda regresar disminuirán.

Insistí en que no cambiaría de opinión.

Lo que yo quería obtener por escrito –garantías para Lina, Guennadi y Anna– no podían dármelo. Sólo estaban dispuestos a hacerlo de forma verbal e indirecta.

–No es posible una negociación al respecto –dijo–, porque nadie va a perseguir a su familia. Ellos no tienen nada que ver con su decisión.

Le miré con disgusto cuando dijo que mi familia estaba amparada por las leyes soviéticas. Sabía que esas leyes podían ser ignoradas en cualquier momento por orden de la KGB, o intencionadamente malinterpretadas con finalidades políticas. Pero Gross, sabiamente, dijo que las afirmaciones de Troianovski sonaban «como una seguridad... a sus oídos de abogado». El embajador afirmó que se trataba de una «declaración de hecho», pero que quedaba implícito el compromiso de que Lina mantendría sus propiedades y estaría a salvo de represalias. Ésa era la única seguridad que podía obtener. Debía conformarme con ella, apoyada por la cinta magnetofónica que la contenía.

También debía conformarme con seguir esperando el acto final de mi vida diplomática. Como muchos otros sucesos de ese mes, se realizó por la noche, tarde, en un edificio casi vacío y en una atmósfera de tensión y de incertidumbre.

El 25 de abril, nueve días después de mi última reunión con

Troianovski, Gross llamó para decirme que Waldheim había regresado de Europa, que deseaba verme, y que estaba de acuerdo con mi petición de que la reunión tuviera lugar en su despacho, como correspondía a mi situación oficial. Fui aquella misma noche al edificio de las Naciones Unidas, y dejé afuera a mis guardias norteamericanos mientras entraba al garaje del sótano. Los encargados de seguridad de las Naciones Unidas me escoltaron hasta el despacho del secretario general, en el piso treinta y ocho. Excepto por los hombres uniformados que me escoltaban, por Ferdinand Mayrhofer, que me dio la bienvenida, y por el mismo Waldheim, el enorme edificio de oficinas estaba vacío. El ruido y la actividad incesantes que me habían acompañado durante tantos años se habían detenido. El silencio era deprimente.

Waldheim se puso de pie para saludarme; se notaba que estaba tenso. Su primera pregunta demostró su incertidumbre.

–Nadie le ha obligado a hacerlo, ¿verdad? –preguntó.

–Kurt –respondí–, si hubiera habido alguna presión, ¿cree usted que estaría aquí ahora? –Le aseguré que no quería crearle dificultades insistiendo en permanecer en las Naciones Unidas–. No quiero perjudicar a la organización –agregué–. Sé que una separación amistosa es lo mejor para las Naciones Unidas y para mí.

Waldheim se sentó con evidente alivio. Aunque mi abogado y los funcionarios de las Naciones Unidas habían preparado un arreglo que me concedía algo más de setenta y seis mil dólares –pensión, retiro, vacaciones anuales no utilizadas y compensación final–, yo no había confirmado que lo aceptaba. Con mis palabras había resuelto la situación.

–Sabía que usted se conduciría de modo decoroso –dijo–. Nunca lo dudé.

Quedaba por discutir otro asunto. Recordé a Waldheim que había perdido contacto con mi familia y le dije que quizá necesitaría su ayuda para protegerles desde lejos.

–Haré lo que pueda, Arkadi –dijo–, pero usted sabe mejor que nadie que es muy dudoso que pueda hacer algo verdaderamente efectivo.

Mientras hablábamos firmó los documentos pertinentes y me los extendió para que también yo los firmara. Con eso y un apretón de manos, terminaron nuestra conversación y mis funciones. Traté de decirle que había sido un honor trabajar para él y para las Naciones Unidas, pero en aquel momento no podía expresar con palabras mis sentimientos.

Después de despedirme de Waldheim miré por última vez el pequeño pero bien amueblado despacho del secretario general. Cuando vi la bandera azul de las Naciones Unidas, la mesa redonda del café y el cómodo sofá en el que tantas veces me había sentado a su lado durante cinco años, pensé que era muy extraño que mi carrera terminara así. Me gustaba Waldheim y me había gustado mi trabajo en la ONU. Lamentando no poder seguir formando parte de las Naciones Unidas, abandoné el despacho de Waldheim y fui con Ferdinand Mayrhofer al mío.

Allí señalé los libros y archivos que me pertenecían; luego los guardias los separaron y empezaron a empaquetarlos. Mientras trabajaban miré las paredes y las ventanas, las luces de Nueva York y el mapamundi, y mentalmente fui desde mi atareado pasado, que ahora se estaba desmantelando, hacia mi incierto futuro. En ese edificio, pensé, había hecho muchos amigos, hombres y mujeres muy respetados en sus países. Habíamos trabajado juntos en épocas difíciles, tratando de aumentar las posibilidades de supervivencia del planeta. A pesar del interés que habíamos puesto, habíamos podido hacer muy poco. Sin embargo, nuestro esfuerzo valía la pena. Valía la pena trabajar por la paz.

Me dolía abandonar aquella tarea, y me dolía aún más por hacerlo de un modo tan furtivo.

Mayrhofer interrumpió mis pensamientos melancólicos.

–Ya estamos listos. Más tarde terminaremos de empaquetar –dijo–. ¿Adónde quiere que le enviemos las cajas?

Miré a mi alrededor como si de los muebles familiares pudiera brotar una respuesta.

–No lo sé –dije después de una larga pausa.

Mayrhofer comprendió.

–No se preocupe –dijo–. Lo guardamos todo en lugar seguro hasta que usted lo reclame. Buena suerte.

Volví al garaje en un ascensor vacío, salí a la calle vacía y me condujeron a una habitación vacía de hotel en Nueva Jersey. Me sentía profundamente desanimado. Empecé a comprender que esa situación podía alargarse mucho tiempo. Me había separado de los dos mundos que conocía y a los que pertenecía: mi patria y las Naciones Unidas. Ya empezaba a sentir nostalgia de ambos. Mis amigos quedaban definitivamente separados de mí. Tenía que encontrar un nuevo mundo, pero ¿cómo? Debía buscar nuevos amigos, pero ¿dónde? En ese momento sólo tenía cuarenta y siete años, y sin embargo me sentía muy viejo, y muy solo.

Epílogo

El 20 de abril me llevaron a Washington, D. C. El motivo del traslado era facilitar el que varios funcionarios del gobierno y yo pudiéramos mantener largas conversaciones, pero para mí significaba un nuevo alejamiento del terreno familiar. Me sentía angustiado por Lina, no sabía si volvería a ver a Guennadi y a Anna ni si podría afrontar una nueva vida en una ciudad extraña.

Cuando llegamos a Washington, Bob y Carl, que residían en Nueva York, me presentaron a sus sustitutos, Lee Andrews, de la CIA, y Sandy Greenfield, del FBI. Ya habían decidido llevarme a una casa custodiada por la CIA en las afueras de la ciudad.

–¿Por qué debo ir a una casa custodiada? –pregunté–. Ustedes saben que no pienso vivir escondido.

Respondieron que sólo era una medida temporal y me recordaron que las primeras semanas eran las más peligrosas.

La casa era muy bonita. Su apariencia exterior era la de cualquier casa de zona residencial, bien cuidada. Estaba rodeada de árboles en flor y de las azaleas que dan justificada fama a la primavera de Washington. Yo disponía de un dormitorio y de un estudio. La cocinera, nacida en Europa oriental, conocía los relatos rusos que tanto me gustaban. Nadie me impulsaba a hacer nada de prisa. Tuve por fin tiempo para mí mismo, tiempo para recuperarme.

Había llegado a Washington sólo con la ropa que vestía, algunas camisas y ropa interior. Una noche, antes de salir de Nueva York, Bob Ellenberg y yo regresamos a mi apartamento de la calle Sesenta y Cinco por una puerta trasera y descubrimos, como los norteamericanos esperaban, que los soviéticos se habían llevado todas mis pertenencias. Las habitaciones estaban vacías. Las ropas, los libros, los muebles, los recuerdos, hasta los utensilios de cocina, habían desaparecido, como Lina, como si todo fuera propiedad del Estado soviético.

Dije a Greenfield que necesitaba algo de ropa.

–Un momento, Arkadi –respondió–. Deberíamos hacer algunas cosas antes.

Me explicó que no sería inteligente que me presentara en público sin un disfraz, al menos durante algún tiempo.

–¿Para qué esa mascarada? Usted estará conmigo en todo momento –protesté.

Insistió en que usara por lo menos gafas oscuras y un bigote falso. Finalmente acepté. Aunque bromearon mientras me disfrazaba, sabía perfectamente lo que pensaban. Yo era un posible blanco para un asesinato o un secuestro por parte de los agentes de la KGB, muchos de los cuales tenían su base en Washington.

Mientras hacíamos las compras me sentí tonto e incómodo, y cuando regresamos a la casa decidí que no volvería a disfrazarme. No había pasado tantos años como espía de los Estados Unidos para recluirme en un temeroso incógnito. Sabía, aunque no me gustara pensar en ello, que vivir al descubierto en los Estados Unidos implicaba cierto riesgo; pero yo había considerado siempre que ese riesgo formaba parte del precio de mi libertad.

No cesaba de pensar en mi familia y de preguntarme si había alguna posibilidad de reunirme con ellos. Poco después de establecerme en mi nueva casa, recibí mis libros y archivos desde las Naciones Unidas, tal como Mayrhofer me había prometido. También había algunas fotos familiares que yo tenía en mi despacho, y pasé mucho tiempo mirándolas. Quería hacer todo lo posible para restablecer el contacto con Lina y con mis hijos, pero descubrí que el gobierno de los Estados Unidos no podría ayudarme en ese empeño. Había también muchos otros asuntos prácticos para los que necesitaba ayuda. Decidí contratar a un abogado local.

Los agentes del gobierno me proporcionaron la dirección de media docena de abogados de Washington. Uno era William Geimer, que había trabajado en el Departamento de Estado. Me pareció que por sus antecedentes estaba capacitado para comprender mi situación.

Al principio pensaba entrevistarme con varios abogados de esa lista, pero cambié de idea durante mi reunión con Geimer. Su actitud serena y profesional me impresionó. Sentí instintivamente que podía confiar en él; que no sólo me daría buenos consejos, sino que quizá llegaríamos a ser amigos. Ahora, mirando hacia atrás, veo que necesitaba la amistad tanto como el consejo. Quería un abogado que me representara personalmente y, además, que se ocupara de mi bienestar general.

Empecé a sentir mayor confianza en mi futuro, pero ese optimismo duró poco. El 11 de mayo, muy temprano, Lee Andrews llamó a la puerta de mi dormitorio.

–Arkadi, ¿puede bajar en seguida? –dijo–. Tenemos malas noticias.

Me pregunté qué podía haber ocurrido. De las diversas posibilidades que atravesaron mi mente mientras bajaba las escaleras, ninguna se acercaba a la verdad.

Sandy Greenfield aguardaba en la sala. Tanto él como Andrews aparecían rígidos y solemnes.

–Arkadi, Lina ha muerto.

Fue un golpe terrible. Era una noticia asoladora. ¿Lina *muerta*? No pude creer lo que decía el recorte de periódico que me dieron. Estaba fechado en Moscú y había sido publicado por el *Evening News* de Londres, con la firma de Victor Louis, un ciudadano soviético cuya vinculación con la KGB hacía que fuera una valiosa fuente de información para la prensa occidental. Sólo escribía lo que Moscú le autorizaba a escribir y en el momento adecuado. Un artículo suyo de octubre de 1964 había sido el primer anuncio de la expulsión de Nikita Jruschov.

Según el artículo, mi esposa se había suicidado. Yo podía creer que estuviera muerta, pero jamás creería que se había suicidado. Lina se mostraba a veces desanimada y en ocasiones deprimida, pero nunca había permitido que esas emociones la dominaran. Su reacción más típica era la furia. Estallaba de vez en cuando y luego se sentía mejor. Era una mujer fuerte, decidida a superar los obstáculos y a obtener lo mejor de la vida. Jamás cedería a un impulso de suicidio o de rendición.

Pero ¿qué podía haber sucedido? He llegado a la conclusión de que la persuadieron con engaños a regresar a Moscú, probablemente con la promesa de que el gobierno soviético haría que yo también regresara. Cuando comprendió que yo no volvería a la Unión Soviética, y que a ella jamás se le permitiría vivir conmigo en los Estados Unidos, quizá reaccionó con violencia ante la persona equivocada. No me sorprendería que hubiera amenazado con revelar muchos de los sórdidos secretos que conocía sobre las vidas de importantes funcionarios soviéticos. Se habría convertido así en una amenaza para varias carreras y, por lo tanto, en una candidata a la eliminación por parte de la KGB. ¿Podrían haberla asesinado para protegerse y quizás, al mismo tiempo, para castigarme? Conociéndoles como les conozco, me inclino a pensar que eso es lo que ocurrió.

A lo largo de los años oí muchas veces que la KGB utilizaba el asesinato «médico» para eliminar a políticos y otras personas «indeseables». Era una solución tajante y definitiva. Frecuentemente había oído hablar de recursos semejantes. Por ejemplo, se decía en círculos moscovitas que la muerte de Maxim Gorki y las de algunas figuras políticas principales, como Andrei Zhdanov, en la época de Stalin, no habían sido naturales. También se decía que eso mismo les ocurría a personas menos famosas pero que podían crear problemas.

El día siguiente, lleno todavía de furia y angustia, llamé por teléfono a la embajada soviética de Washington y logré hablar con Anatoli Dobrinin.

–Dígame la verdad –supliqué–. ¿Qué le ha ocurrido a mi esposa?

–No sé más que usted –respondió fríamente–. Las únicas informaciones que tengo son las que he leído en la prensa norteamericana.

Pensé en mis hijos. ¿Qué les habría ocurrido? ¿Estaban seguros? ¿Qué pensaban? No abrigaba temores con respecto a Guennadi; era un hombre independiente, tenía un buen trabajo y una esposa bien relacionada. Pero... ¿y Anna, que vivía en nuestro apartamento con su abuela? Les envié cartas y telegramas, pero no obtuve respuesta; seguramente nunca los recibieron. Guennadi me escribió hacia finales de mayo una carta seca redactada no para mí, sino para los funcionarios soviéticos, que seguramente buscarían en ella algún vestigio de simpatía.

El 23 de mayo escribí a Gromiko. Le pedía que el gobierno soviético me permitiera encontrarme con mi hija. No hubo respuesta. Ansiaba comunicarme con Anna para saber si quería reunirse conmigo en los Estados Unidos. Si era así, yo haría lo imposible por traerla. Mis amigos del gobierno no podían hacer nada en este sentido, de modo que me dirigí a Bill Geimer. Él me ayudó a escribir solicitudes al presidente Carter y al secretario de Estado, Cyrus Vance. Sus respuestas fueron corteses y amables: creían en la familia, me transmitían sus buenos deseos, pero no podían hacer nada.

Decidí actuar por mi cuenta. Geimer se ofreció a ir a la URSS para tratar de hablar con Anna. Fue a la embajada soviética a pedir un visado, y aseguró a los diplomáticos soviéticos que no nos interesaba en absoluto obtener publicidad ni crear problemas. Prometió que si se le permitía ver a Anna no la presionaría. Simplemente le diría que yo estaba bien y le preguntaría si quería venir de visita a los Estados Unidos. Jamás recibimos respuesta.

Todavía no he perdido la esperanza de ver nuevamente a Anna. Pero comprendo que el más cruel castigo que puede aplicarme la Unión Soviética es mantenerla separada de mí.

Pasó algún tiempo antes de que yo pudiera recuperar la normalidad suficiente para empezar lo que serían meses y meses de desinformación. (Por qué denominar a este proceso «*des*información» siempre ha sido un misterio para mí. Hasta donde se me alcanza, *yo* estaba proporcionando información.)

Ese trabajo se llevó a cabo mediante conversaciones más extensas y satisfactorias que todas las anteriores. En Nueva York solía tener prisa, a veces estaba nervioso y nunca sabía con seguridad qué detalles necesitaban conocer Johnson o Ellenberg para comprender el significado de un cambio de personal o un cambio político aparentemente trivial en Moscú. Pero los expertos de Washington tenían el tiempo suficiente, el deseo de analizar los asuntos soviéticos en profundidad, el conocimiento necesario para formular las preguntas adecuadas y para comprender mis respuestas sin demasiadas explicaciones, y suficiente familiaridad con la lengua rusa para ayudarme a encontrar la frase precisa que describiera matices y a recordar muchas cosas profundamente sumergidas en mi memoria. Nuestras conversaciones, se refirieran a la política exterior soviética, al control de armamentos, a las ambiciones generales del Kremlin o a las personalidades y maniobras de los líderes principales, eran sumamente estimulantes.

Las personas con quienes traté eran corteses y pacientes. Digo pacientes porque tiendo a hablar extensamente. La única queja que tengo del proceso de información es que se eternizaba. Pero no se parecía en nada a las historias que la KGB nos había contado a mí y a otras personas sobre las presiones a que la CIA y el FBI sometían a los disidentes. Jamás fui apremiado ni conectado a detectores de mentiras ni a otras máquinas, ni siquiera importunado de ninguna otra manera.

Durante el desarrollo de esta tarea, empecé a salir a las calles de Washington con Andrews, Greenfield y otros agentes del FBI. Me interesaba especialmente restaurar mi biblioteca, no sólo porque era necesario para poder ganarme la vida en el futuro, sino también porque era la única actividad que me proporcionaba satisfacción en esos días de dolor y de grandes cambios. La búsqueda de libros ha sido una pasión durante toda mi vida. Pronto descubrí dónde estaban las buenas librerías de Washington y a la vez me fui familiarizando con la ciudad y empecé a sentirme cada vez más en mi casa.

También había empezado a buscar un apartamento, pero tardé mucho tiempo en encontrar uno que me gustara. Siempre he necesitado un entorno acogedor. La atmósfera de la caza empezaba a fatigarme. No era porque los norteamericanos fueran desatentos. Mostraron gran comprensión y me ayudaron mucho durante mis estallidos de furia y mis períodos de depresión. Confiaba en ellos; apreciaba su ayuda y su preocupación. Me gustaban y sin embargo llegó a molestarme su presencia. Eran compañeros y asesores, pero también eran guardianes. Yo siempre había querido ser libre, y en ese momento necesitaba librarme de ellos. Por bien intencionada que fuera su vigilancia, de algún modo me sentía cautivo.

A medida que pasaban los meses, comprendí también que necesitaba un apoyo emocional que ellos no podían darme. Para los agentes de la CIA y del FBI yo sería siempre, antes que nada, alguien de quien ellos eran responsables. Me sentía solo. Ansiaba la compañía de mujeres con quienes poder hablar y que se preocuparan por mí. Cuando hablé de ello con Andrews y Greenfield, no supieron qué responderme. Por muchos recursos que tuvieran la CIA y el FBI, las damas de compañía no se contaban entre ellos. Al principio no encontramos ninguna solución sencilla. No me gustaba la idea de las barras americanas, aunque ya habíamos empezado a ir a los restaurantes de la ciudad, y a veces nos quedábamos a pasar la noche en algún hotel de la zona donde yo consideraba más probable encontrar un apartamento. Pero no me veía a mí mismo buscando una chica en un bar. No había clubes a los que pudiera unirme sin revelar mi identidad y tampoco podía poner un anuncio en la *New York Review of Books:* «Disidente soviético, cuarenta y siete años, busca ayuda femenina para rehacer su vida».

Finalmente, los agentes del FBI sugirieron que probara con un servicio de azafatas. Ellos no harían las llamadas, pero me proporcionarían algunos números de teléfono y se harían los despistados. Así conocí a Judy Chavez.

Al principio me encantó. Le pedí que abandonara a sus otros clientes y que se convirtiera exclusivamente en mi compañera. Aceptó, pero con varias condiciones. Tenía que pagar cuentas de abogado por su divorcio y para defenderse contra una acusación de tenencia de marihuana en Nueva Jersey. Necesitaba dinero y pedía libertad. Después de su frustrado matrimonio, había decidido no aceptar lazos permanentes. Tenía también una hermana enferma a quién debía ayudar, y una madre con quien pasaba los fines de semana. Le ofrecí ayudarla. Podía hacerlo gracias a mi indemnización de las Naciones Unidas y a algún dinero propio que había conservado.

Durante varias semanas creí que ella mantenía su promesa. Me ayudó a instalarme en mi nuevo apartamento, que alquilé con nombre falso. El solo hecho de entrar y salir del edificio sin un guardia de la CIA o del FBI me enorgullecía y alegraba. Empecé a sentir confianza y una renovada energía. El apartamento que había elegido estaba muy cerca de varias librerías de la avenida Connecticut en las que pasaba horas buscando libros para rehacer mi biblioteca.

Yo mismo me ocupaba de cocinar y mantener en orden el apartamento; el resto del día hacía lo que quería. La novedad de la libertad convertía en un placer la más pequeña tarea doméstica.

Sin embargo, muy pronto un problema vino a turbar mi tranquilidad. Me había equivocado ingenuamente al confiar en la sinceridad y las buenas intenciones de Judy Chavez. Vendió la historia de nuestras relaciones a los periódicos y, lo que era peor, reveló mi identidad y mi dirección. Embelleció el relato diciendo que yo le había pagado con dinero proporcionado por la CIA, aunque sabía perfectamente que había usado mis propios medios. Fue un día de fiesta para la prensa. Yo quería demandarla, pero Bill Geimer, que se encontraba en Europa y regresó para ocuparse del asunto, se unió a los funcionarios de la CIA y del FBI para convencerme de que era mejor olvidar el perjuicio que me había causado. Recurrir a los tribunales sólo prolongaría el escándalo, y yo no obtendría ninguna satisfacción. Tenían razón, y el episodio desapareció rápidamente de la atención pública a pesar de que más tarde ella publicó un libro sobre el asunto.

Ahora, al volver la vista atrás me alegro de que ese período de tensión, confusión y errores fuera relativamente breve. La presencia de buenos amigos que me daban todo su apoyo redujo paulatinamente la ira y la humillación que sentía. No creo que las cosas que me ocurrieron entonces fueran muy distintas de las experiencias de otros disidentes. Es importante que una persona que se encuentra en esta situación tenga quien le ayude a defenderse y a serenar sus sentimientos y emociones. Sé que es más fácil decirlo que hacerlo, porque no siempre se encuentran amigos capaces de soportar ese tormento. Los funcionarios del gobierno, a pesar de sus buenas intenciones, no pueden reemplazar una amistad personal. Creo que éste es el motivo de que algunos disidentes soviéticos, que no han tenido problemas financieros ni dificultad para encontrar un trabajo adecuado, sean todavía incapaces de adaptarse a la vida en Occidente y en algún momento de soledad desesperada pierdan las esperanzas y regresen a la Unión Soviética. Estos infortunados nunca serán perdonados, ni siquiera si se les permite –como ocurre a veces por motivos de propaganda– regresar a sus antiguos trabajos; y nunca tendrán la posibilidad de recuperar la libertad.

Yo soy de los afortunados. Encontré buenos amigos y a Elaine, mi esposa, que me ama y para quien son importantes mi éxito y mi felicidad. Encontré a Bill Geimer, que generosamente empleó incontables horas, días y años para ayudarme a construir una nueva vida.

Hace casi siete años que vivo en los Estados Unidos, y durante buena parte de ellos Elaine ha estado a mi lado en el éxito, en la decepción, y a veces en la comedia que sólo otro inmigrante puede comprender totalmente. Mi esposa y yo mantenemos celosamente guardada nuestra vida privada, pero me gustaría, ya que éste es un libro de memorias, contar algunas cosas. Bill Geimer fue, sin proponérselo, nuestro casamentero. Él y su mujer, Maureen, me invitaron a cenar a su casa con algunos amigos: Elaine estaba entre ellos. Nos gustamos de inmediato. Elaine, delgada, sureña, pelirroja, inteligente y bien educada, me cautivó. Hallamos que teníamos muchos intereses en común, desde el arte hasta la política. Normalmente nuestros puntos de vista coincidían, pero incluso cuando diferían, me gustaba la forma directa con que ella defendía sus opiniones. Esa fuerte atracción mutua nos llevó a casarnos a finales de diciembre de 1978, y me trajo el regalo de una suegra con quien mantengo una gran amistad. Fue maravilloso volver a tener una familia. Un año turbulento había terminado con la promesa del sosiego y el progreso.

Pocos meses más tarde, Elaine y yo nos trasladamos a nuestra propia casa. Esa experiencia encerraba problemas complejos y poco familiares para mí. Las ramificaciones de un proceso tan común para muchos norteamericanos sencillamente me mareaban. Una vez más Bill Geimer me ayudó a recorrer el camino misterioso y a veces cómico que lleva a los norteamericanos a convertirse en propietarios. Celebramos el final feliz en un restaurante donde pagué con mi recién estrenada tarjeta de crédito. Mientras la sacaba de mi cartera, Bill dijo que ya me había «convertido en un verdadero norteamericano».

Todavía me faltaba aprender muchas cosas. Nunca pensé que volver a estar en forma para trabajar con eficacia podía llevar tanto tiempo. No estaba preparado para las numerosas dificultades, grandes y pequeñas, que este proceso implicaba.

Había una inmensidad de trámites confusos pero necesarios relacionados con los impuestos, la seguridad social, el coche, los seguros, etc., y sólo era una parte del conjunto de información necesario para saber cómo se vive en los Estados Unidos. En la Unión Soviética no existe un proceso comparable. Sin embargo, a medida que pasaba el tiempo, había que llenar menos formularios y la vida se volvía más natural. Incluso me acostumbré a quejarme del precio de las reparaciones del coche y de la obligación de cortar el césped, como millones de los que serán pronto, así lo espero, mis compatriotas.

Cuando nos conocimos, Elaine era periodista, especializada en temas legales; pero en cuanto empecé a redactar este libro, abandonó su trabajo para ayudarme. No he dejado de sentir ni un solo día la satisfacción de poder decir libremente lo que quiero, por primera vez en la vida, sin necesidad de recordar lo que es política o ideológicamente aceptable.

Trabajo activamente. Doy clases regulares en el Instituto del Servicio Exterior del Departamento de Estado y también a varios grupos de universitarios y empresarios, y escribo para diversos periódicos y otras publicaciones. Continúo asesorando al gobierno con respecto a algunos temas. Además, me propongo desarrollar mis intereses académicos. En una palabra, mi vida se parece cada vez más a lo que siempre he deseado. No me oculto de nadie y no dependo más que de mí mismo.

A principios de 1983 di mi primera conferencia fuera de los Estados Unidos, en Toronto (Canadá). En esa ocasión recibí la primera amenaza de la KGB. La organización que me había invitado a hablar recibió una llamada telefónica anónima amenazando con que habría «grandes problemas si Shevchenko hablaba». Yo había decidido no aceptar nunca más órdenes de la Unión Soviética, y cumplí el compromiso sin que hubiera incidentes.

Me han preguntado varias veces si la KGB significa una amenaza real contra mi vida. Siempre he pensado que podía serlo, pero es un riesgo con el que me he reconciliado desde que me negué a ocultarme. Sé que he sido sentenciado a muerte *in absentia* en Moscú. Disidentes fugados de la KGB me han dicho que se sospechaba que yo trabajaba para la CIA en la primavera de 1978. Me alegra que no estuviera tan desencaminada mi intuición sobre ese telegrama en el que me pedían que regresara a Moscú para «evacuar consultas».

Creo que la mejor manera de afrontar ese peligro consiste en mantenerse públicamente activo. No busco el riesgo. La vida es preciosa para mí. Pero ocultarse no es vivir. Sigo de cerca el desarrollo de la política soviética. Leo libros, revistas y periódicos soviéticos y hablo con otros disidentes. Me propongo continuar estos estudios y dedicarme a los nuevos intereses que me ha traído la libertad durante el resto de mi vida.

Es paradójico, pero característico del sistema soviético, que los recientes cambios en el gobierno sólo hayan producido efectos superficiales en la estructura de poder del Kremlin y en su línea política básica. Tras la desaparición de Leonid Brezhnev y de Yuri Andropov, el gobierno soviético, bajo Constantin Chernenko, persigue las mismas metas de siempre. La elección de Chernenko demuestra sobre todo la resistencia de la vieja guardia del Politburó a admitir que ha llegado la hora de marcharse. Ese grupo, en el que Chernenko comparte la autoridad con otros hombres clave como el ministro de Asuntos Exteriores, Gromiko, no está dispuesto todavía a ceder el poder a una generación más joven. En realidad, la dirección del Kremlin pasa por una etapa de transición desde que Brezhnev quedó incapacitado a finales de la década de 1970. Chernenko está destinado, como Andropov, por su edad, a ser una figura pasajera. Aunque esto no significa que carezca de la autoridad necesaria para gobernar la Unión Soviética. Pero incluso en las circunstancias más favorables no se puede esperar nada nuevo de los viejos oligarcas, sea cual sea el tiempo que les quede.

Ahora, más que nunca, el sistema soviético necesita unos gobernantes más jóvenes, más fuertes y más eficaces. Lo que pueda esperarse de los eventuales sucesores de la vieja guardia dependerá no sólo de sus características personales, sino, hasta cierto punto, de su edad: los hombres de sesenta años tenderán a ser más rígidos y dogmáticos; es probable que los de cincuenta sean más decididos en su acción y dediquen más tiempo a preparar y aplicar su política. Hay candidatos importantes a la sucesión, tanto de sesenta como de cincuenta años. Por haber pertenecido en un tiempo al estrato del cual brotarán los líderes futuros, concuerdo con William Hyland en que «la generación más joven, que se ha visto apartada del gobierno durante años, mientras el grupo de Brezhnev se mantenía con tenacidad en el poder, puede tratar de acelerar la aplicación de nuevas iniciativas políticas». Pero es muy importante comprender, como también dice Hyland, la inercia y la continuidad del sistema soviético y la considerable influencia que ejercerán los fantasmas del pasado sobre cualquier persona que ocupe el Kremlin. Incluso tentativas modestas de reforma encontrarán la vigorosa oposición de los miembros de la élite, tanto viejos como jóvenes, que prefieren el antiguo orden a cualquier otro, quizá porque no creen que pueda haber para ellos otro más beneficioso.

La generación de Brezhnev –bien definida por Robert Ford, el veterano embajador canadiense en Moscú, como «esencialmente antiintelectual, educada de modo apresurado y con frecuencia descuidado»–[1] desaparece lentamente y va siendo sustituida por hombres como Mijail Gorbachov, que no han vivido el período inmediatamente posterior a la Revolución ni han participado en la segunda guerra mundial. Están, en su mayoría, mejor educados, y tienen un conoci-

1. Robert Ford, «The Soviet Union: The Next Decade», *Foreign Affairs,* verano de 1984, p. 1136.

miento más profundo de las complejidades y realidades de la sociedad soviética. No creo que adopten una actitud más agresiva por no haber experimentado personalmente la calamidad de la guerra. Tiendo a pensar que se dedicarán primordialmente a superar el estancamiento económico y social del país, y que comprenderán la necesidad de un desplazamiento de los recursos del sector militar al civil. La expansión militar ha creado desequilibrios económicos estructurales que impiden el crecimiento y el desarrollo de las innovaciones en la industria, la agricultura y la tecnología. En resumen, yo no excluiría la posibilidad de que empezaran a dedicar cierta atención a la notable idea marxista-leninista de que el socialismo debería servir como un ejemplo de buen desarrollo interno para otros pueblos, lo que ciertamente no ocurre ahora.

Conviene, sin embargo, incluir aquí una consideración de carácter general. Durante años se ha pintado la economía soviética con tonos sombríos, y cada nuevo problema parece alentar predicciones pesimistas sobre la longevidad y la viabilidad futura del sistema. Pero a pesar del deterioro económico y de otras deficiencias, nadie debería engañarse con respecto a la durabilidad del régimen. No hay duda de que la Unión Soviética está atravesando un período de graves dificultades dentro y fuera de sus fronteras, pero ha superado otras veces problemas más graves. Posee una inmensa riqueza natural y vastos recursos humanos. En lo que concierne a su capacidad de soportar siglos –no décadas– de duros trabajos y privaciones y de perseverar a pesar de todo, el pueblo soviético no puede compararse con ninguna otra nación de la Tierra, excepto quizá con la China.

Por lo tanto, Occidente no debe engañarse concentrando su atención sólo en los fallos. También ha habido éxitos. Es prematuro predecir una declinación inminente de la Unión Soviética y de su imperio; para poder aceptar en términos realistas esta idea, las cosas deberían empeorar considerablemente.

Ni la Unión Soviética se reorganizará adoptando las formas de una sociedad de libre empresa, ni se desintegrará pronto. Y tampoco creo que el desafío soviético al mundo libre sea menos amenazante ahora o que se haya convertido simplemente en un «desafío geopolítico bastante convencional», como sugieren algunos expertos. Exageran la disminución de la fe ideológica entre la población y subestiman el atractivo de la Unión Soviética en Latinoamérica, América Central, África, Asia y otras partes del mundo. Richard Harwood, de *The Washington Post,* plantea muy bien este punto después de su reciente visita a la URSS. Observa que una nueva religión ha nacido en la Unión Soviética, una religión que florece como floreció la religión ortodoxa en el pasado. Por supuesto, esta religión es el leninismo. «Es una religión– escribe Harwood– sostenida por una fe profunda en un bondadoso Padre, Vladimir Ilich Lenin. Como Cristo para los cristianos y Mahoma para los musulmanes, Lenin es para esta sociedad un profeta y un guía sagrado, quizá no divino, pero más que mortal. Creer otra cosa, disentir de la ortodoxia leninista, es la nueva herejía.»[2] Recuerdo qué difícil fue para mí liberarme de la veneración a Lenin, tan profundamente implantada en mi interior desde la infancia.

En lo que se refiere a la amenaza soviética para la paz mundial ahora y en los próximos años, estimo que Richard Pipes ha llegado en pocas palabras a la raíz del problema: «Mientras la *nomenklatura* siga siendo lo que es, mientras la Unión Soviética viva en la ilegalidad, mientras no se permita que las energías de su pueblo se expresen creativamente, no habrá seguridad para nadie en el mundo».[3] Me parece muy dudoso que la *nomenklatura* desaparezca a corto plazo bajo el gobierno de la nueva generación de líderes del Kremlin.

Durante años el Kremlin ha sido internamente conservador hasta el punto de fosilizarse. Sólo se ha esforzado por mantener el *status quo* en la Unión Soviética. En cuanto al mundo exterior, la historia ha sido muy distinta. Durante la distensión, la URSS ha aumentado sus fuerzas militares a un ritmo alarmante, y mucho más allá de cualquier necesidad razonable de defensa. Ha tratado de proyectar su poder y su influencia a todo el mundo. En 1979 dio un paso que no tenía precedentes desde la segunda guerra mundial cuando invadió, utilizando sus propias tropas de combate, un Estado situado fuera del bloque soviético: Afganistán. En el trato que otorga a sus propios ciudadanos, viola sistemáticamente las disposiciones sobre derechos humanos del Acta de Helsinki. La supresión del movimiento Solidaridad en Polonia provocó, como es bien sabido, gran indignación en la comunidad internacional, lo mismo que la muerte de doscientos sesenta y nueve pasajeros civiles de un avión de las líneas aéreas de Corea del Sur.

Estos hechos destacan la importancia de algunas cuestiones a largo plazo referidas a la era nuclear. ¿Puede ser el Kremlin tan imprudente con su arsenal nuclear como lo ha sido con sus fuerzas convencionales? ¿Existe un conflicto de intereses entre la dirección política y la dirección militar soviéticas? Si es así, ¿dominan los militares, y llevan al Politburó hacia una especie de bonapartismo, como han sugerido algunos observadores? En este sentido, no me canso de repetir que *no* hay desacuerdos entre los líderes soviéticos, políticos o milita-

2. *The Washington Post*, 23 de septiembre de 1984.
3. *Foreign Affairs*, «Can the Soviet Union Reform?», otoño de 1984, p. 59.

res, jóvenes o viejos, en cuanto a sus metas finales. Consideran el desarrollo del mundo en los términos de una lucha continua entre dos sistemas sociales y políticos opuestos. Creen en la victoria inevitable, aunque a largo plazo, del socialismo al estilo soviético, en el curso de lo que llaman «el desarrollo objetivo» de la sociedad humana. Pero no se proponen conseguir esta victoria mediante la guerra nuclear.

La guerra nuclear sólo sería un recurso desesperado. Los soviéticos la iniciarían únicamente si estuvieran absolutamente convencidos de que está en juego la existencia misma de la nación y de que no hay ninguna otra alternativa.

Al mismo tiempo, al proyectar su poderío militar de modo cada vez más agresivo, Moscú favorece el riesgo de que los conflictos convencionales y las confrontaciones con Occidente inicien una escalada fuera de control. Tanto entre los ideólogos como entre los militares hay quienes están dispuestos a aceptar esos riesgos.

No veo cómo los militares o el personal de seguridad, a pesar de la influencia que poseen, podrían usurpar el control del Partido. El poder supremo en la Unión Soviética radica incuestionablemente en el Partido; la cúspide está en el Comité Central y en el Politburó. Cualquier tendencia bonapartista de un líder presente o futuro recordaría inmediatamente, a quienes ocupan los cargos principales del Partido, los casos de Gueorgui K. Zhukov y de Lavrenti P. Beria, que intentaron poner al ejército o al aparato de seguridad por encima del Partido, y fracasaron. La reciente destitución del influyente mariscal Nikolai Ogarkov bien puede ser una señal para que los militares comprendan que lo mejor que pueden hacer es quedarse en su sitio. En última instancia, las fuerzas militares y de seguridad son instrumentos del Partido; y éste no permitirá que la situación cambie.

Occidente debe negociar con la Unión Soviética, le guste o no. Hay justificaciones más que suficientes: la URSS y los Estados Unidos ocupan posiciones de poder únicas que afectarán inevitablemente el futuro de la humanidad. Aunque el Este y el Oeste apliquen diferentes reglas de juego, es imperativo, para evitar el cataclismo, mantener el diálogo con la Unión Soviética, buscar arreglos prácticos y razonables, e incluso la cooperación allí donde nuestros intereses coincidan. Esa cooperación es esencial para resolver problemas muy importantes, como evitar una guerra nuclear accidental y la proliferación nuclear, reducir las amenazas militares y obtener avances con respecto al control de armamentos. Es necesario resolver las situaciones críticas que aparecerán inevitablemente de vez en cuando, sea cual sea el estado de las relaciones soviético-norteamericanas.

En ocasiones, los Estados Unidos carecen de la firmeza necesaria para tratar de modo persuasivo con la Unión Soviética. La política norteamericana con respecto a la URSS parece saltar de un extremo a otro. Sin embargo, jamás he dudado de que los Estados Unidos son la única potencia capaz de obligar a Moscú a moderarse, si los líderes norteamericanos no olvidan una vieja lección válida en todo momento: lo que mejor comprenden los hombres del Kremlin es el poderío militar y económico, una firme convicción política, y la fuerza de voluntad. Si Occidente no puede enfrentarse a la Unión Soviética con esta misma determinación, Moscú continuará su política desafiante en el mundo.

La verdad es el arma más efectiva contra las falsedades sobre las cuales está construido el sistema soviético, contra los mitos que se han difundido en todo el mundo. La verdad es también la única fuerza que puede desvelar el secreto con el que los líderes soviéticos encubren la realidad de su sistema y de sus intenciones.

He tratado de decir la verdad. He buscado la verdad sobre mí mismo, sobre este país que he llegado a amar, sobre el régimen que he aprendido a conocer y a odiar. Espero haber contribuido a poner en evidencia sus mentiras, a debilitar su atractivo, y a acercar el día en que el pueblo al que sigo perteneciendo sea también libre para decir abiertamente la verdad y que todo el mundo la escuche.

Este libro se acabó de imprimir en los
Talleres Gráficos de Litografía Rosés
el día veinte de enero de mil novecientos ochenta y seis